Bernhard Schimmelpfennig

DAS PAPSTTUM

Bernhard Schimmelpfennig

DAS PAPSTTUM

Von der Antike bis zur Renaissance

6. Auflage

Bibliographie bearbeitet und aktualisiert
von Elke Goez

Einbandgestaltung: Finken & Bumiller, Stuttgart

Einbandbild: Kaiser Konstantin überreicht Papst Silvester I. das Phrygium.
Fresko, Mitte 13. Jh., SS. Quattro Coronati, Rom. Foto: picture-alliance.

6., bibliografisch aktualisierte Auflage 2009

1. Auflage 1984
Die Herausgabe dieses Werkes wurde
durch die Vereinsmitglieder der WBG ermöglicht.
Gedruckt auf säurefreiem und alterungsbeständigem Papier
Printed in Germany

Besuchen Sie uns im Internet: www.wbg-wissenverbindet.de

ISBN 978-3-534-23022-8

INHALT

Vorwort VII

Vorwort zur 6. Auflage X

I. Die römische Gemeinde vor Konstantin dem Großen 1

1. Die apostolische und nachapostolische Zeit (bis ca. 110/130 n. Chr.). 2

2. Die frühkatholische Zeit (bis ca. 312/313). . . . 7

II. Papsttum und Rom bis zum Tode Theoderichs (526) 16

III. Das Papsttum unter byzantinischer Herrschaft (bis 774) 59

1. Das Papsttum bis Konstantin I. (715) 60

2. Von Gregor II. bis zum Ende des Langobardenreiches (715–774) 87

IV. Das Papsttum unter karolingischer Herrschaft (774 bis 904) 100

V. Das Papsttum unter dem Einfluß des römischen Adels (904–1046) 122

VI. Das Papsttum während des sogenannten 'Investiturstreits' (1046–1123) 147

VII. Der Ausbau der päpstlichen Autorität (1124–1198) 170

VIII. Das Papsttum auf dem Höhepunkt seiner Macht (1198 bis 1303) 191

IX. Das Papsttum in Avignon (1303–1378) 223

X. Schisma und Reform (1378–1447) 246

XI. Restauration und Renaissance (1447–1534) 266

Zusammenfassung und Ausblick 291

Auswahl-Bibliographie 299
I. Allgemeines 301
II. Literatur zu den einzelnen Kapiteln 315

Verzeichnis der römischen Bischöfe und Päpste von Petrus bis zu Clemens VII. 369

Register 381

VORWORT

Das Papsttum ist die einzige Institution, welche die antike und mittelalterliche Vergangenheit Europas mit der Gegenwart verbindet. Auf die europäische Geschichte hat das Papsttum vielfach einen maßgebenden Einfluß ausgeübt. Daher fasziniert es auch viele, die ohne religiöse Intentionen den Zugang zu vergangenen Epochen suchen. Und so erstaunt es nicht, daß gerade auch zahlreiche nichtkatholische Historiker einen großen Teil ihrer Forschung der Papstgeschichte gewidmet haben und noch widmen.

Die historisch-kritische Erforschung der Papstgeschichte setzte verstärkt mit der Öffnung des Geheimen Vatikanischen Archivs durch Papst Leo XIII. im Jahre 1881 ein, denn anschließend wurden in Rom zahlreiche ausländische Forschungsinstitute gegründet, die als Hauptbasis ihrer Vorhaben die Bestände des Vatikans wählten. Demzufolge sind auch die vielbändigen Papstgeschichten in deutscher Sprache – sehen wir einmal von Leopold v. Ranke ab – erst seit dem Ende des 19. Jahrhunderts erschienen.

Den Zeitumständen entsprechend waren – und sind z. T. noch heute – die Forschungsschwerpunkte von nationalen Aspekten bestimmt worden: deutsche Historiker befaßten sich häufig mit dem Papsttum während der Blüte des Kaisertums von Karl dem Großen bis zum Ende der Staufer, französische Historiker betonten das 14. Jahrhundert, als die Päpste im heute zu Frankreich gehörenden Avignon residierten, während Italienern dieselbe Zeit seit Petrarca als 'Babylonisches Exil' der Kirche galt. Außer von nationalen Interessen wurde die Forschung häufig von der Auseinandersetzung um das Dogma von der Unfehlbarkeit des Papstes in Fragen von Glaube und Sitte geprägt, das 1870 auf dem 1. Vatikanischen Konzil definiert worden war und heftige Kontroversen – gerade auch zwischen Historikern – hervorgerufen hat. Bei Italienern 'laikaler' Prägung sind noch andere Vorbehalte zu erkennen, die darauf zurückzuführen sind, daß das Papsttum bis 1870 der Einigung Italiens im Wege stand und sich später als Partner Mussolinis erwies.

Noch heute ist jeder Papst 'Bischof von Rom', 'Patriarch des Westens', 'oberster Hirte der Universalkirche'; damit macht er Ansprüche, Rechte und Pflichten geltend, die in der Spätantike und im Mittelalter errungen und seitdem bewahrt worden sind. Historisch gesehen ist der erstgenannte Titel der älteste und für das erste Jahrtausend auch der wichtigste. Doch selbst zu der Zeit, als die Päpste schon anerkannte Leiter der westlichen Kirche geworden waren, sind sie häufig von römischen und mittelitalienischen Interessen auch in ihrer sonstigen Politik bestimmt worden. Dementsprechend werden in der Darstellung Bistum und Stadt Rom sowie Mittelitalien angemessen berücksichtigt.

Als Bischof von Rom hatte der Papst jahrhundertelang in Rom vornehmlich als oberster Liturge zu walten. Daher wird im folgenden die Liturgiegeschichte als der politischen, Dogmen-, Rechts- und Verfassungsgeschichte gleichwertig behandelt. Außerdem sind wirtschaftliche und soziale Aspekte ebenso berücksichtigt wie – soweit erkennbar – das Selbstverständnis und die Mentalität der Päpste und ihrer Mitarbeiter, denn nur dann kann die Einbindung des Papsttums in das jeweilige Gesellschaftsgefüge deutlich werden. Und weil – in manchen Papstgeschichten übersehen – die Formulierung von Ansprüchen nicht eo ipso ihre Geltung bedeutete, muß jeweils gefragt werden, wann und inwieweit diese Ansprüche partiell oder allgemein anerkannt worden sind. Insofern unterscheiden sich diese 'Grundzüge' methodisch von vornherein von ekklesiologischen oder spirituell orientierten Darstellungen.

Im Unterschied zu vielen anderen Papstgeschichten sind die einzelnen Kapitel systematisch gegliedert und die häufig im Vordergrund stehenden politischen Auseinandersetzungen der Päpste mit anderen Herrschern nur knapp behandelt, denn sie waren für das Papsttum nicht so wichtig, wie manche Darstellungen suggerieren.

Ein Großteil des Textes erwuchs aus Vorlesungen und Seminaren. Diese machten deutlich, daß selbst katholischen Studenten nicht nur Entwicklungen der Papstgeschichte, sondern auch grundlegende Begriffe der Kirchenstruktur unbekannt sind. Daher wurde versucht, die Begriffe jeweils kurz zu erklären, um dadurch das Verständnis zu erleichtern. Hingegen mußte leider darauf verzichtet werden, die allgemeine politische Geschichte oder andere Bereiche der Kirchengeschichte (Konzilien, Häretiker u. a.) stärker zu berücksichtigen; das ließ der vorgegebene Umfangsrahmen des Bandes nicht zu.

Daß der Verlag – entgegen seinem ersten Planungsgedanken, die 'Grundzüge' bis in die Gegenwart hinein zu führen – einem Einschnitt zu Beginn der Reformation zustimmte, hat ebenfalls zunächst quantitative Gründe. Doch ist in diesem Zusammenhang vor allem auch zu bedenken, daß bis zum 15. Jahrhundert die meisten Grundlagen für die Geltung des Papsttums in der Neuzeit geschaffen wurden. Und so gesehen wird das Buch sicher auch dem an der späteren Zeit Interessierten zur Orientierung dienlich sein.

Wie bei der Reihe 'Grundzüge' durchweg üblich, ist auf Anmerkungen verzichtet worden; einen partiellen Ersatz bieten die Literaturangaben zu den einzelnen Kapiteln. Reihenbedingte umfangskalkulatorische Gründe veranlaßten, daß auf Karten und Pläne gleichfalls verzichtet und das Register relativ knapp gehalten wurde.

Zum Schluß möchte ich außer den ehemaligen Berliner Kollegen und Studenten, von denen ich zahlreiche Anregungen empfing, Ludwig Falkenstein, Aachen, danken, der das Manuskript kritisch las. Dankbar bin ich außerdem den Mitarbeitern am Lehrstuhl für mittelalterliche Geschichte in Augsburg, denn sie halfen mir bei der Herstellung des Manuskripts, beim Korrekturlesen sowie bei der Anfertigung der Bibliographie und des Registers.

ANMERKUNG ZUR 4. AUFLAGE

Für die 4. Auflage wurde eine Aktualisierung des Bandes angestrebt. Um den Band weiterhin zu einem günstigen Preis einer breiten interessierten Leserschaft anbieten zu können, konnte jedoch nicht der gesamte Text umgearbeitet werden. Daraus resultierte der Kompromiß, Fehler im vorhandenen Text und in der Auswahlbibliographie zu korrigieren und die Bibliographie durch einen umfangreichen Nachtrag um die wichtigsten Neuerscheinungen zu ergänzen.

VORWORT ZUR 6. AUFLAGE

Seit dem 15. Jahrhundert feiert die römische Kirche alle 25 Jahre ein „Heiliges Jahr", einen *annus iubileus*, in dem die Gläubigen einen vollkommenen Ablaß erlangen können. Auch für dieses Buch kann heuer ein Jubiläum gefeiert werden, wurde es doch 1984 erstmals veröffentlicht. Genaugenommen, entspricht das Jubiläum des Buches mehr der Historie als das des Verlages (60jähriges Firmenjubiläum). Doch hat auch dieses für den potentiellen Leser und (hoffentlich) Käufer den Vorteil, daß der Band zu einem erschwinglichen Preis erworben werden kann.

Die 25 Jahre waren für seinen bisherigen Verkauf eine gesegnete Zeit, erlebte er doch in deutscher Sprache 5 Auflagen; und seit 1992 kann man ihn in englischer, seit 2006 in italienischer Sprache lesen. Daß dies möglich wurde, ist vor allem den Freunden und Kollegen Robert L. Benson und Robert Somerville (amerikanische Ausgabe) sowie Agostino Paravicini Bagliani und Roberto Paciocco (italienische Ausgabe) zu verdanken.

Natürlich hätte es sich geziemt, das Jubiläum mit einer Überarbeitung zu feiern. Ein monatelanger Aufenthalt in drei Kliniken nebst Folgen machte dieses Vorhaben – leider – unmöglich. Immerhin wurden für die neue Ausgabe die verschiedenen deutschen und italienischen Bibliographien in Übereinstimmung gebracht und durch Neuerscheinungen großzügig ergänzt. Daß sie diese entsagungsvolle Aufgabe übernommen hat, dafür danke ich Elke Goez, der exzellenten Kennerin Italiens, von Herzen.

Selbst habe ich Italien gewöhnlich an der Seite meines *wîpes* Jutta erkundet. Sie starb zu Beginn des letzten *annus iubileus*. Ihrem Gedächtnis sei dieses Buch gewidmet.

I. DIE RÖMISCHE GEMEINDE VOR KONSTANTIN DEM GROSSEN

Die Frühzeit des Christentums ist durch mehrere Faktoren charakterisiert, die sie von allen folgenden Zeiten qualitativ unterschieden: Soweit erkennbar, beschränkte sich die christliche Mission vorwiegend auf das Römische Reich, sie mußte sich daher auf die dort vorherrschenden Strukturen, Gewohnheiten und Denkweisen einstellen. Dies bedeutete zugleich, daß das Christentum am Anfang seiner Entwicklung, als es noch keine in allen Details festgelegte Lehre besaß und sich seine Gemeindeformen erst allmählich herausbildeten, sehr stark von nicht genuin christlichen Phänomenen geprägt wurde. Weil jedoch bis zum Beginn des 4. Jahrhunderts die Christen zuweilen auch als Gegner des römischen Kaiserkultes und damit als Gefahr für den Bestand des römischen Staates galten, lebten sie manchmal außerhalb der Legalität und mußten bereit und gewärtig sein, ihren Glauben mit dem Tode zu bezeugen. Die ersten Verfolgungen waren örtlich und zeitlich begrenzt; erst seit der Mitte des 3. Jahrhunderts, als sich Christengemeinden fast im gesamten Reich etabliert hatten, begannen Verfolgungen, die überregional von den Staatsorganen durchgeführt werden sollten. Diese Pogrome mußten aber scheitern, weil zu dem Zeitpunkt schon etwa 10 Prozent aller Reichsbewohner Christen waren und nicht alle umgebracht oder deportiert werden konnten. Daher war es ein Akt staatspolitischer Klugheit, daß Konstantin der Große und seine kaiserlichen Partner oder Gegenspieler in den Jahren 311 bis 313 durch sogenannte 'Toleranzedikte' das Christentum legalisierten.

Diese frühe Epoche kann in zwei Phasen gegliedert werden. In der ersten lebten noch die Glaubenszeugen, die ihre Lehre von Jesus selbst oder von dessen Jüngern empfangen hatten; die Christen glaubten, die Wiederkunft (Parusie) des Gesalbten (Messias, Christos) stünde unmittelbar bevor. Das bedeutete zugleich, daß die

Künder der Botschaft in den Gemeinden die höchste Achtung genossen und feste, auf Dauer angelegte Formen der Gemeindeleitung noch nicht nötig waren. Als sich jedoch die Christen zu Beginn des 2. Jahrhunderts bewußt wurden, daß die Parusie ausblieb oder noch lange auf sich warten lassen könnte, mußten sie sich ohne Hilfe der schon verstorbenen ersten Zeugen 'in der Welt' auf Dauer einrichten und ihre eigene Identität finden, weshalb jetzt auch stärker als zuvor der Streit um die rechte Lehre entbrannte. Daher ist die zweite Phase dadurch gekennzeichnet, daß man allenthalben einen Kanon der heiligen Schriften aufstellte sowie Bezugsketten zu den ersten Zeugen ('apostolische Sukzession') konstruierte und sich in den Gemeinden schon eine hierarchische Ordnung gab. Diese Entwicklung prägte natürlich auch die römische Gemeinde und die Vorstellungen, die man dort und in anderen Gemeinden von Wirken und Bedeutung des Simon Petrus besaß.

1. Die apostolische und nachapostolische Zeit (bis ca. 110/130 n. Chr.)

Die traditionelle Lehre von der Kirche hat die besondere Stellung des römischen Bischofs vor allem damit begründet, daß er der Nachfolger des Apostels Petrus sei, dem Jesus die Leitung seiner 'Kirche' anvertraut habe (Matthäus 16,18). Diese Auffassung von der engen Verbindung des Petrus mit der römischen Gemeinde läßt sich spätestens seit der Mitte des 3. Jahrhunderts erkennen. Doch steht der Fülle von solchen Zeugnissen, deren Aussagewert jeweils zu prüfen ist, ein auffallendes Desinteresse am Wirken des Apostels zu dessen Lebenszeit gegenüber. Daher muß der Historiker fragen, was wir wirklich von Petrus wissen, damit historische Wirklichkeit und dogmatische Fiktion unterschieden werden können.

In der neueren Forschung ist allgemein anerkannt, daß im Vordergrund der Schriften des Neuen Testamentes die Verkündigung (Kerygma) des mit Jesus angebrochenen Reiches Gottes stand. Für uns ist ersichtlich geworden, daß die Autoren dieser Schriften nicht schreiben wollten, was sie vom Leben und Wirken des historischen

Jesus wußten, sondern was sie von seiner Lehre nach seiner Auferstehung zu Ostern und der darauf folgenden Spendung Heiligen Geistes glaubten. Erst recht war es für sie unerheblich, das tatsächliche Leben der ersten Zeugen, und damit auch des Petrus, zu schildern. Daher verwundert es nicht, daß wir aus diesen Schriften nur wenig über Petrus erfahren. Hinzu kommt, daß die meisten der relativ wenigen Notizen (so vor allem in den Werken, die dem Matthäus und Lukas zugeschrieben wurden) erst Jahrzehnte nach dem Tode des Apostels aufgezeichnet wurden und davon geprägt sind, in welcher Situation ihr Autor jeweils lebte und für wen er schrieb. Von nichtchristlichen Schriftstellern erfahren wir nichts.

Es dürfte sicher sein, daß Petrus zu den ältesten Jüngern Jesu gehört hat und einer der ersten Zeugen seiner Auferstehung gewesen ist. Nach dem Pfingsterlebnis leitete er zusammen mit Jakobus dem Älteren das Kolleg der 'Zwölf', das Führungsgremium der Jerusalemer Christengemeinde, das für den 'Neuen Bund' den zwölf Stämmen des 'Alten Bundes' Israels nachgebildet worden war. Die 'Zwölf' leiteten zwar die Gesamtgemeinde, kümmerten sich jedoch vor allem um die Mission unter den ethnischen Juden in Judäa und Galiläa, also um die Angehörigen der zwölf Stämme. Neben ihnen gab es sieben von der Gemeinde gewählte Beauftragte (später 'Diakone' genannt), die für die Mission unter den 'Hellenisten', den nichtisraelitischen Juden der Diaspora, zuständig waren (z. B. Stephanus). Jedes Mitglied dieser frühen Gemeinde war zumindest theoretisch ein 'Apostel', ein Verkünder der neuen Botschaft; die Gleichsetzung der 'Zwölf' mit den 'Aposteln' erfolgte erst in späterer Zeit. Und bei allen wichtigen Fragen entschied die Gesamtgemeinde, auch wenn den 'Zwölfen', demzufolge auch dem Petrus, wegen ihrer frühen Beziehung zu Jesus ein besonderes Gewicht beigemessen wurde. Daher wandte sich der vom Verfolger zum Verkünder der neuen Botschaft gewandelte Paulus an Petrus, Jakobus und die anderen 'Zwölf', um sich für seine Mission mit ihnen abzustimmen. Aus dem gleichen Grund sandte dieses Gremium Bevollmächtigte (Petrus, Barnabas u. a.) in andere Gemeinden wie Caesarea und Antiochien.

Wohl im Jahr 42 n. Chr. wurde die Jerusalemer Gemeinde zum

erstenmal – wenn man von der Hinrichtung des Stephanus absieht – verfolgt: Jakobus d. Ä. erlitt den Tod, Petrus gelang nur knapp die – später legendär ausgeschmückte – Flucht. Damit war die Gemeinde ihrer Führungsspitze beraubt. Sich immer noch nur als Sondergruppe innerhalb der Juden empfindend, bestimmte sie fortan ihre Leitung analog zu den auf Verwandtschaft basierenden Gewohnheiten der palästinensischen Juden bei der Rekrutierung ihrer Geistlichkeit (Leviten und Hohepriester): An ihrer Spitze standen jetzt Maria, der 'Herrenbruder' Jakobus und deren Verwandte. In diesem Milieu entstanden wohl auch die später im Lukasevangelium und in apokryphen Schriften tradierten Berichte von der Kindheit Jesu und von Leben und Tod Mariens. Doch blieb die Gemeinde in Jerusalem noch für Jahrzehnte das Zentrum der Christen, an die Mitglieder anderer Gemeinden Geldspenden sandten und mit der sie sich über Fragen der Lehre und des Gemeindelebens einigen mußten. Erst mit der Zerstörung Jerusalems durch Titus im Jahr 70 n. Chr., welche die Auflösung der Jerusalemer Gemeinde zur Folge hatte, verlor das Christentum sein bisheriges Zentrum. Es lag daher nahe, daß andere Gemeinden aufgrund besonderer Voraussetzungen im Lauf der Zeit an die Stelle Jerusalems traten.

Vom Leben des Petrus nach seiner Flucht aus Jerusalem ist nichts Sicheres bekannt. Daß er außerhalb Jerusalems missionierte, ist anzunehmen; daß er jedoch dabei bis nach Rom gelangte, ist erst die Anschauung späterer Generationen. Aus dem Brief des Paulus an die Römer geht hervor, daß deren Gemeinde schon vor der Jahrhundertmitte entstanden war, wahrscheinlich inmitten der dortigen, relativ zahlreichen Judengemeinde. Von einem Wirken des Petrus, den Paulus persönlich kannte, berichtet dieser weder im Römerbrief noch in dem später – vielleicht in Rom – geschriebenen Brief an die Gemeinde in Philippi. Unterstellt man dem Paulus nicht Motive der Rivalität mit Petrus, so bleibt nur der Schluß, daß Paulus nichts von dessen Aufenthalt in Rom wußte, Petrus also bis ca. 55. n. Chr. nicht nach Rom gekommen ist. Aber auch aus den folgenden Jahrzehnten ist nichts von einer Tätigkeit des Petrus in Rom bekannt.

Erst um das Jahr 96 n. Chr. berief sich ein Brief, den die römische Gemeinde an die von Korinth schrieb, auf das Wirken von Paulus und Petrus in Rom. Dieser Brief, der hundert Jahre später beinahe in den Kanon der heiligen Schriften aufgenommen worden wäre, ist in verschiedener Hinsicht von Interesse. Absender ist nicht ein einzelner, sondern die gesamte Gemeinde. Demzufolge gab es damals in Rom noch keine einhellig akzeptierte und auswärts anerkannte Spitze der Gemeinde. – Dem Presbyter (später: Papst) Clemens wurde der Brief erst nach der Mitte des 2. Jahrhunderts zugeschrieben. – In dem Brief werden viele Stellen des Alten Testaments und Lehren der stoischen Philosophie zitiert. Dies setzt voraus, daß zumindest der oder die Autoren nicht nur die jüdische Überlieferung, sondern auch die römische Philosophie gut kannten, angesichts der damaligen Verteilung der Bildungschancen also aus relativ hohen Schichten stammten, und daß sich die Gemeinde wohl aus ehemaligen Juden und 'Heiden' zusammensetzte. Von Petrus und Paulus wird nur als bekannt vorausgesetzt, daß sie in Rom wirkten und dort starben. Wie sie wirkten, wie sie starben – und erst recht, wo sie begraben wurden –, wird nicht geschildert. Weil jedoch die Gemeinde selbst am Ende des 1. Jahrhunderts noch keine feste Struktur besaß, wäre es abwegig, Petrus und Paulus oder einen der beiden als Leiter der römischen Gemeinde zu verstehen. Auch der um 110 n. Chr. nach Rom schreibende 'Bischof' Ignatios von Antiochien wußte nichts von einer 'monarchischen' Leitung der Gemeinde, sondern schrieb an diese als 'Kollektiv'. Wir können demzufolge nur annehmen, daß in der römischen Gemeinde des 1. Jahrhunderts wie anderswo 'Geistträger' als Verkünder des Evangeliums wirkten ('Lehrer', 'Apostel', 'Propheten'), zu denen vielleicht auch Petrus und Paulus gehörten, und daß sich andere Gemeindemitglieder ('Episkopen', 'Diakone', vielleicht auch 'Presbyter') um die kultischen und administrativen Belange kümmerten, wobei die 'Geistträger' den Vorrang besaßen.

Nun wurde bekanntlich versucht, die Gräber der beiden Apostel, vor allem das des Petrus, durch Ausgrabungen zu finden, ungeachtet der Tatsache, daß – wie die damals dominierende Parusieerwartung, der sogenannte Klemensbrief und die Situation derer, die der Verfolgung durch Nero entronnen waren, vermuten lassen – Interesse und Möglichkeit, die Leichen von hingerichteten Glaubensgenossen zu bestatten und deren Gräber kenntlich zu machen, ziemlich gering waren. So ist es nicht verwunderlich, daß auch die Ausgrabungen unter St. Peter in Rom keinen eindeutigen Beweis für die Anwesenheit des Petrus in Rom lieferten. – Übrigens boten auch die Funde unter St. Paul keinen aus dem 1. Jahrhundert datierenden Hinweis auf die Anwesenheit des Paulus in Rom, obwohl diese im Gegensatz zu der des Petrus durch schriftliche Zeugnisse gesichert ist. – Zwar stammen einige der unter St. Peter gefundenen Gräber aus dem 1. Jahrhundert, doch wurden in ihnen keine Christen bestattet. Unter der Confessio, wo die Tradition das Grab des Petrus vermutete, fand man Gräber, die andeuten, daß seit der Mitte des 2. Jahrhunderts ein Grab besonders verehrt wurde, da es den Orientierungspunkt für die Ausrichtung der dort gefundenen Gräber bildete. Doch dieses zentrale Grab selbst konnte nicht mehr entdeckt werden. Daher bleibt es offen, aus welcher Zeit dieses Grab stammte und ob es das des Petrus war, von angeblichen Gebeinen des Apostels, die Paul VI. in einem neu angefertigten Reliquiar verehren ließ, ganz zu schweigen. Auch eine an der Grabungsstelle gefundene Inschrift läßt keine sichere Aussage zu, da sie nicht eindeutig zu datieren und der Erhaltungszustand zu fragmentarisch ist.

So bleibt auch nach den Ausgrabungen nur die Erkenntnis, die schon vordem möglich war: Ende des 1. Jahrhunderts glaubte die römische Gemeinde, daß Petrus und Paulus in ihrem Kreise gewirkt hatten; seit der Mitte des 2. Jahrhunderts – als sich die Gemeinden verfestigt hatten und außerhalb Roms die Gräber von Aposteln analog zum antiken Heroenkult verehrt wurden – gab es auch in Rom Erinnerungsstätten *(tropaia)* an die beiden Apostel (an Petrus am Vatikan, an Paulus an der Straße nach Ostia). An diese beiden Stätten knüpfte die spätere Verehrung bis heute an. Diese lokale Verehrung wurde bald darauf auch außerhalb Roms so weit anerkannt, daß kein anderer Ort – selbst Korinth und Antiochien nicht, wo Petrus gewirkt haben soll – für sich beanspruchte, das Grab des Petrus zu besitzen. In der folgenden Zeit malten apokryphe Schriften, die im 3. Jahrhundert überwiegend in Vorderasien entstanden, Leben und Tod des Petrus in Rom legendarisch aus ('Quo-vadis'-Begegnung, Kreuzestod am Vatikan u. a.). Zur gleichen Zeit begann man auch – ebenfalls zuerst außerhalb Roms –, Petrus als den angesehensten Apostel anzuführen, um den Vorrang des römischen Bischofs zu legitimieren.

2. *Die frühkatholische Zeit (bis ca. 312/313)*

Wie schon erwähnt, nötigte das Aufhören der Parusieerwartung die Christen, ihr Gemeindeleben fester zu organisieren. Dieses wurde ihnen von außen her, durch den römischen Staat, dadurch erleichtert, daß seit dem Kaiser Trajan (98–117) die Verfolgung von Christen nur noch dann möglich war, wenn sie formell angeklagt und in einem Prozeß für 'schuldig' befunden wurden. Wichtig für die künftige Entwicklung war außerdem die schon genannte Aufstellung von Personenlisten, die zwecks Legitimierung die jeweilige Lehre einer Gemeinde auf die ersten Glaubenszeugen zurückführten, und die Fixierung eines Kanons von heiligen Schriften, die in den Gottesdiensten verlesen werden durften. Neben der auch sonst zu beobachtenden Anpassung an die Umwelt bewirkten diese beiden Vorgehensweisen, daß Abweichler ('Häretiker') leichter erkannt und aus der Gemeinde ausgeschlossen werden konnten, daß die christlichen Gemeindefeiern kultischen Charakter annahmen und sich allmählich in ihrem Ablauf verfestigten und daß die mehr spontan und inspiriert wirkenden 'Geistträger' zugunsten der von den Gemeinden fest bestellten Amtsträger in den Hintergrund gedrängt wurden und mit der Zeit völlig verschwanden.

So entstand – im Osten früher als im Westen – in der zweiten Hälfte des 2. Jahrhunderts eine Gruppe von Amtsträgern ('Kleros' = 'Los', in personalisierter Bedeutung = von Gott durch 'Los' bestimmte Gruppe), die sich von den übrigen Gemeindemitgliedern unterschieden und untereinander in einem hierarchischen Verhältnis standen. An ihrer Spitze stand der 'Episkop' (*episkopein* = die Übersicht oder Aufsicht besitzen, davon abgeleitet: 'Bischof'). Dieser leitete die Gottesdienste, durfte als einziger neue Mitglieder durch die Taufe in die Gemeinde aufnehmen und sicherte sich schon damals die oberste Aufsicht über Disziplin und Lehre in seiner Gemeinde. Zur Klärung von Fragen der Disziplin und Lehre traf er sich mit anderen Episkopen der gleichen Region, woraus sich die für die Gesamtkirche so wichtige Institution der Synoden (*synodos* = Zusammenkunft) entwickelte.

In seiner Gemeinde führte der Episkop das Kolleg der 'Presbyter' (= Älteste, davon abgeleitet: 'Priester') an. Deren Funktion ist nicht für alle Gemeinden klar zu erkennen. In einer großen Gemeinde wie Rom feierten die Presbyter gemeinsam mit dem Episkopen Gottesdienste an wichtigen Tagen, leiteten Eucharistiefeiern in ihren Teilgemeinden und bereiteten Katechumenen auf die Taufe vor. Bezeugen somit die Presbyter den föderativen Zusammenschluß mehrerer lokaler Gruppen zu einer Gesamtgemeinde, was vor allem in größeren Städten nötig war, so bildeten die 'Diakone' (= Läufer, Diener) mehr den verlängerten Arm des Episkopen in Fragen der Gemeindeverwaltung und karitativen Fürsorge.

Im Rom des 3. Jahrhunderts lassen sich noch weitere Amtsträger erkennen: 'Subdiakone' unterstanden und halfen den Diakonen bei deren Aufgabe, 'Akoluthen' (*akolouthos* = Diener, zum Gefolge gehörend) dienten wohl vor allem der Verbindung zwischen Episkop und Presbytern, 'Exorzisten' (*exorkistes* = Beschwörer) hatten die Aufgabe der Dämonenaustreibung (ein meist vor der Spendung der Taufe vollzogener Akt), 'Lektoren' (= Leser) lasen und sangen liturgische Texte, 'Ostiarier' (= Türhüter) kontrollierten die Zugänge zu den Räumen, in denen Gemeindefeiern stattfanden.

In der Mitte des 3. Jahrhunderts gehörten zum römischen Klerus außer dem Episkopen 46 Presbyter, 7 Diakone, 7 Subdiakone, 42 Akoluthen, 52 Exorzisten, Lektoren und Ostiarier. Diese 155 Kleriker wurden ebenso wie mehr als 1500 Witwen und Hilfsbedürftige von der Gemeinde mit dem Lebensnotwendigen versorgt, sie hatten also wohl ihren Beruf bei der Amtsübernahme weitgehend aufgegeben. Aus diesen Zahlenangaben lassen sich jedoch noch andere Erkenntnisse ableiten: Angesichts der großen Anzahl von Klerikern und Witwen muß das Spendenaufkommen erheblich gewesen sein; und es ist wahrscheinlich, daß der Unterhalt nicht nur aus Spenden, sondern auch aus dem Zinsertrag von Immobilien gedeckt wurde. Damit aber war die Gemeinde bei Verfolgungen auch finanziell leicht zu schädigen. Bei über 150 Klerikern muß die Anzahl der Gläubigen in Rom mehrere zehntausend Personen umfaßt haben. Diese konnten unmöglich alle den vom Episkopen geleiteten Gottesdiensten beiwohnen, waren daher vor allem der Seelsorge der Presbyter anvertraut. Damit war die Entwicklung von partikularen Gemeindegewohnheiten, wie sie vor allem in der Liturgie aus späterer Zeit bekannt sind, vorgegeben. Die Siebenzahl der Diakone und Subdiakone entsprach der für die Diakone in der Apostelgeschichte genannten Zahl. Wohl aus diesem Grunde wurde Rom schon in der Spätantike in sieben kirchliche Regionen gegliedert.

Weitere Details über die römische Gemeinde bieten uns andere Notizen in den Quellen. Spätestens seit dem Ende des 2. Jahrhunderts umfaßte die Gemeinde Angehörige aller Schichten, vom Sklaven, der – wie wohl Kalixt I. – sogar Bischof werden konnte, bis zu meist weiblichen Angehörigen der senatorischen Oberschicht. Auch am Kaiserhof gab es Christen, von denen einige höhere Positionen bekleiden konnten. Allerdings entstanden daraus auch Gefahren, da die beim Sturz einer Dynastie üblichen Säuberungen auch die christlichen Anhänger des gestürzten Kaisers und damit die ganze Gemeinde treffen konnten. Die Führungsschicht der Gemeinde rekrutierte sich vor allem im 3. Jahrhundert immer stärker aus lateinisch sprechenden Christen, während bis dahin – wie auch außerhalb Roms üblich – griechisch sprechende Gemeindemitglieder den Ton angegeben hatten. Zeugnisse für diesen Wandel sind die zahlreichen lateinischen Namen der Bischöfe, Briefe der Kollegien der Presbyter und Diakone aus der Mitte des Jahrhunderts und die Schriften des noch zu behandelnden Presbyters Novatian.

Größe und Struktur der Gemeinde erforderten im 3. Jahrhundert eine umfassendere Verwaltung. Daher wurden wohl nicht nur die Regionen für die Tätigkeit der Diakone und Subdiakone eingerichtet, sondern für die Bestattung Zömiterien (= Friedhöfe) erworben, die zum Teil der Aufsicht der Diakone unterstanden, und wohl schon örtlich feststehende Gebäude für die Gottesdienste benutzt. Darüber hinaus setzte eine Abkehr von den strengen Lebensformen der Frühzeit ein. Weil aus der Oberschicht vorwiegend Frauen der Gemeinde angehörten, das römische Recht jedoch eine vollgültige

Ehe nur rechtlich Gleichgestellten erlaubte, anerkannte Kalixt I. um 220 Verbindungen dieser Frauen mit christlichen Sklaven oder einfachen Freien als Ehen, woraus sich im zivilen Leben Probleme wie die Gefahr der Abtreibung oder Empfängnisverhütung und der Ausschluß der Kinder vom Erbe ergeben konnten. Außerdem schränkte derselbe Bischof die Zahl der sogenannten 'Todsünden', der Vergehen, die den Ausschluß aus der Gemeinde zur Folge hatten, ein und behielt sich generell die Lossprechung von solchen Sünden vor. Zur Begründung seiner Maßnahmen berief er sich auf die Autorität der von ihm eingenommenen *cathedra* (= Lehrstuhl) der römischen Kirche und auf die Aussage Jesu, daß Gott die Spreu vom Weizen sondern werde (Matthäus 13,29f.). Maßnahmen und Begründung zeigen, daß sich schon damals der Bischof eine 'monarchische' Stellung beimaß, sie aber noch nicht mit der Petrusnachfolge rechtfertigte.

Aus den Erlassen Kalixts spricht Verständnis für die Realitäten, doch zugleich eine faktische Mißachtung älterer christlicher Traditionen, beides auch in späteren Zeiten in Rom häufig erkennbar. Allerdings stand die Gemeinde nicht geschlossen hinter Kalixt, wie Schriften des Presbyters Hippolyt gegen ihn bezeugen. Mögen auch Gründe persönlicher Rivalität dazu beigetragen haben, so ist diese Kontroverse doch vor allem ein Symptom für die Wandlungen in der Gemeinde und für die Spannungen in den Führungskreisen (Kalixt war vordem Diakon, Hippolyt Presbyter). Und war Kalixt der realistische Pragmatiker, so Hippolyt der mit den traditionellen Lehren vertraute Theologe und – gemessen an der apostolischen Zeit – zumindest in der Theorie der 'bessere', aber doktrinäre Christ. Der Pragmatiker siegte. Hippolyts Gedächtnis wurde in Rom vorerst getilgt, so daß sein Wirken und seine Werke nur durch Handschriften aus dem Orient bekannt sind. Ob der Konflikt zwischen Kalixt und Hippolyt zu einem Schisma, also zu einer Spaltung der Gemeinde, führte, ist nicht eindeutig zu beweisen.

Ein weiterer Dissens, der in Rom das erste eindeutig feststellbare Schisma bewirkte, entstand nach der erstmals für das ganze Reich geplanten Verfolgung der Christengemeinden unter Kaiser Decius (249–251). Dieser wollte den Kaiserkult stärken, um so die ideologische Einheit des Reiches zu sichern: Jeder Reichsbewohner sollte vor dem Kaiserbildnis opfern. Weil viele Christen im Gegensatz zu früheren Zeiten im Glauben nicht genügend gefestigt waren, gab es unter ihnen zahlreiche 'Gefallene' (*lapsi*). Nicht nur in Rom, sondern auch in anderen Gemeinden waren die Führungsspitzen nicht einer Meinung in der Frage, ob und wie diese 'Gefallenen' wieder in die Gemeinschaft aufgenommen werden sollten. In Rom spitzte sich der Konflikt noch dadurch zu, daß der während der Verfolgungszeit führende Presbyter Novatian 251 bei der Bischofswahl dem pragmatisch handelnden Cornelius unterlegen war. Daraufhin wurde er zum Gegenbischof gewählt und nahm einen immer strengeren Standpunkt ein. Die von ihm geleitete Gemeinschaft der 'Reinen' (*katharoi,* von diesem griechischen Wort vielleicht abgeleitet der Begriff 'Ketzer') fand auch in Nordafrika und im Orient Anhänger und bestand in einzelnen Regionen bis ins 7. Jahrhundert. Wichtig für die weitere Entwicklung ist, daß wegen der Ausbreitung der Novatianer auch außerrömische Gemeinden Stellung beziehen mußten und daß bei diesem Konflikt – ähnlich wie zur Zeit des Kalixt – das auch später in Rom häufig feststellbare Phänomen deutlich wurde: die Bevorzugung pragmatisch handelnder Personen gegenüber der theologisch besser fundierten, aber eher rigoristischen Elite. Ebenso wiederholte sich später häufig die Verunglimpfung des unterlegenen Gegners durch den Sieger, die verbunden war mit einer Tilgung des Namens aus dem liturgischen Gedächtnis (*memoria*) in der Gemeinde.

Daß Cornelius mit seiner Schonung der 'Gefallenen' erfolgreicher als seine Gegner war, zeigte sich, als Kaiser Valerian in den Jahren 257 und 258 die Verfolgungspolitik des Decius wiederaufnahm und durch Androhung der Todesstrafe für Angehörige des Klerus und für christliche *honestiores* (Senatoren, Ritter, hohe Beamte) noch verschärfte. Außerdem wollte der Kaiser durch Konfiskation kirchlicher Gebäude und durch ein Versammlungsverbot das christliche Gemeindeleben unmöglich machen. Trotz dieser harten Maßnahmen gab es weniger 'Gefallene' als unter Decius, im Gegenteil, die Zahl der Martyrer war jetzt größer. In Rom wurden z. B. der damalige Bischof Sixtus II. und sein gesamter Führungsstab, die Diakone, getötet, zu denen der später besonders verehrte Laurentius gehörte. Auch diese Verfolgung erbrachte nicht den vom Kaiser erhofften Erfolg. Daher wurde um 260 unter seinem Sohn und Nachfolger Gallienus den Gemeinden das kirchliche Vermögen zurückgegeben. Und weil in den folgenden vierzig Jahren zumindest in Rom die Gemeinde durch keine Verfolgungen gestört wurde, konnte sie immer neue Anhänger gewinnen und Organisation wie Vermögen ausbauen. Daher mußte letztlich auch die große Verfolgung, die unter Diokletian und Galerius im Jahre 302 begann, scheitern, obwohl auch der römische Bischof Marcellinus zeitweilig vom Glauben abgefallen sein soll und die strenge Bußpraxis seiner Nachfolger Marcellus und Eusebius zu Aufständen in der römischen Gemeinde und zur Vertreibung der beiden Bischöfe führte. Doch deuten diese Konflikte an, daß es sich um Nachwehen der Verfolgung handelte, diese also in Rom schon um 308 beendet war. So war denn auch die römische Gemeinde längst wieder aktiv und in ihrer Organisation stabilisiert, als zwischen 311 und 313, zur Zeit des neuen Bischofs Miltiades, die verschiedenen *Augusti* und *Caesares* in ihren Machtbereichen durch 'Toleranzedikte' die Ausübung des christlichen Glaubens und Kultes offiziell gestatteten.

Doch kam es im letzten Jahrhundert vor dem Ende der Verfolgungen nicht nur zur Vergrößerung und Stabilisierung der römischen Gemeinde, sondern diese Zeit hinterließ zum ersten Mal auch dauernde, noch heute sichtbare bauliche oder in der Liturgie erkennbare Spuren; lediglich die beiden Gedenkstätten für Petrus und Paulus an der Stelle der späteren beiden Basiliken ihres Namens waren älter. Kalixt I. hatte wohl noch als Diakon die später nach ihm benannte Katakombe für die römische Gemeinde erworben; in der Mitte des 3. Jahrhunderts wurde dort eine besondere Gruft für die Bischöfe angelegt, die bis heute erhalten ist. In dem ständig gleichbleibenden Teil der Messe, dem Canon, wurde schon bald der Bischöfe aus der schwersten Zeit, Cornelius und Sixtus, gedacht – ebenso des beliebten Diakons Laurentius –, während legendär überhöhte weibliche Heilige wie Agnes oder Cäcilia und die angeblich ersten Nachfolger Petri Linus, Cletus und Clemens erst später, wohl im 6. und 7. Jahrhundert, in das liturgische Gedächtnis aufgenommen wurden. Ebenso geht auch das wichtigste päpstliche Fest – Peter und Paul am 29. Juni – auf die Mitte des 3. Jahrhunderts zurück. Von diesem Zeitraum an wurden Verzeichnisse mit dem Antritts- und Todesdatum der Bischöfe geführt. Daher ist auch das erste gesicherte Datum zur Geschichte der römischen Gemeinde erst aus dem 3. Jahrhundert überliefert: das Jahr 235. Alle früheren Daten sind fiktiv. Ob seit dem 4. Jahrhundert gebaute Kirchen an der Stelle älterer Kulträume standen, ist abgesehen von St. Peter, St. Paul und S. Sebastiano nicht erwiesen. Daher fehlt auch jede Nachricht darüber, wo der römische Bischof residierte. Doch zeigt sich die Bedeutung des 3. und frühen 4. Jahrhunderts für die römische Traditionsbildung auch darin, daß Kirchen des 4. und 5. Jahrhunderts mit dem Namen damaliger Bischöfe wie Sixtus oder Marcellus – wenn auch z. T. irrig – verbunden wurden, während selbst in dieser Hinsicht die Bischöfe des 2. Jahrhunderts bloße Schemen blieben. Lediglich Clemens wurde seit dem 5. Jahrhundert als vermeintlicher Petrusjünger und -nachfolger zum Kirchenpatron.

Zuletzt sei kurz erörtert, welches Gewicht der römischen Gemeinde vor der sogenannten 'Konstantinischen Wende' außerhalb Roms beigemessen wurde. Die Lösung gerade dieses Problems ist für die historisch-dogmatische Absicherung der späteren Ansprüche des Papsttums besonders wichtig. Doch sind die Zeugnisse so gering und ihre Aussagen so vieldeutig, daß eine in allen Punkten abgesicherte Stellungnahme unmöglich ist. Zur Zeit des Paulus war noch Jerusalem das Zentrum der Christenheit. Wenn also Paulus in seinem Brief an die Römer diese als besonders vorbildlich und stark im Glauben bezeichnete, so muß dies als Lob für die Gemeinde der Hauptstadt aufgefaßt werden. In diesem Licht sind auch Lobsprüche aus dem 2. Jahrhundert – etwa des Ignatios von Antiochien – und zahlreiche Besuche Roms durch Bischöfe, andere Christen und Häretiker zu betrachten: Die römische Gemeinde war wichtig – besonders nach der Zerstörung Jerusalems –, weil sie in der Hauptstadt des Reiches beheimatet war. Dementsprechend waren auch die Gemeinden anderer Großstädte und politischer Metropolen – Antiochiens, Alexandriens oder Karthagos – Zentren der Christenheit in den betreffenden Regionen. Später sollte dieses Prinzip auch angesichts der steigenden Bedeutung etwa Mailands, Ravennas und Konstantinopels zur Geltung kommen. Die Stellung Roms als Reichszentrum war wohl auch einer der Gründe dafür, daß der sogenannte Klemensbrief als unangefordertes Mahnschreiben der römischen an die Korinther Gemeinde von dieser lange als autoritativ rezipiert worden ist. Ein anderer Grund war freilich, daß dieser Brief einem aus der jüdischen Tradition übernommenen Brauch entsprach, denn auch jüdische Gemeinden hatten sich durch Schreiben gegenseitig ermahnt. Als jedoch der römische Bischof Viktor im letzten Drittel des 2. Jahrhunderts versuchte, einen Streit um den richtigen Ostertermin autoritär zu entscheiden, wurde er selbst von Romfreunden wie Irenäus von Lyon heftig kritisiert.

Ein weiterer Anlaß zu einem sich allmählich herausbildenden Vorrang Roms war der Anspruch auf apostolische Sukzession. Dies bedeutete ursprünglich keineswegs, daß die römischen Bischöfe Nachfolger des Petrus im Amte waren; vielmehr sollte mit einem solchen Anspruch zum Ausdruck gebracht werden, daß es seit den Tagen der Apostel immer führende Mitglieder der Gemeinde gegeben hatte, die die rechte Lehre bis auf die apostolische Zeit zurückführen konnten – analog zu anderen Gemeinden wie Antiochien oder Smyrna. Die für Rom wichtigen Apostel waren, wie schon der Klemensbrief zeigt, Petrus und Paulus gemeinsam, nicht Petrus allein. Der Rückgriff auf beide Apostel sollte für das Papsttum zumindest in der Liturgie bis in das späte Mittelalter hinein bedeutend bleiben. Infolge der sich ausbildenden Lehre von der apostolischen Sukzession bürgerten sich zwei Begriffe ein, die in der Lehre vom Papsttum – wenn auch in verengter Bedeutung – bis heute verwendet werden: *cathedra* und *sedes apostolica.* Beide Bezeichnungen sollten in Rom wie auch in anderen Gemeinden unter Bezugnahme auf alttestamentliche und heidnisch-römische Vorstellungen anzeigen, daß der Inhaber des Sitzes in einer bestimmten Lehrtradition stehe, in diesem Fall in der der Apostel. Zuerst außerhalb Roms und ohne Nennung bestimmter Apostel auf die römische Kirche bezogen – so Ende des 2. Jahrhunderts durch den Nordafrikaner Tertullian oder Irenäus, der in Lyon als Bischof wirkte –, wurde vor allem der Begriff *cathedra* seit der Mitte des 3. Jahrhunderts mit Petrus verbunden. Zeugen sind etwa der Bischof Cyprian von Karthago und seine römischen Briefpartner oder Gegner. Von späteren Befürwortern des päpstlichen Primates als erste positive Zeugnisse herangezogen, besagen die Stellen im Kontext bei Irenäus, Tertullian und Cyprian jedoch lediglich, daß es für jede Gemeinde wichtig sei, die gleiche Glaubenslehre zu besitzen wie die Gemeinden mit apostolischer Tradition, unter denen Rom im Westen des Reiches besonders häufig genannt wurde. Und auch wenn seit Cyprian die Stellung Roms mit der später so wichtigen Stelle aus dem Matthäusevangelium 16,18 (:„Du bist Petrus der Fels, und auf diesen Felsen will ich meine Kirche bauen") begründet wurde, sollte lediglich ein besonderer Rang der römischen Gemeinde und ihres Bischofs, nicht jedoch ein Vorrecht bezeichnet werden. Ebensowenig läßt sich aus Aufforderungen nichtrömischer Gemeinden an römische Bischöfe, in gallische oder spanische Konflikte einzugreifen, ein Jurisdiktionsprimat ableiten, wie ihn später die Päpste beanspruchten, denn derartige Ansinnen wurden auch an Bischöfe anderer Gemeinden gestellt. Sobald aber römische Bischöfe wie Viktor, Kalixt, Cornelius und Stephan versuchten, von sich aus in allgemein-christliche Belange einzugreifen, konnten sie sich nur durchsetzen, wenn ihre Forderungen als sachlich gerechtfertigt anerkannt wurden. Ansprüche auf besondere Vorrechte hingegen wurden kritisiert oder zurückgewiesen. Somit kann nur als sicher angenommen werden, daß die römische Gemeinde und ihr Bischof seit dem späten 2. Jahrhundert besonders eng mit der Tätigkeit von Petrus und Paulus in Verbindung gebracht wurden und ein gewisser, noch nicht genau definierter Vorrang vornehmlich in der westlichen Reichshälfte anerkannt war. Doch genügte dies, um in der folgenden Periode die Grundlagen für die herausgehobene Stellung des Papsttums zu entwickeln. Deren Verwirklichung blieb jedoch erst späteren Zeiten vorbehalten.

II. PAPSTTUM UND ROM BIS ZUM TODE THEODERICHS (526)

Dieses und die folgenden Kapitel betonen schon im Titel die Zugehörigkeit des Papsttums zu politischen Herrschaftsbereichen. Damit soll von vornherein angedeutet sein, daß das Papsttum in seiner Existenz und Funktion bis zur Mitte des 11. Jahrhunderts weitgehend von politischen Faktoren geprägt worden ist, die es selbst nur geringfügig beeinflussen konnte. Daß dieses Kapitel mit dem Tode des Ostgotenkönigs Theoderich endet – entgegen der in Papstgeschichten sonst üblichen Einteilung –, läßt sich dadurch rechtfertigen, daß sich der König als Rechtsnachfolger der weströmischen Kaiser ansah und dementsprechend regierte. Mit den nach seinem Tode geführten Gotenkriegen begann die byzantinische und damit zugleich die erste mittelalterliche Epoche des Papsttums.

Hinsichtlich Roms sind das 4. und 5. Jahrhundert vor allem dadurch gekennzeichnet, daß die Stadt in dieser Zeit völlig christianisiert wurde, ihr Bischof zur wichtigsten Potenz innerhalb der Stadt aufstieg und gleichzeitig bedeutende Bestandteile der päpstlichen Primatslehre entwickelt wurden.

Zum Verständnis dieser drei Haupttendenzen sei noch an Gegebenheiten erinnert, die im folgenden immer zu bedenken sind. Bis zum Ende dieser Epoche war Rom die ideelle Hauptstadt des Reiches, doch dessen Herrscher residierten gewöhnlich andernorts. Dieser Verlust an politischem Einfluß wurde besonders seit 324 spürbar, denn der neue Alleinherrscher Konstantin und seine im Osten regierenden Nachfolger bauten Konstantinopel zum 'Neuen Rom' aus, während der Westen vornehmlich von Mailand oder Ravenna aus regiert wurde. Infolge der Machtverlagerung sank der in Rom verbliebene Senat nun völlig zu politischer Bedeutungslosigkeit herab und versuchte daraufhin lange, sein altes Prestige durch

Opposition zur Politik der Herrscher wiederzugewinnen, weshalb er auch beharrlicher als andere Bevölkerungsschichten an altrömischen Kulten festhielt. Daher wurden – anders als im Osten – in Rom bis zum Beginn des 5. Jahrhunderts 'heidnische' Tempel neu errichtet oder restauriert, die nichtchristlichen Kultbauten prägten stärker als die der neuen siegreichen Religion das Bild der Stadt. Die römischen Bischöfe hingegen nutzten die Tatsache, daß die Herrscher weit entfernt residierten, um ihr eigenes Regiment auszubauen und vom Herrscher möglichst unabhängig zu machen.

Die Verlagerung der Herrschaftszentren hatte zugleich auch Folgen für die römische Bevölkerung. Gerade wohl Teile der griechischsprachigen Einwohnerschaft, deren Vorfahren nach Rom als der Reichshauptstadt gekommen waren, verließen nun die Stadt, so daß Latein wieder die Sprache der Bevölkerungsmehrheit wurde. Aufstände vor allem in Nordafrika und die Erfolge der Vandalen seit 429 bewirkten zusammen mit Mißernten, daß die Versorgung der Bevölkerung mit Getreide aus Übersee seit dem späten 4. Jahrhundert nicht mehr wie bisher gewährleistet war, was gleichfalls zur Schrumpfung der Einwohnerzahl beitrug. Noch gravierender wirkten sich die Eroberungen der Stadt 410 durch die Westgoten und 455 durch die Vandalen aus. Während das 'Neue Rom' politisch und wirtschaftlich erstarkte und wohl schon um das Jahr 500 eine halbe Million Einwohner zählte, ging die Bevölkerung des 'Alten Rom' in den zwei Jahrhunderten von etwa 500 000 auf etwa 100 000 zurück. Unter denselben Nachteilen litt die Bevölkerung der römischen Häfen Ostia und Porto und der römischen Campagna, wo weite Teile des Landes zu versumpfen begannen – eine Entwicklung, die das ganze Mittelalter hindurch anhielt und erst seit dem 19. Jahrhundert rückgängig gemacht wurde.

Zuletzt seien noch die Veränderungen des Okzidents infolge der Völkerwanderung hervorgehoben, weil durch sie auch Ansehen und Geltung des römischen Bischofs außerhalb Italiens bestimmt wurden. Im 4. Jahrhundert reichte die römische Herrschaft noch bis Britannien und zum Niederrhein, doch waren die meisten Gebiete erst teilweise christianisiert – vornehmlich die Städte. Starke kirchliche Organisationen unter Leitung von Metropoliten gab es somit lediglich in Italien und Nordafrika, während analoge kirchliche Verwaltungsformen in Gallien und Spanien erst im Entstehen begriffen waren. Diese Entwicklung wurde im 5. Jahrhundert fast völlig gestoppt, denn außerhalb des ostgotischen Machtbereiches, der von Sizilien bis zur Donau und zur unteren Rhône reichte, und Griechenlands führten die katholischen Gemeinden seit ca. 430 vorerst ein Schattendasein (Gallien, Spanien), wurden verfolgt (Nordafrika und Sardinien) oder gingen fast völlig unter (Britannien, Niederrhein, obere und mittlere Donau). Doch als Konstantin über seine Rivalen siegte und das Christentum zu fördern begann, waren die eben skizzierten Entwicklungen noch nicht vorauszusehen.

Hauptaufgabe der römischen Bischöfe in den ersten hundert Jahren der neugewonnenen Freiheit war es, ihre Stadt in einem einzigen Glauben und Kult zu einen. Es galt nicht nur, den größten Teil der Bevölkerung, der noch anderen Kulten anhing, zu missionieren, vielmehr auch, die unterschiedlichen christlichen Gemeinden zu einheitlichem Kult und Bekenntnis unter Aufsicht des römischen Bischofs zu bringen. Demzufolge ist die Christianisierung Roms auch von dem Bestreben geprägt, die lateinische Sprache in allen Gemeinden durchzusetzen, die zwar weitgehend rechtgläubig, aber rigoristisch und unter eigenen Bischöfen lebenden Teilgemeinden (Montanisten, Novatianer, Donatisten) einzugliedern oder ebenso wie häretische Gemeinden (oft als 'Manichäer' bezeichnet) zu eliminieren. Gerade das letztgenannte Vorhaben war schwer durchzuführen: Fast jeder Papst des späten 4. und 5. Jahrhunderts 'entdeckte' Häretiker. Daran wird deutlich, daß die Päpste lange Zeit benötigten, um ihre Lehraufsicht in Rom wirklich durchzusetzen. Kein Wunder, daß einer von ihnen – der später als Kirchenlehrer verehrte Leo I. – der erste Papst war, der weltliche Behörden aufforderte, mit Gewalt gegen diese Gruppen vorzugehen. Und schon vorher, Ende des 4. Jahrhunderts, hatte es erstmals Verfolgungen von Juden gegeben. Die Christianisierung Roms erfolgte demnach nicht völlig friedlich; und erst recht war es den Bischöfen nicht möglich, ihr Vorhaben ohne Unterstützung der Herrscher zu verwirklichen. Deren Mitwirkung zeigte sich besonders stark in den ersten Jahrzehnten unter der Herrschaft Konstantins und seiner Söhne.

Die Legalisierung des Christentums in den Jahren 311 bis 313 hatte zur Folge, daß den Gemeinden ihr Besitz restituiert wurde. Für Rom bedeutete dies vor allem die Rückgabe der an den Ausfallstraßen liegenden Zömiterien und der in Häusern befindlichen Versammlungsräume, in denen die Eucharistie gefeiert wurde. Die Lage der Zömiterien ist noch heute bekannt, weil diese Stätten in der Folgezeit weiterhin benutzt und verschönert und in der Neuzeit wieder ausgegraben wurden. Hingegen wissen wir nichts Genaues über die Lage der Gemeindezentren. Lange Zeit wurde vermutet, daß die seit dem 4. Jahrhundert gebauten Titelkirchen, auf die noch einzugehen ist, gewöhnlich an derselben Stelle gebaut seien, an denen sich vordem die frühchristlichen Versammlungsstätten befunden hatten. Doch konnte diese Theorie bisher an keinem einzigen Beispiel verifiziert werden, auch nicht in den Fällen, in denen seit dem 4. Jahrhundert Titelkirchen in Wohnhäusern errichtet wurden, denn die neuen Kirchen wurden dort errichtet, wo ihr Stifter Immobilien besaß. Dies bedeutet zugleich, daß sich aus der lokalen Verteilung der Kirchen im 4. Jahrhundert keine Anhaltspunkte ergeben, anhand deren man etwa auf eine Bevorzugung bestimmter, womöglich sozial unterschiedlich strukturierter Wohngebiete durch die Christen schließen könnte. Eine Sozialgeschichte der Christen in Rom kann demnach für die Frühzeit nicht geschrieben werden. Da auch schriftliche Quellen für die erste Hälfte des 4. Jahrhunderts fast völlig fehlen, bieten die von Konstantin und seiner Familie gestifteten Bauten den wichtigsten Aufschluß über die erste Phase der Christianisierung Roms nach dem Ende der Verfolgungen.

Fast alle repräsentativen christlichen Kultbauten sind nach dem Vorbild der damals in Rom üblichen Mehrzweckhalle, der Basilika, errichtet worden und waren demzufolge geeignet, unterschiedlichen Funktionen zu dienen. Die Kaiserinmutter Helena errichtete in ihrem Palast, dem Sessorianum, eine private Andachtsstätte, in der Teile des angeblich von ihr aufgefundenen Kreuzes Christi aufbewahrt wurden. Daher erhielt diese Stätte später den Beinamen 'Hierusalem' und heißt bis heute S. Croce in Gerusalemme. Wohl auch nach dem Tode der Kaiserin weiterhin in Privatbesitz, konnte diese Kirche erst in der nächsten Periode für den bischöflichen Gottesdienst verwandt werden. Sechs andere Bauten dienten vornehmlich der Bestattung von Angehörigen der kaiserlichen Familie und von römischen Christen: SS. Marcellino e Pietro an der Via Labicana mit dem Mausoleum der Helena, S. Lorenzo an der Via Tiburtina in der Nähe des Laurentius-Grabes, S. Agnese an der Via Nomentana nahe beim Grab dieser Heiligen und mit dem Mausoleum der Kaisertochter Constantia, St. Peter am Vatikan, S. Sebastiano an der Via Appia, wahrscheinlich auch ein kleiner Bau über dem Grab des Paulus. Es handelte sich dabei um überdachte Zömiterien, in denen lediglich Bestattungen und Refrigerien (Totenmähler mit Trinkgelagen), jedoch anfangs keine Eucharistiefeiern stattfanden, so daß diese Bauten keine eigenen Kleriker besaßen. Drei von ihnen dienten zugleich auch der Verehrung der als Gründer der römischen Gemeinde angesehenen Apostelfürsten: S. Sebastiano für beide Heiligen, St. Peter und St. Paul für den dort jeweils nach dem Glauben der Gemeinde bestatteten Apostel. Im Zuge der zunehmenden Verehrung und der Bedeutung der beiden für die ideologische Begründung des Papsttums wurden diese Bauten, vor allem St. Peter, seit der Mitte des 4. Jahrhunderts immer stärker in die Liturgie der römischen Bischöfe einbezogen. – Die vorkonstantinische römische Gemeinde hatte weder eine feste Kathedrale noch ein festes Episcopium (= Sitz der Episkopen) gekannt.

Doch anfangs diente lediglich der Laterankomplex – Erlöserbasilika und Baptisterium – für die vom Bischof zu vollziehenden Riten. Entsprechend dem damaligen, noch rudimentären Entwicklungsstadium des liturgischen Jahres feierte der Bischof dort das wichtigste Fest, die Auferstehung, taufte in der Vigil zuvor neue Christen und beging mit ihnen zusammen in der Vorbereitungszeit – zuerst wohl drei, später sechs Wochen – die Sonntagsfeiern. Außerdem wurde die Basilika für römische Synoden und geistliche Gerichtssitzungen benutzt. Wahrscheinlich residierte der Bischof nahe der Basilika, auch wenn sich Spuren des Episcopium erst für das 6. Jahrhundert nachweisen lassen. Nahe der Stadtmauer errichtet, lagen die Gebäude schon zu Konstantins Zeiten, erst recht im Mittelalter außerhalb des städtischen Siedlungsgebietes. Damit war zwar der Kontakt des Bischofs zur Bevölkerung erschwert, doch sollte sich diese periphere Lage schon seit der Mitte des 4. Jahrhunderts in Konflikten mit Teilen der Einwohnerschaft als günstig erweisen. Und bis heute ist die Kirche zumindest ideell das Zentrum des christlichen Rom geblieben, was sich in dem seit der nächsten Epoche für die Lateranbasilika nachweisbaren Titel erkennen läßt: *caput et mater omnium ecclesiarum* (Haupt und Mutter aller Kirchen).

An Größe alle staatlichen Basiliken auf dem Forum übertreffend – in ihr fanden etwa 10000 Menschen, also der damalige Großteil der erwachsenen Christen, Platz –, war die Erlöserbasilika entsprechend ihrer Bedeutung für die Gemeinde vom Kaiser reich ausgestattet worden. Neben dem Hauptaltar, an dem der Bischof fungierte, besaß die Kirche sieben Altäre, an denen wohl die sieben Diakone unter Assistenz je eines Subdiakons die Gaben der Gläubigen (Brot und Wein) für die Eucharistiefeier empfingen. Dafür wurden große Patenen (für das Brot) und Kelche oder andere Gefäße benötigt. Dem Rang des Stifters und des Empfängers gemäß waren die Geräte aus Gold oder Silber, im Gesamtgewicht von ca. 82 kg Gold und ca. 775 kg Silber. Dazu kamen Figuren für den Altarraum und Lampen sowie die Ausstattung des Baptisteriums. Insgesamt verfügten die beiden bischöflichen Kultstätten über eine Ausstattung von ca. 300 kg Gold und 3,7 Tonnen Silber, die sich in Notfällen einschmelzen ließen. Hinzu kamen Landgüter vor allem im Südosten Roms, bestimmt für die Lieferung von Wachs – nötig für die nächtlichen Gottesdienste – und andere Abgaben. Ähnlich, wenn auch in geringerem Maße, wurden die anderen Basiliken ausgestattet, wobei St. Peters Landgüter auch in Syrien und Ägypten lagen. Insgesamt waren die neuen Bauten reichlich ausgestattet. Doch waren die Einnahmen zweckgebunden, so daß der römische Bischof nicht ohne weiteres über sie verfügen konnte. Daher benötigte er auch weiterhin die Spenden der Gläubigen, um die sich die Diakone zu kümmern hatten.

Seit der Spätzeit Konstantins – vielleicht schon unter Bischof Silvester, wahrscheinlich seit Marcus – begannen römische Bischöfe und Presbyter, später auch vermögende Laien, Kirchen in Häusern zu errichten, die ihnen gehörten. Das sind die sogenannten 'Titelkirchen', von denen es in der Mitte des 4. Jahrhunderts etwa sechs, Anfang des 5. Jahrhunderts 25 gab. Ursprünglich nach dem Besitzer und Stifter benannt (z. B. *titulus Equitii,* wohl soviel wie: 'Besitz, Stiftung des Equitius'), wurden die Kirchen seit dem 6. Jahrhundert immer häufiger nach Heiligen benannt; oder aus dem Stifternamen entstand ein Heiligenname, der dann wiederum die Legendenbildung anregte. Mit wachsender Zahl dürften die Titelkirchen allmählich die nun nicht mehr benötigten älteren Versammlungsräume ersetzt haben. Um die Jahrtausendmitte waren die neuen Bauten so gut über die Stadt verstreut, daß die größte Entfernung zwischen einem Haus und einer Titelkirche ungefähr 500 Meter betrug. Wahrscheinlich waren die Gläubigen bestimmten, in Wohnnähe liegenden Titelkirchen zugeordnet, auch wenn es bis zum Ende des Mittelalters in Rom keine festen Pfarreigrenzen gegeben hat. An den Kirchen wirkten Presbyter, durchschnittlich wohl drei bis vier, denn Anfang des 5. Jahrhunderts belief sich ihre Anzahl auf mindestens siebzig. Sie feierten die Eucharistie, wobei ihnen Ostiarier, Lektoren und Akoluthen halfen, betreuten die Gläubigen und bereiteten die Täuflinge mit Hilfe der Exorzisten auf die Taufe vor. Deren Spendung war ursprünglich dem Bischof vorbehalten gewesen; doch mit der wachsenden Zahl der erwachsenen Taufwilligen im 4. Jahrhundert und der allmählichen Durchsetzung der Kindertaufe mußte der Bischof seine Vollmacht delegieren. Deshalb wurden seit dem Ende des 4. Jahrhunderts an einzelnen Titelkirchen, aber auch an auswärts gelegenen Zömiterialbasiliken wie St. Peter, S. Agnese und S. Lorenzo Baptisterien errichtet. Gerade den Presbytern dürfte es zu verdanken sein, daß praktische Folgen der Christianisierung wie die Heiligung des Sonntags oder die Eheschließung vor einem Presbyter schon Ende des 4. Jahrhunderts in Rom festzustellen sind.

Eine andere Aufgabe bei der Christianisierung bestand für Bischof und Presbyter gleichermaßen in der Verchristlichung der Totenehrung. Wie ihre Vorfahren feierten auch die christlichen Römer zum Gedenken an ihre Toten Refrigerien. Weil der dabei getrunkene Wein nicht immer nur sparsam genossen wurde, erregte diese Gewohnheit den Unwillen der Gemeindeleiter. Daher wurde diese Art des Gedächtnisses allmählich seit dem Ende des 4. Jahrhunderts aus den Zömiterien verdrängt und statt dessen die Verehrung der dort bestatteten Martyrer betont. Soweit nicht Konstantin und seine Familie für aufwendige Bauten gesorgt hatten, ließen Bischöfe, andere Kleriker und Laien teils für ihr eigenes Begräbnis, teils zur Ehrung von Martyrern kleinere Martyrien oder größere Basiliken in und bei den meist unterirdischen Zömiterien errichten.

Schon die wachsende Zahl kirchlicher Bauten deutet an, daß der neue Glaube in Rom schnell Anhänger gewann. Um die Mitte des 4. Jahrhunderts waren die Zahl der Gläubigen und deren Engagement zugunsten der Gemeinde schon so groß, daß viele Christen im Jahre 366 nach dem Tode des Bischofs Liberius als Anhänger zweier Konkurrenten um die Bischofswürde auf die Straße gingen. Der siegreiche Kandidat Damasus hatte auf seiner Seite eine seltsame Mischung aus durchschnittlichen Gemeindemitgliedern, aus Künstlern oder Totengräbern, die an den Zömiterien als *fossores* (von *fossa* = Graben) tätig waren, und aus Gladiatoren. Die Durchschlagskraft dieser Gruppierung hatte den ihr eigenen Effekt, denn über hundert Anhänger des Gegenkandidaten Ursinus mußten für ihren Einsatz mit dem Leben büßen: Sie wurden von den Damasianern in einer von Liberius auf dem Esquilin erbauten Basilika verbrannt. Entschieden hat den Streit jedoch das Eingreifen des kaiserlichen Hofes und seiner Vertreter in Rom. Der Spitzname des siegreichen Papstes und vormaligen Diakons Damasus 'auriscalpius' (von *auriscalpium* = Ohrwurm) und der Vorwurf gegen seinen Vorgänger Liberius, mit Mitgliedern des Senats gegen den arianischen Kaiser kollaboriert zu haben, deuten an, daß in der Mitte des Jahrhunderts schon Mitglieder der Oberschicht Christen waren. Diese aber wurden von Diakonen bei der Abfassung von Testamenten bereitwillig zugunsten der Kirche unterstützt. So wundert es nicht, daß unter Damasus Frauen aus diesen Kreisen vor allem auf dem Aventin fromme Zirkel bildeten – teilweise unter Anleitung von Presbytern wie Hieronymus –, den Schleier nahmen, um sich allein Gott zu weihen, und der Kirche ihr Vermögen spendeten, aber damit und wegen manchmal allzu großer Askese ihre Verwandten verärgerten. Doch muß betont werden, daß die Bischöfe bis hin zu Damasus und seinem Nachfolger Siricius sich hüteten, allzusehr die Christianisierung der Senatoren zu forcieren, selbst wenn die Kaiser dies wünschten. Erst ihre

Nachfolger gaben die Zurückhaltung auf. Dieser Wechsel und vor allem wohl das Scheitern der mit altrömischen Maximen begründeten Oppositionspolitik – dazu gehörte auch das Lancieren von Gegenkaisern – bewirkten, daß seit der Spätzeit Innozenz' I. selbst so konservative Senatorenfamilien wie die Symmachi und Nicomachi Christen waren. Ein noch heute sichtbares Zeichen für die Christianisierung der Oberschicht ist das um 400 entstandene Apsismosaik in S. Pudenziana, auf dem Petrus und Paulus Senatorentracht tragen. Man kann somit davon ausgehen, daß Rom um das Jahr 410 zumindest oberflächlich christianisiert war. Dies ist aber zugleich die Zeit, in der die Oberschicht wachsenden Einfluß auf die Besetzung des Bischofsstuhles nahm und die Bischöfe verstärkt versuchten, ihre Geltung außerhalb Italiens auszuweiten, wie noch zu zeigen sein wird.

Zuerst aber war es für die Bischöfe nötig, Kult und kirchliche Organisation unter ihre Aufsicht und in ihren Dienst zu stellen. Schon vor der Mitte des 4. Jahrhunderts wurde im Westen die Geburt Christi am 25. Dezember, dem bisherigen Fest des *Sol invictus* (der unbesiegten Sonne), gefeiert, da Christus als 'die neue Sonne' galt, während in der gleichen Periode im Osten des Reiches die Geburt mit Betonung der Epiphanie (Erscheinung Christi auf Erden) meist am 6. Januar gefeiert wurde. In Rom beachtete man wohl schon zu dieser Zeit, wahrscheinlich wegen der heterogenen Zusammensetzung der Ortsgemeinde, beide Termine. Somit bestand ein kultisches Gegengewicht zur Osterzeit, das auch lokal deutlich wurde, denn die Geburtsfeste feierte der Bischof in St. Peter. Und auch das dritte große Fest, Pfingsten, wurde wahrscheinlich schon im 5. Jahrhundert in St. Peter begangen. Seitdem avancierte diese Basilika zur zweiten Hauptkirche und damit zum Konkurrenten der Erlöserbasilika beim Lateran. Inwieweit auch schon die von Sixtus III. nach dem Konzil von Ephesos (431) erbaute erste Marienkirche (S. Maria Maggiore) und die anderen großen, außerhalb der Mauern gelegenen Basiliken in den bischöflichen Gottesdienst einbezogen waren, läßt sich für diese Epoche noch nicht erkennen. Ebensowenig läßt sich feststellen, ob der Bischof schon an bestimmten Tagen – etwa der vorösterlichen Zeit – seine *statio* (= bischöflicher Gottesdienst) in einer der Titelkirchen hielt. Wahrscheinlicher ist, daß er diese Tage – wenn überhaupt – wie auch die Sonntage in seiner Bischofskirche feierte. Um jedoch den Kontakt zu den Teilgemeinden herzustellen, trugen seit dem späten 4. Jahrhundert Akoluthen das *fermentum,* Partikel des vom Bischof konsekrierten Brotes, in die einzelnen Titelkirchen, wo sie der jeweilig zelebrierenden Presbyter in den konsekrierten Wein eintauchte. Wichtig für die Verbindung zwischen Bischof und Titelkirchen und zugleich damit Vorstufen für die Herausbildung des Kollegs der Kardinalpriester waren zwei Entwicklungen, die im 5. oder frühen 6. Jahrhundert einsetzten. Die eine bestand darin, daß Presbyter bestimter Titelkirchen an Zömiterialbasiliken Dienst taten. Erste Ansätze lassen sich schon unter Innozenz I. erkennen; Simplicius schließlich ordnete an, daß Presbyter bestimmter, wohl kirchlicher Regionen den Wochendienst an St. Peter, St. Paul und S. Lorenzo verrichten sollten. Das Ziel dürfte eine verbesserte Seelsorge für die Bevölkerung, die außerhalb der Mauern wohnte, und für die Pilger gewesen sein. (Wohl aus den gleichen Gründen entstanden seit dem 5. Jahrhundert erste Klöster an diesen Kirchen.) Die zweite Entwicklung bestand seit Beginn des 6. Jahrhunderts darin, daß sich an den Titelkirchen die dort tätigen Presbyter im Rang differenzierten. Vor allem für die Verwaltung des Kirchengutes hoben sich von den anderen Presbytern die *presbyteri priores* ab, die Vorgänger der späteren Kardinalpriester.

Eine andere Art, die kultische Einheit herzustellen, war das Bestreben, eine gemeinsame Kultsprache durchzusetzen. Schon im 3. Jahrhundert lassen z. B. lateinische Namen von Presbytern und Briefe vermuten, daß nicht alle Gemeindemitglieder Griechisch sprachen. Der Trend zum Latein verstärkte sich im folgenden Jahrhundert, vor allem unter Damasus. Doch weist die auch zu diesem Zeitpunkt noch feststellbare Verwendung griechischer Formeln darauf hin, daß sich die Latinisierung lange hinzog und wohl erst Anfang des 5. Jahrhunderts abgeschlossen war. Seitdem war die lateinische Messe in ihren Hauptbestandteilen fixiert. – Im Zusammenhang mit der Latinisierung der Liturgie wird häufig darauf hingewiesen, daß Damasus eine neue Übersetzung der Bibel durch seinen zeitweiligen Mitarbeiter Hieronymus förderte. Und daraus wird gefolgert, daß diese Übersetzung, die sogenannte 'Vulgata', frühzeitig in Rom benutzt wurde, was jedoch falsch ist. Weil die Latinisierung in Rom weitgehend abgeschlossen war, bevor Hieronymus seine neue Version vollendet hatte, und dieser bei den Nachfolgern des Damasus wenig geachtet war, beharrte Rom länger als andere Gemeinden auf der Verwendung älterer Übersetzungen. Dies zeigt sich vor allem an den Psalmen – den am häufigsten in der Liturgie verwandten Texten –, denn während die Lesungen aus dem Alten und Neuen Testament wohl schon seit dem 7. Jahrhundert der Vulgata entnommen wurden, setzte sich der Psalter des Hieronymus endgültig erst im 14. Jahrhundert am päpstlichen Hofe durch.

Ebenso wichtig wie die Vereinheitlichung der Kultsprache war die der Feier von Martyrergedächtnistagen. Zu deren Verständnis muß beachtet werden, daß gemäß dem römischen Sakralrecht, das vorerst in Rom offizielle Geltung behielt, die Translation von Gebeinen als Totenschändung galt und somit ein Sakrileg war. Daher mußten die Martyrer dort verehrt werden, wo sie bestattet waren. Aus demselben Grund konnten offiziell lediglich Berührungsreliquien (Stoffe, Lampenöl u. a.) exportiert werden, was aber die in den Zömiterien tätigen *fossores* nicht hinderte, heimlich auch Knochen zu verkaufen; doch lohnte sich dies erst nach der offiziellen Anerkennung bestimmter Martyrer durch die Gemeindeleitung. Der Versuch dazu setzte Mitte des 4. Jahrhunderts ein. Unter Liberius wurde 354 ein Katalog erstellt, in dem die mit Billigung des Bischofs begangenen Gedächtnistage in der Reihenfolge der Monate aufgeführt sind. Die meisten solcher Tage gab es zwischen Pfingsten und Oktober. Somit bot sich seitdem dem Bischof die Gelegenheit, durch Verbindung dieser Tage mit den drei großen Festzyklen Weihnachten/Epiphanie, Ostern und Pfingsten ein von ihm bestimmtes liturgisches Jahr in Rom zu etablieren. Diese Tendenz wurde noch dadurch verstärkt, daß der folgende Papst Damasus viele dieser Martyrer durch Gedichte, die an den betreffenden Gräbern in Stein gemeißelt zu lesen waren, feierte und damit offiziell anerkannte. Seine Epigramme zeigen nicht nur den relativ hohen Bildungsstandard des Diakonenkollegs, sondern auch die Abneigung der Kirchenleitung gegenüber ausufernder Legendenbildung. Dieser rationale Zug läßt sich auch in den seit dem 5. Jahrhundert überlieferten Meßgebeten und Predigten von Bischöfen (Leo I., Gelasius I.) erkennen. Doch blieb die Katalogisierung von Martyrern nicht in diesem restriktiven Umfang bestehen. Vielmehr gab es im 5. und frühen 6. Jahrhundert Erweiterungen, die auch der politischen Umordnung des Reiches entsprachen, wie aus der Nennung ravennatischer (Chrysogonus) und orientalischer (Johannes und Paulus, Cosmas und Damian, 'Quattro Coronati' u. a.) Heiliger zu ersehen ist. Eine noch stärkere Betonung in der bischöflichen Liturgie erfuhren einige Heilige dadurch, daß sie um das Jahr 500 in den Canon der Messe aufgenommen wurden. Auch deren Anzahl – anfangs wohl nur ca. 14 Namen (Maria, Petrus und Paulus, Clemens I., Sixtus II., Cornelius, Cyprian, Laurentius, Johannes d. T., Stephanus, Marcellinus und Petrus, Perpetua, Agnes) – wurde dann in der folgenden Epoche auf 39 Namen erweitert. Die ursprüngliche Namensliste macht deutlich, daß – abgesehen von wenigen Heiligen (Maria, Johannes, Stephanus) – vornehmlich solche gefeiert wurden, die Bedeutung für die Gründungsphasen der römischen Gemeinde besaßen oder wie Cyprian mit dieser in enger Verbindung gestanden haben. Mit der Verbreitung des römischen Namensbestandes vor allem seit dem 7. Jahrhundert sollte die stadtrömisch orientierte Auswahl auch die Heiligenverehrung in Italien, Gallien und England stark prägen. Nicht verwunderlich, dennoch zu betonen ist, daß Petrus seit Beginn dieser Entwicklung besonders geehrt wurde, denn ihm galten zwei Gedächtnistage: der 29. Juni als Tag seines Todes, der 22. Februar als Tag seiner Würde als vermeintlich erster Bischof von Rom (Fest der 'Cathedra Petri'). Weil am 22. Februar das altrömische Fest des allgemeinen Totengedenkens begangen wurde, bedeutete der zweite Petrustag, daß zumindest in der Sicht der Bischöfe Petrus zum Ahnen der römischen Gemeinde geworden war. Bedenkt man, daß seit der gleichen Zeit die Petersbasilika zur zweitwichtigsten Kirche für die bischöfliche Liturgie avanciert war, so wird deutlich, daß der Petruskult schon seit dieser Zeit alle anderen Kulte in Rom überragte.

Die Petrusverehrung in Rom – und damit die Basis für die Begründung päpstlicher Ansprüche außerhalb Roms – läßt sich auch in der Ikonographie erkennen. So wurde Petrus mit Mose verglichen: Wie dieser von Gott die Gesetze des Alten Bundes empfing, so erhielt Petrus die des Neuen Bundes von Christus. Deshalb wurden die *traditio legis* (Übergabe des Gesetzes) an Mose und unter Anspielung auf Matth. 16, 18 die *traditio clavium* (Schlüsselübergabe) an Petrus beliebte Themen bildlicher Darstellungen.

Zur Sicherung der bischöflichen Ansprüche war es jetzt nur noch nötig, die Abfolge der römischen Bischöfe in eine genauere Verbindung mit Petrus zu bringen. Wie im ersten Kapitel erwähnt, waren schon seit dem 2. Jahrhundert erst außerhalb Roms, dann auch in der Stadt Sukzessionsreihen der römischen Bischöfe aufgestellt worden. Seit Mitte des 3. Jahrhunderts barg das Kalixtus-Zömiterium an der Via Appia eine eigene Bischofsgruft, die – wie die Gräber anderer Heiliger auch – von Damasus ausgeschmückt und durch Epigramme hervorgehoben worden war. Zu Damasus' Zeit existierte auch schon eine Liste der römischen Bischöfe, in der nicht nur exakte, obgleich fiktive Daten für die Dauer der Amtszeiten der einzelnen Bischöfe standen, sondern Petrus als erster Bischof Roms aufgeführt war (Pontifikatsbeginn mit dem Todesjahr Christi!), während die außerrömischen Reihen gewöhnlich erst mit Linus oder Clemens einsetzten. Ein Glückstreffer war es nun, daß Ende des 4. Jahrhunderts der mit Rom in enger Beziehung stehende Rufinus von Aquileja Teile der Pseudo-Klementinen in die lateinische Sprache übersetzte, einer romanartigen Legende des Lebens Clemens' I. Im Orient wohl von Judenchristen zur Stützung Jerusalemer Traditionen während des 3. Jahrhunderts verfaßt, enthielt die Sammlung einen angeblichen Brief des Clemens an den Herrenbruder Jakobus, in dem dieser Leiter der Jerusalemer Gemeinde als 'Bischof der Bischöfe', also als oberster Leiter der Christen, tituliert war. Für Rom jedoch war wichtig, daß Clemens beschrieb, wie Petrus ihm als Nachfolger die Binde-und-Löse-Gewalt übertragen habe. Den römischen Bischöfen bewies der für echt gehaltene Brief, daß sie ebenso wie Clemens die volle Gewalt des Petrus besäßen. Ebenfalls Ende des 4. Jahrhunderts wurde die Lehre aufgestellt, daß jeder römische Bischof die Cathedra Petri innehabe. Durch Verbindung dieser verschiedenen Elemente entstand nun die Lehre von der *sedes apostolica* (= Sitz des Apostels), die besagte, daß jeder römische Bischof als Nachfolger des Petrus die diesem verliehene Amtsvollmacht besitzt. Weil diese nicht an die Person des einzelnen Bischofs gebunden, sondern transpersonal und von Gott selbst begründet war, galt sie als unantastbar. Leo I. vertiefte diese Doktrin noch mit Hilfe des römischen Rechtes, indem er den römischen Bischof als vollgültigen Erben des Petrus hinstellte. Von nun an war der römische Bischof nach eigenem Verständnis Vikar (= Stellvertreter) des Petrus, damit zugleich aber auch Vikar Christi für die gesamte Kirche.

Eine weitere Stütze erhielt die Position des römischen Bischofs dadurch, daß im späten 4. Jahrhundert Paulus in Kult und Lehre stärker betont wurde. Zur Zeit des Damasus hatte der sogenannte Ambrosiaster in Rom 13 Paulusbriefe kommentiert. Seit der Spätzeit desselben Bischofs wurde mit kaiserlicher Unterstützung anstelle des kleinen Martyrion eine St. Peter ebenbürtige Basilika über dem Paulusgrab errichtet. War somit eine lokale und kultische Parallele zwischen beiden Heiligen hergestellt, so gab es von nun an auch gemeinsame bildliche Darstellungen beider Apostel, wie etwa auf Gläsern (für die private Verehrung) oder auf dem schon genannten Mosaik in S. Pudenziana. Die Darstellung beider Apostel sollte deutlich machen, daß sie ihre Vollmacht direkt von Christus erhalten hatten: Petrus die Binde-und-Löse-Gewalt, Paulus die der Unterweisung der Völker. Durch Weiterentwicklung älterer, seit dem Ende des 1. Jahrhunderts in Rom erkennbarer Traditionen galten jetzt beide Apostel als die Ahnen des römischen Bischofs, von dem einen hatte er die oberste Hirten-, von dem anderen die oberste Lehrgewalt geerbt. Daher wuchs auch die Bedeutung des Festes am 29. Juni, an dem beider Apostel gedacht wurde, für die Herausstellung des römischen Bischofsamtes. Und das Verschwinden der altrömischen Kulte infolge der Christianisierung Roms bewirkte zusammen mit dem durch die Germaneneinfälle verursachten Niedergang des Römischen Reiches, daß Leo I. in einer Predigt am 29. Juni die beiden Apostel statt Romulus und Remus als die wahren Schirmherren Roms pries. Daß jedoch Petrus – wie in der altrömischen Legende Romulus – der wichtigere von beiden war, zeigte derselbe Papst damit, daß er in St. Paul – wahrscheinlich auch in St. Peter –, mit Petrus beginnend, die römischen Bischöfe in Medaillons malen ließ, womit er jedem die beiden Kirchen besuchenden Römer oder Pilger die Basis und die Ansprüche des römischen Bischofs deutlich vor Augen führte. Leo war auch der erste Bischof, der sich bei St. Peter bestatten ließ. Mit ihm begann die Gewohnheit, daß die meisten seiner Nachfolger bei dem Ahnen ihres Amtes begraben wurden. Aufgrund dieser Gewohnheit entstand um 500 die Tradition, daß auch die Bischöfe des 1. und 2. Jahrhunderts bis hin zu Viktor – von dessen Nachfolgern waren die Gräber in anderen Zömiterien bekannt – gewöhnlich in oder bei St. Peter bestattet seien.

Die kultische Hervorhebung von Petrus und Paulus war ebenso wie andere liturgische Veränderungen nur möglich, weil der Bischof die Kleriker und damit die Teilgemeinden der Stadt unter seine unangefochtene Aufsicht hatte bringen können. Der römische Klerus läßt sich zwei Bereichen zuordnen, die auf Entwicklungen des 2. und 3. Jahrhunderts basierten: dem Bischofs- und dem Titelkirchenklerus. Weil Eucharistiefeiern und Taufen in der Bischofskirche ebenso wie in den Titelkirchen stattfanden, gab es die dafür außer dem Presbyter notwendigen Kleriker – Ostiarier, Lektoren, Exorzisten – in beiden Bereichen. Details sind vor allem von den Lektoren bekannt. Sie mußten lesen und – wegen des Vortrages von Psalmen – auch singen können, also über ein Mindestmaß an Bildung verfügen. Weil diese Aufgaben schon von Knaben wahrgenommen werden konnten, bildete das Lektorenamt wohl den gewöhnlichen Einstieg in die Laufbahn als Kleriker. Wer weiterhin an einer Titelkirche tätig sein wollte, konnte anschließend Akoluth und Presbyter, wer sich für den Dienst beim Bischof entschied, Subdiakon und Diakon werden. Demzufolge bildeten die Ämter des Presbyters und Diakons die Endpunkte zweier unterschiedlicher Karrieren. Der Bischof konnte aus beiden Gruppen gewählt werden. War er zuvor Diakon gewesen, so erhielt er mit der Weihe zum Bischof zugleich die Befähigung, als Presbyter die Eucharistie zu feiern. Im Unterschied zu der Regelung, die seit der gleichen Zeit in Spanien und Gallien entwickelt wurde, war es demnach in Rom nicht nötig, vor der Bischofsweihe die fünf niederen (Ostiarier, Lektor, Exorzist, Akoluth, Subdiakon) und die zwei höheren (Diakon, Presbyter) Grade nacheinander innegehabt zu haben. Und generell galt, daß ein Kleriker sein Leben lang einen niederen Grad beibehalten konnte.

Ob schon in unserer Epoche die niederen Kleriker an den Titelkirchen vom Bischof in ihr Amt eingewiesen wurden, ist nicht bekannt. Doch versuchten die Bischöfe zumindest, das Eintrittsalter und die Amtsdauer zu regeln und durchzusetzen. Daß dies jedoch nicht unangefochten blieb, zeigen voneinander abweichende Äußerungen der Bischöfe Siricius und Zosimus. Seit des letzteren Pontifikat mußte ein Kleriker mindestens 25 bzw. 30 Jahre alt sein, um Diakon oder Presbyter werden zu können. Weil die Diakone direkt dem Bischof dienten und ihre Zahl gering war, dürfte es diesem leichtgefallen sein, ihre Angaben zu überprüfen und seine Richtlinien anzuwenden. Deren Durchsetzung gegenüber den Presbytern war dadurch hinreichend gewährleistet, daß die Diakone vor der Ordination von Presbytern Informationen über die Kandidaten einholten und dem Bischof bekanntmachten. Und im Unterschied zu den niederen Klerikern ist von den höheren bekannt, daß sie nur der Bischof – normalerweise im Dezember – ordinierte. Bei dieser Gelegenheit konnte der Bischof auch den Lebenswandel der Kandidaten überprüfen, vor allem die Einhaltung des Zölibats, zu dem die beiden Gruppen – anders als der niedere Klerus – seit dem späten 4. Jahrhundert verpflichtet waren. Natürlich konnte durch die Überprüfung auch die Ordinierung von Klerikern verhindert werden, die nichtakzeptierte Lehrmeinungen vertraten. Zugleich diente die Überprüfung dem Ziel, moralisch unwürdige oder infolge früherer Funktionen ungeeignete Kandidaten auszuschließen. Zu den ersteren gehörten außer Büßern zum Beispiel Männer, die zum zweiten Mal verheiratet waren oder Witwen geehelicht hatten, zur zweiten Gruppe solche Kandidaten, deren früherer Beruf mit Blutvergießen verbunden war – Soldaten, Richter u. a. – oder die von anderen Personen abhängig waren. Als abhängig galten nicht nur Sklaven, Kolonen und Freigelassene, sondern auch Mitglieder von Zwangskorporationen (Handwerker) und Dekurionen; letztere waren Mitglieder der Leitungsgremien in Städten mit der Verpflichtung, für das Steueraufkommen persönlich zu haften.

Wie der anfängliche Ausschluß der Dekurionen zeigt, sollten diese Richtlinien nicht so sehr das soziale Prestige des Klerikerstandes heben, sondern seine Unabhängigkeit sichern. Da jedoch schon in dieser Epoche die Aufnahme von Dekurionen durch Ausnahmeregelungen ermöglicht wurde, während die anderen genannten Gruppen ausgeschlossen blieben, rekrutierte sich gewöhnlich der römische Klerus nur aus der gehobenen Mittelschicht und schließlich auch aus der senatorialen Oberschicht. Damit etablierte sich schon in dieser Epoche eine soziale Distanz des Klerus vom normalen Kirchenvolk, die gewöhnlich auch im Mittelalter bestimmend war. Die weitgehende Steuerfreiheit für Kleriker bewog viele zum Eintritt in den Klerus. Und weil Kleriker nur als Presbyter und Diakone zum Zölibat verpflichtet waren – ob die Versuche Leos I. Erfolg hatten, auch die Subdiakone zum Zölibat zu zwingen, ist nicht bekannt –, gab es oft mehrere Kleriker derselben Generation in einer Familie oder Klerikerdynastien. Auch Bischöfe stammten manchmal aus derartigen Familien: Damasus' Vater war selbst schon – wenn auch nicht in Rom – Bischof gewesen; Silverius war der Sohn des römischen Bischofs Hormisdas; einer senatorischen Familie gehörten außer anderen Klerikern die Bischöfe Felix III., Agapitus und Gregor I. an. Schon hieran wird sichtbar, wie stark vor allem seit dem 5. Jahrhundert sich die familiäre Verflechtung im Klerus durchgesetzt hatte und demzufolge die kirchliche Karriere bestimmte.

Auf die Dauer prägte außer der Familienzugehörigkeit auch die Nähe zum Bischof, besonders die Tätigkeit als Diakon, die Karriere vieler Bischöfe. Doch innerhalb der Ortsgemeinde waren die Presbyter den Diakonen zumindest ebenbürtig. Wie ihr höheres Antrittsalter und vereinzelte apologetische Äußerungen römischer Bischöfe andeuten, wurde den Presbytern der höchste Rang nach dem Bischof zugesprochen. Begründet war dies darin, daß sie als einzige außer dem Bischof neue Christen tauften, also in die Gemeinde aufnahmen, die Eucharistie feierten und als Seelsorger tätig waren. In diesen Belangen waren sie dem Bischof gleichgestellt, er überragte sie lediglich durch seine Würde und Amtsvollmacht. Daher waren es auch die Presbyter, die gemeinsam mit dem Bischof auf Synoden Glaubensentscheidungen für Rom trafen und mit ihm das geistliche

Gericht bildeten. War er vorher Diakon gewesen, so übertrafen sie ihn sogar in kultischer und seelsorgerischer Erfahrung. Daher fungierten gewöhnlich Presbyter als Abgesandte des römischen Bischofs auf auswärtigen Synoden oder Konzilien. Und außerhalb Roms konnten sie auch Bischof werden. Doch in Rom selbst war die Chance, Bischof zu werden, für Diakone größer, gerade auch in der hier behandelten Epoche. Von 16 Bischöfen und Gegenkandidaten zwischen 352 und 526, deren Karriere in Umrissen zu erkennen ist, waren lediglich drei (Bonifaz I., Sixtus III., Laurentius) zuvor Presbyter, die anderen jedoch Diakone gewesen.

Diese Stellung der Diakone gründete außer in der Nähe zum Bischof zweifellos auch in der Geschlossenheit ihrer Gruppe und geringen Zahl von nur sieben Kollegmitgliedern. Im Gegensatz zu den über die Stadt verstreuten Presbytern waren sie ständig zentral im Dienst des Bischofs tätig, kannten sich daher untereinander gut und waren zwangsläufig den Spitzen der staatlichen Verwaltung bekannt. Ihre guten Kontakte resultierten aus ihrer Tätigkeit. Sie sammelten die Spenden ein – daher rührten auch ihre schon genannten Funktionen bei der bischöflichen Eucharistiefeier –, verwalteten Gelder, bischöfliche Wertgegenstände und Grundstücke, sorgten für die Unterstützung Hilfsbedürftiger und waren außerdem wohl für die Archivierung bischöflicher Schreiben zuständig, vielleicht selbst an deren Abfassung beteiligt. Im Gegensatz zu den Presbytern waren sie schon im 4. Jahrhundert unter der Leitung des Archidiakons in einem Kolleg zusammengeschlossen. Dadurch mußte sich ihre Wirksamkeit noch verstärken. Schließlich wurde ihnen in einer unter Symmachus um 501 verfaßten angeblichen Konstitution Silvesters die Kontrolle über alle niederen Kleriker – vom Lektor bis zum Subdiakon – zugeschrieben. Und wegen ihrer Nähe zum Bischof, dem *cardo* (= Türangel) der Gemeinde, bezeichnete sie derselbe Text schon als 'Kardinaldiakone' (*diaconi cardinales*). Allerdings besagt das nicht, daß sie allseits beliebt waren; vielmehr galten sie schon im 4. Jahrhundert als arrogant. Und nachdem bis zu Zosimus fast alle Bischöfe zuvor Diakone gewesen waren, versuchten die Presbyter im Jahr 418, einen der Ihren als neuen Bischof durchzusetzen. Die staatliche Verwaltung und der Kaiserhof favorisierten anfänglich den Gegenkandidaten, den Archidiakon Eulalius, um die gewohnte Ordnung zu bewahren. Nachdem sich dieser jedoch über ein kaiserliches Verbot hinweggesetzt hatte, entschied sich auch die weltliche Führungsspitze für den Presbyter Bonifatius. Dies war das erste Schisma in Rom, das lediglich aus der Rivalität zwischen Presbytern und Diakonen – also nicht aus politischen, doktrinären oder disziplinären Differenzen – entstand.

Wie schon 366 nach dem Tode des Liberius und später, 498, nach dem Tode Anastasius' II. hatte auch 418 die weltliche Gewalt entschieden, wer nach einer zwiespältigen Wahl als rechtmäßiger Bischof anzusehen sei. Dieser faktische Einfluß nichtklerikaler Instanzen auf die Papstwahl sollte auch weiterhin – in Ausläufern bis zum Beginn des 20. Jahrhunderts – bestehenbleiben. Doch bemühten sich schon die Bischöfe des 5. Jahrhunderts, durch eigene Dekrete oder durch Beschlüsse römischer Synoden Kriterien zu entwickeln, die derartige Eingriffe unnötig machen sollten. Der auch weiterhin gültigen Rechtsfiktion entsprechend wurde der römische Bischof von 'Klerus und Volk' gewählt. Doch zeigen schon Berichte aus dem 5. Jahrhundert, daß als Klerus vorwiegend die Diakone und Presbyter, als Volk die *meliores civitatis* – die Angehörigen der Oberschicht – verstanden wurden. Und es gibt Anzeichen dafür, daß die Wahl selbst den Spitzen des Klerus vorbehalten sein sollte, während den führenden Laien lediglich ein Zustimmungsrecht zugebilligt wurde. Bei zwiespältiger Wahl sollte der als gewählt gelten, dem die Mehrheit des Klerus anhinge und der als erster geweiht worden sei. Dadurch besaßen auch Bischöfe des Umlandes, die den neuen Bischof entsprechend einer Bestimmung des Konzils von Nikaia (325) zu weihen hatten – der Bischof von Ostia und einige seiner Kollegen –, einen potentiellen Einfluß auf die Bestimmung des besseren Kandidaten. Außerdem verbot die Synode von 499, als sie sich für Symmachus entschied, Geldzuwendungen und eidliche Versprechen und gab damit zu, daß schon zu dieser Zeit simonistische Handlungen in Rom nicht unbekannt waren. Inwieweit die Bestimmungen bei unwidersprochenen Wahlen, also im Normalfall, befolgt wurden, läßt sich nicht erkennen. Auf alle Fälle genügten sie nicht bei Dissens der Wähler. Dann gab es regelmäßig Parteiungen in Klerus und Oberschicht – zur Wahl von 498 wird eine Spaltung des Senates ausdrücklich erwähnt –, die meist blutige Folgen hatten und ein Eingreifen des jeweiligen Herrschers oder seiner Vertreter erforderlich machten.

Die Herkunft der Bischöfe aus den höheren Schichten der stadtrömischen Gesellschaft bewirkte, wie schon erwähnt, eine soziale Distanz zur Mehrheit der Bevölkerung. Doch hatte sie auch positive Folgen gerade für diese Mehrheit, denn dem Bischof entstanden seit dem frühen 5. Jahrhundert neue Pflichten vor allem sozialer Art, die die Verfügung über größere Geldmengen zur Voraussetzung hatten. Dafür jedoch war es günstig, daß nun die Bischöfe aus gewöhnlich vermögenden Familien stammten und zu anderen des gleichen Status gute Beziehungen unterhielten. Nach der Unterbrechung der geregelten Versorgung der römischen Bevölkerung mit überseeischem Getreide Ende des 4. Jahrhunderts und während der Bedrohung Roms durch die Westgoten (408–410) hatte es sich gezeigt, daß die kaiserliche Regierung nicht mehr in der Lage war, für die täglichen Bedürfnisse und die Sicherheit der römischen Bevölkerung effektiv zu sorgen. Damit ging zugleich die Wirksamkeit der vom Stadtpräfekten geleiteten weltlichen Verwaltung zurück. In dieser Situation bot sich den Bischöfen nicht nur die Chance, sondern ergab sich sogar die Pflicht, durch Ausweitung ihrer karitativen Aufgaben allmählich an die Stelle der versagenden staatlichen Instanzen zu treten. Dieser neuartige Einsatz zeigte sich nicht so sehr in dem später legendär ausgeschmückten Eintreten der Bischöfe Innozenz I. und Leo I. für römische Belange gegenüber den Westgoten, Hunnen und Vandalen, denn dabei waren sie nur Mitglieder größerer Delegationen, zu denen auch Vertreter der Oberschicht und der weltlichen Administration gehörten. Wichtiger war die soziale Tätigkeit in Rom selbst. Ein Reflex dieser Aktivitäten war es, wenn der im 6. Jahrhundert geschriebene 'Liber pontificalis', auf den später noch einzugehen sein wird, Gelasius I. pries: „Dieser liebte die Armen und erweiterte den Klerus. Die Stadt Rom hat er von der Gefahr des Hungers befreit." Einer seiner Nachfolger, Symmachus, baute bei St. Peter, St. Paul und S. Lorenzo Unterkünfte für Arme und gab Geld aus für die Auslösung von Gefangenen. Und schon unter Gelasius war in Rom die später kanonisch gewordene Vierteilung des kirchlichen Vermögens anerkannt, nach der jeweils ein Viertel für den Bischof, den Klerus, die Armen und die kirchlichen Bauten auszugeben sei. Dies aber setzte eine effektive Verwaltung und Mehrung der kirchlichen Einkünfte voraus. Daher ließ derselbe Papst erstmals ein Verzeichnis aller kirchlichen Besitzungen ('Polyptichum') erstellen.

Wahrscheinlich vermehrte sich das kirchliche Vermögen vor allem durch Spenden und testamentarische Verfügungen der Gläubigen. Ob der Kirche auch schon der Nachlaß verstorbener Kleriker zufiel und der Bischof bei Amtsantritt eine allgemeine Abgabe – das *cathedraticum* – erhielt, läßt sich für diese Epoche in Rom nicht erkennen. Wichtig jedoch war, daß nach der Christianisierung der Oberschicht deren Vermögen zum Teil in den Besitz der Kirche gelangte und das einmal erworbene Besitztum nicht ohne weiteres wieder veräußert, also nicht entfremdet werden durfte. Auch der Bischof, der wohl schon seit dem späten 4. Jahrhundert die Aufsicht über das gesamte Kirchenvermögen hatte, mußte sich an dieses Verbot halten. Demzufolge wurde das kirchliche Eigentum hauptsächlich durch Plünderungen (Westgoten 410, Vandalen 455) und feindliche Besetzung von Landgütern geschmälert. Außerdem hing der Ertrag aus Landgütern von der landwirtschaftlichen Konjunktur ab.

Wie die zahlreichen Kirchenbauten und die sporadischen Nachrichten über soziale Aktivitäten von Bischöfen andeuten, dürfte das Vermögen der römischen Kirche im 5. Jahrhundert nicht allzu stark beeinträchtigt worden sein. Und wenn auch exakte Angaben fehlen, so war doch der Landbesitz so umfangreich, daß seit der Mitte des 4. Jahrhunderts nach staatlichem Vorbild eine Verwaltung aufgebaut wurde. Die Oberaufsicht führten der Bischof und seine Diakone. Doch für die praktischen Belange waren Laien nötig, die etwas von Wirtschaft und Recht verstanden, die *defensores* (= Verteidiger, Anwälte). Und wohl schon im 5. Jahrhundert waren diese in einer *schola* (= Korporation) unter der Leitung eines *primicerius* (= Rang'erster') zusammengeschlossen. Sie vertraten ihren kirchlichen Mandanten bei Rechtsstreitigkeiten und sorgten für eine gewinnbringende Nutzung des Vermögens, das wohl zum größeren Teil aus städtischen Immobilien und Landgütern bestand. Und weil der kirchliche Landbesitz natürlich dem damaligen Wirtschaftssystem entsprach, bestanden auch auf kirchlichen Ländereien die Arbeitskräfte vornehmlich aus Sklaven oder Kolonen. Daher befaßten sich die *defensores* nicht nur mit Schenkungen, Vermächtnissen, Kautionen oder Gütertausch, sondern auch mit der Freilassung (*emancipatio*) von Abhängigen.

Weil gemäß dem römischen Recht alle Rechtsgeschäfte schriftlich abgefaßt werden mußten, verfügte die kirchliche Verwaltung über schriftkundige Mitarbeiter, die Notare (*notaria* = Kurzschrift), die das übliche Kürzungssystem kannten. Darüber hinaus verfertigten die Notare in bischöflichem Auftrag, kontrolliert von den Diakonen, Martyrerakten, damit der Heiligenkult vereinheitlicht und überwacht werden konnte, und die Protokolle römischer Synoden. Zum Teil dem niederen Klerus angehörend, waren auch die Notare wohl schon im 5. Jahrhundert in einer *schola* unter einem *primicerius* vereinigt. Für das Abfassen bischöflicher Schreiben gab es Sekretäre, wobei eine Unterscheidung zwischen diesen und den Notaren nicht immer möglich ist. Alle Schriftstücke wurden in einem *scrinium* (= 'Schrein', Archiv) aufbewahrt, dessen Gründung später Julius I. zugeschrieben wurde. Diese Archivierung ist deshalb von genereller Bedeutung für die Papstgeschichte, weil sie schon frühzeitig die Kontinuität bei der Vertretung päpstlicher Ansprüche außerhalb Roms gewährleistete.

Diese Ansprüche gilt es näherhin zu charakterisieren. Dabei ist zwischen der Position, die die römischen Bischöfe gegenüber den Kaisern oder deren Vertretern, und der, die sie gegenüber anderen kirchlichen Institutionen beanspruchten, zu unterscheiden. Als Kaiser war Konstantin der Große ebenso wie seine Vorgänger der *pontifex maximus*, der oberste Hüter aller anerkannten Kulte mit der Aufsicht über die Wahrung des Sakralrechts. In dieser Funktion und aus politischen Gründen war er daran interessiert, durch Unterdrückung von Lehren und Bewegungen, die als nicht rechtgläubig angesehen wurden oder den religiösen Frieden und damit die soziale Ordnung bedrohten, die Einheit der neuen Religion zu sichern, denn andernfalls war auch die politische Einheit des Reiches gefährdet. Diese Einstellung behielten seine Nachfolger bei, auch wenn sie den als heidnisch angesehenen Titel des *pontifex maximus* nicht mehr führten. Daher waren die Kaiser nicht nur bestrebt, durch Stiftungen und Schenkungen ihre fromme Gesinnung zu zeigen oder durch Privilegien den christlichen Klerus dem Status anderer Kultdiener anzugleichen. Vielmehr setzten sie zur Wahrung des Glaubens und zur Kontrolle der Disziplin Bischöfe als Richter ein, beriefen und leiteten Regionalsynoden und Reichskonzilien oder engagierten sich bei der Durchsetzung bestimmter Glaubenslehren, was so weit führen konnte, daß sie selbst Lehrsätze formulierten.

Die kaiserliche Religionspolitik hatte ohne Zweifel die damalige Kirche gefestigt; ohne kaiserliche Einberufung wären die vier großen Konzilien von Nikaia (325), Konstantinopel (381), Ephesos (431) und Chalkedon (451) nicht zustande gekommen, denn eine kirchliche Instanz, die für die gesamte 'Ökumene' (= bewohnte Welt, d. h. das Römische Reich) zuständig gewesen wäre, existierte nicht. Und gerade diese vier Konzilien formulierten die Glaubenssätze, die bis heute von Katholiken und Orthodoxen gleichermaßen anerkannt sind. Zugleich aber gerieten die kirchlichen Instanzen – vornehmlich im Ostteil des Reiches – in eine häufig nachteilige Abhängigkeit von politischen Absichten und religiösen Privatmeinungen der Kaiser. Daher kam es immer wieder zu Konflikten zwischen den kirchlichen und weltlichen Spitzen. Die dabei im Westen entwickelten Lehren prägten zum Teil bis in die Gegenwart das Verhältnis von Staat und Kirche. Und vornehmlich im 5. Jahrhundert waren römische Bischöfe maßgeblich an der Herausbildung der kirchlichen Anschauungen beteiligt. Dieser kurz skizzierte kirchenhistorische Hintergrund muß ständig bedacht werden, wenn man die Stellung der römischen Bischöfe zur staatlichen Gewalt verstehen will. Und vor allem gilt zu bedenken: Es trifft nicht zu, daß die Päpste die einzigen oder allein wichtigen Verteidiger der kirchlichen Freiheit gewesen wären. Was die römischen Bischöfe von anderen in dieser Hinsicht bedeutenden Kollegen – Hosius von Córdoba, Athanasios von Alexandrien, Hilarius von Poitiers, Ambrosius von Mailand, Augustinus von Hippo, Johannes Chrysostomos von Konstantinopel – unterschied, ist die im 5. Jahrhundert in Rom feststellbare Kontinuität der Lehre. Diese aber war nicht nur geprägt von der Persönlichkeit einzelner Päpste – Innozenz' I., Leos I., Gelasius' I. –, sondern von dem Ansehen Roms als ideelles Reichszentrum, von der Tatsache, daß die Residenzen der Herrscher weit entfernt lagen, und von der durch das Diakonenkolleg und die Archivierung gewährleisteten kirchenpolitischen Konstanz innerhalb der Führungsschicht der römischen Gemeinde.

In der ersten Hälfte des 4. Jahrhunderts unterschied sich die römische Gemeinde lediglich dadurch von anderen, daß sie von Konstantin und seinen ersten Nachfolgern stärker gefördert wurde. Außer in den schon genannten Kirchenbauten zeigte sich die kaiserliche Gunst in Privilegien. Der römische Bischof erhielt wie auch seine Kollegen das Recht, in Rechtsfällen, die die christliche Disziplin betrafen, als Richter zu fungieren. Und stärker als die meisten Tempelpriester wurde der römische Klerus weitgehend der staatlichen Gerichtsbarkeit entzogen, der kirchliche Besitz von zahlreichen Abgaben und Dienstleistungen befreit. Allerdings schränkten schon Kaiser der zweiten Jahrhunderthälfte manche Vorrechte wegen der akuten Finanznot des Reiches wieder ein, so daß die Beachtung der Privilegien durch staatliche Organe Schwankungen unterworfen war. Inwieweit der römische Bischof durch Titel und Rangabzeichen seit Konstantin den höheren Rängen der kaiserlichen Verwaltung gleichgestellt war, ist entgegen älteren Thesen äußerst unsicher. Es steht lediglich fest, daß seit Damasus die Bischöfe wie die höheren Staatsfunktionäre in einem Wagen durch die Straßen Roms fahren durften.

Der Privilegierung entsprach die Verwendung römischer Bischöfe durch den Kaiser. Das älteste Beispiel ist die – häufig fälschlich zugunsten einer Sonderstellung des römischen Bischofs interpretierte – Lateransynode von 313, die im Auftrag des Kaisers unter Vorsitz des römischen Bischofs Miltiades einen Streit zwischen dem Bischof von Karthago und einer Gruppe von rigoristischen Donatisten schlichten sollte. Als die Entscheidung der Synode keine Anerkennung fand, ließ der Kaiser den Fall von einer anderen Synode in Arles erneut verhandeln. Daraus geht hervor, daß für Konstantin Miltiades nur als Bischof der Hauptstadt seines Reiches von Bedeutung war, jedoch nicht als oberster Richter in Belangen der westlichen Gemeinden galt. Wichtiger waren die Stellungnahmen römischer Bischöfe im Streit um die Lehre des Arius. Julius I. und Liberius setzten sich mutig für die in Nikaia gegen Arius verkündeten Beschlüsse ein, Liberius wurde deshalb sogar zeitweise verbannt. Doch eine Führungsposition innerhalb der gesamten Kirche besaßen sie ebensowenig wie gegenüber den Kaisern.

Allerdings muß schon an dieser Stelle betont werden, daß Rom zu dieser Zeit innerhalb des Westreiches eine herausragende Stellung erlangte, die anfangs auf seinem politischen Rang, bald aber auch auf der Petrusnachfolge basierte. Von westlichen Synoden wie der von Sardica (heute Sofia) 343 – einer der Canones bestimmte Roms Bischof zur kirchlichen Appellationsinstanz in Fragen von Disziplin und Lehre – betont, wurde im Jahre 380 zuerst von den westlichen Kaisern Gratian und Valentinian II., dann auch vom Kaiser des Ostreiches, Theodosius, anerkannt, daß der Glaube der römischen Gemeinde den anderen Gemeinden als Richtschnur dienen solle. Dieser besonderen Stellung Roms im Westen entsprach es, wenn im folgenden Jahr das lange Zeit von Rom nicht anerkannte Konzil von Konstantinopel dieser Stadt als dem 'Neuen Rom' den gleichen hierarchischen Rang zusprach, wie ihn das 'Alte Rom' besaß. Dieser 451 in Chalkedon erneuerte Beschluß – Theodosius hatte ihn seinerzeit im Blick auf seine Hauptstadt gefordert – zeigt, daß in den Augen der Kaiser und Konzilsväter Roms Rang immer noch weitgehend auf seiner politischen Stellung basierte. Solcherlei Verknüpfung entsprach der damals üblichen Parallele zwischen Bedeutung und Prestige weltlicher und kirchlicher Zentren. Daher stiegen außer Rom und Konstantinopel Residenzen oder Verwaltungszentren wie Alexandrien, Antiochien, Karthago – in geringerem Maße auch Saloniki, Arles, Mailand, Ravenna – zu Mittelpunkten kirchlicher Regionen auf. Aus dem gleichen Grund unterstand Jerusalem bis ins 5. Jahrhundert hinein dem Metropoliten von Caesarea, denn dort befand sich auch der Sitz der staatlichen Verwaltung. Und wie stark die römische Gemeinde dem Kaiser tatsächlich unterstand, zeigen nicht nur die staatlichen Eingriffe bei zwiespältigen Wahlen, sondern auch ein Kanon (= Beschluß) der römischen Synode von 378, in dem die

Kaiser als höchste Gerichtsinstanz für Fälle bezeichnet wurden, in die ein römischer Bischof verwickelt sei.

Doch wenig später begann sich im Westen die Anschauung vom Verhältnis zwischen Kirche und Staat zu verändern, zuerst außerhalb Roms, dann auch in Rom selbst. Ambrosius von Mailand hatte gegenüber Kaiser Theodosius eindrucksvoll durchgesetzt, daß dieser als Christ den Bischöfen folgen müsse. Augustinus von Hippo hatte vornehmlich infolge der Eroberung Roms 410 durch die Westgoten in seinem Werk 'De civitate dei' die Grundlagen des irdischen und himmlischen Reiches neu durchdacht und dafür eine für die folgenden Jahrhunderte im Westen maßgebende Lehre entwickelt. Dabei hatte er auch betont, daß der irdische Herrscher den Dienern des himmlischen Reiches helfen müsse. Diese Ansicht setzte sich gleichzeitig in Rom durch, wie ein Brief Bonifaz' I. von 420 an den westlichen Kaiser bezeugt. Dieser Tendenz entsprach es, wenn Leo I. im Konflikt mit dem Bischof von Arles 445 durch Kaiser Valentinian III. die Autorität des römischen Bischofs gegenüber den Kirchen des Westreiches sanktionieren ließ. Dem oströmischen Kaiser Leon schrieb derselbe Papst 457, daß dem Kaiser seine Herrschergewalt „hauptsächlich zum Schutz der Kirche" übertragen sei. Felix III. weitete die Lehre noch aus, wenn er Kaiser Zenon schrieb, daß dieser den göttlichen Gesetzen und damit in Glaubensdingen der Kirche gehorchen müsse, denn er sei ein Sohn, nicht ein Bischof der Kirche.

Die Briefe Felix' III. hatte vielleicht schon Gelasius I. als Diakon mitverfaßt. Als Bischof formulierte er die Lehre, die vor allem seit dem 11. Jahrhundert das Verhältnis von Kirche und Staat prägen sollte: die sogenannte 'Zweigewaltenlehre', wie sie aus einem Brief an Kaiser Anastasios von 494 hervorgeht. Die in der Folgezeit wichtigste Stelle definierte die unterschiedlichen Funktionen von weltlicher und kirchlicher Gewalt und deren Inhaber: „die geheiligte Autorität der Bischöfe und die herrscherliche Gewalt". „Von diesen ist die Bürde der Priester um so schwerer, als eben sie auch für die Könige der Menschen vor dem göttlichen Gericht Rechenschaft ablegen müssen." Daher habe ihnen auch der Kaiser in Dingen, die Glauben und kirchliche Disziplin betreffen, zu gehorchen. Und Gelasius beanspruchte zwar demütig, aber unmißverständlich für den römischen Bischof, „den die höchste Gottheit erwählte, alle Priester zu überragen“, die oberste Autorität in der Kirche. Anders jedoch als seine mittelalterlichen Nachfolger betonte er das Prinzip der Nichteinmischung. Deutlich wird dies in einem anderen Schreiben: „Auch die christlichen Kaiser bedürfen für das ewige Leben der Bischöfe, und die Bischöfe sollen für den Ablauf der irdischen Dinge die kaiserlichen Anordnungen benutzen, damit das geistliche Amt von weltlichen Einflüssen frei bleibe und ‘der Gottesdiener sich in keiner Weise in weltliche Dinge einmische’ (2. Tim. 2, 4).“

Diese Ablehnung staatlichen Einflusses auf Belange der Kirche wurde unter Symmachus noch verstärkt. Zwar war er mit Unterstützung der weltlichen Gewalt – in diesem Fall des Ostgotenkönigs Theoderich – Bischof geworden, doch als ihm von seinen Gegnern sittliche Verfehlungen vorgeworfen wurden, lehnten er und seine Anhänger ein Urteil durch eine 501 von Theoderich einberufene Synode ab, obwohl dieses Verfahren den bislang gültigen Rechtsnormen entsprach. Zur Absicherung dieser neuen Position wurden verschiedene Texte entworfen und in die Zeit des schon um 500 legendär verklärten Silvester datiert. Mit der Begründung, daß ein Rangniederer keinen Ranghöheren richten darf, hieß es kurz und bündig: „Niemand darf den ersten Sitz richten“ (*Nemo iudicabit primam sedem*), auch kein Kaiser. Wie die Lehre des Gelasius sollte jedoch auch dieser Satz in veränderter sprachlicher Gestalt erst seit dem 11. Jahrhundert voll zur Wirkung gelangen.

Immerhin ist deutlich geworden, daß sich die römischen Bischöfe vor allem seit dem Ende des 5. Jahrhunderts – also nach dem Ende des weströmischen Kaisertums 476 – eine dem Kaiser ebenbürtige Stellung beimaßen. Dies zeigten sie auch – für jeden Gläubigen verständlich – in ihrem Auftreten. Wohl schon zu dieser Zeit, sicherlich im 6. Jahrhundert, trugen sie das Pallium (ein schmales, über den Schultern getragenes Kleidungsstück) und verliehen es ihnen zugeordneten Bischöfen – etwa dem von Ostia – weiter, was an sich nur dem Kaiser zustand. Zumindest bis zum 12. Jahrhundert blieb das Pallium das Symbol für die Autorität des römischen Bischofs. Und wohl ebenfalls seit dem späten 5. Jahrhundert ahmten die römischen

Bischöfe den Kaiser dadurch nach, daß sie sich Kerzen und Weihrauch bei Prozessionen vorantragen ließen.

Doch entsprach die Realität nicht in allem ihren Vorstellungen. Ihren Anspruch, Hüter des rechten Glaubens zu sein, konnte es schwerlich fördern, wenn um 470 der Heermeister Ricimer nahe der wichtigsten Garnison in Rom eine Kirche für seine arianischen Soldaten baute, die später auch der gotischen Besatzung diente und wie andere arianische Kirchen in Rom erst von Gregor I. katholisiert wurde (S. Agata dei Goti). Diese Abhängigkeit von Herrschern, die noch nicht einmal den rechten Glauben besaßen, mußte in noch stärkerem Maße zwanzig Jahre nach den Symmachianischen Fälschungen Johannes I. erdulden. Zwar reiste er als erster römischer Bischof nach Konstantinopel und wurde dort ehrenvoll empfangen. Doch sein Auftrag war alles andere als dem päpstlichen Ansehen förderlich, denn er sollte sich im Auftrag Theoderichs für die Duldung der im Ostreich verfolgten arianischen Goten einsetzen. Wie nicht anders zu erwarten, blieb seine Mission ohne Erfolg. Nach der Rückkehr vielleicht im gotischen Kerker verstorben, galt zwar Johannes in Rom als Martyrer und verhalf dort Theoderich zum Ruf eines ketzerischen Tyrannen, doch zeigte gerade sein Pontifikat die Diskrepanz zwischen römischer Fiktion und Realität am Ende dieser Epoche besonders deutlich.

Diese Diskrepanz kennzeichnete vorerst auch die Stellung des römischen Bischofs innerhalb der Kirche selbst. Um diese Stellung erkennen zu können, ist es sinnvoll, drei geopolitische Bereiche voneinander zu scheiden: Italien, das Westreich und das Ostreich.

Kaiser Diokletian hatte zwecks besserer Verwaltung das Römische Reich in größere Verwaltungseinheiten (Diözesen) unterteilt, die sich gewöhnlich aus mehreren kleineren Einheiten (Provinzen) zusammensetzten. Konstantin und seine Nachfolger veränderten aus dem gleichen Grund diese Unterteilungen. Eine dieser Veränderungen betraf die Diözese Italien. Deren nördliche Hälfte, die von den Alpen bis in den Apennin (südlich von Florenz) reichte, diente der Versorgung des Kaiserhofes in Mailand (*Italia annonaria*), die südliche Hälfte mit den Inseln Sizilien, Sardinien und Korsika versorgte Rom mit Lebensmitteln und hieß daher *Italia suburbicaria* (*urbs* = Stadt = Rom). Verwaltet wurden die beiden Provinzen von Mailand und Rom aus. Und entsprechend der üblichen Angleichung von weltlichem und kirchlichem Mittelpunkt übten die Bischöfe von Mailand bzw. Rom die Aufsicht über die in der jeweiligen Provinz bestehenden Gemeinden aus. Während sich vor allem seit dem Beginn des 5. Jahrhunderts aufgrund politischer Veränderungen der Sprengel des Mailänder Bischofs zugunsten von Ravenna und Aquileja verkleinerte, blieb der des römischen Bischofs bis zu den Gotenkriegen weitgehend konstant. An Bischöfe dieses Sprengels schrieben jene von Rom Anweisungen für die Einhaltung der Liturgie und Disziplin; Bischöfe der gleichen Region wurden vom römischen Bischof ordiniert, besuchten die in Rom gehaltenen Synoden, und zum Teil wurden auch Presbyter der römischen Gemeinde zu Bischöfen dieser Provinz bestimmt. Wie in Rom die Unterordnung begründet wurde, zeigt ein Brief Innozenz' I. von 416 an den Bischof Decentius von Gubbio: Weil gemäß der Tradition lediglich Petrus als Apostel im Westen gewirkt habe – Paulus ist hier also völlig übersehen –, haben nur die von Petrus oder seinen römischen Nachfolgern eingesetzten Bischöfe in ganz Italien, Gallien, Spanien, Afrika, Sizilien und auf den westlichen Inseln Gemeinden gegründet; daher müßten alle diese Gemeinden die Vorschriften Roms beachten. Der Brief ist eines der ersten Beispiele für die in Zukunft oftmals bevorzugte Taktik römischer Bischöfe, mit gänzlich fragwürdigen historischen Argumenten Ansprüche zu begründen. Doch hinderten diese – auch schon damals erkennbaren – Anachronismen spätere Päpste und ihre Parteigänger nicht, die Behauptungen als historische Fakten zu bewerten, wobei die wachsende zeitliche Distanz zum Entstehungsdatum des Briefes die Sicherheit des 'Beweises' noch verstärkte.

Geopolitische Gegebenheiten, die schon den Umfang der frühen römischen Republik in der vorchristlichen Zeit bestimmt hatten und auch während des Mittelalters immer wieder von Bedeutung waren, sorgten dafür, daß sich aus der Provinz *Italia suburbicaria* ein engerer Bezirk (unterer Lauf des Tiber, Albaner Berge, südliche Toskana) von noch größerer Bedeutung für die römische Gemeinde herausbildete. Sofern die Päpste keine Stadtrömer waren, stammten sie gewöhnlich aus diesem engeren Bezirk (Albano: Innozenz I.; Campagna: Coelestin I., Hormisdas; Toskana: Leo I., Johannes I.; Tivoli: Simplicius). Zugleich waren die Bischöfe, die den Papst seit dem 4. Jahrhundert ordinierten, in diesem Bezirk tätig: die Bischöfe von Albano (1. Weihegebet), Porto (2. Weihegebet) und Ostia (3. Weihegebet). Von diesen am wichtigsten war der Bischof von Ostia. Daher war ihm wohl schon im 5. Jahrhundert vom römischen Bischof das Pallium verliehen worden – der 'Liber pontificalis' des 6. Jahrhunderts schrieb diese Verleihung anachronistisch schon dem Bischof Marcus zu. Und die Teilnahme des Ostiensers an der Papstordination wurde anscheinend schon damals für so konstitutiv angesehen, daß zu Beginn der nächsten Epoche Pelagius I. von einem Presbyter aus Ostia geweiht wurde – wahrscheinlich war der dortige Bischofssitz zu der Zeit vakant –, ein Präzedenzfall für ähnliche Regelungen im 12. Jahrhundert.

Blieb, wie schon erwähnt, die Unterstellung des suburbikarischen Italien unter Rom während der ganzen Epoche unverändert, so hing der Einfluß des römischen Bischofs in den außerhalb dieser Provinz gelegenen Teilen des westlichen Reiches weitgehend von politischen Veränderungen ab. Weil die Stellung des römischen Bischofs außerhalb Italiens erst seit Damasus Bedeutung erlangte, andererseits seit ca. 400 Britannien, der Niederrhein und die Gebiete nördlich der Donau weitgehend der Reichsgewalt entzogen waren, kommen vor allem Spanien, Gallien, Norditalien mit den Alpengebieten, der westliche Balkan mit Griechenland und Nordafrika (außer Ägypten) in Betracht. Nimmt man den Beschluß der schon genannten Synode von Sardica (343) wörtlich, so hätte Rom schon seit dieser Zeit die Appellationsinstanz für alle Gemeinden des Westreiches gebildet. Doch zeigen zum Beispiel von Ambrosius geleitete Synoden, daß unter seinem Pontifikat Mailand für südgallische oder illyrische Bischöfe weitaus bedeutender war als Rom. Im Unterschied zu Dogmen- und Rechtshistorikern, die gern einmal gefaßte Synodalbeschlüsse für immer gültig erachten, ist also davon auszugehen, daß derartige Beschlüsse ebenso wie Entscheidungen römischer Bischöfe häufig nur für eine aktuelle Situation zutreffen und die Ansichten bestimmter kirchlicher Parteien wiedergeben, so daß aus ihnen keine allgemeine und fortwährende Geltung abgeleitet werden sollte.

Angesichts der geographischen Nähe könnte man vermuten, daß Norditalien ein bevorzugtes Ziel päpstlicher Integrationspolitik gewesen sei. Doch dem ist nicht so. Allein schon die Etablierung der weströmischen Kaiserresidenz zuerst in Mailand, ab Ende des 4. Jahrhunderts in Ravenna sorgte für eine starke kirchliche Autonomie dieser Provinz. Hinzu kam der Einfluß starker Persönlichkeiten wie des Ambrosius von Mailand. Daraus folgt, daß zwar persönliche Kontakte zwischen norditalischen Bischöfen und Rom bestanden, ein Austausch liturgischer Formeln oder im Bereich der Heiligenverehrung stattfand und zum Beispiel Gelasius I. sich für den Loskauf von Gefangenen in Nordwestitalien einsetzte, ab und zu auch einmal ein römischer Presbyter Bischof in Norditalien wurde; aber bis zur Mitte des 6. Jahrhunderts besaß Rom keine allseits anerkannte, direkte Aufsichtsgewalt über die norditalischen Gemeinden.

Stärker scheint eine Zeitlang der Einfluß des römischen Bischofs im sogenannten 'Illyricum' und in Südostgallien gewesen zu sein, wie die Funktionen der Bischöfe von Saloniki und Arles als seine Vikare andeuten. Auch hierfür ist die staatliche Stellung beider Orte bedeutsam: Saloniki war der Verwaltungsmittelpunkt für die Diözese Makedonien (westlicher Balkan = Illyrien bis zur Donau und Griechenland), Arles im 4. Jahrhundert zeitweise Kaiserresidenz und seit Anfang des 5. Jahrhunderts Refugium und Zentrum der in Gallien verbliebenen römischen Reichsbürger.

Die ersten Kontakte zwischen Rom und Makedonien wurden schon unter Damasus geknüpft. Im westlichen Teil bekämpfte der Papst mit Hilfe römischer Synoden arianische Bischöfe; doch ein Erfolg war nicht ihm, sondern Ambrosius von Mailand beschieden, der zusammen mit dem in seiner Bischofsstadt residierenden Kaiser Gratian rechtgläubige Bischöfe durchsetzen konnte. Anders sah es im östlichen Teil, im eigentlichen Makedonien, aus. Dieses unterstand zeitweise der Befehlsgewalt des östlichen Kaisers Theodosius. Um nicht unter den Einfluß des Bischofs von Konstantinopel zu gelangen, suchte der Bischof von Saloniki seine Eigenständigkeit durch eine Hinwendung nach Rom zu sichern. Die kurz danach auf dem Balkan einsetzenden Unruhen – vor allem die Plünderungszüge der Westgoten – und die dadurch erzwungene erneute Unterstellung

Makedoniens unter den Herrscher des Ostreiches erschwerten vorerst die noch geringen Kontakte mit Rom. Doch trotz aller Hindernisse versuchte Siricius, im Illyricum eine rechtgläubige Hierarchie durchzusetzen. Dazu benutzte er vornehmlich den Metropoliten von Saloniki, dem er für dessen Sprengel eine Stellung zusprach, wie er sie selbst im suburbikarischen Italien besaß. Mit dieser Amtsgewalt sollte dann der Metropolit die Vorstellungen des Papstes als dessen Vikar verwirklichen. Zwar blieb dieses Unternehmen erfolglos; doch war es ein Vorbild für ähnliche Versuche späterer Päpste. Zu diesen zählten Innozenz I. und vor allem Leo I. Zeitweilig zwar erfolgreicher als Siricius, konnten sie dennoch auf die Dauer ihre Absichten nicht in die Tat umsetzen. Zum einen waren die Versuche der östlichen Kaiser und der Patriarchen von Konstantinopel, ihre Befugnisse auf Makedonien auszudehnen, den römischen Vorstellungen entgegengesetzt. Zum anderen benutzten die Metropoliten von Saloniki ihren von Rom approbierten Vorrang, um ohne dessen Billigung ihren Bereich zu kontrollieren und zu regieren, so daß es zu Konflikten mit Rom kam. Schließlich führten die Züge der Ostgoten und das sogenannte 'Akakianische Schisma' zwischen Rom und Konstantinopel Ende des 5. Jahrhunderts zum Zusammenbruch der römischen Anstrengungen. Dennoch blieben diese nicht ohne Folgen: Bis zum 8. Jahrhundert beanspruchte Rom die kirchliche Oberaufsicht auch über den illyrischen Bereich, und zumindest mit dessen westlichem Teil bestanden weiterhin liturgische und briefliche Kontakte. Am wichtigsten jedoch sollte seit der Karolingerzeit ein Brief werden, den Leo I. im Jahre 446 an den auf Autonomie bedachten Metropoliten Anastasios von Saloniki geschrieben hatte. In diesem betonte der Papst, daß Anastasios nur einen Teil der Verantwortung, nicht jedoch – wie der Papst – die volle Amtsgewalt besitze (*ut in partem sis vocatus sollicitudinis, non in plenitudinem potestatis*). Zwar bezog sich der Brief nur auf die Funktion des Bischofs als Vikar des Papstes, also nicht auf die als Bischof und Metropolit. Doch diente er seit dem 9. Jahrhundert – im Textbestand verändert – zur Begründung der Unterstellung aller Bischöfe unter die Vollgewalt (*plenitudo potestatis*) des Papstes.

Zeitweilig von größerem Erfolg war die Politik Roms gegenüber

Arles. Wie schon erwähnt, war diese Stadt zu Beginn des 5. Jahrhunderts das Zentrum des militärischen und politischen Widerstandes gegen die germanischen 'Barbaren'. Diese Situation nutzte der Bischof der Stadt, Patroclus, aus, um seine Amtsgewalt gegen die Bischöfe von Marseille und Vienne, die sich auf ältere Vorrechte beriefen, auszubauen. Und dazu bediente er sich geschickt des damaligen römischen Bischofs Zosimus, der selbst die eigene Autorität im noch römischen Gallien festigen und zugleich die dort desolaten kirchlichen Zustände verbessern wollte. Aufschlußreich ist auch hierbei wieder die scheinbar historische Begründung des römischen Eingreifens. Von Patroclus angeregt und analog zu dem schon erwähnten Brief Innozenz' I. an Decentius von Gubbio, behauptete Zosimus, daß Arles und dessen Gebiet im Auftrag römischer Bischöfe vom heiligen Trophimus missioniert worden sei. Hierdurch wurde ein direkter Bezug zwischen dem Kult eines Ortsheiligen und dem Vikar Petri konstruiert, ein Vorbild für spätere entsprechende Versuche von Päpsten vor allem in Gallien und im Rheinland. Weil Zosimus einseitig für Patroclus Partei ergriffen hatte, verstärkte er jedoch lediglich die Verwirrung in Südgallien. Und seine nächsten Nachfolger hatten große Mühe, durch Distanzierung von seiner Politik ihr Ansehen wieder zu stärken. Doch blieb auch für sie Arles der Bischofssitz, mit dessen Hilfe sie stärkeren Einfluß auf die Kirche in Südgallien nehmen wollten.

Wie in Makedonien war auch in Südgallien Leo I. am erfolgreichsten. Die Nachfolger des Patroclus, Honoratus und vor allem (seit 430) Hilarius, waren Mönche des Inselklosters Lérins (bei Cannes) und versuchten, soweit wie möglich Bischöfe in Gallien einzusetzen, die ihren Idealen entsprachen. Demzufolge begründeten sie ihr Vorgehen nicht damit, Vikare Roms zu sein, sondern mit ihrem Vorsatz, die christlichste, nämlich asketische, Lebensform zu verwirklichen. Das jedoch mußte den Widerstand Roms provozieren. Im Zusammenhang mit Arelater Schwierigkeiten hatte schon Innozenz I. dekretiert, daß alle *causae maiores* (= größere Gerichtsfälle) von Bischöfen generell unter die Kompetenz des römischen Bischofs fallen sollten. Welche Fälle darunter zu verstehen seien, blieb bis zum Hochmittelalter nicht definiert. Doch gerade diese Unbestimmtheit bot späteren Päpsten die Chance, unter Berufung auf diese Dekretale in Belange anderer Bistümer einzugreifen. Leo I. gelang es, Hilarius auf einer römischen Synode aller Funktionen zu entkleiden, die über die Aufgaben eines gewöhnlichen Bischofs hinausgingen. Kirchenrecht und römische Disziplin siegten also über eine anders motivierte, theologisch und sozial engagierte Nachfolge Christi. Schon wenig später machte, wie im östlichen Bereich, auch in Südgallien die Herrschaft der Ostgoten, später der Franken eine Fortsetzung der römischen wie der Arelater Politik unmöglich. Doch die Ansprüche lebten auf beiden Seiten weiter, was sich vor allem in dem relativ regen Briefwechsel zwischen römischen und südgallischen Bischöfen zeigt.

Vereitelten in der später so genannten 'Provence' trotz des langen Nachlebens römischer Institutionen und Vorstellungen politische und damit einhergehende soziale Umwälzungen dem Papsttum einen dauerhaften Erfolg, so erst recht im größeren Teil Galliens. Zwar hatten schon im 2. Jahrhundert Irenäus von Lyon mit Rom Verbindungen unterhalten und im 4. Jahrhundert Bischöfe wie Hilarius von Poitiers im Kampf gegen die Arianer und andere Häretiker mit römischen Bischöfen zusammengearbeitet. Doch die seit ca. 400 Gallien durchziehenden oder sich dort festsetzenden Barbaren (Alanen, Vandalen, Sweben, Westgoten, Burgunden, Franken, Alemannen) erschwerten vorerst einen Ausbau jener der römischen Provinzialeinteilung entsprechenden kirchlichen Strukturen, auch wenn die meisten Bistümer bestehenblieben. Die instabilen Verhältnisse verhinderten zugleich eine erfolgreiche Unterstellung Galliens unter Rom, obwohl auch gallische Bischöfe versuchten, mit Hilfe Roms die Instabilität durch dessen Direktiven in Fragen von Liturgie, Organisation und Disziplin zu überwinden. Gerade vom Ende des 4. und aus der ersten Hälfte des folgenden Jahrhunderts – von Siricius bis Leo I. – sind relativ zahlreiche Briefe erhalten, die an den gesamten Episkopat Galliens oder an einzelne Bischöfe (von Narbonne, Toulouse, Rouen) gerichtet waren und die eben genannten Probleme zu regeln suchten. Und selbst in den turbulentesten Zeiten unternahmen es regionale Synoden, die von Rom aufgestellten Richtlinien durchzusetzen. Unterstützt wurden sie dadurch, daß

Gallien neben Italien das Land war, aus dem im 5. Jahrhundert besonders viele Pilger – Kleriker wie Laien – nach Rom zogen, um vor allem das Petersgrab zu verehren. Anschließend gründeten sie in Gallien Kirchen zu Ehren von Petrus und Paulus. Und schon früher als in Rom selbst feierte man in Gallien neben dem Fest der 'Cathedra Petri' (von Rom abweichend am 18. Januar) die 'Conversio Pauli' (= Bekehrung des Paulus, am 25. Januar). Dennoch bewirkten die politischen und ethnischen Umwälzungen, daß die Verbindungen zu Rom sich nicht institutionell verfestigten und Ende des 5. Jahrhunderts fast völlig unterbunden waren. Wie gering der Kontakt zwischen den Franken und Rom zu der Zeit war, zeigt das Fehlen jeglicher römischer Resonanz auf die Taufe Chlodwigs (ca. 498), obwohl sich damit zum ersten Mal ein Germanenherrscher zusammen mit Führungsgruppen seines Volkes zum Katholizismus bekannt hatte. Lediglich die Stiftung einer Weihekrone für St. Peter ist nach Chlodwigs Tod in Rom vermerkt worden. Daher gab es auch keine Kontakte zwischen den seit Chlodwig in Gallien gehaltenen Synoden und den gleichzeitigen Päpsten. Dennoch sorgten diese Versammlungen für ein Weiterwirken Roms, indem sie die genannten Briefe früherer Päpste zur Richtschnur für bestimmte Entscheidungen wählten. Demzufolge wurden schon zu dieser Zeit einige der päpstlichen Briefe in gallische Kirchenrechtssammlungen aufgenommen. Die Leitung der fränkischen Kirche besaß jedoch der König.

Der Lage der gallischen entsprach die der spanischen Kirche. Schon im 3. Jahrhundert hatten spanische Bischöfe im Kampf um Lehre und Disziplin sich an Rom gewandt. Unter Konstantin und seinen Söhnen war der führende Kopf der spanischen Kirche, Bischof Hosius von Córdoba, ein Verfechter des römischen Ansehens, wie vor allem die Synode von Sardica (343) zeigt. Auch weiterhin erbaten sich spanische Bischöfe Rat und Unterweisung von römischen Bischöfen. Das berühmteste Beispiel hierfür ist ein Brief des Bischofs Siricius von 385 an Himerius von Tarragona, der als erste päpstliche 'Dekretale' gewertet wird. (Auf diesen Begriff wird noch einzugehen sein.) In seinem Brief erklärte Siricius römische Disziplinordnungen, so in Fragen des Zölibates, für alle spanischen Gemeinden als verbindlich. Inwieweit jedoch die römischen Direktiven tatsächlich in Spanien anerkannt wurden, ist nicht bekannt. Desgleichen fehlen jegliche Nachrichten über einen Erfolg der römischen Bemühungen gegen die in Spanien Aufsehen erregenden Häretiker, von denen die Priszillianisten besonders verbreitet waren. Dabei ist zu berücksichtigen, daß Spanien noch weniger als Gallien über eine zentralisierte kirchliche Organisation verfügte. Und aufgrund der politischen Situation im Westreich wandten sich verschiedene Bischöfe lieber an Mailand, mit dem sie auch stärkere liturgische Gemeinsamkeiten hatten, als an Rom. Zwar schickte wenig später eine im Jahr 400 in Toledo gehaltene Synode Gesandte an Innozenz I., und dieser antwortete ähnlich wie Siricius mit einer Disziplinordnung. Doch ein Erfolg ist auch in diesem Fall nicht bekannt; ähnlich verhält es sich mit einem Brief des Papstes Zosimus von 417. Und die schon in dieser Zeit einsetzenden Barbareninvasionen, die erst mit der Etablierung der westgotischen Herrschaft in ganz Spanien seit 507 ihr Ende fanden – die Verwirrung wurde noch durch separatistische Bestrebungen römischer Militärführer vermehrt –, verhinderten bis zum Ende dieser Epoche einen intensiveren Kontakt zwischen Spanien und Rom, auch wenn Päpste wie Hilarus und Simplicius weiterhin Briefe an einzelne spanische Bischöfe richteten.

Scheiterte der römische Einfluß in Gallien und Spanien an den organisatorischen Schwächen der dortigen Kirchen und an den kriegerischen Zeiten, so war in Nordafrika gerade dessen starke Organisation Rom von Nachteil. Berühmte Beispiele für die Verbindung zwischen Rom und Nordafrika sind Schriften und Aktionen nordafrikanischer Bischöfe wie Cyprians von Karthago im 3. oder Aurelius' von Karthago und Augustinus' von Hippo Anfang des 5. Jahrhunderts nebst ihrer römischen Partner oder Gegner. Und weil vor allem Cyprian und Augustinus berühmte Theologen waren und schon seit dem Spätmittelalter auch von Gegnern des römischen Kirchenregiments als Autoritäten zitiert wurden, waren und sind noch heute viele katholische Kirchenhistoriker – und erst recht Dogmenhistoriker – versucht, beide Persönlichkeiten als besonders frühe und eindrucksvolle Zeugen des päpstlichen Primates hinzustellen. Doch ist diese Position nicht haltbar. Cyprian pries

Petrus als den Ursprung der gesamten Christenheit, wollte damit jedoch keinen Führungsanspruch der römischen Gemeinde postulieren. Dem entsprach auch weitgehend die Haltung Augustins. Zwar verehrte er Petrus und legte Wert darauf, die Glaubensgemeinschaft mit dessen Nachfolger in Rom zu halten; aber bei Konflikten mit Rom verteidigte auch er die Eigenständigkeit der nordafrikanischen Kirche unter Leitung Karthagos. Außer Donatisten bekämpften er und seine Kollegen vornehmlich die Pelagianer (Hauptdissens: Gnadenlehre und Erbsündenlehre), die längere Zeit von Bischöfen Roms und Zirkeln der dortigen Oberschicht toleriert worden waren, obwohl nordafrikanische Synoden schon mehrmals gegen sie Beschlüsse gefaßt und Rom zur Solidarität aufgerufen hatten. Aus Protest gegen die Haltung Roms verbot ein Konzil in Karthago 418, an dem auch Augustin teilnahm, allen nordafrikanischen Klerikern, nach einem Urteil ihrer Bischöfe an Rom zu appellieren; höchste Instanzen seien vielmehr der Primas in Karthago oder ein Universalkonzil. Kurz darauf lenkte Zosimus ein und verwarf auch seinerseits den Pelagianismus. Wegen der vorausgegangenen Synodalbeschlüsse war damit für Augustin der Rechtsfall erledigt (Sermo 131: *Causa finita est, utinam aliquando finiatur error!*). Spätere Apologeten Roms verdrehten diesen Satz, ließen Augustin formulieren: „Rom hat gesprochen, die Sache ist daher entschieden“ (*Roma locuta, causa finita*) und machten ihn somit zum Protagonisten römischer Ansprüche. Noch zu Lebzeiten Augustins eroberten die Vandalen Nordafrika, töteten oder vertrieben die meisten Bischöfe und zerstörten damit die nordafrikanische Kirchenorganisation. Rom hatte einen unbequemen Kontrahenten verloren.

Überblicken wir noch einmal das Verhältnis Roms zu den verschiedenen Gebieten des Westreiches, so ist festzustellen, daß es den Päpsten während dieser Epoche außerhalb des suburbikarischen Italien nirgendwo gelungen war, eine allseits anerkannte und dauerhafte Aufsicht und Jurisdiktion zu erreichen. Dennoch waren die Versuche dazu in späteren Epochen von Bedeutung, denn die zu diesem Zweck formulierten Briefe wurden nicht nur in Rom, sondern auch in Gallien und Spanien gesammelt, damit späteren Benutzern tradiert und konnten so in günstigeren Situationen als historisch gesichertes Kirchenrecht genutzt werden. Von diesen Sammlungen wurden vor allem die in Rom seit Gelasius I. entstandenen wichtig, besonders die des skythischen Mönches Dionysius Exiguus. Wohl unter Papst Symmachus stellte er Teile von Dekretalen, die von Siricius bis hin zu Anastasius II. verfaßt waren, nach systematischen Aspekten zusammen, während die anderen Kompilationen gewöhnlich chronologisch angeordnet waren. Schon bald darauf wegen ihrer praktischen Brauchbarkeit benutzt, spielte die 'Dionysiana' vornehmlich seit dem späten 8. Jahrhundert als maßgebliche Sammlung des alten Dekretalenrechts eine große Rolle.

Diese Briefe seit Siricius werden – wie schon erwähnt – gewöhnlich als 'Dekretalen' bezeichnet. Darunter sind schriftliche Stellungnahmen zu verstehen, die wie die kaiserlichen Reskripte zwar auf einen Einzelfall Bezug nehmen, jedoch zugleich allgemein anzuerkennende Richtlinien festlegen. Diese Charakterisierung trifft für die Briefe von Siricius bis hin zu Leo I. zu, wie aus der Formulierung von Entscheidungen und Befehlen (*decernimus, iussimus, prohibemur*) oder von ironischem Tadel (besonders bei Innozenz I.: *miramur*) erkennbar wird. Um so eher konnten sie von späteren Generationen als gültige Gesetze anerkannt werden. Und wegen dieser Versuche, die Autorität des römischen Bischofs zumindest vom Anspruch her außerhalb Italiens durchzusetzen, kann man die Bischöfe seit Damasus oder Siricius als erste 'Päpste' bezeichnen.

Bis heute nicht allseits anerkannt und auch in dieser Epoche erfolgreich abgewiesen waren die Versuche römischer Bischöfe, mehr als einen verschwommenen Ehrenvorrang gegenüber dem führenden Klerus des Ostreiches durchzusetzen. Seit Konstantins Regierung waren römische Bischöfe vor allem dann in Belange der östlichen Kirchen verwickelt, wenn es um den rechten Glauben ging, wovon hauptsächlich Fragen der Christologie (Arianismus, Nestorianismus, Monophysitismus etc.) berührt waren. Weil die römischen Bischöfe – abgesehen von Leo I. – im Vergleich zu Vertretern der östlichen Kirchen gewöhnlich schlechte Theologen waren und die notwendigen Entscheidungen auf Konzilien getroffen wurden, an denen nur wenige (Nikaia 325, Ephesos 431, Chalkedon 451) oder gar keine (Konstantinopel 381) Vertreter des Westens teilnahmen

– ein Beispiel für die damals geringe Geltung des Westens in theologischen Fragen –, galten auch die Päpste entgegen späterer, hauseigener Interpretation wenig in Sachen des Glaubens. Die berühmte Ausnahme war Leo I. Infolge der 'Räubersynode' von Ephesos 449 hatte er sich intensiv mit der monographischen Lehre über die göttliche Natur Christi befaßt und Kaiser Markian aufgefordert, ein neues Konzil einzuberufen, das schließlich zwei Jahre später in Chalkedon tagte. Die dortige Mehrheit war wie der Papst dank kaiserlicher Einberufungspolitik gegen die Monophysiten eingestellt. Als Leos Abgesandte dessen Stellungnahme verlasen, die auch der Intention der Synodalen entsprach, waren diese froh, einen gegenüber den internen Querelen des Ostens neutralen Sprecher gefunden zu haben, und applaudierten mit dem Ausruf: „Petrus hat durch Leo gesprochen." Daraus leitete schon Leo, erst recht spätere Päpste, das Lehramt für alle Christen ab. Doch zeigten dieselben Konzilsväter, daß sie nur dann römische Äußerungen akzeptierten, wenn sie ihrer eigenen Anschauung entsprachen, denn auf dem gleichen Konzil billigten sie wie ihre Vorgänger von 381 dem Patriarchen von Konstantinopel die gleiche Stellung im Ostreich zu, wie sie der von Rom im Westen besaß. Kein Wunder, daß die beiden darüber verfaßten Beschlüsse von Chalkedon in Rom nicht rezipiert wurden. Dennoch behielten spätere Päpste die von Leo vertretene Position bei. Und aufgrund günstiger kirchenpolitischer Situationen konnten vornehmlich Hormisdas und Agapitus kurzfristig eine verbale Anerkennung der päpstlichen Lehrautorität hauptsächlich gegenüber dem Kaiser durchsetzen. Allerdings sorgten die Gotenkriege und die dadurch bewirkten Veränderungen dafür, daß selbst in Rom diese Erfolge bald vergessen waren.

Begründet wurden die Beschlüsse von 381 und 451 zugunsten des 'Neuen Rom' mit der Bedeutung Konstantinopels im Ostreich. Ähnlich war schon 325 in Nikaia und von späteren Synoden die Position Alexandriens und Antiochiens herausgestellt worden. Die Beschlüsse entsprachen somit dem schon genannten Prinzip, die kirchliche Organisation der staatlichen anzugleichen. In Rom wehrte man sich, indem entsprechende Beschlüsse negiert oder durch eigenmächtige Veränderung von ins Lateinische übersetzten

Canones (so im Falle Nikaia) dem eigenen Selbstverständnis angeglichen wurden. Erst aufgrund dieser Veränderungen wurden die meisten Beschlüsse der vier großen Konzilien von Rom rezipiert und ihre Geltung seit Gregor I. der der vier Evangelien gleichgestellt. Doch bedeutet dies, daß die Ausgangsbasis bei Verhandlungen oder Konflikten, in denen die vier Konzilien von beiden Seiten zitiert wurden, wegen der unterschiedlichen Überlieferung für den Osten eine andere war als für Rom.

Folgenreich für das Verhältnis zwischen Ost- und Westkirche war, daß in der römischen Argumentation seit der Mitte des 4. Jahrhunderts der weltliche Ursprung der Stellung Roms negiert und statt dessen die Nachfolge Petri betont wurde. Für Damasus und seine Nachfolger war diese Argumentation völlig einsichtig, denn die Stellung des Petrus als erster römischer Bischof war für sie angesichts des Kultes und der schon entwickelten Sukzessionslehre selbstverständlich. Der Osten war einerseits dem Petruskult eng verbunden: Viele Petruslegenden (Quo vadis, Kreuzestod, Pseudoklementinen) waren zuerst im Osten entstanden und dort verbreitet worden; Gemeinden wie Antiochien und Alexandrien sahen sich selbst als von Petrus (Antiochien) oder seinem Schüler Markus (Alexandrien) gegründet an. Weil aber andererseits keine östliche Gemeinde für sich beanspruchte, das Grab des Petrus zu bergen, konnte der petrinischen Lehre Roms nichts Gleichwertiges entgegengesetzt werden. Zwar reklamierte Konstantinopel schon seit dem 5. Jahrhundert den Apostel Andreas als Gründer, doch wurde es hierdurch höchstens zur apostolischen Gründung wie etwa Ephesos und Korinth, auch wenn später in Konstantinopel daraus sogar ein Vorrang vor Rom abgeleitet wurde, weil Andreas vor Petrus von Jesus berufen worden sei. Für Rom ergab sich aus der neuen Lehre, daß es vorerst außer und unter Rom nur noch die auf Petrus unmittelbar oder mittelbar zurückgehenden Gemeinden Antiochien und Alexandrien als Sitze von Patriarchen anerkannte (sogenannte 'petrinische Trias') und erst seit dem 5. Jahrhundert Konstantinopel und Jerusalem als sekundäre Patriarchate ansah. Die vier östlichen Patriarchate glaubten gleichfalls an Tätigkeit und Tod des Petrus in Rom und an die Petrusnachfolge der römischen Bischöfe; doch ergab sich daraus für sie lediglich, daß diese – wie schon erwähnt – einen höheren Rang, jedoch keine höhere Lehr- oder Disziplinargewalt besäßen. In ihrem eigenen Bereich sahen sie sich als höchste Autorität an. Daran änderte auch die Tatsache nichts, daß sich vor allem Patriarchen von Alexandrien und Antiochien bei Konflikten im Osten an Rom um Unterstützung wandten, denn die suchten sie notfalls auch bei anderen Gemeinden, die – wie z. B. Karthago oder Mailand – in ihrem Bereich einflußreich waren. Daher ist es falsch, aus der Formulierung solcher Bittschreiben einen allseits anerkannten Primat Roms herauszulesen. Aber nicht nur die unterschiedliche Rezeption und Interpretation konziliarer Beschlüsse und kaiserlicher oder bischöflicher Schreiben verhinderten die Durchsetzung päpstlicher Ansprüche im Ostreich. Vielmehr waren auch die politische Teilung des Reiches, die unterschiedliche Liturgie, die Sprachbarriere zwischen Griechen und Lateinern, die unterschiedliche Kirchendisziplin und schließlich die generelle Überlegenheit der östlichen Theologen den römischen Absichten wenig förderlich.

Wie beschränkt der Einflußbereich der Päpste seit dem späten 5. Jahrhundert tatsächlich war, zeigt ihre Korrespondenz, soweit sie noch erhalten ist. Weil die Briefe häufig Antworten auf Anfragen waren, ist aus ihnen nicht nur der römische Interessenhorizont zu erkennen, sondern auch der Bereich, in dem Bischöfe oder andere Würdenträger es für nötig oder sinnvoll hielten, sich an den römischen Bischof zu wenden. Und im Gegensatz zu dem geographischen Umfang des Briefwechsels etwa Innozenz' I. oder Leos I. war selbst der von Gelasius I. erstaunlich begrenzt. Die Mehrzahl seiner Briefe richtete sich an Bischöfe des suburbikarischen Italien, die nächstgrößere Gruppe bilden Briefe an Empfänger in Illyrien; hingegen sind Briefe nach Konstantinopel (Kaiser oder Patriarch), Syrien, Nordafrika oder Südgallien gering an Zahl; völlig fehlen Briefe an Adressaten in Oberitalien, Spanien, Ägypten und im Frankenreich. Unter seinen Nachfolgern wurde der Adressatenhorizont noch mehr reduziert. Außer dem suburbikarischen Italien waren andere Gebiete nur noch unter bestimmten Päpsten stärker berücksichtigt: die Provence unter Symmachus, Illyrien und Konstantinopel unter Hormisdas.

Daß selbst im Umkreis des römischen Bischofs der Gesichtskreis äußerst eingeengt war, zeigt eine andere Quelle, der schon mehrfach erwähnte 'Liber pontificalis' (= Papstbuch). Wohl infolge des Symmachianischen Schismas entstanden und vor Felix IV. redaktionell festgelegt, enthält er 'Kurzbiographien' der römischen Bischöfe seit Petrus. Die Autoren sind im engeren Umkreis des bischöflichen Hofes zu vermuten. Vorlagen bildeten vor allem ältere Bischofskataloge, kirchliche Besitzaufzeichnungen und legendäre Berichte. Im Zentrum der Berichterstattung steht das Bistum Rom. Demzufolge werden stereotyp Name, Herkunft und Amtsdauer jedes Papstes vermerkt, außerdem die Zahl der von ihm geweihten Presbyter, Diakone und suburbikarischen Bischöfe. Weiten Raum nehmen Berichte über die Ausstattung der in Rom neu erbauten oder renovierten Kirchen und liturgische Anordnungen ein. Dahinter treten Berichte über außeritalische Belange stark zurück, lediglich Konflikte mit Byzanz sind häufiger – wenn auch zum Teil romanhaft – berücksichtigt. Und so verwundert es nicht, daß ein bedeutender Papst wie Leo I., weil nicht viel über Kirchenbauten zu berichten war, kürzer als sein Nachfolger Hilarus beschrieben und von Chlodwig nur die Stiftung einer Weihekrone für St. Peter vermerkt wurde. Doch mit dieser Beschränkung zeigt der 'Liber pontificalis' eindrucksvoll das Selbstverständnis der Kreise um den römischen Bischof zum Ende unserer Epoche. In der Folgezeit bis zum Ende des 9. Jahrhunderts fortgesetzt – die einzelnen 'Biographien' wurden gewöhnlich gleich nach dem Tode des beschriebenen Papstes beendet –, bietet er auch weiterhin wichtige Aufschlüsse über die jeweils vorherrschende Mentalität in der Umgebung der Päpste.

Als Fazit bleibt festzuhalten, daß zum Ende dieser Epoche die Päpste Rom völlig christianisiert und integriert, zum Teil auch schon Einfluß auf die staatliche Verwaltung gewonnen hatten. Außerhalb der Stadt bestimmten sie lediglich im suburbikarischen Italien weitgehend Kult, Disziplin und Jurisdiktion. Hinsichtlich der anderen Gebiete des Westreiches hatten sie, wenn je weiterreichende Absichten bestanden, diese nicht realisieren können, doch immerhin die schriftliche Basis für eine in späteren Zeiten erfolgreichere Politik geschaffen. Die Distanz zum Osten aber war schon so groß, daß sie sich bis heute nicht mehr überbrücken ließ. Doch beanspruchten die Päpste schon seit dem 5. Jahrhundert wie im Westreich, so auch gegenüber dem Osten die oberste Lehrautorität. Daraufhin schrieben sie sich – wie vor allem Gelasius I. es deutlich gemacht hatte – innerhalb der gesamten Kirche die Stellung zu, die der Kaiser im weltlichen Bereich besaß. Weil diese Ansprüche auch in der folgenden Epoche aufrechterhalten wurden, waren Konflikte zwischen dem Papsttum und dem byzantinischen Kaiserhof vorprogrammiert.

III. DAS PAPSTTUM UNTER BYZANTINISCHER HERRSCHAFT (BIS 774)

Streitigkeiten um die Nachfolge des Ostgotenkönigs Theoderich des Großen (gestorben 526) führten dazu, daß die Kaiser Justin und Justinian in die italischen Angelegenheiten eingriffen. Und nachdem der letztere schon Nordafrika von der Vandalenherrschaft befreit und Teile Spaniens von den Westgoten zurückerobert hatte, gelang es seinen Heerführern Belisar und Narses in langen, blutigen Kämpfen von 535 bis 553, die Herrschaft der Ostgoten völlig zu beseitigen. Seitdem gehörte das gesamte westliche Mittelmeergebiet wieder uneingeschränkt zum Römischen Reich. Doch zumindest in Italien war Justinians Erfolg von geringer Dauer, denn schon 568 fielen die Langobarden ein. Zwar beherrschten sie niemals wie die Ostgoten ganz Italien; doch gelang es ihnen in wechselvollen Kämpfen, Norditalien mit der Toskana und Teile Mittel- und Süditaliens (Herzogtümer von Spoleto und Benevent) ihrer Herrschaft zu sichern. Und auch im 7. und 8. Jahrhundert versuchten Könige wie Rothari, Liutprand oder Aistulph und einzelne Herzöge immer wieder, den langobardischen Herrschaftsbereich auszuweiten. Daher blieben die restlichen byzantinischen Teile Italiens – also auch Rom – weiterhin der langobardischen Bedrohung ausgesetzt. Diese endete erst, als sich 774 der Frankenkönig Karl der Große nach der Eroberung der Langobardenhauptstadt Pavia selbst zum König der Langobarden ausrief und damit für Italien und das Papsttum eine neue Epoche einleitete.

Allerdings bereitete sich schon vorher eine Lösung Roms aus dem byzantinischen Reichsverband vor, die vor allem seit Gregor II. festzustellen ist. Weil seit der gleichen Zeit das Papsttum auch im christlich verbliebenen Teil des Westens an Einfluß gewann, erscheint es sinnvoll, die Epoche in zwei Abschnitte zu untergliedern.

Der Einfall der Langobarden bewirkte nicht nur eine Teilung Italiens, die erst im 19. Jahrhundert zumindest politisch aufgehoben wurde, sondern auch eine Neuorganisation des byzantinisch verbliebenen Teils. Als Stellvertreter des Kaisers fungierte fortan ein Exarch, der seinen Sitz in der bisherigen Residenz Ravenna hatte. Ihm unterstanden einzelne *duces* (wörtlich: Anführer), die in ihren 'Dukaten' Heer und zum Teil auch Verwaltung kontrollierten. Außer Venetien – wo der Titel (Doge) bis zur Napoleonischen Ära bestehenblieb –, Neapel und Ravenna selbst war wohl auch schon Rom damals der Mittelpunkt eines Dukates (Sizilien unterstand dem Kaiser direkt). Mit Ravenna war Rom lediglich durch die Via Flaminia verbunden; doch war diese Verbindungsstraße immer wieder durch die Langobarden bedroht. Daraus aber folgte, daß Rom jetzt nur noch der Mittelpunkt eines ziemlich isolierten und kleinen Gebietes war – langobardische Stützpunkte waren zeitweilig knapp 60 km entfernt – und zum ersten Mal an der äußersten Peripherie des Römischen Reiches lag. Daher besaß es jetzt für die Kaiser eher die Bedeutung einer Grenzstadt als die eines Reichsmittelpunktes.

Bevor der Einbau Roms und damit auch seines Bischofs in den byzantinischen Reichsverband geschildert wird, seien noch kurz die demographischen, wirtschaftlichen und sozialen Folgen der Goten- und Langobardenkriege beschrieben. Auch wenn die italische Bevölkerung weder vor noch nach den Kriegen genau in Zahlen zu fassen ist, so dürfte doch sicher sein, daß mindestens ein Drittel der Einwohner während der Feldzüge umgekommen war. Die Landwirtschaft lag weitgehend brach, denn die meisten Bauern waren entweder tot oder in Städte geflüchtet und die langer Pflege bedürftigen Kulturpflanzen (Olivenbäume, Weinstöcke) vielerorts zerstört. Daher konnte auch ein neuer Aufschwung nicht nur wegen der andauernden Langobardengefahr in den byzantinischen Gebieten nur langsam erreicht werden. Doch auch die Städte hatten schwer gelitten. Rom war unter Totila kurze Zeit völlig entvölkert gewesen. Zurückströmende Einwohner, verstärkt durch Flüchtlinge, fristeten ihr Leben mehr schlecht als recht. Insgesamt zählten sie vielleicht

30 000 Köpfe. Jedenfalls konnten nun im ummauerten Bereich Wein und Getreide angepflanzt werden, dort, wo vordem Villen und Paläste gestanden hatten. Die wenigen Einwohner siedelten fortan vor allem in den Niederungen (Subura und Marsfeld). Die überlebenden Angehörigen der Oberschicht waren nach Konstantinopel geflüchtet oder traten zahlreicher als vorher dem Klerus bei. Das bedeutete zugleich, daß die Träger der bisherigen römischen Bildung und Tradition nicht mehr existierten oder ihre überkommenen Ideale gegen die der Askese, der Weltflucht und des Wunderglaubens eintauschten, die gerade aufgrund der Kriegsverwüstungen an Verbreitung gewonnen hatten. Während Theoderich und seine römischen Mitarbeiter, wie etwa Cassiodor, durch eine Symbiose von römischer Reichsbevölkerung und Goten die alten Traditionen hatten bewahren wollen, hatten die Unternehmungen des Reichserneuerers Justinian bewirkt, daß römische Architektur und Wirtschaft ruiniert waren und die alte Lebensform als überholt galt. Fortan wurden in Rom kaum noch die Zeugnisse der alten Größe, um so mehr aber die Kirchen bewundert.

Die für die folgende Zeit bedeutendste Leistung Justinians war nicht seine Eroberungspolitik, sondern die von ihm initiierte Rechtssammlung, das später so genannte 'Corpus iuris civilis'. Diese Sammlung enthielt außer einem Lehrbuch (*Institutiones*), Lehrmeinungen früherer Juristen (*Digesten*) und älteren Gesetzen (*Codex*) neue Gesetze des Kaisers selbst (*Novellae*). Die Sammlung war für das gesamte Reich verbindlich, galt demzufolge auch in Italien während der byzantinischen Epoche; und selbst unter der fränkischen und deutschen Herrschaft (8.–11. Jahrhundert) wurden zumindest in Rom zivilrechtliche Bestimmungen dieses Corpus weiterhin befolgt. Über die Stellung des römischen und der anderen Bischöfe im Byzantinischen Reich bieten vor allem die 'Novellen' als aktuelle Gesetze Aufschluß. An Gelasius I. erinnernd, hatte Justinian die Pflichten der Priester für das Seelenheil und die des Kaisers für die zivile Wohlfahrt betont (Nov. 6). Doch anders als der Papst leitete er daraus eine oberste Verantwortung des Kaisers für die Bewahrung des Glaubens und der kirchlichen Disziplin ab, sicherte sich also die Kontrolle über die Kirche. Demzufolge war er derjenige, der für die

Ausrottung von Ketzern verantwortlich war (Nov. 132). Und er war es, der schon vor Gregor I. die Gleichstellung der vier ökumenischen Konzilien mit den Evangelien dekretierte (Nov. 131). In derselben Novelle legte er auch fest, daß der Bischof des Alten Rom der erste aller Priester sei, der des Neuen Rom ihm jedoch im Rang gleich nachfolge. Damit war die Autorität des Papstes faktisch auf den Bereich des früheren Westreiches beschränkt. In anderen Gesetzen hatte der Kaiser festgelegt, daß die Bischöfe auch im zivilen Leben ihrer Städte Funktionen im Auftrag des Herrschers ausüben sollten. Und seit der Pragmatischen Sanktion von 554 waren die Bischöfe Italiens befugt, bei der Einsetzung von lokalen Staatsbeamten mitzuwirken. Wenn also die Päpste während dieser Epoche die Administration in Rom immer stärker bestimmten, so entsprach diese Entwicklung zumindest anfangs den Absichten des justinianischen Rechts.

Aus der Verantwortung des Kaisers für die Kirche und aus den zivilen Aufgaben der Bischöfe ergab sich, daß die Regierung auf die Besetzung vor allem der wichtigsten Bistümer Einfluß nehmen mußte und wollte. Daher war auch jeder neue Papst verpflichtet, seine Wahl vom Kaiser oder von dessen Exarchen bestätigen zu lassen; und erst nach erfolgter Approbation durfte er sich weihen lassen. Wie ernst der Kaiserhof diese Verpflichtung nahm, zeigte das Schicksal Martins I. Da er sich 649 ohne kaiserliche Approbation hatte weihen lassen, sollte ihn der damalige Exarch Olympios festnehmen. Doch zog es dieser vor, selbst Kaiser zu werden und auf Sizilien die Muslime zu bekämpfen. Martin wurde daraufhin der Kollaboration mit Olympios bezichtigt. Wegen seiner Weihe ohne kaiserliche Billigung wurde ihm 653 nach seiner Gefangennahme und Absetzung in Byzanz von Konstans II. der Prozeß gemacht. Als Hochverräter zum Tode verurteilt, doch zur Verbannung begnadigt, starb er 655 auf der Krim. Ähnliche Schicksale hatten schon im 6. Jahrhundert die Päpste Silverius und Vigilius zu erleiden. Doch, wie noch darzulegen ist, bedeuteten die folgenden Jahrzehnte für Rom eine Wende. Analoge Einmischungsversuche von Kaisern oder Exarchen ließen sich seit dem späten 7. Jahrhundert aufgrund der veränderten Situation nicht mehr durchsetzen.

Wegen der weitgehenden Unterstellung des römischen Bischofs unter den Kaiser benötigten die Päpste eine permanente Vertretung am Kaiserhof. Diese nahm der Apokrisiar wahr. Er hatte die Interessen des Papstes zu vertreten, zugleich aber auch kaiserliche Weisungen nach Rom weiterzuleiten. Und wie in der vorigen Epoche der Archidiakon die größten Chancen besaß, neuer Papst zu werden, so nun der Apokrisiar. Das berühmteste Beispiel ist Gregor I. Damit war eine weitgehende Angleichung der päpstlichen Regierung an die Interessen des Kaiserhofes gewährleistet. Doch auch dies sollte sich bald nach Martin I. ändern.

In Rom selbst zeigte sich die Eingliederung in das Byzantinische Reich außer in den Garnisonen der Miliz (in Trastevere und oberhalb des Trajansforums nahe der späteren 'Torre delle Milizie') und der Tätigkeit byzantinischer Verwaltungsbeamter und Richter, die dem *praefectus urbi* unterstanden, vornehmlich im Zeremoniell. Während jeder Papstmesse wurde für den Kaiser gebetet, am Karfreitag bat man Gott um den Bestand des Reiches. Um diese Zeit bürgerte es sich auch ein, daß der Papst zu Weihnachten eine zweite Messe in der Kirche S. Anastasia feierte, die am Palatin, der nominellen Kaiserresidenz, lag, also eine Art Hofkirche war. Das Bildnis jedes neuen Kaisers wurde feierlich vom Papst und seinem Hof außerhalb der Stadt eingeholt und in Prozession zum Palatin geleitet. Und auf dem Forum Romanum als dem noch vorerst gültigen Zentrum des öffentlichen Lebens wurden ab und zu Ehrensäulen neuer Kaiser errichtet. Die noch heute sichtbare letzte Säule widmete Gregor I. dem Kaiser Phokas, obwohl dieser seinen Vorgänger und Gregors Freund Maurikios und dessen Familie hatte ermorden lassen. Dies zeigt ebenso wie das Bemühen Gregors um die nicht minder blutrünstige fränkische Königin Brunichilde, daß sich dieser heilige Papst sehr wohl den politischen Gegebenheiten anzupassen wußte. Weil Rom zur Reichskirche gehörte, unterstützten einzelne Päpste auch – teils aus politischen Rücksichten (Vigilius, Pelagius I.), teils wegen ihrer geringen Sachkenntnis (Honorius I.) – östliche theologische Lehren, die sonst im Westen nicht akzeptiert wurden.

Dem Bemühen Gregors und anderer Päpste um das Wohlwollen der Kaiser stand deren Desinteresse an der Stadt diametral entgegen.

Kein byzantinischer Kaiser ließ Bauten in Rom errichten oder renovieren. Und als Konstans II. 663 als für viele Jahrhunderte letzter byzantinischer Kaiser Rom besuchte, bestand seine einzige Großtat darin, daß er Skulpturen und Dächer (z. B. vom Pantheon) aus Metall entfernen ließ, um aus ihrem Verkauf Waffen erwerben zu können. Doch auch die folgenden Päpste blieben vorerst Byzanz treu. Vitalian verhinderte 668 nach der Ermordung des Konstans den Erfolg eines Usurpators; Leo II. übernahm die Verurteilung Honorius' I. als Ketzer durch das 3. Konzil von Konstantinopel (680/81) und verbreitete die Verdammungssentenz sogar in verschärfter Form im Westen.

Daß sich Ende des 7. Jahrhunderts der Einfluß von Byzanz auf Rom und das Papsttum ständig verringerte, lag zunächst vor allem an der Bedrohung des Reiches im Osten, an der Ohnmacht oder eigensüchtigen Politik der Exarchen in Italien und an der veränderten Mentalität der byzantinischen Truppen und Verwaltungsleute in Italien.

Schon seit Jahrhunderten hatten die Perser immer wieder die Ostgrenze des Römischen Reiches bedroht; zu Beginn des 7. Jahrhunderts gelang es ihnen sogar, Vorderasien und Ägypten zu erobern. Zwar konnte der Nachfolger des Phokas, Herakleios, die Perser besiegen und die alten Grenzen wiederherstellen, doch war die Ruhe nicht von langer Dauer. Herakleios selbst mußte es noch erleben, daß die Anhänger Mohammeds ab 633 Syrien und Palästina eroberten und in Ägypten einfielen. Ende des 7. Jahrhunderts geboten sie über das ganze ehemals römische Nordafrika, über wichtige Inseln wie Zypern und Kreta und bedrohten mehrmals vor und nach 700 die Hauptstadt selbst. Erleichtert wurde ihnen ihre Expansion durch die religiöse Spaltung der Reichsbevölkerung. Die Syrer und Ägypter waren überwiegend Monophysiten mit Liturgien in ihrer Landessprache. Auf die Reichseinheit bedachte Herrscher und Patriarchen hatten ihnen mit Kompromißlehren (Monotheletismus, Monenergismus) entgegenzukommen versucht und damit den Westen gegen sich aufgebracht; andere Kaiser dagegen hatten, zum Teil wegen der Bevölkerung im Westen und Nordafrika, die orthodoxe Lehre vertreten, damit jedoch und wegen der hohen Steuern die Ablehnung der byzantinischen Administration bei vielen Syrern und Ägyptern verstärkt, die außerdem noch unter den Folgen der Perserkriege zu leiden hatten. Im gleichen Zeitraum hatten Avaren und Slawen, später Bulgaren, die meisten Gebiete auf dem Balkan und in Griechenland besetzt. Die in Spanien liegenden byzantinischen Gebiete waren während des 7. Jahrhunderts von den Westgoten erobert worden. Daher war, abgesehen von Italien, das byzantinische Reichsgebiet um 700 auf Teile Thrakiens (mit Konstantinopel) und auf Kleinasien beschränkt. Und selbst diese Restgebiete waren dauernd – vor allem durch die Araber – bedroht. Demzufolge mußten die byzantinischen Kaiser hauptsächlich darauf bedacht sein, das Restgebiet zu sichern und zumindest in Griechenland wieder stärker Fuß zu fassen. Beides gelang im 8. Jahrhundert Leon III. und seinem Sohn Konstantin V. Aus dieser Notlage folgte jedoch, daß ein militärisches Eingreifen in Italien kaum noch möglich war.

Die Bindung der byzantinischen Truppen im Osten hatte natürlich auch Folgen für die Exarchen. Waren sie stark und erfolgreich, so versuchten sie, sich vom Kaiser unabhängig zu machen, vielleicht selbst Kaiser zu werden. Waren sie schwach, so konnten sie sich gegenüber Heer und Verwaltung nicht durchsetzen und den Langobarden keinen Widerstand leisten. Auf jeden Fall hingen sie von ihren Truppen ab, die nur kämpften, wenn sie besoldet wurden. Daran haperte es jedoch seit dem Beginn des Exarchates. Schon Gregor I. hatte die römische Garnison bezahlt, um einen Aufstand zu verhindern, ebenso einige seiner Nachfolger. Um das Problem zu lösen, wurden im 7. Jahrhundert immer mehr Soldaten mit Land begabt. Das hatte jedoch zur Folge, daß sie und ihre Nachkommen immer weniger bereit waren, Befehlen aus dem fernen Konstantinopel zu folgen. Und wie sie waren auch die Verwaltungsleute im Lande ansässig geworden oder wurden aus der ansässigen Bevölkerung rekrutiert, mit den gleichen Folgen wie bei der Miliz. So entstand ein neuer Amts- und Militäradel, der seit dem späten 7. Jahrhundert eher zum einheimischen Bischof als zum fremden Exarchen oder Kaiser hielt. Symptomatisch dafür ist ein bekannter Vorfall unter Sergius I. Als ihn ein Vertreter des Exarchen festnehmen sollte, verweigerte die Miliz diesem den Gehorsam. Vom Volk bedroht, flüchtete er in den Lateranpalast, versteckte sich unter dem Bett des Papstes und bat diesen um Schutz. Wenig später reiste ein römischer Bischof mit dem prächtigen Namen Konstantin I. als letzter Papst nach Byzanz. Mit seinem Nachfolger Gregor II. begann eine neue 'nationalrömische' Ära des Papsttums, die zur völligen Loslösung von Byzanz führen sollte.

Das späte 7. und die erste Hälfte des 8. Jahrhunderts wird häufig als die Zeit der griechischen Päpste bezeichnet. Doch wäre es falsch, aus deren Herkunft eine besonders starke Abhängigkeit von Byzanz zu folgern. Ganz im Gegenteil! Aus Rom oder Mittelitalien stammende Päpste wie Vigilius, Gregor I., Honorius I. oder Vitalian waren weitaus mehr von Byzanz abhängig als viele dieser 'Griechen'. Konon war der Sohn eines Milizoffiziers, Johannes VII. der des Aufsehers des Palatin; sie repräsentierten daher eher die während der byzantinischen Herrschaft neu in Rom aufgestiegenen Gruppen. Andere Päpste waren – wie schon frühere Vorgänger (z. B. Theodor) – aus ehemals byzantinischen Gebieten, vor allem Syrien und Palästina, geflüchtet oder stammten von Flüchtlingen aus diesen Gebieten ab. Zu ihnen zählten gerade solch tatkräftige Päpste wie Agatho, Sergius I., Gregor III. oder Zacharias. Ihre Herkunft bewirkte, daß sie künftig gegen die Ausdehnungsbestrebungen des Patriarchen von Konstantinopel Widerstand übten und abweichende liturgische Gewohnheiten im Westen einführen konnten. Jedenfalls waren diese 'Griechen' gewöhnlich keine Handlanger der Kaiser. Doch trugen sie ebenso wie ihre lateinischen Vorgänger oder Nachfolger dazu bei, daß das Papsttum und das kirchliche Rom seit dem späten 6. Jahrhundert immer stärker griechisch geprägt wurden.

Dies zeigt sich schon an der päpstlichen Verwaltung. Wie erwähnt, waren viele Angehörige der senatorischen Oberschicht in den Kriegswirren des 6. Jahrhunderts umgekommen oder in den Osten geflohen. Daraufhin stieg das Papsttum zum größten Grundbesitzer in Italien auf, da ihm seine früheren Besitzungen zumindest nominell verblieben waren. Und der Nachlaß von Päpsten und anderen Klerikern sowie Stiftungen der bisherigen Oberschicht oder neu aufsteigender Gruppen führten dazu, daß sich dieser Besitz noch ausdehnte. Gegliedert war er in Patrimonien als größere Verwaltungseinheiten, in denen die einzelnen Besitzungen (bezeichnet als *massa, fundus, villa*) regional zusammengefaßt waren. Ursprünglich noch über das gesamte Römische Reich verstreut, führten die Schwierigkeiten des Seeweges, die Eroberungen der Araber, Slawen und Franken dazu, daß sich der Patrimonialbesitz – von kleineren Besitzungen in der Provence oder in Istrien und Dalmatien abgesehen – auf die Dauer vor allem auf Mittelitalien, Süditalien und Sizilien beschränkte. Und weil Sizilien von den Goten- und Langobardenkriegen weitgehend unbehelligt geblieben war, bildete es schon seit dem späten 6. Jahrhundert den Schwerpunkt für die Versorgung Roms und seines Bischofs. In den anderen verbliebenen Patrimonien mußte die Landwirtschaft erst wieder stabilisiert werden. So war z. B. der Ertrag des Patrimoniums im Picenum (an der Adria) infolge der Kriege auf ein Viertel zurückgegangen.

Ein großer Teil des Grundbesitzes wurde verpachtet. Dabei sind zwei Verfahren zu unterscheiden, deren Anwendung auch Aufschlüsse für die Sozialgeschichte und die Durchsetzungskraft der Päpste bietet: die libellarische Pacht und die Emphyteuse. Das erstere bestand darin, daß ein meist kleineres Grundstück an einen einzelnen befristet auf 19 oder 29 Jahre verpachtet wurde, was eine Entfremdung durch Vererbung und eine Besitzanhäufung verhinderte. Dagegen wurde in Form von Emphyteuse (= Erbpacht) ein größeres Besitztum (oft ganze *massae, fundi* oder *villae*) einer Familie für zwei oder drei Generationen gegen Zahlung eines Anerkennungszinses überlassen; diese Form förderte natürlich die Entfremdung kirchlichen Gutes durch die Beliehenen. Wichtig ist nun, daß vom späten 6. bis zum späten 7. Jahrhundert die libellarische Pacht, dann die Emphyteuse überwog. Daraus ist zu folgern, daß der Wiederaufbau der Patrimonien vornehmlich mit Hilfe von Kleinpächtern erfolgte, diese aber später von den Angehörigen des neuen Amts- und Militäradels abhängig wurden. Zugleich ist diese Veränderung ein Indiz für die wachsende Abhängigkeit des Papsttums von diesen neuen Gruppen.

Die Leiter (*rectores*) der Patrimonien waren manchmal einheimische, gewöhnlich aber römische Kleriker. Nach der Aussage von Briefen Gregors I. sorgten sie auch für die Weiterleitung der Abgaben nach Rom. Zumindest zu Gregors Zeit muß der Kontakt zwischen Rom und den italischen Patrimonien ziemlich stark gewesen sein. Zeitweilig waren die Verwalter der Patrimonien zugleich auch Vertreter des Papstes gegenüber den einheimischen Gemeinden, so daß sie dort etwa Bischöfe ein- und absetzten. Sie wiederum wurden von römischen Abgesandten kontrolliert. In Rom selbst kümmerten sich wie früher die Diakone um die Aufsicht der Abgesandten und Rektoren. Neben ihnen gab es jedoch päpstliche Ratgeber (*consiliarii*), die vor allem den Briefwechsel mit den Patrimonien führten und zum Teil Laien waren. Schon daran wird sichtbar, daß die dominierende Stellung der Diakone in dieser Epoche im Vergleich zu früher reduziert war.

Immer deutlicher zeichnete sich seit dem späten 6. Jahrhundert eine Unterscheidung zwischen Mitgliedern des päpstlichen Hofes, die mehr oder weniger direkt vom jeweiligen Papst abhingen, und den Angehörigen der traditionellen Gruppen ab. Zu diesen gehörten der höhere Klerus, die Notare und die Defensoren. Wie schon früher die Diakone, waren jetzt auch die Presbyter unter Leitung eines Archipresbyters locker in einem Kolleg zusammengeschlossen. Archidiakon wie Archipresbyter repräsentierten den römischen Klerus gegenüber dem Papst. Zusammen mit dem *primicerius* der Notare regierten sie das Bistum während einer Sedisvakanz, die manchmal mehrere Monate dauerte, und leiteten die Papstwahl. Die Notare waren weiterhin für einen Teil des Briefwechsels und dessen Archivierung zuständig. Und wohl weil sich ihr *primicerius* häufig mit 'großer Politik' befassen mußte, hatte er jetzt einen Stellvertreter (*secundicerius*). Dagegen blieb das Kolleg der Defensoren so wie bisher bestehen. Allerdings mußten jetzt auch die Notare und Defensoren Kleriker sein, ein Zeichen für die Klerikalisierung der römischen Verwaltung. Doch bot dies auch Chancen für bestimmte Familien, denn gewöhnlich waren die Notare und Defensoren nur niedere Kleriker, die heiraten und ihr Amt eventuell weitervererben konnten. Östlichen Gewohnheiten entsprechend – und der neueren Geschichtsforschung nicht immer verständlich – waren auch die Frauen der Diakone und Presbyter, welche diese vor ihrer Ordination geheiratet hatten, in die kirchliche Gesellschaft integriert, wie aus ihrer

Bezeichnung als *diaconissae* und *presbyterissae* ersichtlich wird; in der folgenden Epoche gab es auch vereinzelt *episcopissae,* wie eine Inschrift in S. Prassede vom Beginn des 9. Jahrhunderts zeigt. Das dürfte die Einhaltung des Zölibats nicht immer erleichtert haben.

Weil die Angehörigen dieser Gruppen ihre Funktion gewöhnlich ihr Leben lang beibehielten oder sogar vererbten, bildeten sie eine Gefahr für Päpste, die selbständig regieren wollten. Gregor I. hatte sie zu bannen versucht, indem er neben von ihm bestellten *consiliarii* vor allem Mönche mit Verwaltungsaufgaben betraute. Die Folge war, daß die Diakone und Presbyter als wichtigste Wähler für die nächsten siebzig Jahre die Wahl eines Mönches verhinderten. Überhaupt war das Nachleben Gregors bis zur Mitte des 8. Jahrhunderts in Rom sehr gering. Die auf ihn folgenden Päpste mußten daher andere Wege beschreiten. Die erfolgreichste Möglichkeit war der Ausbau des Hofpersonals. Schon vor Gregor hatte es einen Vertreter des Papstes (*vicedominus*) gegeben. Und auch wenn die Nachrichten über dieses Amt dürftig sind, so scheint doch der jeweilige Inhaber neben dem Archidiakon den größten Einfluß auf die päpstliche Regierung genommen zu haben. Außerdem wurde im 7. Jahrhundert der Hof der kaiserlichen Verwaltung angeglichen. Es gab jetzt einen *vestiarius* für die Gewänder und die wertvollen Geräte, einen *arcarius* für die Kontrolle der Einnahmen und einen *sacellarius* für die Ausgaben. Persönlich vom Papst bestellt wurde auch der *nomenculator,* der die Bittschriften annahm und wohl auch bearbeitete. Sichtbar wurde die neue Differenzierung der Amtsträger im Zeremoniell: Während die Mitglieder der traditionellen Körperschaften vor dem Papst einherzogen und somit dessen Rang nach außen darstellten, gingen die Inhaber der neugeschaffenen Ämter direkt hinter dem Papst, bildeten also den engeren Hofstaat. Dieses Schema der Präzedenzen (Einordnung vor oder nach dem Papst) blieb das ganze Mittelalter hindurch ein wichtiges Indiz für die wechselnde Bedeutung bestimmter Ämter.

Infolge der Ämterstruktur änderte sich auch der Zugang zu den Ämtern. Ebenfalls schon vor Gregor I. hatte es das *cubiculum* (wörtlich: Wohngemach) des Papstes gegeben. Es bedeutete die engste Umgebung des Papstes, also den Kreis derer, die ihm ohne Kontrolle von außen dienten. Gregor hatte versucht, aus diesem Kreis die Laien zu verdrängen und durch Kleriker oder Mönche zu ersetzen. Doch seine Nachfolger gaben diesen Versuch auf, so daß weiterhin Laien neben Klerikern als Kubikulare dienten. Gewöhnlich wurden noch nicht erwachsene Sprößlinge angesehener Familien – vor allem im 8. Jahrhundert auch Waisen – in das *cubiculum* aufgenommen und dort ausgebildet. Mit päpstlichen Maximen vertraut, konnten sie anschließend im engeren Hofstaat als Sakellar usw., als Notar und Defensor oder – allerdings seltener – als Diakon oder Presbyter Karriere machen. Das *cubiculum* war somit das Scharnier zwischen der jeweiligen Oberschicht und dem gehobenen Dienst in der Kirche. Eine andere Möglichkeit bot die angeblich von Gregor I. gegründete, aber wohl erst Mitte des 7. Jahrhunderts entstandene *schola cantorum* (= Vereinigung der Sänger). Wie schon ihr Name andeutet, wurden in ihr Knaben für den Gesang des Chorals – auch dessen Fixierung wurde später fälschlich Gregor I. zugeschrieben – ausgebildet. Doch im Gegensatz zum *cubiculum* konnten die *cantores* vor allem zu Diakonen und Presbytern aufsteigen. Allerdings war es bis zur Mitte des 8. Jahrhunderts selten, daß Päpste derartige Laufbahnen beschritten hatten. Statt dessen waren sie – wie schon erwähnt – meist 'Griechen', die oft erst als Erwachsene in den römischen Klerus eingetreten waren. Dies lag an dem Einfluß, den im 7. und frühen 8. Jahrhundert die griechische 'Kolonie' – nicht zu verwechseln mit den Vertretern des byzantinischen Kaisers – in Rom besaß.

Ihr Einfluß läßt sich – abgesehen von den Inhabern des Papstamtes – in der Liturgie, in den Klöstern oder Diakonien, bei Gruppen von Kaufleuten oder Handwerkern und schließlich bei den Mitgliedern von Miliz oder Verwaltung erkennen. Letztere waren – wie schon angedeutet – ursprünglich wohl aus dem Ostreich gekommen, hatten sich aber bald assimiliert und bildeten nach der Eliminierung der meisten senatorischen Familien die neue Oberschicht. Noch später deuten Namen wie Theophylakt oder Christophorus an, daß Familien, die die Geschichte des Papsttums seit dem 8. Jahrhundert mitbestimmten, aus diesen Gruppen stammten. Und schon im 7. Jahrhundert schmückten sie sich mit inhaltlos gewordenen Titeln wie 'consul' oder später 'dux', um damit ihren gesellschaftlichen Rang anzudeuten. Auch wenn über ihr Vermögen und ihre Funktionen kaum genaue Aussagen möglich sind, so lassen sie sich doch als gesellschaftlich und politisch bestimmende Gruppen vor allem aufgrund des 'Liber pontificalis' und des 'Liber diurnus' (= tägliches Buch, also Buch für den Tagesgebrauch) erkennen. – Der 'Liber diurnus' ist eine Sammlung von Formularen für die päpstliche Korrespondenz, deren erste Fassung wohl nach dem 3. Konzil von Konstantinopel 680/81 zusammengestellt worden war. Erweitert und verändert diente die Sammlung den Mitarbeitern der Päpste bis ins späte 11. Jahrhundert als Vorlage bei der Abfassung wichtiger Briefe. – So läßt sich z. B. aus den Formeln 60–63 des 'Liber diurnus' folgern, daß zumindest in der Theorie diese Gruppen an der Papstwahl beteiligt waren. Und strittige Wahlen am Ende des 7. Jahrhunderts zeigen, daß die Wirklichkeit damals mit dieser Theorie übereinstimmte. Dabei werden die Mitglieder der Verwaltung mit dem griechischen Lehnwort 'axiomatici' (= Würdenträger) oder als 'iudices' (wörtlich: Richter, doch gemeint: Würdenträger) bezeichnet. Beim Militär sind zwei Gruppen zu unterscheiden: das byzantinische Heer, die Miliz, geleitet von Tribunen, und der *exercitus Romanus* (= römisches Heer), das Aufgebot der römischen Bürger unter Führung von 'Konsuln'. Die Wahlbeteiligung dieser Gruppen zeigt, wie sehr das Papsttum die führenden weltlichen Schichten seinem Regiment integriert hatte, daß es jedoch dadurch auch von diesen abhängig geworden war.

In einem seiner Briefe hatte Gregor I. geklagt, daß auch noch der einzige übriggebliebene Geldwechsler sein Geschäft aufgeben müsse. Ob aus dieser Notiz geschlossen werden darf, daß es seitdem keine Wechselgeschäfte in Rom mehr gab, bleibt zweifelhaft, denn zumindest die Pilger dürften fremde Münzen nach Rom gebracht haben. Doch deutet die Nachricht an, daß ein schwunghafter Fernhandel kaum noch existiert haben dürfte. Die meisten Importe kamen anfangs aus Konstantinopel oder anderen Gebieten des Reiches, seit dem Arabersturm vor allem von den päpstlichen Gütern in Süditalien und Sizilien. Den Transport und Verkauf leiteten meist Griechen, die in der Nähe des Tiberhafens und der Märkte siedelten und in einer Genossenschaft (*schola Graeca*) vereinigt waren. Dort lagen auch ihre Hauptkirchen: S. Giorgio in Velabro beim antiken Bogen der Geldwechsler und später S. Maria in Cosmedin, die bezeichnenderweise den Beinamen 'in schola Graeca' trug. Ebenso wie der Handel wurde auch das gehobene Handwerk von Griechen ausgeübt, wie Architektur, Fresken und Mosaiken zeigen.

Wohl weil der Handel von Griechen beherrscht war, erfolgte auch die Versorgung der römischen Bevölkerung durch eine Institution, die es im Osten schon seit dem 6. Jahrhundert gab: durch die Diakonien (sozialkaritative Institutionen). Diese konnten bei bestehenden Kirchen – z. B. SS. Cosma e Damiano am Forum Romanum – oder in Gebäuden installiert werden, die in der Antike gleichen Aufgaben gedient hatten. Später wurden die Diakonien selbst zu Kirchen ausgebaut. So befand sich etwa eine Diakonie in der alten Annona (= Sammelstelle für Getreide, heute: S. Maria in Cosmedin), zwei andere in antiken *horreae* (= Getreidespeicher, heute: S. Teodoro und S. Maria in Via Lata). Wie diese waren auch die meisten anderen Diakonien griechischen Heiligen geweiht. Ihre Hauptgründungsphase fällt in das 7. und frühe 8. Jahrhundert, doch wurden bis ins 9. Jahrhundert hinein neue Diakonien gegründet. Geleitet wurden sie gewöhnlich von einem Patron (*pater diaconiae, dispensator* u. ä.); gehörte zu ihnen eine Kirche, so besaßen sie natürlich auch einen oder mehrere Presbyter.

Wie die Diakonien, lassen auch viele Klöster griechischen Einfluß erkennen. Nach kleinen Anfängen seit dem 5. Jahrhundert gab es im 7. Jahrhundert ungefähr 24 Klöster in Rom, davon sechs mit griechischen Mönchen; das bedeutendste war S. Saba auf dem Aventin. Die lateinischen Klöster dienten als sogenannte Basilikalklöster (insgesamt etwa acht) der Pflege des Stundengebetes in den päpstlichen Basiliken (vor allem am Lateran, an St. Peter und S. Maria Maggiore), je eines betreute die Gräberbasiliken von S. Lorenzo und St. Paul. Die acht 'normalen' lateinischen Klöster waren also nur geringfügig zahlreicher als die griechischen. Und wenn auch die meisten griechischen Mönche wie ihre Brüder im Osten kaum gebildet gewesen sein dürften, so besaßen einige der wenigen Gebildeten in diesen Klöstern eine um so größere Bedeutung für das Papsttum.

Bekannt ist vor allem der Abt Johannes, der als Briefschreiber der Päpste Honorius I. und Johannes IV. eine zwielichtige Rolle im Streit um den Monotheletismus spielte. Und typisch für die damalige Situation ist, daß die römische Synode von 649 von Griechen vorbereitet und gelenkt war.

Schließlich zeigt sich der griechische Einfluß auch in der Liturgie. Schon im vorigen Kapitel war angedeutet worden, daß in der byzantinischen Epoche im Osten verehrte Heilige in den Kanon der römischen Messe aufgenommen wurden. Darüber hinaus feierte die römische Gemeinde jetzt aus dem Osten übernommene Herrenfeste (z. B. Darstellung im Tempel am 2. Februar, Empfängnis am 25. März), den Triumph über die Rückgewinnung des hl. Kreuzes durch Kaiser Herakleios von den Persern (14. September) und einige Marienfeste (Aufnahme in den Himmel am 15. August, Geburt am 8. September). Der aus Syrien stammende Sergius I. führte die Anrufung Christi als 'Agnus Dei' (= Lamm Gottes) in die Messe ein. Damit zeigte sich jedoch, daß die liturgischen Neuerungen auch eine Entfremdung vom Reichszentrum anzeigen konnten, denn der für Rom neue Brauch war zwar in Syrien üblich, aber in Konstantinopel untersagt. Für Rom bedeutete dies, daß erstmals Christus selbst – bisher nur Mittler zwischen den Menschen und dem allein angerufenen Gottvater – in der Messe die *adoratio* (Anbetung) zuteil wurde.

Gleichzeitig wurde Rom noch stärker als zuvor verchristlicht und in die vom Papst bestimmte Liturgie einbezogen. Während die Bauten der altrömischen Kulte verfielen, wurden christliche Kirchen restauriert, neu gebaut oder in früher 'heidnischen' Kultgebäuden installiert (ältestes Beispiel: Pantheon). Auch hierbei überwog der östliche Einfluß, wie die zahlreichen östlichen Kirchenpatrone, die Fresken und Mosaiken und orientalische Architekturformen wie Rundbauten und Matroneen zeigen. Doch nicht nur Kultbauten, sondern auch Gebäude, die der römischen Administration gedient hatten, wurden jetzt von Päpsten in Kultbauten umgewandelt. Das zeigte besonders deutlich, wer jetzt Herr in Rom war. Schon am Ende der vorigen Epoche hatte Hormisdas am Forum Romanum ein Gebäude, das ehedem vermutlich Sitz des Stadtpräfekten gewesen war, in eine Kirche umgewandelt (SS. Cosma e Damiano). Im

7. Jahrhundert wurden auch die Kurie und das Secretarium des Senates, der infolge der Gotenkriege nicht mehr bestand, zu Kirchen (S. Adriano und S. Martina). Die weitläufigen Kaiserpaläste auf dem Palatin begannen zu verfallen – die dort residierende Vertretung des Exarchen konnte oder wollte dies nicht verhindern – oder wurden zu Kirchen und Klöstern. Große Bedeutung besaß die dortige Kirche S. Maria Antiqua, vornehmlich unter Johannes VII., der als Sohn des ehemaligen Palastverwalters Platon dort sogar sein Episcopium installiert hatte. Seine Vorgänger und Nachfolger allerdings bevorzugten den Lateran, den sie – wie etwa Vigilius, Theodor und Honorius I. – durch Basiliken (Oratorien und Empfangsräume) und Klöster zu einem umfangreichen Komplex ausbauten. Als Zentrum der westlichen Kirche geltend, trug er seit ungefähr 700 analog zu Konstantinopel den Titel 'patriarchium'.

Ihren Rechten und Funktionen entsprechend kann man die römischen Kirchen drei Kategorien zuordnen: den Basiliken (Lateran, St. Peter, S. Maria Maggiore, St. Paul, S. Lorenzo), die dem Papst direkt unterstanden, den Titelkirchen und den Diakonien. Alle drei wurden durch den sogenannten 'Stationsgottesdienst' in die päpstliche Liturgie einbezogen. Der Tradition entsprechend feierte der Papst seine *statio* an den Hauptfesten in den Basiliken, doch die Sonn- und Wochentage vor allem der Fastenzeit in Titel- und Diakoniekirchen. Und weil zumindest an den wichtigsten Tagen außer den Einwohnern der jeweiligen Region auch die Repräsentanten der weltlichen Gesellschaft (die *iudices* sowie die Leiter von Miliz und stadtrömischem Heer) teilnehmen mußten, zeigte sich die Dominanz des Papsttums über die römische Gesellschaft auch in der Liturgie. Diese war darüber hinaus wichtig, um immer noch vorhandene Überreste vorchristlicher Kulte zu verchristlichen. Sofern die Päpste versuchten, derartige Bräuche ersatzlos zu eliminieren, blieben sie erfolglos, wie das Überleben des Neujahrstages beweist. Daher überwogen Maßnahmen, heidnische Kultgewohnheiten in christliche umzuwandeln. Besonders gelang dies durch Prozessionen. Wie ehedem der *pontifex maximus* am Ende des alten Jahres im Februar durch die Amburbalien mit einem Fackelumzug die Dämonen von der Stadt zu bannen gesucht hatte, so zog nun der Papst als *summus pontifex* am neuen Fest des 2. Februar in einer Lichterprozession von derselben Stelle aus – der früheren Kurie des Senates mit dem Janusbogen – nach S. Maria Maggiore (daher die deutsche Bezeichnung Mariä 'Lichtmeß'). Die Robigalia, ein antikes Fest zum Schutz des Getreides, waren durch eine Prozession am Markustag (25. April) ersetzt worden, die Papst, Klerus und Gemeinde vom Lateran aus durch die ganze Stadt und über die Milvische Brücke zum neuen Schirmherrn der Stadt, St. Peter, führte. Ebenso war ein altes Fruchtbarkeitsfest von einer Prozession an Mariä Himmelfahrt (15. 8.) abgelöst worden. Aus dem gleichen Grunde traten unter Weiterentwicklung älterer Ansätze an die Stelle antiker Jahreszeitenfeste die Quatember-Tage (Mittwoch, Freitag und Sonnabend zu Beginn jeder neuen Jahreszeit; 'Quatember' = *quatuor tempora* = 4 Jahreszeiten), an denen der Papst neue Kleriker weihte. Ob jedoch die Päpste das Volk auch im Glauben unterwiesen, indem sie predigten, ist außer von Gregor I. nicht bekannt.

Weil die meisten neuen Bräuche und Feste vor allem seit dem 8. Jahrhundert in andere Gebiete exportiert wurden, sind die Veränderungen auch als Indikator für die Verbreitung der römischen Liturgie von Bedeutung. Dieser Export wurde dadurch erleichtert, daß gleichfalls im 7. Jahrhundert die wichtigsten Bestandteile des Gottesdienstes nicht mehr improvisiert, sondern fixiert und in Sammlungen tradiert wurden. Von diesen sind die Sammlungen der Meßgebete (Sakramentarien), die der Papst oder Priester sprach, und des Chorals besonders wichtig geworden. Diese Sammlungen wurden im 8. Jahrhundert durch die 'Ordines Romani' ergänzt, in denen die jeweiligen Riten (Messe, Taufe, Kirchweihe usw.) beschrieben waren.

Von erheblicher Brisanz für die Stellung des Papsttums im Reiche, aber auch für seine Anerkennung im Westen – und daher in den meisten Papstgeschichten vorrangig behandelt – waren dogmatische Auseinandersetzungen. Sie entzündeten sich gewöhnlich an der Auslegung der Lehre von den zwei Naturen Christi, wie sie 451 gerade auch mit Hilfe des Papsttums das Konzil von Chalkedon definiert hatte. Aus eigenem theologischen Interesse oder zur Wahrung der Reichseinheit hatten schon im 5. Jahrhundert, stärker aber noch seit Justinian, Kaiser neue Einheitsformeln und Auslegungen dekretiert oder Konzilien einberufen. Justinian – theologisch gebildet, aber wechselhaft in seiner Glaubenshaltung – hatte drei schon verstorbene Theologen verurteilt, weil ihre Lehren den Monophysiten suspekt waren, und damit den lange währenden Dreikapitelstreit heraufbeschworen, der mit der Spaltung des sogenannten Patriarchates von Aquileja in die getrennten Sprengel von Aquileja und Grado auch die Kirchenorganisation in Italien schädigte. Justinians Nachfolger oder ihre Patriarchen im 7. Jahrhundert versuchten, mit der Betonung nur einer 'Energie' (Monenergismus) oder eines Willens (Monotheletismus) in Christus, wodurch sie die Bedeutung von dessen Menschsein verringerten, einen Kompromiß mit den syrischen und ägyptischen Monophysiten zu erzielen. Im weniger theologisch gebildeten Westen wurden die Versuche schon deshalb gewöhnlich abgelehnt, weil die Fixierung des christlichen Glaubens mit dem Konzil von Chalkedon als abgeschlossen galt. Außerdem fehlte dort das Verständnis für die innenpolitischen Probleme des Byzantinischen Reiches.

Das Papsttum geriet durch diese Konflikte in eine schwierige Lage. Gegenüber den gewöhnlich desinteressierten Bischöfen Galliens, Spaniens und Nordafrikas mußte es seine Rechtgläubigkeit, d. h. die Bewahrung des Bekenntnisses von Chalkedon, unter Beweis stellen. Dem Kaiser galt es als Glied der Reichskirche, also als seinen Weisungen unterworfen. Und das alles angesichts des eigenen Selbstverständnisses – von Päpsten wie Hormisdas oder Agatho betont –, daß die römische Kirche nie im Glauben geirrt habe. Die Zwangslage des Papsttums wird am Verhalten der Päpste Vigilius und Pelagius I. besonders deutlich. Vom Kaiser unter Druck gesetzt, hatte Vigilius in Byzanz den Beschlüssen des 2. Konzils von Konstantinopel (553) schließlich zugestimmt, in denen die 'Drei Kapitel' verdammt worden waren. Sein Apokrisiar Pelagius schmähte ihn deshalb, schloß sich dann aber gleichfalls der Konzilslehre an und wurde daraufhin durch Einfluß des Kaisers und seines Statthalters Narses neuer Papst. Der römische Klerus verdächtigte ihn, am Tod des Vigilius beteiligt gewesen zu sein und den Glauben von Chalkedon verraten zu haben. Daher mußte Pelagius – ein Novum in der Papstgeschichte – seinen Glauben gemäß dem Konzil von Chalkedon öffentlich bekennen. Doch gegenüber dem Kaiserhof vertrat er weiterhin die Beschlüsse des Konzils von 553. Auch seine Nachfolger behielten diese zwielichtige Stellung bei. Die Folge war, daß Päpste bis hin zu Gregor I. – dem später als Kirchenvater verehrten Papst – immer wieder von westlichen Bischöfen verdächtigt wurden, nicht den rechten Glauben zu lehren. Und aufgrund kirchenpolitischer Veränderungen wurden im 7. Jahrhundert auch im Osten Vigilius und Pelagius als nicht rechtgläubig angesehen. Eine Ironie der Geschichte ist es, daß wegen des Beitritts der beiden Päpste das 2. Konzil von Konstantinopel in der katholischen Kirche bis heute als ökumenisches Konzil gilt, obwohl seine Beschlüsse der im Westen vertretenen Lehre widersprachen.

Für das Papsttum noch gravierender war die schon kurz erwähnte Haltung Honorius' I. gegenüber dem Monotheletismus. In zwei Schreiben an den Patriarchen von Konstantinopel hatte er zwar seinen Widerwillen gegen neue Quisquilien, die die Lehre von Chalkedon problematisierten, ausgedrückt, aber die neue, vom Patriarchen vorgeschlagene Lehre von dem einen Willen in Christus gebilligt. Anschließend hatte Herakleios 638 die neue Lehre in einer Ekthesis als für das gesamte Reich verbindlich erklärt. Doch trug diese Ekthesis nicht zum Reichsfrieden bei, denn nicht nur Anhänger von Chalkedon (wie z. B. der Patriarch Sophronios von Jerusalem) lehnten sie ab, sondern auch radikale Monophysiten. Im Westen wurde sie 649 durch die von Papst Theodor und Maximus Confessor vorbereitete, schließlich von Martin I. durchgeführte Lateransynode gleichfalls verurteilt. Interessant an dieser Synode ist auch, daß Maximus und Martin ihr zu ökumenischer Geltung verhelfen wollten; doch gelang dies nicht einmal im Westen, ein Zeichen für das damalige geringe Ansehen des Papsttums in Fragen des Glaubens. Eine Folge der Synode jedoch war, daß die beiden Honoriusbriefe aus dem päpstlichen Archiv entfernt wurden. Und schon vorher, unter Johannes IV., hatte ihr Verfasser, Abt Johannes, eine vom Inhalt abweichende Interpretation der beiden Briefe verfaßt, durch die die Haltung des Honorius in Rom als weniger verfänglich angesehen wurde. Daher waren die Legaten Papst Agathos auf dem 3. Konzil von Konstantinopel (sogenanntes Trullanum von 680/81) überrascht, als man ihnen die authentische Version der Briefe zeigte. Auf dem Konzil wurde Honorius wie andere Anhänger des Monotheletismus verdammt; und Agathos Nachfolger Leo II. übernahm das Verdikt, obwohl Agatho wieder einmal betont hatte, die römische Kirche und ihre Hirten hätten nie den rechten Glauben verlassen. Aufgrund der Verurteilung mußte fortan jeder neue Papst – die Formel steht im 'Liber diurnus' – den rechten Glauben einschließlich der Verurteilung des Honorius vor Amtsantritt feierlich bekennen. Weil in erzählenden Quellen des Westens Honorius bald nur noch ohne Titel als Ketzer genannt wurde, seine Position als Papst demzufolge in Vergessenheit geriet, stand er späteren Ansprüchen des Papsttums kaum im Wege, doch der Osten pflegte die Tradition. Und seit der Reformation wurde die 'Honorius-Frage' immer wieder von Gegnern und Verteidigern des Lehrprimates des Papsttums aufgegriffen, bis hin zum 1. Vatikanischen Konzil. Im 17. Jahrhundert wurde von der päpstlichen Kurie sogar eine Edition des 'Liber diurnus' verboten, weil sie auch den erwähnten Glaubenseid enthielt. Doch dürfte außer Zweifel stehen, daß den Anhängern des Bekenntnisses von Chalkedon im 7. Jahrhundert Honorius einwandfrei als ketzerischer Papst galt.

Allerdings hatten die Auseinandersetzungen um den Monotheletismus auch positive Folgen für die Entwicklung des päpstlichen Primates. Griechische Päpste wie Theodor und Agatho oder in Rom einflußreiche östliche Theologen wie Maximus Confessor betonten in den Konflikten, daß Christus mit dem Auftrag an Petrus, seine Lämmer zu weiden und seine Brüder im Glauben zu stärken, den Päpsten auch die Sorge um die Wahrung des rechten Glaubens übertragen habe. Verbunden mit der Überzeugung, daß die römische Kirche nie vom rechten Glauben abgewichen sei, formulierten die Päpste jetzt daher stärker als ihre mehr auf Jurisdiktion und Disziplin fixierten Vorgänger einen Anspruch auf Lehraufsicht seitens der römischen Kirche über alle Christen. Und weil für sie das ehemalige Römische Reich immer noch die 'Ökumene', die bewohnte Welt war, die Reichsgewalt jedoch nur noch in einigen Teilen anerkannt wurde, galt jetzt Petrus als der Garant, der von seinen Nachfolgern gelehrte Glauben als das Band dieser jetzt eher spirituell gesehenen Einheit. Damit war ein weiterer Stein dem Fundament beigefügt, auf dem kirchliche wie auch politische Bestrebungen des Papsttums seit dem 8. Jahrhundert aufbauen konnten.

Als letztes Relikt der byzantinischen Epoche sei noch der Titel erwähnt, den die Päpste bis heute offiziell verwenden: *servus servorum dei* (= Knecht der Knechte Gottes). Von Gregor I. geschaffen, wird dieser Titel häufig so interpretiert, daß damit dieser Papst besonders seine Demut – schließlich war er Mönch – betonen wollte. Doch wird dies nicht völlig der Realität gerecht. Gregors Kontrahent in Konstantinopel hatte sich in einem Schreiben wie auch seine Vorgänger als 'ökumenischer Patriarch' bezeichnet, woran sich bis dahin im Westen niemand gestoßen hatte, weil damit lediglich ausgedrückt war, daß der Patriarch der Ökumene, also dem Reich, angehöre, allerdings dort eine besondere Stellung innehabe. Auch römische Bischöfe hatten sich seit Leo I. zeitweilig so tituliert. Gregor verwandte nun viel Mühe darauf, diesen Titel zu bekämpfen, doch nicht einmal im Westen erntete er damit Anerkennung. Und als Kontrapunkt kreierte er den Demutstitel, der dem Papsttum erhalten blieb, auch wenn dessen Inhaber – schon Gregor, erst recht viele seiner Nachfolger – dem Inhalt des Titels nicht immer gerecht wurden. Und daß schon Gregor damit einen Vorrang andeuten wollte, dürfte aus der Bibelstelle hervorgehen, auf der der Titel basierte (Markus 10,44): „Wer unter euch der Erste sein will, der soll aller Knecht sein."

Durch Justinians Eroberungen waren Nordafrika, die Inseln des westlichen Mittelmeeres und Teile der spanischen Mittelmeerküste dem Reich und damit der Orthodoxie zurückgewonnen worden. Am Ende desselben Jahrhunderts traten der Westgotenkönig Rekkared, sein Adel und daraufhin sein Volk zum katholischen Glauben über; im Laufe des 7. Jahrhunderts gaben auch die Langobarden den Arianismus auf. Somit vereinte alle Reiche, die auf dem Boden des Römischen Reiches bestanden, sofern sie christlich waren, derselbe Glaube. Und aus all diesen Ländern nach Rom ziehende Pilger bezeugten die allgemeine Verehrung des Petrus. Doch bedeutete dies nicht, daß dessen Nachfolger überall als Hüter von Glaube und Disziplin anerkannt waren. Das verhinderte schon die politische Situation, denn Rom war ein Teil des Byzantinischen Reiches; die in Fragen des Glaubens schwankende oder irrige Haltung eines Vigilius, eines Pelagius I. und eines Honorius I. mahnte zur Vorsicht. Vor allem aber verhinderte die kirchliche Struktur in den meisten Gebieten des Westens eine tiefergehende Einflußnahme durch das Papsttum.

In Italien hatten Päpste seit Gregor I. versucht, nicht nur das langobardische Königshaus zum rechten Glauben zu führen, sondern durch Tributzahlungen auch eine Ausweitung der Langobardenherrschaft zu verhindern, was die auf Rückeroberung bedachten Kaiser und Exarchen verärgerte. Dies war einer der Gründe, weshalb auch im byzantinischen Italien die Ansprüche des Papsttums nicht völlig anerkannt waren. Hinzu kamen die Autonomiebestrebungen der Bischöfe von Ravenna. Einer von ihnen erreichte es schließlich, daß Kaiser Konstans II. 666 Ravenna zum Sitz eines selbständigen Metropoliten erklärte, den – analog zu Rom – drei Provinzialbischöfe zu weihen hätten, ohne daß eine Wahlbestätigung durch den Papst nötig sei. Zwar widerrief sein Sohn Konstantin IV. zwanzig Jahre später dieses Privileg, doch das Streben nach Selbständigkeit blieb in Ravenna bestehen. In Istrien und Venetien hatte die Haltung des Vigilius zu einer Kirchenspaltung geführt. Und auch als diese Ende des 7. Jahrhunderts aufgehoben war, konnte sich Rom nur dann in diesen Gebieten durchsetzen, wenn es den Bischöfen genehm war. Demzufolge behielt das Papsttum nur im byzantinischen Teil Mittel- und Süditaliens und auf Sizilien seine überkommene Machtstellung. Oder anders formuliert: Das Papsttum hatte da zu bestimmen, wo auch seine Patrimonien lagen.

Noch schwieriger war die Situation im langobardischen Italien, denn sie hing allzusehr von den politischen Konstellationen ab. Der Vorrang des Papstes war trotz überkommener Autonomiegesinnungen in der Kirchenprovinz Mailand unbestritten. Doch waren gewöhnlich der Besuch römischer Synoden und die Durchsetzung römischer Direktiven nur dann möglich, wenn es die Könige und Herzöge erlaubten. Und weil die Oberhoheit der Könige in den Herzogtümern Friaul, Spoleto und Benevent nicht ständig anerkannt war, konnten sich Verhandlungen von Päpsten mit Herzögen für die Geltung Roms im engeren Königreich – also vor allem in der heutigen Lombardei – nachteilig auswirken. Zuletzt sei noch auf das häufig in der Literatur genannte Privileg Honorius' I. für Bobbio hingewiesen. Dieses Kloster war von dem Iroschotten Kolumban gegründet worden und sollte gemäß der irischen Tradition autonom sein. Daher erwirkte der Abt vom Papst ein Privileg, in dem die Kontrollmöglichkeiten des zuständigen Bischofs von Piacenza eingeschränkt waren und das Kloster dem Schutz des hl. Petrus unterstellt wurde. Inwieweit diese Privilegierung Erfolg hatte, ist allerdings für die frühe Zeit unbekannt.

Nordafrika war seit Justinian ebenso wie Italien Teil des Byzantinischen Reiches unter der Leitung eines Exarchen, der in Karthago residierte. Während jedoch die politische Bindung an Byzanz eng war – so war z. B. der Vater Kaiser Herakleios' Exarch von Karthago gewesen –, gelang die Integration der nordafrikanischen Bistümer in die Reichskirche noch weniger als derjenigen in Italien. Statt dessen lebten die Selbständigkeitsbestrebungen der vorvandalischen Zeit neu auf. Und im Gegensatz zu Rom verfügte Nordafrika vor allem im 6. Jahrhundert über eine Anzahl guter Theologen, die mutig gegen die Verurteilung der 'Drei Kapitel' kämpften. Daher war angesichts der Haltung des Papstes Vigilius und seiner Nachfolger das Ansehen Roms trotz der Verehrung des Petrus recht gering. Die Selbständigkeit wurde noch dadurch gefördert, daß auch nach dem Reichskirchenrecht die nordafrikanische Kirche als nicht dem Papst unterstehend angesehen wurde. Daher war z. B. Gregor I. gezwungen, hinsichtlich nordafrikanischer Konflikte vor allem mit dem Exarchen als dem Vertreter des Kaisers zu korrespondieren, nicht mit dem Primas von Karthago. Lediglich in Numidien griff er direkt ein, weil er dort einen Bischof als Vertrauensmann besaß; doch wurde dieser deshalb von Kollegen angegriffen oder gemieden. Kaum erfolgreicher waren Gregors Eingriffe in andere dem Exarchen unterstehende Gebiete: Korsika, Sardinien – über die Balearen schweigen die Quellen – und Baetica (Südspanien). Lediglich dort, wo die römische Kirche noch Patrimonien besaß, konnte sie auch in geistliche Dinge stärker eingreifen. Etwas enger wurden die Beziehungen zwischen Rom und Nordafrika im Streit um den Monotheletismus. So anerkannten mehrere nordafrikanische Synoden zur Zeit des Papstes Theodor dessen Vorrang und Autorität in Dingen des Glaubens. Inwieweit sich diese Anerkennung auch in der Praxis auswirkte, läßt sich nicht erkennen. Und die Einfälle der Araber – Ende des 7. Jahrhunderts war ganz Nordafrika in ihren Händen – beendeten endgültig ein freies kirchliches Leben. Zwar durften die Christen ihren Kult weiterhin ausüben und die kirchliche Organisation beibehalten, doch Kontakte mit der nichtislamischen Welt waren kaum noch möglich.

Wenig später, in den Jahren 711/12, eroberten die Muslime den größten Teil des westgotischen Spanien, zu dem seit der 2. Hälfte des 7. Jahrhunderts auch die ehemals byzantinischen Gebiete gehört hatten. Der Verlust für die Christenheit war noch größer als beim Fall Nordafrikas, denn die spanische Kirche überragte im 7. Jahrhundert in Kirchenrecht, Disziplin und zum Teil auch Theologie alle anderen Länder des Westens. Doch war diese Blüte kein Verdienst des Papsttums. Die Konversion König Rekkareds hatte Gregor I. mit Lob, aber wenig Verständnis für deren Bedeutung zur Kenntnis genommen. Der Aufbau der spanischen Kirche war vor allem ein Verdienst des Königs und der beiden bischöflichen Brüder Leander und Isidor von Sevilla. Beide waren zwar in Konstantinopel mit Gregor als Apokrisiar befreundet gewesen; doch in ihre Arbeit ließen sie sich vom Papst kaum dreinreden. Sie begannen die Tradition, die bis zum Ende des Reiches andauerte, am Sitz des Königs in Toledo Reichskonzilien abzuhalten, auf denen unter Vorsitz des Primas von Toledo Fragen des Glaubens, der Disziplin und Organisation für das ganze Reich verbindlich geklärt wurden. Der dafür entworfene Ordo wurde auch außerhalb Spaniens häufig kopiert und bildete daraufhin das Vorbild für die meisten Geschäftsordnungen von Synoden im christlichen Europa bis ins späte Mittelalter hinein. Von ähnlich großer Bedeutung waren die in Spanien entstandenen Sammlungen des Kirchenrechtes. Die Liturgie prägte bis ins 8. Jahrhundert hinein stark die des fränkischen Gallien.

Wie angedeutet, tagten die Reichskonzilien in der Residenzstadt Toledo. Schon daraus geht der Einfluß des Königs auf die Kirche hervor. Dieser wird auch darin deutlich, daß ähnlich wie in Byzanz der Bischof von Toledo als ranghöchstes Glied der Kirche vom König bestimmt wurde und häufig vorher königlicher Amtsträger gewesen war. Andere Indizien für die enge Verknüpfung von Königtum und Kirche sind die Funktion der Bischöfe als oberste Appellationsrichter und die Rolle der Reichskonzilien als Beschlußorgan neuer Reichsgesetze. Bei sinkender Bedeutung des Königtums in der 2. Hälfte des 7. Jahrhunderts bedeutete dies, daß neben dem hohen Adel die Bischöfe weitgehend die Reichsgeschäfte bestimmten. Die spanische Kirche bildet daher das geschlossenste Bild einer Landeskirche im frühen Mittelalter. Daraus folgt jedoch, daß für eine übernationale Institution wie das Papsttum kein Platz in ihr war. Belehrungen durch Päpste wurden in Spanien nur akzeptiert, wenn sie der eigenen Ansicht entsprachen. So setzte Isidor von Sevilla auf dem 4. Toledaner Konzil von 633 ein Schreiben Gregors an seinen Bruder Leander über den Taufritus als Konzilsbeschluß durch. Doch wenn Päpste auf ihren Vorrang pochten und die spanischen Bischöfe diskriminierten – Honorius I. nannte sie nach einem Prophetenwort „stumme Hunde, die nicht bellen können" –, dann wahrten die Angegriffenen ihre Würde und machten sich ein Vergnügen daraus, dem päpstlichen Gegner geringe Bibel- und Sachkenntnis unter die Nase zu reiben. Ein letztes Beispiel dafür ist die Kontroverse zwischen Papst Benedikt II. und Julian von Toledo. Dreißig Jahre später machte die arabische Eroberung weitere Kontakte – von Ausnahmen abgesehen – unmöglich.

Wie im Westen und Süden die Araber, engten im Osten Avaren und Slawen den Spielraum päpstlicher Betätigung ein. Der Sitz des Metropoliten und römischen Vikars in Saloniki war zur Enklave in feindlichem Gebiet geworden, ähnlich erging es den Städten in Illyrien. Wie die Gedenkkapelle für die Martyrer des dalmatinischen Salona am Lateranbaptisterium und sporadische Spuren eines Briefwechsels zeigen, erloschen zwar die Kontakte nicht völlig, doch eine Kirchenpolitik wie im 5. Jahrhundert war nicht mehr möglich.

Etwas intensiver waren vorerst noch Roms Kontakte mit Arles. Seit den Gotenkriegen gehörte die Provence ebenso wie das frühere Burgunderreich den Franken. Im Gegensatz zu Spanien war jedoch das Frankenreich nach Chlodwigs Tod (511) selten unter einem König vereint. Und selbst wenn das der Fall war, konnte sich der König nicht überall durchsetzen. Seit dem frühen 7. Jahrhundert kristallisierte sich die auf älteren Grundlagen basierende Dreiteilung des Reiches in Neustrien, Austrasien und Aquitanien heraus. Doch besagte dies nicht, daß diese einzelnen Bereiche in sich homogen waren; vor allem Aquitanien war – ebenso wie die Provence – in einzelne, meist an einer Stadt orientierte Gebiete zersplittert und selten unter stärkerem königlichen Einfluß. Hinzu kam, daß die Traditionsträger, die gallorömischen Senatorenfamilien, ebenfalls im 7. Jahrhundert sich dem geringeren germanischen Kulturniveau anpaßten oder ausstarben. Einer ihrer letzten großen Vertreter im späten 6. Jahrhundert war der Geschichtsschreiber und Bischof Gregor von Tours. Aus seinen lebendig geschriebenen Büchern wird deutlich, wie konfus die Situation der Kirchen schon zu seiner Zeit war; und diese verschlechterte sich noch im folgenden Jahrhundert. Bistümer und Klöster waren jetzt häufig in Händen des Adels, der sie eher wegen ihres Grundbesitzes als wegen ihrer geistlichen Aufgaben begehrte. Zwar gab es sporadisch noch Synoden – vor allem in den nördlichen Gebieten (Paris, Orléans) und in Lyon –, doch ob deren Beschlüsse überall durchgesetzt wurden, bleibt fraglich. Noch trister sah es in den dem Reich mehr oder weniger lose angeschlossenen Gebieten östlich des Rheines (Alemannien, Bayern) aus. Daher fehlten den Päpsten gewöhnlich, sollten sie sich zum Eingreifen entschließen, die kompetenten Partner.

Aufgrund der Tradition und wegen der noch vorhandenen, wenn auch geringen Patrimonien in der Provence war der Bischof von Arles für die Päpste vorerst der wichtigste Adressat. Er sollte gewöhnlich die Eintreibung und Ablieferung der Abgaben von den Patrimonien organisieren; ihm wollten sie auch eine Aufsicht über die gallischen Bistümer zuschreiben. Doch zumindest das zweite Projekt brachte außer Briefen keine Ergebnisse. Ebenso scheiterten Versuche, die Stellung des Bischofs als päpstlicher Vikar durchzusetzen. Weil Arles zu sehr an der südlichen Peripherie lag, war Lyon – und zeitweise Autun – weitaus wichtiger für die fränkische Kirche. Und wie desperat die Zustände im Frankenreich waren, mußte Gregor I. erfahren, als er seit 599 mit vielen Briefen an die Königin Brunichilde, ihre Enkel und einzelne Bischöfe vergeblich versuchte, eine Synode zustande zu bringen, auf der die verbreitete Simonie und der Besitz kirchlicher Güter durch Laien verboten werden sollten. Als endlich 614 unter Chlothar II. in Paris eine Reichssynode tagte, regelte sie vor allem die Organisation der fränkischen Landeskirche und das Verhältnis von König, Adel und Episkopat. Rom spielte dabei keine Rolle. Dies änderte sich auch nicht während der folgenden hundert Jahre. Lediglich fränkische Pilger zum Petrusgrab und die Tradierung älterer Papstbriefe auf fränkischen Synoden sorgten dafür, daß Rom im Frankenreich nicht vergessen wurde.

Als Ergebnis bleibt festzuhalten, daß in dieser ersten Phase der byzantinischen Epoche das Papsttum auf dem Kontinent nur in Mittel- und Süditalien und in seinen Patrimonien direkten Einfluß besaß. Daß es dennoch seit dem 8. Jahrhundert allmählich zum Oberhaupt der westlichen Kirche aufstieg, hatte es vornehmlich der neuen Kirche in England zu verdanken.

Das Verdienst, die Mission in England begonnen zu haben, wird gewöhnlich Gregor I. zugeschrieben, allerdings nur teilweise zu Recht. Schon vor ihm hatten iroschottische Mönche erfolgreich im Norden der angelsächsischen Reiche missioniert. Doch war Gregor I. der erste Papst, der bewußt und aus eigener Initiative Missionare in Gebiete sandte, die außerhalb der traditionellen Ökumene lagen. Daß Gregor dabei nicht an eine Ausdehnung der römischen Einflußsphäre dachte, zeigte sich daran, daß er den von ihm entsandten Abt Augustinus in Gallien zum Bischof weihen ließ und dem Metropoliten von Arles unterstellte. Des Missionsbischofs Ungeschick bei der Behandlung der Bekehrten und die politische Situation auf der Insel verhinderten, daß Gregors Organisationspläne – je ein Erzbischof in London und York mit je zwölf Suffraganbistümern – durchgesetzt wurden. Statt dessen war die römische Mission vorerst auf das kleine Königreich Kent beschränkt. Seitdem ist der Bischof von dessen 'Hauptstadt' Canterbury der oberste Bischof der englischen Kirche. Daß sich diese überhaupt ausdehnen konnte und allmählich stärker nach Rom ausgerichtet wurde, ist das Verdienst von Gregors Nachfolgern und vor allem der erst fremden, dann einheimischen Missionare und Bischöfe. Noch lange nach Augustins

Tod – er starb wie sein Auftraggeber 604 – dominierte die iroschottische Mission in England. Doch unterlag sie schließlich Rom dank des Northumbriers Wilfrith, der als junger Mann in Rom zum eifrigen Verfechter des Papsttums geworden war. Im Jahr 664 'bewies' er dem Oberkönig Oswiu auf einer Synode in Whitby, die sich mit der strittigen Frage der Berechnung des Ostertermins befaßte, daß Petrus als Heiliger stärker sei als der von den Iroschotten genannte Columba, denn Petrus öffne oder verschließe den Himmel. Mit der Anerkennung von dessen magischer Kraft hatte Rom in England gesiegt. Der organisatorische Aufbau gelang seit 669 dem aus dem kleinasiatischen Tarsos vertriebenen Mönch Theodor, der von Papst Vitalian zum neuen Erzbischof von Canterbury eingesetzt worden war. Allerdings blieb auch in England die Stellungnahme der Könige, besonders der Herrscher von Northumbrien, ausschlaggebend, wie das unstete Wanderleben Wilfriths zeigt. Dennoch war England das erste Gebiet außerhalb Italiens, in dem Kirchenrecht und Liturgie nach dem römischen Vorbild ausgerichtet wurden und aus dem stärker als aus anderen Regionen Mönche und Bischöfe nach Rom zogen, um dort Erbauung oder Recht zu finden. Das keltische Element überlebte vor allem in der großen Rolle der Klöster, in den für Seelsorge oder Lebensgewohnheiten äußerst aufschlußreichen Bußbüchern und in dem Drang, auswärts zu missionieren. Diese Kombination römischer und iroschottischer Traditionen prägte daher die Missionare, die seit dem Ende des 7. Jahrhunderts ihr Betätigungsfeld auf dem Kontinent suchten: zuerst Wilfrith selbst, dann den ihm verbundenen Willibrord und schließlich den größten von ihnen, Winfrith/Bonifatius. Und weil hinsichtlich der Organisation, des Kirchenrechts und der Liturgie Rom das Vorbild dieser Missionare bildete, war ihre Tätigkeit die wichtigste Vorbedingung für die Ausbreitung von Roms Ansehen rechts des Rheines und im Frankenreich. Daher verdankte das Papsttum seine künftigen Erfolge vornehmlich dem Land, von dem selbst Gregor I. wegen des ursprünglich geringen kulturellen Niveaus es am wenigsten erwartet haben dürfte.

2. *Von Gregor II. bis zum Ende des Langobardenreiches (715–774)*

Schon unter Gregor II. lassen sich die Tendenzen erkennen, die die Geschichte des Papsttums bis in die Zeit Hadrians I. prägten: Konflikte mit den Kaisern, die allmählich die Lösung aus dem byzantinischen Reichsverband bewirkten; die Führung des Papstes auch in weltlichen Belangen Roms, des Dukates und schließlich großer Teile Italiens; der Kampf gegen die Expansionen der Langobarden; endlich zuerst kirchliche, dann auch politische Kontakte mit Missionaren, Bischöfen und Herrschern jenseits der Alpen, die 754 zum epochalen Bündnis zwischen Papsttum und Frankenherrscher führten. So dunkel und in vielen Dingen quellenarm die Geschichte des 8. Jahrhunderts ist, so konstitutiv wurde sie für die folgenden Jahrhunderte, denn viele der das Papsttum seitdem charakterisierenden Probleme – Verhältnis zu den fränkischen oder deutschen Herrschern, Aufrichtung und Sicherung des 'Kirchenstaates', Abhängigkeit vom Adel Roms und dessen Umgebung – waren ihre Folgen. Doch darf angesichts dieser Veränderungen nicht übersehen werden, daß als Folge der vorangegangenen Zeit Rom und das Papsttum sich noch bis zum Ende des Jahrhunderts als zum Byzantinischen Reich gehörend ansahen und die byzantinische oder griechische Prägung von Recht, Liturgie, Kunst und Verwaltung noch jahrhundertelang fortbestand. Die neue politische Ausrichtung hatte also vorerst keine Veränderung der kirchlichen Strukturen Roms zur Folge und darf deshalb auch nicht überbewertet werden.

Die Auseinandersetzungen des Papsttums mit Byzanz begannen im Bereich der Steuern und kulminierten in dem des Kultes. In den Jahren 717/18 hatte Leon III. die Eroberung Konstantinopels durch die Araber erfolgreich abgewehrt, ein Ereignis, das für den Osten genauso folgenreich war wie im Westen der Sieg Karl Martells 732 über die 'Sarazenen', denn seit beiden Erfolgen blieb Europa – abgesehen von Inseln und Küstengebieten – für Jahrhunderte dem Islam verwehrt. Um die Araber auch aus Kleinasien zu verdrängen und Griechenland mit Teilen des Balkans zurückzuerobern, reformierte der Kaiser Heer und Reichsverwaltung. Eine der Folgen war, daß er stärker als seine Vorgänger Steuern einzog, diesmal selbst von kirchlichen Besitzungen. Von diesen Maßnahmen waren auch die päpstlichen Patrimonien, soweit sie im kaiserlichen Machtbereich lagen, betroffen. Gregor II. weigerte sich, diese Schmälerung seiner Einnahmen zu gestatten, weshalb er gefangengenommen werden sollte, was jedoch mißlang. Wenig später, seit ca. 725, versuchte der Kaiser, die Verehrung von Kultbildern zu verhindern. Dem waren ein Bilderverbot durch den Kalifen Jezid II. (723) für die Christen im islamischen Machtbereich, Polemiken kleinasiatischer Bischöfe gegen die Bilderverehrung und ähnliche Agitationen durch die syrische Sekte der Paulikianer vorausgegangen. Weil der Kaiser selbst aus dem Euphratgebiet stammte, waren seine Maßnahmen vielleicht von diesen orientalischen Vorgängen beeinflußt. In Konstantinopel widerstand ihm der Patriarch. Daher versuchte Leon, den Papst auf seine Seite zu ziehen. Doch auch hierin versagte ihm Gregor II. die Unterstützung. Dies hinderte Leon nicht, Bilder zerstören und Gegner seiner Politik verfolgen zu lassen, bis schließlich sein Sohn Konstantin V. 754 auf einem Konzil die Bilderverehrung für das ganze Reich verbieten ließ. Und weil das Verbot das normale Kirchenvolk in seinem relativ primitiven Glauben weitaus mehr erregte als die früheren dogmatischen Konflikte, waren im Osten innere Kriege die Folge, wobei das Mönchtum weitgehend auf seiten der Bilderverehrer stand. In Italien hatte die Durchsetzung des Verbotes Aufstände, die die Lösung vom Osten beschleunigten, und den Zuzug verfolgter Mönche zur Folge. Besonders gravierend waren die Ergebnisse für das Papsttum. Leon entzog dem Papst die Jurisdiktion über den Vikariat von Saloniki sowie über Sizilien und Süditalien zugunsten des Patriarchen von Konstantinopel; seitdem waren – abgesehen vom Exarchat – alle Gebiete des Reiches auch kirchlich geeint. Außerdem konfiszierte der Kaiser die päpstlichen Patrimonien in Süditalien und Sizilien. Beide Maßnahmen bedeuteten für das Papsttum eine Katastrophe, denn es hatte den größten Teil seiner Ländereien verloren und war in seiner Kirchenhoheit weitgehend auf Mittel- und Norditalien beschränkt. Doch gerade diese Schrumpfung bewirkte eine Intensivierung des päpstlichen Einflusses in Italien und eine Neuorientierung zum Westen hin.

Die Aufstände in Italien hatten dazu geführt, daß sich im Exarchat erstmals Städte gegen ihren Herrscher verbündeten und die vom Kaiser eingesetzten Spitzen von Heer und Verwaltung vertrieben wurden. Zwar konnte der Exarch Eutychios mit Hilfe des Langobardenkönigs Liutprand seine Hoheit in Teilen Norditaliens wieder stärken, doch im römischen Dukat gab es seitdem keinen vom Exarchen eingesetzten *dux*, vielmehr bestimmten Adel und Papst die neuen Leiter von Heer und Verwaltung. Faktisch hatte jetzt der Papst die Regierung Roms und des Dukates inne, auch wenn der Kaiser der Souverän blieb. Die neue Stellung des Papstes zeigte sich in konkreten Maßnahmen. Schon von Gregor II. geplant, wurde unter seinem Nachfolger Gregor III. die Stadtmauer Roms restauriert, ebenso die des Hafens Centumcellae (heute: Civitavecchia). Daß die Apostelfürsten Petrus und Paulus – und somit ihr Stellvertreter – jetzt den Dukat regierten, zeigt sich auch daran, daß es die Päpste waren, die mit den langobardischen Machthabern, König oder Herzögen, um die Rückgabe eroberter Orte verhandelten; das älteste Beispiel – wiederum unter Gregor II. – ist das Kastell Sutri, von König Liutprand den beiden Aposteln restituiert. Gregor III. erwarb von dem Spoletiner Herzog Trasamund Gallese für „den heiligen Staat [= Reichsitalien] und das römische Heer". Am geschicktesten und erfolgreichsten zeigte sich in dieser Hinsicht Zacharias. Seit seiner Zeit besaß der Papst auch in Norditalien die größte Autorität, weshalb sich Exarch, Erzbischof und Volk von Ravenna an Zacharias wandten, damit dieser bei Liutprand für den Bestand des Exarchates eintrete.

Doch während Liutprand als Verehrer des heiligen Petrus den Bitten häufig entsprach, mit denen sich dessen Stellvertreter an ihn wandten, betrieb sein Nachfolger Aistulph seine politischen Pläne ohne religiöse Skrupel. 751 eroberte er den Rest des Exarchates, bezwang widerstrebende Herzöge in Mittelitalien und bedrohte schließlich auch Rom. Der neue Papst, Stephan II., reiste daraufhin über Pavia, wo er vergeblich bei Aistulph auf die Restitution der eroberten Gebiete drang, als erster Papst ins Frankenreich und schloß mit dessen König Pippin 754 ein Bündnis, worauf noch näher einzugehen sein wird. Dem Bündnis entsprechend versprach Pippin dem heiligen Petrus und dessen Vikar Teile Italiens; damit legte er den

Grundstein für den sogenannten 'Kirchenstaat'. Danach schlossen in Pavia Franken, Römer – geführt vom Papst – und Langobarden ein Bündnis zur Sicherung der jeweiligen Herrschaftsgebiete. Dies hinderte Aistulph jedoch nicht, seine bisherige Politik fortzusetzen. Stephan schrieb daraufhin mehrere Mahnbriefe an den fränkischen König und dessen Vasallen, einen davon legte er dem Petrus als Partner der Franken selbst in den Mund. Doch erst, als der Langobardenkönig 756 wieder Teile des römischen Dukates eroberte und Rom bedrohte, zogen die Franken gegen Aistulph zu Felde und zwangen ihn, einen Teil des Exarchates mit Ravenna selbst dem Stellvertreter Petri auszuliefern; die Schlüssel der Städte wurden von Pippins Abgesandten, dem Abt Fulrad, am Petrusgrab deponiert. Und als seit 771 König Desiderius, der 757 mit Hilfe des Papstes König geworden war und ihm dafür weitere Städte versprochen hatte, die Politik Aistulphs erneuerte, eroberte Karl der Große sein Reich und erneuerte und erweiterte 774 in Rom Pippins Versprechen.

Umstritten ist, welche Motive Stephan II. bei seinen Verhandlungen mit Pippin leiteten. An den Hof von Pavia hatte ihn ein Abgesandter des Kaisers begleitet. Und der Papst selbst hatte Pippin und dessen Söhnen die Würde eines *patricius Romanorum* verliehen. Den Patricius-Titel führten zu jener Zeit die Vertreter des Kaisers, also auch der Exarch, gewöhnlich jedoch ohne den Zusatz 'Romanorum'. In der Forschung wurde kontrovers diskutiert, ob Stephan den Titel eigenmächtig oder als Vertreter des Kaisers verliehen habe. Zugunsten der zweiten These wurde unter anderem angeführt, daß Hadrian I. in einem Brief von 785 an Kaiser Konstantin VI. Karl den Großen als 'patricius Romanorum' bezeichnet hatte, was voraussetze, daß Byzanz die Verleihung bewilligt habe, da sonst der Papst den Kaiserhof brüskiert hätte. Doch zeigen andere Briefe von Päpsten, daß sie selbst dann nicht immer feinfühlig formulierten, wenn sie vom Adressaten etwas wollten. Außerdem konnte der Begriff 'Romani' damals unterschiedlich interpretiert werden. Und daß gerade in dieser Zeit am päpstlichen Hof die Ansicht gehegt wurde, anstelle des Kaisers in Italien zu regieren, zeigt die sogenannte 'Konstantinische Schenkung', auf die noch einzugehen sein wird. Hervorzuheben ist jedoch, daß es vor allem die Patricius-Würde war, aus der die Päpste seit Stephan II. das Eingreifen Pippins und Karls in Italien ableiteten. Anders die Frankenkönige. Zumindest Pippin hat den Patricius-Titel selbst nie geführt und sein Eingreifen mit seinem Versprechen dem hl. Petrus gegenüber begründet. Daher lehnte er 756 auch Forderungen byzantinischer Gesandter ab, die von ihm eroberten Teile des Exarchates dem Kaiser zu übergeben. Für ihn war der Apostelfürst der neue Herr.

Daß auch die Päpste, obwohl nominell weiterhin dem Kaiser unterstehend, wohl eher an ein eigenes Herrschaftsgebiet dachten, zeigt der Umfang der 'Pippinischen Schenkung'. Diese betraf zuerst einmal den römischen Dukat; dieser sollte vollständig dem hl. Petrus und dessen Nachfolgern unterstehen. Sodann wurden Teile des byzantinischen Italien, die im 8. Jahrhundert von den Langobarden erobert worden waren – im Westen um den Hafen Luni gelegen, im Osten Ravenna und dessen Umgebung mit Orten der südlich davon gelegenen Pentapolis, dazu eine diese Gebiete verbindende Straßenführung –, unter fränkischen Schutz gestellt. Außerdem sollten noch byzantinische Teile Norditaliens, Venetien und Benevent dem Zugriff Aistulphs entzogen werden. Die eben genannten Regionen entsprachen weitgehend dem Gebiet, aus dem seit 731 die Besucher der römischen Synoden stammten. Bedenkt man nun, daß seit der gleichen Zeit die Päpste ihre Fürsorge für die ihnen anvertrauten 'Schafe' als deren 'Hirten' betonten und damit ihre politischen Verhandlungen mit den Langobardenkönigen auch für Gebiete außerhalb des Dukates begründeten, so liegt der Schluß nahe, daß die Päpste alle Bistümer, die ihrer Kirchenhoheit seit der Reduktion durch Kaiser Leon III. noch unterstanden, jetzt auch als weltliche Herren regieren oder zumindest ihrer Interessensphäre eingliedern wollten. Derartige Versuche waren damals in Italien nichts Ungewöhnliches. So waren in Neapel für kurze Zeit die Ämter des *dux* und Erzbischofs vereint; und in Ravenna versuchten dessen Erzbischöfe mehrfach, statt des römischen Konkurrenten Rechtsnachfolger des Exarchen zu werden.

Die politischen Zustände in Italien verhinderten, daß die päpstlichen Territorialpläne verwirklicht wurden. Doch bewirkten sie, daß das Papsttum fortan sehr stark von der inneritalischen Politik bestimmt wurde und weltliche Machtgruppen mehr als zuvor daran interessiert waren, an der Besetzung des päpstlichen Amtes zu ihren eigenen Gunsten mitzuwirken. Dies zeigte sich erstmals deutlich in den dramatischen Ereignissen nach dem Tode Pauls I. 767. Damals gab es in Rom drei Machtgruppen: die unter dem verstorbenen Papst oder seinem Bruder und Vorgänger bevorzugten Verwaltungsspitzen, die vor allem von Paul bedrängten Grundbesitzer des Umlandes und schließlich eine langobardische Partei. Zuerst war der Prätendent der zweiten Gruppe, Konstantin II., erfolgreich; doch den vereinten Bemühungen der beiden anderen Gruppen gelang seine Absetzung; daraufhin wurden die Langobardenfreunde ausgebootet und schließlich vom Sieger, dem Sizilianer Stephan III., auch die allzu mächtigen Führer der eigenen Partei beseitigt. Diese Vorgänge von 767/68 zeigen in ihrer Anhäufung von Verrat, Grausamkeiten – wie Nasenverstümmeln, Augenausstechen oder Folterungen – und Morden, wie byzantinisch Rom noch war und wie in Rom agiert wurde, wenn es sich selbst überlassen war. Das 9. und vor allem 10. Jahrhundert setzte diese 'Politik' im Übermaß fort. Und es ist für die Situation bezeichnend, daß schon im 8. Jahrhundert der jeweilige Papst aktiv bei diesen Machenschaften mitwirkte.

Schon vor den Wirren von 767, erst recht seitdem zeigte es sich, daß es jetzt in Rom vor allem zwei Gruppierungen gab, die Einfluß auf das weltliche und kirchliche Regiment nahmen: die *iudices de militia* und die *iudices de clero.* Unter 'iudex' ist dabei nicht ein Richter, sondern – weiter gefaßt – ein Würdenträger zu verstehen. Daher wurden in römischen Quellen auch fränkische Grafen oder Königsgesandte als 'iudices' bezeichnet. Als Mitglieder der ersten Gruppe fungierten die Spitzen der weltlichen Verwaltung und des Heeres, also die Repräsentanten der in und außerhalb Roms führenden Laien, die häufig auch als 'dux' oder 'consul' tituliert wurden. Der zweiten Gruppe gehörten die Leiter der päpstlichen Verwaltung an, der *primicerius* und *secundicerius* der Notare, der *primicerius* der Defensoren, der *arcarius, sacellarius, nomenculator, vestiarius, vicedominus* und der Erste (*superista*) der Kubikulare. Als dem Klerus zugehörig konnten sie deshalb angesehen werden, weil sie – wie schon angeführt – häufig eine niedere Weihe erhalten hatten. Doch waren sie in erster Linie Vertreter der führenden römischen Familien und hatten daher ebenso wie die anderen *iudices* vor allem das Interesse, Prestige und Vermögen der eigenen Familie mit Hilfe des Papsttums zu steigern. Daher konnte ein neuer Papst gewöhnlich nur dann erfolgreich regieren, wenn er aus einer bedeutenden Familie Roms stammte, die Anhänger seines Vorgängers – so gut es ging – ausmanövrierte und statt ihrer seine Familie und deren Freunde förderte. Der Nepotismus wurde von nun an ein wichtiges, wenn auch problematisches Mittel der päpstlichen Personalpolitik und blieb es bis zum 19. Jahrhundert.

Dieser Konstellation entsprach es, wenn ein Versuch Stephans III., den Einfluß des höheren Klerus – der Presbyter und Diakone – wieder zu steigern, nur teilweise zum Erfolg führte. Unter dem Eindruck der Ereignisse nach dem Tode Pauls I. hatte der neue Papst 769 eine Synode versammelt, auf der ein neues Papstwahldekret verkündet wurde. Diesem zufolge durfte nur der römische Klerus einen Papst wählen; als wählbar galten lediglich die Kardinalpriester und die Diakone. Nach der Wahl sollte der Gewählte zur Residenz, dem *patriarchium Lateranense,* geleitet werden und dort die Huldigung als der Herr aller (*omnium dominus*) von den Führern des Heeres und dem ganzen Heer, den ranghöheren Bürgern und der Gemeinschaft des römischen Volkes empfangen. Aus den umliegenden Gebieten dürfe niemand während dieser Vorgänge in die Stadt eindringen oder eingelassen werden. Zumindest der Klerus sah jetzt also den Papst als eindeutigen Stadtherrn, schloß aber die Laien von der Einflußnahme auf dessen Bestellung aus. Damit distanzierte er sich auch von den Vorgängen, durch die Stephan selbst bestimmt worden war, denn auf diesen hatten sich unter Führung des *primicerius* Christophorus Klerus, Heer und Volk während einer Versammlung geeinigt, die auf dem Forum an der Stelle der altrömischen Volksversammlung stattgefunden hatte. Wie der 'Liber pontificalis' vermuten läßt, wurde das Dekret bei den nächsten Wahlen befolgt; doch der Einfluß der Familien wurde dadurch nicht geschmälert, denn die zweite Gruppe der *iudices* gehörte ja ebenfalls zum Klerus.

In dem Dekret wurde eine Gruppe der Presbyter als 'cardinales', also als dem Papst (dem *cardo* = Türangel) besonders verbunden, bezeichnet. Damit ist angedeutet, daß im 8. Jahrhundert Repräsentanten der Titelkirchen – wohl je einer pro Kirche – am päpstlichen Regiment herausragend beteiligt waren. Die Aussonderung dieser wenigen aus der Schar der Presbyter ist eine wichtige Stufe in der Entwicklung des Kardinalates; auch weiterhin sollte der Titel 'Kardinal' vornehmlich dieser Gruppe vorbehalten bleiben. Neben ihnen waren, wie das Dekret zeigt, die Diakone wieder erneut zur Geltung gelangt. Ebenfalls aus Stephans III. Pontifikat existiert auch der erste Hinweis auf die Gruppe der Kardinalbischöfe. Wie der 'Liber pontificalis' berichtet, hatte der Papst im Zuge einer Reform des Klerus angeordnet, daß die sieben Kardinalbischöfe, die wöchentlich in der Lateranbasilika Dienst tun, sonntags am Hauptaltar von St. Peter zelebrieren sollten. Entgegen der herkömmlichen Deutung besagt diese Bestimmung nicht, daß seit Stephan sieben Kardinalbischöfe der Lateranbasilika zugeordnet waren; vielmehr wird diese Tätigkeit als schon existierend beschrieben. Neu ist nur der Dienst in St. Peter. Vielleicht sollten sie dort als Vertreter des Papstes fungieren, während dieser selbst sich die Sonntagsmesse im Lateran vorbehielt. Wie dem auch sei, sicher ist, daß schon im 8. Jahrhundert von den Bischöfen des Dukates sieben in einer engeren Beziehung zum päpstlichen Hof standen. Doch welche Bischöfe zu dieser Siebenzahl gehörten, war bis zum Beginn des 12. Jahrhunderts nicht eindeutig fixiert; lediglich die an der Konsekration eines neuen römischen Bischofs beteiligten Bischöfe von Ostia, Porto und Albano dürften kontinuierlich dazugehört haben.

Die beiden Bestimmungen Stephans III. zeigen ebenso wie auch andere Nachrichten, daß der Papst und die Spitzen des römischen Klerus versuchten, den Einfluß der römischen Adelsfamilien möglichst einzuschränken. Diesem Versuch und dem Ausgleich der von Leon III. bewirkten Verluste diente auch eine Neuorganisation des kirchlichen Grundbesitzes durch die Einrichtung sogenannter 'domuscultae' (wörtlich etwa 'kultiviertes Haus'). Schon Zacharias hatte derartige neue landwirtschaftliche Betriebe angelegt; Hadrian I. setzte diese Politik fort. Analog zum fränkischen Königsgut umfaßten diese Betriebe größere Einheiten – *fundi, massae, casalia* (= Einzelhöfe) mit Wassermühlen, Weinbergen, Olivenhainen, Viehweiden und Feldern –, die ausschließlich der Versorgung der römischen Kirche dienten, daher von dieser kontrolliert wurden und nicht entfremdet werden durften. Nicht allzu weit von Rom entfernt, wirkten sie zumindest teilweise der Ausdehnung des adligen Grundbesitzes entgegen.

Wie sehr die Entwicklungen seit Gregor II. – die Distanzierung von Byzanz, die Herausstellung des päpstlichen Klerus und die wirtschaftliche und politische Konsolidierung Roms – das klerikale Selbstbewußtsein in Rom gestärkt hatten, zeigt ein wohl in der zweiten Hälfte des 8. Jahrhunderts in der päpstlichen Umgebung entstandener Text: das 'Constitutum Constantini', deutsch meist als 'Konstantinische Schenkung' bezeichnet. Im ersten Teil, der auf der seit dem späten 5. Jahrhundert entwickelten Silvester-Legende basiert, schildert Konstantin der Große seine durch die Apostelfürsten und Silvester bewirkte Bekehrung zum Christentum. Der zweite Teil begründet zuerst die Verlegung des Regierungssitzes nach Konstantinopel – der irdische Kaiser solle nicht dort residieren, wo der Vertreter des himmlischen Kaisers seinen Sitz hat – und enthält sodann Schenkungen und Privilegien zugunsten der römischen Kirche. Diesen zufolge besitzt der Papst als Oberhaupt der universalen Kirche kaiserlichen Rang – daher leistet ihm der Kaiser den Steigbügeldienst, schenkt ihm die später so genannte 'Tiara' nebst anderen Ehrenzeichen und verleiht ihm das Recht, wie der Kaiser auf einem Schimmel zu reiten; der päpstliche Klerus ist dem kaiserlichen Senat gleichgestellt, der Papst residiert im Lateran, der erstmals als 'palatium' bezeichnet ist und angeblich vorher Kaiserpalast war; schließlich überträgt der Kaiser dem Papst die Hoheit über die nicht genau definierten westlichen Länder und Inseln. Inwieweit der Text in Rom bekannt war und benutzt wurde, läßt sich bis zur Mitte des 10. Jahrhunderts nicht feststellen. Daher sind auch der Verfasser und dessen Motive nicht sicher zu erkennen. Um so bedeutender war die Funktion des Textes zur Begründung päpstlicher Ansprüche seit dem sogenannten 'Investiturstreit'. Und zumindest als Zeugnis für das Selbstverständnis der römischen Kirche ist der Text auch für das Papsttum der frühen Karolingerzeit sehr aufschlußreich.

Das 'Constitutum' zeigt, wie stark das Papsttum noch im späten

8. Jahrhundert auf Byzanz fixiert war. Seine Haupttendenz scheint gewesen zu sein, den päpstlichen Anspruch auf Italien und die dafür notwendige Loslösung aus dem byzantinischen Reichsverband zu legitimieren oder jedenfalls zu begründen. Es charakterisiert demnach die Phase in der Geschichte des Papsttums, als der byzantinische Einfluß schon gering, aber die aufsteigende Macht der Franken in Italien noch nicht allzu spürbar war. Und es macht deutlich, daß das Bündnis mit König Pippin keine Veränderung der römischen Mentalität bewirkt hatte – ein Faktum, das auch für die späteren Regierungen etwa Karls des Großen, Ottos des Großen, Ottos III. und Heinrichs III. nicht unterbewertet werden darf. Dennoch wäre es natürlich falsch, die objektive Bedeutung des Bündnisses zwischen Papsttum und Franken zu leugnen, denn es bestimmte für die nächsten Jahrhunderte weitgehend die politische und kirchliche Orientierung Roms. Daher sei zum Abschluß auf dieses Bündnis und seine Prämissen eingegangen.

Wohl die wichtigste Voraussetzung war die Einflußnahme des Papsttums auf die Kirchen jenseits der Alpen. Schon Gregor II. hatte versucht, von Rom aus die Christianisierung des bayerischen Siedlungsgebietes zu intensivieren und dessen Kirchenorganisation nach römischem Vorbild zu formen. Doch war er an dem Widerstand der dortigen Herzöge und der meisten Missionare gescheitert. Daß dennoch seit dieser Zeit die 'Romanisierung' des Christentums nördlich der Alpen begann, war nicht der Initiative der Päpste, sondern dem Wirken angelsächsischer Missionare – vornehmlich des Bonifatius – zu verdanken. Wie vor ihm schon Willibrord, hatte Bonifatius zuerst die Friesen missionieren wollen, doch war er bald darauf in den Stammesgebieten der Thüringer, Hessen und Bayern tätig geworden. In der Durchführung häufig von der Anwesenheit fränkischer Truppen abhängig, hatte er in den drei Gebieten als Zentren der Mission neue Klöster und Bistümer gegründet. So geht zum Beispiel die bis heute bestehende kirchliche Gliederung Bayerns in großem Ausmaß auf ihn zurück. Wichtig ist dafür, daß er sich 722 in Rom zum Bischof weihen ließ, wobei er auch nach dem Tagesheiligen den neuen Namen Bonifatius annahm, einen Gehorsamseid gegenüber dem Papst ablegte, zu dem bisher nur die suburbikarischen Bischöfe verpflichtet waren, und sich seine Instruktionen für die Missionsarbeit und die Kirchenorganisation von Rom erbat. Seit 733 fungierte er im Auftrag der Päpste als 'Erzbischof Germaniens'. Dadurch war er zwar nicht – wie vor allem seit dem 19. Jahrhundert behauptet – der 'Apostel Deutschlands', aber der erste erfolgreiche Promotor römischer Maximen nördlich Italiens. Um so erstaunlicher ist, daß sein Name – abgesehen von einer Stelle in der Vita Gregors II. im 'Liber pontificalis' – in der zeitgenössischen römischen Historiographie nirgends vorkommt. Auch darin zeigt sich die vorherrschende Fixierung des Papsttums auf innerrömische und italische Belange.

Schon von Gregor III. hatte Bonifatius Empfehlungsschreiben an den fränkischen Hausmeier Karl Martell erhalten und sich auch selbst um dessen Unterstützung bemüht. Doch in größerem Maße bestimmend wurde der Schutz der fränkischen Machthaber erst nach Karls Tod (741) unter dessen Sohn Karlmann. Dies zeigt sich an Synoden der Jahre 743 bis 745, mit deren Hilfe Bonifatius auch die Kirche in Karlmanns Machtbereich (größere Gebiete des fränkischen Ostteils) reformieren wollte. Hingegen besaß er im Bereich von Karlmanns Bruder Pippin keinen Einfluß. Daher mußte sich seine Wirksamkeit verringern, als Karlmann 747 seiner Herrschaft entsagte und in Rom Mönch wurde. Schon vorher hatte es Widerstände – einschließlich Morddrohungen – gegen Bonifatius seitens fränkischer Bischöfe gegeben, die sich jetzt noch verstärkten. Und auch wenn sich Pippin wie sein Bruder für eine Reform der fränkischen Kirche engagierte, so doch nicht mit Hilfe des Bonifatius, sondern fränkischer Bischöfe. Diese waren weitgehend von Reformvorstellungen geprägt, die sich seit dem frühen 8. Jahrhundert vornehmlich von Lyon aus verbreitet hatten. Festzuhalten bleibt jedoch, daß die missionarische, organisatorische und reformerische Tätigkeit des Bonifatius eine Zunahme der Kontakte zwischen Rom und dem Frankenreich bewirkt hatte, dem seit 745 auch Bayern wieder verstärkt angehörte. Und auch die innerfränkischen Reformansätze basierten häufig auf Dekretalen früherer Päpste. Bedenkt man außerdem, daß die traditionelle Petrusverehrung der Franken sich zur gleichen Zeit intensivierte, so wird deutlich, daß die emotionale und organisatorische Basis für ein engeres Zusammenwirken von Papsttum und Franken bestand.

Dieses wurde ausgelöst durch Pippins Bestreben, anstelle des machtlosen Merowingers Childerich III. selbst König der Franken zu werden. Um seine Ansprüche abzusichern, fragte er durch eine Gesandtschaft den Papst Zacharias um dessen Meinung. Dieser befand in seiner Antwort, daß der, welcher die Macht habe, auch den Königstitel tragen solle. Daraufhin – und natürlich nach Gewinnung der fränkischen Großen, seiner bisherigen Standesgenossen und Rivalen – wurde Pippin 751 zum fränkischen König gesalbt (vielleicht von Bonifatius), während der bisherige König in ein Kloster gesteckt wurde. Seitdem bedurfte der fränkische König außer der Wahl durch die Großen auch der kirchlichen Salbung, was natürlich den Einfluß der Kirche auf das Königtum stärkte. In römischen Quellen wird von diesen Vorgängen nichts berichtet. Der Grund ist wohl, daß die Tragweite der Antwort des Zacharias nicht erkannt und die königgleiche Stellung der Hausmeier nicht angezweifelt wurde, wie die Vita des Zacharias zeigt, in der schon Karl Martell als 'König der Franken' bezeichnet ist (die Passage war vor 750 verfaßt worden).

Im Gegensatz dazu und vom römischen Standpunkt her verständlich wurden die Ereignisse von 754 stark betont. Wie schon berichtet, reiste Stephan II. 753 zusammen mit byzantinischen Gesandten nach Pavia, um von Aistulph die Restitution des Exarchates zu erbitten. Und weil sich der König ablehnend verhalten hatte, zog der Papst weiter zum Frankenherrscher Pippin. Diesen traf er in der Pfalz Ponthion; in St.-Denis, der Grablege der meisten fränkischen Herrscher, salbte er Pippin erneut, außerdem auch dessen Söhne Karl und Karlmann, zu fränkischen Königen. Was außerdem in Ponthion, St. Denis und anschließend in Quierzy genau stattfand, ist in der Forschung umstritten. Möglich ist, daß in Ponthion Pippin und Stephan nach dem Vorbild der fränkischen Schwurfreundschaft ein Bündnis zur gegenseitigen Unterstützung schlossen; gesichert ist, daß Pippin sich dem hl. Petrus unterstellte und dessen Vertreter zu schützen versprach und von Stephan zum *patricius Romanorum* ernannt wurde. Demgegenüber wurde neuerdings betont, daß das Bündnis von 754 keine Schwurfreundschaft, sondern ein geistliches

Bündnis gewesen sei, denn der Papst sei Pate der beiden Söhne und damit geistlicher Mitvater (*compater*) Pippins geworden. Die Beweise für beide Thesen sind gleich dürftig. In Quierzy versprach Pippin die oben genannten Teile Mittel- und Norditaliens dem hl. Petrus und dessen Nachfolgern. Wenn man bedenkt, daß die – nicht mehr erhaltenen – Verträge in lateinischer Sprache formuliert waren, die der König wohl nicht verstand, und daher auch fränkische Termini latinisiert werden mußten, so leuchtet ein, daß in der Folgezeit der Vertragsinhalt von römischer und fränkischer Seite unterschiedlich interpretiert werden konnte. Von beiden Seiten anerkannt war die Verpflichtung des Königs gegenüber dem hl. Petrus. Dieser kam Pippin daher auch 756 nach, als er Aistulph besiegte und Teile der versprochenen Gebiete dem Papst unterstellte. Im Unterschied zu Pippin betonten die Päpste auch dessen Verpflichtung als *patricius Romanorum,* also als Schirmherr Reichsitaliens. Wiederum von beiden Seiten anerkannt blieb der gegenseitige Freundschaftsvertrag. Weil er nur zwischen lebenden Personen geschlossen war, also nach deren Tod erlosch, wurde er von den folgenden Päpsten schriftlich erneuert. Und als Karl 774 während seines Feldzuges Rom besuchte, schworen er und der Papst, jetzt Hadrian I., gegenseitige Freundschaft am Petrusgrab. Ebenso wurde Karls Würde als *patricius Romanorum* durch den Papst und Pippins Versprechen durch Karl selbst erneuert. Gegenüber 754 waren die päpstlichen Ansprüche gestiegen, denn auch die außerhalb des Dukates gelegenen Gebiete wollte der Papst jetzt seiner Herrschaft unterstellt wissen. Doch scheint es zweifelhaft, daß Karl alle Ansprüche – vor allem die hinsichtlich Venetiens, Istriens und der langobardischen Herzogtümer – billigte. Auch 774 dürften die päpstlichen und fränkischen Interessen nicht identisch gewesen sein. Und infolge der wenig später gelungenen Eroberung des Langobardenreiches wandelte sich die Gleichstellung der beiden Partner ohnehin allmählich in eine Abhängigkeit des Papstes vom König, die zeitweise stärker war als die frühere von Byzanz. Allerdings verhinderte diese Abhängigkeit nicht, daß – wie im nächsten Kapitel erörtert wird – schon unter Pippin, stärker aber noch unter Karl das Papsttum großen Einfluß auf Liturgie, Recht und Organisation der fränkischen Kirche gewann.

IV. DAS PAPSTTUM UNTER KAROLINGISCHER HERRSCHAFT (774–904)

Das herausragende Ereignis dieser Epoche war die Kaiserkrönung Karls des Großen am Weihnachtstag des Jahres 800, denn mit ihr wurde eine Tradition begründet, die tausend Jahre hindurch bis zum Kaisertum Napoleons fortbestand. Für Rom bedeutete der Vorgang, daß seitdem fast drei Jahrhunderte hindurch der jeweilige Kaiser Oberherr des römischen Gebietes und damit auch der Päpste war. So gilt es zunächst, die Vorgeschichte der Kaiserkrönung, diese selbst und das Verhältnis zwischen Kaiser und Papst im 9. Jahrhundert zu vergegenwärtigen.

Wie schon erwähnt, hatte Karl 774 noch während der Belagerung Pavias das Versprechen seines Vaters Pippin gegenüber dem hl. Petrus erneuert. Doch hatte er anschließend nichts unternommen, um die darauf basierenden Ansprüche des Papstes Hadrian auf das Gebiet von Ravenna und die Herzogtümer Spoleto und Benevent – letzteres war noch von Langobarden beherrscht – zu realisieren. Vielmehr mußte der Papst – machtlos, wie er war – Übergriffe aus den neuen fränkischen Gebieten Spoleto und Tuszien erdulden. Und auch als sich der König 781 wieder mit dem Papst in Rom traf, erfüllte er nicht dessen Bitten, statt dessen reduzierte er als neuer König der Langobarden die vom Papst beanspruchten Gebiete: Die Eroberung Benevents behielt er sich selbst als König aller Langobarden vor, Spoleto blieb unter der Regierung eines Markgrafen seinem Königreich eingegliedert; daraufhin wurde – erstmals in der mittelalterlichen Geschichte – in der Sabina der Grenzverlauf zwischen Spoletiner und römischem Territorium genau vermessen. Lediglich die im 8. Jahrhundert von den Langobarden neu eroberten Gebiete – Ravenna und die südlich angrenzende Pentapolis – wurden dem Papst nominell unterstellt. Und als Zugeständnis übertrug Karl dem

Papst außerdem Städte im südlichen Tuszien, unter ihnen die später für das Papsttum so wichtigen Orte Orvieto und Viterbo. Damit hatten die Expansionsbestrebungen des Papstes vorerst ein Ende gefunden. Direkte Herrschergewalt besaß er nur im römischen Dukat und in den noch verbliebenen Patrimonien.

Wie sich Karl die Zusammenarbeit mit dem Papst generell vorstellte, schrieb er 796 in einem berühmten Brief an Hadrians Nachfolger Leo III.: „Unsere Pflicht ist es, gemäß der göttlichen Hilfe die heilige Kirche Christi überall nach außen gegen den Einfall von Heiden und die Zerstörung durch Ungläubige zu schützen und nach innen durch Anerkennung des katholischen Glaubens zu festigen; Eure Aufgabe, heiligster Vater, besteht darin, zusammen mit Mose die Hände zu Gott zu erheben und somit unserem Kampf zu helfen, damit auf Eure Bitten hin unter der Führung Gottes das christliche Volk über die Feinde seines heiligen Namens überall den Sieg erringt." Zwar darf die Aufgabe des Papstes als wichtigster Beter nicht unterschätzt werden, doch die Aufsicht über die irdische Kirche beanspruchte Karl für sich.

Daß er diesen Anspruch auch ernst nahm, hatte er schon vorher gegenüber Hadrian bewiesen. 787 hatte in Nikaia ein Konzil im Beisein päpstlicher Vertreter die Bilderverehrung gemäß den Vorstellungen Hadrians wieder zugelassen. Als daraufhin der Papst Karl und dessen Bischöfe um Zustimmung zu den Konzilsbeschlüssen bat, lehnte der König ab. Getreu der Tradition war zwar der Papst als Glied der Reichskirche geladen worden, aber kein Bischof des Fränkischen Reiches, weshalb Karl verärgert war und die Beschlüsse für seinen Bereich nicht anerkannte. Außerdem war die Karl übersandte lateinische Übersetzung der Konzilsakten fehlerhaft und verstärkte bei fränkischen Bischöfen den Eindruck, daß im griechischen Osten und auch in Rom Bilder religiösen Inhalts tatsächlich angebetet würden. Das Ergebnis war, daß in den vielleicht von Theodulph, einem der wichtigsten Theologen Karls, mitverfaßten 'Libri Carolini' gegen Byzanz und den Papst polemisiert wurde und eine von Karl 794 nach Frankfurt einberufene Synode die Beschlüsse von 787 und damit auch indirekt den Papst verurteilte. Peinlich für diesen war vor allem, daß er auch nach Frankfurt Vertreter geschickt hatte, die dort der Verurteilung ihres Herrn zustimmen mußten. Und wie sehr sich Karl schon damals als Herr der gesamten westlichen Kirche empfand, zeigte sich darin, daß englische Bischöfe gleichfalls zugegen waren und die im muslimisch beherrschten Spanien entwickelte Lehre des Adoptianismus als häretisch verdammt wurde. Die Verdammung mußte Hadrian auf Karls Weisung auf einer römischen Synode wiederholen. Der Papst war demnach nicht viel mehr als der ranghöchste Bischof in Karls Reich, Karl hingegen kaisergleich. Kein Wunder, daß ihn Hadrian als neuen Konstantin gepriesen hat.

Dennoch lebte in Rom die Anschauung weiter, daß der heilige Petrus und damit der Papst auch zu Karls Zeit eine Sonderstellung innehabe. Schon Hadrian hatte in St. Peter silberne Bildnisse anbringen lassen, auf denen Petrus als Schutzherr des Papstes wie des fränkischen Königs dargestellt war. Ähnlich verhielt sich Leo III. Dies zeigte sich in Mosaiken, die er zwischen 795 und 800 in seiner ehemaligen Titelkirche S. Susanna und vor allem in einem der Triklinien, die er als Repräsentationsräume im Lateran hatte erbauen lassen, anbringen ließ. Das Tricliniumsmosaik ist in barocker Veränderung noch heute erhalten: Während in der Apsis selbst – zumindest in der Gestaltung des 18. Jahrhunderts – Christus die Apostel zur Missionierung der Welt aussendet, überreicht er rechts davon Petrus die Schlüssel und damit die geistliche, Konstantin eine Fahne und damit die weltliche Gewalt; auf der linken Seite vollzieht dasselbe Petrus, indem er Leo das Pallium, Karl als König eine Fahne übergibt. In den Vorstellungen des Papstes war also Karl nicht nur Nachfolger Konstantins, sondern Beauftragter Petri, von dem er seine Legitimation erhalten hatte. Der Boden für ein neues westliches Kaisertum – nun aber von Petri Gnaden – war demnach in Rom bereitet. Den letzten Anstoß für dessen Errichtung gaben turbulente Ereignisse des Jahres 799.

Leo III. war 795 wahrscheinlich mit Unterstützung von Hadrians Verwandten gewählt worden, scheint jedoch später deren Achtung verloren zu haben. Schon 798 wußte Karls Berater Alkuin von Schwierigkeiten des Papstes in Rom. Dessen Gegner wollten ihn schließlich nach byzantinischem Brauch amtsunfähig machen und absetzen. Daher beschlossen sie, Leo während der Großen Litanei

(= Bittprozession) am Markustag 799 zu verstümmeln und in Klosterhaft zu stecken. Ihr Plan mißlang. Leo wurde zwar gefangen, doch weder wurden ihm die Augen ausgestochen noch die Zunge abgeschnitten, wie es die hohe Chargen im Lateranpalast besitzenden Verschwörer vorgesehen hatten. Wenig später gelang dem Papst die Flucht. Unter fränkischem Geleit floh er zu Karl, der ihn in Paderborn empfing. Wohl schon dort, wohin auch Leos Gegner Vertreter sandten, wurde das weitere Vorgehen geplant. Leo kehrte mit Abgesandten des Königs nach Rom zurück. In einem der neuen Triklinien Leos untersuchten diese die Vorwürfe der Gegner, die den Papst des Ehebruchs und Meineides bezichtigten. Während sich die Beschuldigungen als unbegründet erwiesen, scheinen jedoch die Untersuchungsrichter andere Fehler des Papstes entdeckt zu haben. Diese müssen so gravierend gewesen sein, daß Alkuin einen Brief des Erzbischofs Arn von Salzburg, der zu den Richtern gehörte, voll Entsetzen verbrannte, weil er bei seiner Hochachtung vor dem Papsttum die Vorwürfe nicht für wahr halten wollte.

Ende des Jahres 800 kam Karl selbst nach Rom. Am 23. November wurde er wie ein Kaiser von Papst, Klerus und Volk empfangen. Die Verschwörer galten als Hochverräter. Gemäß einem Gesetz, das um 740 Leon III. und sein Sohn Konstantin V. erlassen hatten, durften Hochverräter nur vom Kaiser verurteilt werden. Weil sich Rom immer mehr Byzanz entfremdet hatte und die damalige Kaiserin Eirene infolge der Ermordung ihres Sohnes, des rechtmäßigen Kaisers Konstantin VI., als Usurpatorin galt, gab es jedoch keinen legitimen Richter. Andererseits konnte Leo nicht gerichtet werden, denn er selbst berief sich ebenso wie suburbikarische und fränkische Bischöfe auf die Symmachianische Fälschung, derzufolge der Papst von niemandem gerichtet werden dürfe. Beide Prämissen bestimmten die folgenden Handlungen. Am 23. Dezember reinigte sich in St. Peter der Papst – wie schon im 6. Jahrhundert Pelagius I. – durch einen Eid von den gegen ihn erhobenen Anschuldigungen. Zwei Tage später, in der 3. Weihnachtsmesse, krönte Leo Karl, und die anwesenden Römer akklamierten ihm gemäß byzantinischem Brauch als Kaiser. In den folgenden Tagen saß der neue Kaiser über die Verschwörer zu Gericht, verurteilte sie als Majestätsverbrecher zum Tode, begnadigte sie jedoch auf Bitten des Papstes und verbannte sie ins Frankenreich.

Karls späterer Biograph Einhard läßt diesen berichten, er habe von der Kaiserkrönung nichts geahnt und sie auch nicht gewollt. Doch dürfte dies eine spätere, vielleicht von Karl selbst herrührende Interpretation sein, die den Einfluß der Römer und des Papstes mindern sollte. Allerdings wurde die Kaiserkrönung aus päpstlicher Sicht anders als aus der fränkischen interpretiert. Der 'Liber pontificalis' betonte einseitig die Initiative von Papst und Römern; fränkische Quellen rechtfertigen das Kaisertum damit, daß Karl über mehrere Völker herrsche, alle Residenzen des ehemaligen Weströmischen Reiches besitze – Trier, Arles, Mailand, Ravenna und Rom – und der byzantinische Thron verwaist sei. Eine anfangs vernachlässigte Deutung war die Alkuins, der das Kaisertum als Schutzherrschaft über alle Christen verstand.

Karl selbst nutzte die neue Würde vornehmlich dazu, die heterogenen Gebiete seiner Herrschaft in weltlichem und kirchlichem Bereich zu vereinheitlichen und dafür sogar die bis dahin unangetasteten Stammesrechte zu ergänzen; andererseits bot ihm der neue Titel die Möglichkeit, stärker als zuvor das römische Gebiet als Oberherr zu regieren. Nachdem er sich selbst mehr als drei Monate bei St. Peter aufgehalten hatte, bestellte er Vertreter, die ständig vor Ort sein und seine Interessen wahren sollten. Demzufolge wurde vorerst auch der Papst vom Kaiser kontrolliert.

Karls starke Hand zeigte sich ebenso bei geistlichen Themen. Unter westgotischem Einfluß war es in der fränkischen Liturgie schon lange üblich, im Glaubensbekenntnis durch den Einschub der Formel 'Filioque' zu betonen, daß der Heilige Geist nicht nur vom Vater, sondern auch vom Sohne ausgehe. Zwar wurde der theologische Gehalt der Formel in der byzantinischen Kirche nicht geleugnet, doch hatte es die Reichskirche, daher auch Rom, bislang abgelehnt, am Wortgehalt des im 4. und 5. Jahrhundert aufgestellten Glaubensbekenntnisses etwas zu ändern. Als nun über das 'Filioque' Anfang des 9. Jahrhunderts in Jerusalem ein Streit zwischen fränkischen und griechischen Mönchen entbrannte, forderte Karl den Papst zu einer Stellungnahme auf. Leo III. hielt an der traditionellen

Form fest; für ihn war dies auch deshalb nicht so wichtig, weil in Rom das Credo nur in der Taufliturgie gesprochen wurde, während es im Frankenreich in allen Sonntags- und Festmessen üblich war. Und zur Bekräftigung seiner Haltung ließ er das traditionelle Bekenntnis auf Latein und Griechisch in St. Peter anbringen. Doch wie gering sein Gewicht im Frankenreich war, bewies eine von Karl einberufene Reichssynode, die den fränkischen Brauch erneut vorschrieb.

Die Unterordnung des Papstes zeigte auch Karls Byzanzpolitik. Eirene war 802 gestürzt worden. Für ihren Nachfolger war der Papst als Schismatiker aus der Reichskirche ausgeschieden und Karl ein Usurpator. Erst als Karl darauf verzichtet hatte, das byzantinische Venetien zu erobern und Byzanz Hilfe gegen die Bulgaren benötigte, konnten 811 Verhandlungen beginnen, die – nach einem Machtwechsel in Byzanz – schließlich 815 zur gegenseitigen Anerkennung führten. Der Papst hatte jedoch lediglich – wie andere fränkische Große – die Vertragsurkunde unterschreiben dürfen. Und schon 813 hatte Karl – nach erfolgreichen Verhandlungen mit dem Abgesandten Michaels I. – dem byzantinischen Vorbild folgend seinen Sohn Ludwig zum Mitkaiser gekrönt, unter Verzicht auf jegliche Mitwirkung des Papstes. Damit hatte er dessen und Roms Anspruch auf die Vergabe der Kaiserkrone negiert. Ebenso verhielt sich Ludwig der Fromme, als er wenige Jahre später 817 seinen ältesten Sohn, Lothar I., zum Mitkaiser krönte.

Doch schon unter Ludwig setzte die Entwicklung ein, die schließlich dem Papst die alleinige Vergabe der Kaiserkrone reservierte. 823 hatte Paschalis I. Lothar erneut zum Kaiser gekrönt, diesmal in Rom. Dessen Sohn Ludwig II., bis dahin König von Italien, empfing die Krone 850 von Leo IV. Und nach Ludwigs Tod 875 zeigte Johannes VIII. mit der Bevorzugung Karls des Kahlen 875 und Karls III. 881 vor anderen Kandidaten, daß es der Papst war, der berechtigt war, die Kaiserwürde zu vergeben. Gleichzeitig hatte sich jedoch das Ansehen des Kaisertums außerhalb Italiens erheblich verringert. Zwar hatte Ludwig der Fromme gerade mit dessen Hilfe die Reichseinheit wahren und stärker noch als sein Vater die Kirche reformieren wollen, doch hatte seine schwache Regierung schon 830 zur Spaltung des Reiches geführt, die sich nach seinem Tode 840 unter seinen Söhnen und Enkeln noch verstärkte. Und der Besitz des Kaisertitels bewirkte kein höheres Ansehen seines Inhabers beim fränkischen Adel und hohen Klerus. Demzufolge diente seit Ludwig dem Frommen das Kaisertum immer mehr dem Zweck, den 800 schon Leo III. gewollt hatte: dem Schutze Roms und des ehemals byzantinischen Mittelitalien. Verständlich, daß die Päpste auch versuchten, den jeweiligen Kaiser ihren Absichten anzupassen.

Dieser Maxime folgte 817 Paschalis I. Wie seine Vorgänger schloß er als neuer Papst mit Ludwig ein Freundschaftsbündnis und ein Pactum, in dem Ludwig die territorialen Ansprüche des Papstes unterstützte. Doch im Gegensatz zur Politik seines Vaters seit 800 verzichtete Ludwig darauf, von sich aus in die Regierung des 'Kirchenstaates' einzugreifen. Rom wurde jetzt wieder vom Papst regiert. Dies führte so weit, daß Paschalis duldete, daß zwei römische Parteigänger der Franken im Lateran ermordet wurden. Als Revanche wurden päpstliche Gesandte im Frankenreich gefangengehalten, bis sie unter dem neuen Papst Eugen II. aufgrund eines neuen Vertrages heimkehren durften. Dieser Vertrag, die sogenannte 'Constitutio Romana' von 824 und ein mit ihr verbundener Eid von Papst und Römern, bewirkte jedoch zusammen mit der tatkräftigen Italienpolitik Lothars I. und Ludwigs II., daß bis 875 das Papsttum stärker als selbst unter Karl vom Kaiser kontrolliert wurde. Wie in byzantinischer Zeit durfte fortan ein neugewählter Papst nur dann konsekriert werden, wenn der Kaiser zuvor die Wahl bestätigt hatte. Und die kaiserlichen Interessen wurden von zwei ständigen Vertretern (*missi*) gewahrt, von denen je einer vom Kaiser und vom Papst bestimmt wurde. Allerdings funktionierte das System nur dann, wenn der römische Adel – also die *iudices de clero* und die *iudices de militia* – mit den kaiserlichen Vertretern konform handelte. Sonst konnte es zu Konflikten kommen, wie zum Beispiel 855 bei der Wahl Benedikts III. Und erst recht trug das neue System nicht dazu bei, Sympathie für die Franken in Rom zu erwecken.

Karls des Großen Wirken hat dort anders als nördlich der Alpen zu keiner legendären Verklärung geführt; in der Vita des kurzlebigen Papstes Valentin wird Rom als die Stadt gepriesen, „die die Würde des höchsten Priestertums und der königlichen [oder: herrscherlichen] Hoheit besitzt". Und als 844 unter Sergius II., weil dieser ohne kaiserliche Bestätigung geweiht worden war, Franken und Spoletiner wieder einmal Roms Umland verheert hatten, drückte der Autor der Vita nach ihrem Abzug seinen Abscheu über sie folgendermaßen aus: „Daraufhin verehrten alle – der Senat und das Volk von Rom – zusammen mit ihren Frauen und Kindern, froh darüber, von der ungeheuren Pest befreit und vom Joch tyrannischer Roheit erlöst zu sein, den heiligsten Bischof Sergius als Urheber des Heiles und Wiederhersteller des Friedens." Daß jedoch der Papst als Friedensgarant nicht genügte und der tatkräftige Schutz eines Kaisers nottat, verspürten die Römer schon wenig später, als 846 die Sarazenen St. Peter und St. Paul ausraubten und auch weiterhin die Küsten unsicher machten, erst recht jedoch, als nach 875 die autonom gewordenen Markgrafen von Spoleto Rom bedrückten. Daher waren es gerade die in der fränkischen Geschichte sonst wenig angesehenen Kaiser Lothar I. und Ludwig II., die für Jahrzehnte Rom eine relative Stabilität sicherten. Und nach Ludwigs Tod blieb den Päpsten auf die Dauer nichts anderes übrig, als statt ohnmächtiger und ferner Karolinger die Spoletiner Machthaber, später tuszische und norditalische Fürsten, zu Kaisern zu weihen. Doch mag dies für Rom auch verständlich gewesen sein, jenseits der Alpen führte es dazu, daß seit dem Ende des 9. Jahrhunderts das Kaisertum vorläufig zu einer Quantité négligeable herabsank.

Das Bündnis zwischen Papsttum und Franken hatte Auswirkungen für Liturgie, Organisation und Recht der fränkischen Kirche. Ebenso bestanden weiterhin Kontakte der Päpste mit Byzanz. Beides wird noch zu beschreiben sein. Um so erstaunlicher erscheint es, daß die im 7. und frühen 8. Jahrhundert relativ engen Beziehungen zwischen Rom und England in der Karolingerzeit sehr zurückgingen. Ende des 8. Jahrhunderts hatte König Offa von Mercia nicht nur die Apostelgräber besucht, sondern auch in seinem Machtbereich eine Kollekte für St. Peter angeordnet. Ähnlich hatten sich andere angelsächsische Herrscher seiner Zeit verhalten. Aus diesen Zahlungen sollte sich später der sogenannte 'Peterspfennig' entwikkeln. Doch schon im 9. Jahrhundert scheinen erst einmal die Zahlungen ausgeblieben zu sein, selbst wenn weiterhin Angelsachsen – unter ihnen einzelne Könige wie Alfred der Große – nach Rom pilgerten und zum Teil dort bis zu ihrem Lebensende als Mitglieder der angelsächsischen Kolonie (*schola Saxonum*) blieben. Ein stärkerer Einfluß des Papsttums auf die angelsächsische Kirche ist nicht mehr festzustellen. Eine der Ursachen stellten wahrscheinlich die Einfälle der Wikinger dar, die schließlich weite Teile der Insel beherrschten. Eine andere Ursache war der kulturelle Niedergang der angelsächsischen Geistlichkeit, die nach Alkuin kaum noch einen namhaften Gelehrten stellte. Lediglich die iroschottische Mönchskirche blühte eine Zeitlang weiter und stellte immerhin einen Theologen wie Johannes Scotus Eriugena. Doch blieben ihre Beziehungen zu Rom so schwach wie bisher.

Noch geringere Kontakte unterhielt das Papsttum zu den Kirchen im islamischen und christlichen Spanien. Die Verdammung des Adoptianismus durch Hadrian I. und Leo III. war diesen von Karl dem Großen befohlen worden. Eigene Initiativen entwickelte keiner der Päpste. Die Mozaraber (= Christen unter arabischer Regierung) fügten sich mehr oder weniger der muslimischen Herrschaft; nahmen sie aber bewußt das Martyrertum auf sich, wie Mitte des 9. Jahrhunderts einige Christen in Toledo, so erweckte dies in Rom überhaupt kein Echo. Im christlichen Spanien blühte die Kirche im Königreich Asturien, vornehmlich unter Alfons II. (791–842) und Alfons III. (866–909), und legte schon damals den Grundstein zum später so bedeutsamen Santiago-Kult. Doch ihr Vorbild war – wie auch im weltlichen Bereich – das frühere westgotische System, was schon von vornherein engere Bindungen an Rom verhinderte. Die Kirchen der anderen Regionen – Navarra, Pyrenäentäler – und selbst in der zeitweise fränkisch regierten Spanischen Mark (späteres Katalonien) waren noch zu sehr mit dem eigenen, regional eng begrenzten Aufbau befaßt, als daß Kontakte zu Rom erforderlich gewesen wären. Erwähnt sei noch eine Anfrage des Bischofs von Tripolis an Leo IV., die dieser mit einer Einschärfung der altkirchlichen Bußpraxis beantwortete. Doch blieben weitere Kontakte zu Nordafrika aus, so daß der kurze Briefwechsel nur das Fortbestehen christlicher Gemeinden südlich des Mittelmeeres bezeugt. Ebenso gering waren die päpstlichen Kontakte zu Skandinavien, die unter Karl dem Großen und Ludwig dem Frommen vor allem der Unterstützung der fränkischen Dänenmission galten. Diese Mission aber wurde Ende des 9. Jahrhunderts erst einmal unmöglich gemacht.

So verblieben päpstlicher Kirchenpolitik nur das Frankenreich, Byzanz und die zwischen beiden Bereichen liegenden Gebiete der Slawen und Bulgaren. Regelmäßige Kontakte zwischen Rom und Byzanz waren zuerst erschwert durch den Bilderstreit, denn die 787 dekretierte Bilderverehrung war nach Eirenes Sturz 802 wieder untersagt worden. Hinzu kam für kurze Zeit das Schisma infolge der Kaiserkrönung von 800. Doch fehlte es im Byzantinischen Reich nicht an kirchlicher Opposition, vor allem unter den Mönchen, deren Wortführer zu der Zeit Abt Theodor von Studion war. Dieser setzte sich nicht nur für die Bilderverehrung ein, sondern wandte sich auch gegen die Bevorzugung profaner Wissenschaft gegenüber der Theologie. Um seine Position zu stärken, betonte er stark den Vorrang Roms gegen Konstantinopel. Allerdings war diese Betonung taktisch bestimmt und kann nicht als Zeugnis für eine allgemein anerkannte Suprematie des Papsttums im Osten gewertet werden.

Nicht anders ist der seit der Mitte des 9. Jahrhunderts Jahrzehnte hindurch währende Streit zwischen den beiden Patriarchen von Konstantinopel Ignatios und Photios zu bewerten. Ignatios, aus kaiserlichem Geschlecht, gehörte der Mönchspartei an, Photios war ein brillanter Gelehrter und Theologe. Wer von ihnen den Patriarchenthron innehatte, hing von der jeweiligen politischen Situation ab. Daher kam es immer wieder zu Thronwechseln. Wichtig für Rom war, daß Ignatios entgegen seiner früheren Einstellung im Verlauf des Konfliktes Rückhalt beim Papst suchte und daher dessen Stellung auch gegenüber der Ostkirche hervorhob, Photios im Gegenzug mit Unterstützung der anderen östlichen Patriarchen immer stärker die Autonomie des Ostens betonte. Wie schnell sich die Konstellationen ändern konnten, zeigt der Pontifikat Nikolaus' I. Unter seiner Leitung hatte 863 eine römische Frühjahrssynode Photios abgesetzt. Später forderte der Papst den fränkischen Episkopat mit Erfolg zur Solidarität auf; so verurteilte im Mai 868 eine Synode in Worms „die Albernheiten der Griechen". Im Gegenzug hatte schon vorher Photios im Sommer 867 durch eine von Kaiser Michael III. einberufene Synode den Papst absetzen lassen. Doch im September desselben Jahres wurde Michael gestürzt, damit auch Photios, und der neue Kaiser Basileios I. setzte fürs erste Ignatios wieder in sein Amt ein. Ähnlich kurzlebig waren die römischen Erfolge auf dem 4. Konzil von Konstantinopel (869–871), denn letztlich siegte Photios, schon weil er seinen Gegner überlebte. Das ganze sogenannte 'Photianische Schisma' ist nicht wegen einer angeblichen Suprematie des Papstes auch über den Osten wichtig, sondern wegen der dabei sichtbar werdenden Ressentiments und liturgisch/theologischen Differenzen, die schon damals die Westkirche von der des Ostens unterschieden. Vor allem zwischen fränkischer und byzantinischer Klerisei war kaum noch ein gegenseitiges Verständnis möglich.

Neben den innerbyzantinischen Querelen und dem schon damals vorhandenen Streit um das 'Filioque' spielte für Photios bei seiner Haltung auch die Bulgarenmission eine große Rolle. Die auf dem südlichen Balkan und südlich der Donau siedelnden Bulgaren hatten seit dem 8. Jahrhundert Byzanz immer wieder bedroht. Als sich 864 einer ihrer Fürsten, Boris, taufen und auch sein Volk von byzantinischen Missionaren bekehren ließ, war die Sicherung und Ausweitung der byzantinischen Herrschaft zu erhoffen. Um so größer war der Schock, als er 866 eine Gesandtschaft an Papst Nikolaus I. schickte und diesen um die Entsendung römischer Glaubensboten bat. Nikolaus sandte die Bischöfe Paulus von Populonia und Formosus von Porto – den späteren Papst – und versprach außerdem die Errichtung eines Erzbistums. Dies bedeutete, daß die Bulgaren eine eigenständige Kirchenorganisation, aber unter römischem Einfluß, erhalten sollten, was zu einer erheblichen Reduzierung des Patriarchats geführt und außerdem – bei einer auch politischen Annäherung der Bulgaren an den Westen – die Hauptstadt Konstantinopel gefährdet hätte. Daher griff Photios die päpstliche Politik heftig an. Ihm halfen unfreiwillig die Päpste Nikolaus I. und Hadrian II. selbst. Beide verweigerten dem Bulgarenherrscher die von ihm gewünschten Römer als Erzbischof – erst Formosus von Porto, dann den Diakon Marinus –, so daß sich der Bulgarenfürst schon 871 wieder Byzanz zuwandte. Seitdem blieben die Bulgaren trotz der Bemühungen Hadrians II. und später Johannes' VIII. bis heute vom Westen getrennt.

Erfolgreicher waren die Päpste bei den slawischen Mähren. Um seine Unabhängigkeit vom Ostfränkischen Reich zu erhalten, hatte ihr Herrscher Rastislaw 863 von Byzanz Missionare erbeten und diese auch in den aus Saloniki stammenden Brüdern Kyrill und Methodios erhalten. Beide sprachen Slawisch und übersetzten für ihr Vorhaben die ostkirchliche Liturgie ins Slawische unter Benutzung eigens dafür entwickelter Buchstaben (*glagolica*). Damit jedoch stießen sie bei den Ostfranken und in Rom auf Ablehnung: Nur die drei auf dem Kreuze Christi stehenden Sprachen – Hebräisch, Griechisch und Latein – seien in der Liturgie erlaubt. Von Nikolaus 867 nach Rom berufen und dorthin die von ihnen aufgefundenen angeblichen Überreste des Petrusnachfolgers Clemens I. überführend, unterstellten sie sich der päpstlichen Weisungsbefugnis, erhielten jedoch dafür die Erlaubnis, die slawische Liturgie weiterhin zu verwenden. Hadrian II. weihte Methodios zum Erzbischof für Pannonien und Mähren und sicherte damit die Mährenmission dem Westen. Seitdem verläuft die Grenze zwischen Ost- und Westkirche auf dem Balkan. Allerdings ließ schon Johannes VIII. durch einen Legaten Methodios das Slawische als Kirchensprache verbieten; und bald nach dessen Tod (885) behaupteten die ostfränkischen Missionare, vor allem aus Salzburg und Passau, weitgehend das Feld, denn die Schüler des Methodios wurden vom Fürsten Swentopluk vertrieben und wandten sich später der Mission der Süd- und Ostslawen (Kroaten, Serben, später Russen) und Bulgaren zu, wo auch das neue Alphabet als Vorbild für die spätere 'kyrillische' Schrift diente.

Schon an der Mährenmission hatte es sich gezeigt, daß päpstliche und fränkische Interessen nicht immer miteinander übereinstimmten. Diese Differenzen zeigten sich auch vorher. Doch sei zuerst gezeigt, inwieweit römische Exporte und päpstliches Ansehen die fränkische Kirche veränderten.

Wie im vorigen Kapitel erwähnt, hatten schon unter Karl Martell Bonifatius und fränkische Bischöfe versucht, die Kirche des Frankenreiches zu reformieren. Dabei war Bonifatius stark vom römischen Vorbild geprägt gewesen, und auch die fränkischen Bischöfe hatten ältere Kirchenrechtssammlungen bevorzugt, die päpstliche Dekretalen des 4. und 5. Jahrhunderts enthielten. Pippin und erst recht Karl der Große wandten sich noch stärker der Kirchenreform zu, um die Reichseinheit auch im geistlichen Bereich zu stabilisieren, und suchten dafür Rückhalt an Rom. Zugunsten einer einheitlichen Liturgie importierten sie oder ihre Mitarbeiter römische Sammlungen der Meßgebete – erst das 'Sacramentarium Gelasianum', dann vor allem jedoch das 'Sacramentarium Gregorianum' – und Vorschriften für den Vollzug der liturgischen Handlungen (*Ordines Romani*). Doch im Gegensatz zur späteren Romanisierung der Liturgie im 16. Jahrhundert wurden die römischen Gebete und Anweisungen unter den Karolingern nicht sklavisch übernommen, sondern den fränkischen Erfordernissen angepaßt. Es entstand daraus eine römisch-fränkische Mischliturgie. Diese Mischung zeigte sich auch im Kirchenbau. Nach dem Vorbild von St. Peter und der Lateranbasilika wurden im Frankenreich wichtige Kirchen (Fulda, Köln usw.) mit einer Westapsis versehen – in Fulda lag dort analog zu St. Peter das Bonifatiusgrab –, doch das liturgische Zentrum blieb meist die Ostapsis. Seitdem herrschte bei Kathedral- und Klosterkirchen bis zum 11. Jahrhundert der Doppelapsidenbau vor, wobei der Westteil häufig dem Herrscher reserviert war. Eine partielle Nachahmung Roms zeigte sich auch im wichtigsten Repräsentationsbau Karls, in der Aachener Pfalz. Während dem Rundbau der Pfalzkirche byzantinische Bauten in Ravenna und Konstantinopel als Vorbilder dienten, hieß der Sakristeianbau 'Lateran', weil in ihm wie im päpstlichen Palast die kostbaren liturgischen Gewänder und Geräte aufbewahrt wurden.

Ähnliches läßt sich beim Kirchenrecht beobachten. Karl der Große hatte von Hadrian I. die Rechtssammlung des Dionysius Exiguus erbeten. Fortan war die sogenannte 'Dionysio-Hadriana' eine der wichtigen Grundlagen für das Kirchenrecht. Doch bewirkten die anderen, häufig vom früheren Westgotenreich übernommenen Sammlungen, daß auch das fränkische Kirchenrecht nicht ausschließlich von Rom bestimmt war. Zu nennen ist schließlich noch für den Klosterbereich, daß Karl von Hadrian die Benediktregel erbat. Seitdem wurden die fränkischen Klöster immer stärker dieser Regel angepaßt, bis schließlich 816/817 Ludwig der Fromme auf Aachener Synoden die Benediktregel allen Klöstern vorschrieb. Erst von diesem Datum an kann davon ausgegangen werden, daß die fränkischen Klöster mehr oder weniger Benediktinerklöster waren.

In geringem Maße bewirkte die Zusammenarbeit zwischen Papsttum und Frankenherrscher eine Veränderung auch in Rom. So wurden hier die Klöster allmählich ebenfalls benediktinisch, während Benedikts Regel bis dahin wohl in keinem Kloster ausschließlich befolgt worden war. Leo III. übernahm aus der fränkischen Liturgie die Bittprozessionen an den drei Tagen vor Christi Himmelfahrt. Desgleichen bürgerten sich fränkische Heiligenfeste ein (z. B. Allerheiligen am 1. November). Und vielleicht schon seit Pippin besaßen die fränkischen Herrscher das Patronatsrecht über die Petronilla-Rotunde südlich von St. Peter als Zeichen ihrer besonderen Verbundenheit mit dem hl. Petrus. Römische Synoden setzten sich unter kaiserlichem Druck sogar für die Reform des eigenen Klerus, etwa für die Abschaffung der Simonie, ein, anerkannten andererseits nun erstmals auch für Mittelitalien die fränkische Institution der 'Eigenkirche' (Kontrolle einer Kirche, ihrer Amtsträger und ihres Besitzes durch deren Stifter oder Grundherren).

Am folgenreichsten wurde die Zusammenarbeit – abgesehen vom schwunghaften Reliquienexport und vom regen Pilgerverkehr – jedoch für die Organisation der Kirche. Seit Karl war es üblich geworden, daß neue Erzbistümer nur durch den Papst eingerichtet wurden, denn als er nach dem Vorbild der spätantiken Metropolitanverfassung die fränkische Kirche in Provinzen unter Leitung von Erzbischöfen einteilte, hatte er dem Papst das Recht zuerkannt, den Umfang der Kirchenprovinzen und den Sitz des Erzbischofs zu bestimmen. Und ein Erzbischof konnte nur dann seines Amtes walten, wenn er das am Petersgrab geweihte Pallium empfangen hatte. Damit war das altkirchliche Prinzip der Kollegialität zugunsten eines hierarchischen Systems aufgegeben worden, an dessen Spitze der Papst stand. Zwar wurden die kirchlichen Realitäten vom Herrscher gelenkt, doch formal hatte der Papst einen bestimmenden Einfluß auf die fränkische Kirche gewonnen. Diesen auszubauen und in einen realen umzuwandeln, mußte naheliegen, sobald die Stellung des weltlichen Herrschers gemindert war.

Die Chance nahm schon Gregor IV. wahr. Als sich 830 die älteren Söhne Ludwigs des Frommen gegen ihren Vater empörten, weil dieser auf Verlangen seiner zweiten Frau Judith auch deren Sohn Karl den Kahlen mit einem Reichsteil bedacht hatte, reiste der Papst über die Alpen, um die Interessen Lothars I. und seiner Bischöfe gegenüber Ludwig zu vertreten. Zwar widerstanden ihm die zum alten Kaiser haltenden Bischöfe, und der Papst mußte erkennen, daß er von der Lothar-Partei nur für deren Zwecke ausgenutzt worden war, doch hatte er im Verlauf der Verhandlungen eine für die Zukunft wichtige Dekretale erlassen. In dieser hatte er durch eine exzessive Interpretation einer Weisung Leos I. an dessen Vikar in Saloniki betont, daß nur der Papst die Fülle der Macht (*plenitudo potestatis*) besitze, während die Bischöfe lediglich einen Teil der Verantwortung (*pars sollicitudinis*) von Christus empfangen hätten. Seit dem Ende des 11. Jahrhunderts diente diese Interpretation als nur noch selten angefochtene Begründung der päpstlichen Suprematie; Verbreitung als Rechtstext fand sie aber schon durch eine große Rechtsfälschung, die 'Pseudo-Isidorischen Dekretalen', seit der Mitte des 9. Jahrhunderts.

Der Anlaß zur Entstehung dieser Sammlung war wohl um 850 ein Konflikt zwischen dem Erzbischof Hinkmar von Reims und einigen seiner Suffraganbischöfe, die noch von seinem abgesetzten Vorgänger Ebo geweiht worden waren und eine Beschneidung ihrer Rechte und Funktionen verhindern wollten. Daher betonten der oder die Fälscher die eigenständige Autorität jedes Bischofs und wiesen lediglich dem fernen Papst eine Kontrollvollmacht zu, nicht aber den Erzbischöfen. Um diese Position rechtlich abzusichern, wurde das Recht der spätantiken Kirche frisiert: Beschlüsse von früheren Synoden – vor allem des 4. und 5. Jahrhunderts – wurden textlich verändert, Äußerungen von Theologen jetzt als Dekretalen römischer Bischöfe der vorkonstantinischen Zeit und neuere römische Ansprüche als Gesetze früherer Päpste ausgegeben; so galt z. B. die Verlautbarung Gregors IV. auf einmal als Dekretale des Papstes

Vigilius, ohne Rücksicht darauf, daß dieser von Zeitgenossen als Ketzer angesehen worden war. Zum ersten Mal überwogen in einer Rechtssammlung päpstliche Dekretalen. Bald vielerorts kopiert und durch Kompendien noch 'handlicher' gemacht, wurde die Sammlung schon seit der Mitte des Jahrhunderts vor allem als Grundlage des kirchlichen Prozeßrechtes benutzt. Darüber hinaus prägte sie aber auch die Anschauung von der geistlichen und – wegen der Aufnahme der Konstantinischen Schenkung – weltlichen Stellung des Papsttums immer mehr.

Infolgedessen war im 9. Jahrhundert vieles von dem, was das Papsttum seit dem 11. Jahrhundert erhöhen sollte, theoretisch vorgeprägt, analog zum feindseligen Verhältnis zwischen Papsttum und Byzanz. Doch die Praxis wich noch sehr stark von der Rechtstheorie ab. Zeugnis dafür bieten die Pontifikate Nikolaus' I. und seiner Nachfolger. Im Verlauf des sogenannten 'Ehehandels Lothars II.', der hier in seiner Komplexität nicht geschildert werden kann, hatte Nikolaus I. die Erzbischöfe von Köln und Trier abgesetzt, weil sie den König widerrechtlich von seiner Frau geschieden hatten. Die Maßnahme des Papstes wurde von einem Großteil des fränkischen Episkopates unterstützt. Dennoch führte sie erst zum Erfolg, nachdem sich die politischen Verhältnisse geändert hatten. Nicht viel anders verhielt es sich beim Streit zwischen Nikolaus und Hinkmar von Reims. Dabei ging es um die Absetzung von Bischöfen durch Hinkmar und von ihm geleitete Synoden. Die Beklagten hatten an den Papst appelliert und dieser hatte die Beschlüsse der Synoden annulliert, weil sie ohne päpstliche Vertreter getagt hatten. Der Papst stützte sich dabei auf eine historisch falsche Interpretation der Synode von Sardica von 343, auf die seit Karl dem Großen aus der Verleihung des Pallium abgeleiteten päpstlichen Vorrechte und wohl auch schon auf Pseudo-Isidor. Doch auch hierbei hatte er erst Erfolg, als Hinkmar nicht mehr von Karl dem Kahlen unterstützt wurde.

Nikolaus I. gilt häufig als der Papst, der erfolgreich eine Politik betrieb, wie sie später etwa bei Gregor VII. zu erkennen ist. So hatte er zum Beispiel auch schon Widerstand gegen einen Herrscher befürwortet, wenn dieser das Kirchenrecht mißachtete. Statt des Kaisers hatte er auch erstmalig und bis zum Investiturstreit als einziger Papst versucht, kraft seiner Amtsvollmacht fränkische Reichssynoden in Rom zu halten. Doch zeigen die verzweifelten Bemühungen von Nikolaus' Nachfolger Hadrian II., die Verurteilung von Nikolaus' Maßnahmen zu verhindern, wie schmal die Basis für eine derartige Politik noch war. Und das seit 875 gesunkene Ansehen des Kaisertums im Frankenreich verhinderte ebenso wie die Notlage der Päpste in Mittelitalien, daß Päpste wie Johannes VIII., wenn sie Nikolaus nacheiferten, erfolgreich sein konnten. Immerhin hatte Nikolaus I. als erster Papst des Mittelalters die päpstliche Position so stark herausgestellt. Und spätere Privilegien deuten an, daß er vielerorts als Begründer von Rechtstraditionen galt. Daher blieb auch seit dem späten 9. Jahrhundert eine allgemeine päpstliche Direktive in den fränkischen Teilreichen anerkannt. Allerdings konnte sie nur dann durchgesetzt werden, wenn in den Landeskirchen ein Interesse an einer Zusammenarbeit mit dem Papsttum bestand. Weil dies jedoch gewöhnlich fehlte, besaßen die Päpste vorerst keinen realen Einfluß.

Wenden wir uns zuletzt den Verhältnissen in Rom selbst zu. Wie die Berichte im 'Liber pontificalis', aber auch noch heute erkennbare Überreste bezeugen, haben die meisten Päpste von Hadrian I. bis hin zumindest zu Leo IV. zahlreiche Kirchen in Rom restauriert, neu erbaut und mit Bildern, Farbfenstern, Textilien, liturgischen Geräten und Büchern bereichert. Das gleiche läßt sich für Orte im jeweils vom Papst beherrschten Bereich von Fondi und Terracina im Süden bis nach Armeria im Norden, ja sogar in Ravenna, feststellen. Gewöhnlich sind diese Nachrichten die einzigen, die über päpstliche Tätigkeiten außerhalb Roms, also über die tatsächliche Regierung des 'Kirchenstaates' berichten. Im Gegensatz zu späteren Zeiten kümmerten sich die Päpste auch noch um die außerhalb der Stadt gelegenen Zömiterien; dort entnommene Reliquien wurden in römische Kirchen übergeführt oder exportiert. Das beweist eine Abkehr vom antiken Sakralrecht – bedingt durch äußere Bedrohung – und das steigende Ansehen römischer Kirchen und Heiliger in Rom und im karolingischen Reich. Ebenso sorgten die Päpste bis hin zu Johannes VIII. für die zivile Sicherheit Roms. Wasserleitungen wurden zum letzten Mal für Jahrhunderte erneuert oder neu gelegt; auch das Abwässersystem der Kloaken funktionierte noch. Die römische Stadtmauer wurde restauriert. Und gegen die Bedrohung durch maurische Piraten befestigten die Päpste die Tiberhäfen von Ostia und Porto und siedelten Flüchtlinge, vor allem aus Korsika, neu an. Am berühmtesten ist die Baupolitik Leos IV. Nach dem Sarazeneneinfall von 846 baute er nahe dem zerstörten Centumcellae die nach ihm benannte Leopolis; allerdings kehrten die Bewohner bald zum alten Ort zurück, der seitdem 'Civitavecchia' (= Altstadt) heißt und zum wichtigsten Hafen Roms wurde, weil die Tibermündung immer mehr versandete. Der 'Liber pontificalis' schreibt ebenso wie die Lokaltradition Leo auch einseitig das Verdienst für die 'Leostadt', die Ummauerung des Borgo von St. Peter, zu. Doch ging die Initiative zum Schutz von St. Peter durch eine Mauer auf Kaiser Lothar I. zurück, der schon gleich nach dem Sarazeneneinfall 846 nicht nur ein Heer aufstellte, sondern für eine Ummauerung des Borgo von St. Peter in seinem Machtbereich sammeln ließ. Dem Papst hingegen gebührt das Verdienst, durch Heranziehung von Arbeitern aus von ihm regierten Städten, Klöstern und *domuscultae* die Mauern, Türme und Tore von 848 bis 852 tatsächlich errichtet zu haben. Und schon Leo selbst verdrängte die Mitwirkung der Franken: In den Gebeten für die Einweihung der drei Tore erscheint er als der alleinige Initiator und Stadtherr; lediglich die Gebildeten konnten an den an den Toren angebrachten Inschriften ablesen, daß auch der Kaiser am Mauerbau beteiligt gewesen war. Nach Leos Vorbild ließ Johannes VIII. St. Paul ummauern; ebenso war S. Lorenzo gesichert.

Rom wurde jetzt eindeutig vom Papst regiert. Hatten noch die Abgesandten Karls im Jahr 800 über die Verschwörer im Lateran die Untersuchung geführt, so hat sich wohl schon Karl selbst während seiner langen Anwesenheit in Rom nur bei St. Peter aufgehalten. Und auch die späteren Kaiser wurden geflissentlich von der Stadt – der Borgo von St. Peter gehörte nicht zu ihr – ferngehalten. Daher ließen die Päpste seit dem 8. Jahrhundert die ehemaligen Kaiserpaläste auf dem Palatin systematisch verfallen; statt ihrer war jetzt der Lateran auch der Sitz der weltlichen Verwaltung und Gerichte.

Als Sinnbild dafür stand bei ihm wohl schon damals die Reiterstatue Mark Aurels, bis sie im 16. Jahrhundert einen neuen Standort auf dem Kapitol erhielt. Auch andere antike Hoheitszeichen wie etwa die bekannte Wölfin wurden wohl schon damals nahe dem Palasteingang als Zeichen der päpstlichen Autorität aufgestellt. Daß dies vor allem noch als Konkurrenz zu Konstantinopel verstanden wurde, zeigen neben der Verwendung des Begriffes 'palatium' in den überlieferten Texten die nach byzantinischem Vorbild errichteten Triklinien Leos III. Die Bedeutung des Lateran zeigte sich ebenso im Zeremoniell. Wie der älteste Ordo zur Papstweihe – er wurde unter Leo III. oder Leo IV. konzipiert – und die Berichte des 'Liber pontificalis' zeigen, mußte ein neugewählter Papst zuerst vom Lateran Besitz ergreifen. Dort huldigten ihm die geistlichen und weltlichen Spitzen der Stadt. Erst später wurde er in St. Peter konsekriert, auf den Stufen der Kirche mit der Tiara als dem Symbol der weltlichen Herrschaft gekrönt und anschließend feierlich zum Lateran zurückgeleitet. Daher war die Inthronisation im Lateran ein konstitutiver Akt der Amtsübernahme. So erstaunt es nicht, daß die Päpste von Leo III. bis zu Leo IV., wie schon erwähnt, den Palast ausbauten und das dortige Zeremoniell nach byzantinischem Vorbild verfeinerten.

Aus dem gleichen Grund wuchs noch die Bedeutung der weltlichen und geistlichen Palastchargen. Wegen des relativ niedrigen allgemeinen Bildungsniveaus lag es nahe, daß die meisten späteren Päpste während ihrer Jugend im Lateran – meist heißt er 'patriarchium', manchmal jedoch schon 'palatium' – erzogen und gebildet wurden. Die Mitarbeiter der Päpste waren gewöhnlich die traditionellen *iudices*, während das Gewicht der Presbyter und Diakone gering gewesen zu sein scheint. Daher war es auch unerheblich, welcher der beiden Klerikergruppen ein Papst vor seiner Wahl angehört hatte. Vielleicht schon seit Johannes VIII. bildeten die *iudices de clero* eine feste Gruppe unter Leitung des *primicerius* der Notare, der wegen seiner hohen Stellung nun 'primicerius romanae ecclesiae', sinngemäß 'Vorstand der römischen Kirche', oder ähnlich hieß. Ob aber die traditionellen Kollegien der Notare und Defensoren weiterbestanden, läßt sich seit dem späten 8. Jahrhundert nicht mehr erkennen, denn lediglich die bisherigen Leiter der beiden Kollegien werden als Mitglieder des neuen 'Richterkollegs' weiterhin genannt. Diesem gehörte seit dem Ende des 8. Jahrhunderts noch ein weiterer Amtsträger an, der *bibliothecarius*. Wie der Name besagt, unterstanden ihm die Bibliothek und das Archiv. Außerdem jedoch leitete er das päpstliche Schriftwesen. Um den Einfluß römischer Familien auszuschalten, war der Bibliothekar im Gegensatz zu den anderen *iudices de clero* gewöhnlich ein Bischof. Und zumindest die Bibliothekare unter den Päpsten von Nikolaus I. bis Johannes VIII. prägten nachweislich den Wortlaut päpstlicher Schreiben. Am berühmtesten von ihnen ist Anastasius Bibliothecarius, der größte römische Gelehrte des 9. Jahrhunderts mit profunden Kenntnissen nicht nur des Griechischen, sondern auch der päpstlichen Archivalien seit dem 4. Jahrhundert.

Doch gerade an seiner Person wird außerdem sichtbar, wie eng die Päpste und ihre Regierung mit römischer Familienpolitik verknüpft waren. Von Leo IV. als Presbyter abgesetzt, wäre Anastasius nach dessen Tod 855 beinahe mit Unterstützung der kaiserlichen Partei Papst geworden. Sein Onkel Arsenius, Bischof von Orte, war ebenfalls wechselweise verbannt oder päpstlicher Legat. Die starke Position seiner Familie zeigte sich vor allem unter Hadrian II., als ein anderer Verwandter, Eleutherius, die Tochter des Papstes entführte und anschließend mitsamt der Mutter ermordete, Anastasius aber dennoch im Amte blieb. Schon an dieser Episode wird auch die Brutalität, die damals in Rom herrschte, erkennbar. Wie die Pontifikate etwa Leos III. und Paschalis' I. zeigen, machten Morde selbst vor dem Papst oder dessen Palast nicht halt, in die gewöhnlich *iudices de clero* oder *iudices de militia* als Opfer oder Täter einbezogen waren. Deren Familien bestimmten ebenso die Papstwahl. Daher nennt der 'Liber pontificalis' meist den Adel (*proceres, primates* u. ä.) als die wichtigste oder sogar einzige Wählergruppe bei Papstwahlen. Am deutlichsten wird dies bei der Wahl Gregors IV. 827, der gewählt wurde, „damit unter seiner Lehre und Regierung der ganze Adel der Senatoren gebührend leben könne“. So hatte die Wahl eines neuen Papstes manchmal nicht nur Konflikte innerhalb des Adels und eine Abrechnung mit der bisher regierenden Clique zur Folge, sondern auch eine Plünderung des Palastinventars, wie sie z. B. Stephan V. 885 beklagte und Johannes IX. 898 als „sehr verbrecherische Gewohnheit" (*scelestissima consuetudo*) vergeblich verbot.

Die einzelnen Päpste relativ objektiv zu beurteilen, scheitert schon an den erhaltenen Quellen. Die Briefe spiegeln manchmal eher den Standpunkt des Bibliothekars oder anderen Autors als den des Papstes; so distanzierte sich etwa Hadrian II. nach fränkischem Protest von allzu schroffen Stilübungen seines Bibliothekars Anastasius. Die fränkischen Autoren von Annalen usw. berichten römische Ereignisse nur punktuell und zum Teil von antirömischen Ressentiments bestimmt. Der 'Liber pontificalis' hingegen läßt alles für den jeweiligen Helden Nachteilige gewöhnlich weg. Und anders als in den früheren Viten gibt es kaum einen Papst, der nicht in seiner Vita als fromm, gebildet, friedliebend und als Armenfürsorger gepriesen ist. Daß diese Charakteristik gewöhnlich unrealistisch war, zeigt sich in der Vita Sergius' II. Auch dessen Vita strotzt von derartigen Lobestiteln. Doch am Ende schließt sich eine zweite Vita an, die vielleicht derselbe Autor, entsetzt vom Sarazeneneinfall 846, verfaßt hat. Darin wird der Papst als unfähig und körperlich gebrechlich beschrieben. Ihn hielten die Adligen für eine Null (*adnullabant optimates Romanorum*), obwohl er der gleichen Familie entstammte wie vor ihm Stephan IV. und später Hadrian II. Statt seiner regierte sein Bruder Benedikt, „dumm [oder: brutal] und tölpelhaft" (*brutus et stolidus*), der den Dirnen nachstellte, ein Schreckensregiment ausübte und der simonistischen Häresie anhing, indem er zum Beispiel Bistümer für 2000 und mehr Mankusen (damals übliche Goldmünze) verkaufte. Dafür strafte Gott Rom durch die Sarazenen. Derartige Sittengemälde werden in anderen Viten durch päpstliche Wunder kontrastiert. So bannte etwa Leo IV. nicht nur eine – später von Raffael gemalte – Feuersbrunst im Pilgerviertel von St. Peter, sondern vertrieb auch einen Basilisken, also ein Fabeltier, aus Rom.

Die Zustände in Rom verschlimmerten sich nach Johannes VIII. Mag es noch unsicher sein, ob diesen ein Verwandter wirklich vergiftet und ihm den Schädel eingeschlagen hat, wie die Fuldaer Annalen berichten, so lag dies bald darauf jederzeit im Bereich des Möglichen. Im Süden von sarazenischen Piraten oder Söldnern bedroht, im Osten und Norden von unabhängigen Markgrafen bedrängt, wurde das Papsttum immer mehr zum Spielball römischer Familien. Erschwert wurde die Lage noch dadurch, daß 891 mit Formosus ein Bischof Papst geworden war. Zwar geschah dies nicht zum ersten Mal, so war schon Marinus vor seiner Wahl Bischof gewesen; doch generell galt das Verbot der Translation eines Bischofs, weil dieser mit seiner Ortskirche als verheiratet galt. Daher konnten die seit 891 miteinander rivalisierenden Machtgruppen das Verbot trefflich gegen ihre Widersacher verwenden. Auf der berüchtigten Leichensynode von 896/97 ließ Stephan VI. die schon verwesende Leiche des Formosus mit päpstlichen Gewändern bekleiden, anschließend degradieren, verstümmeln und in den Tiber werfen. Fortan war bis hin zu Johannes X. umstritten, ob Formosus gültig Papst gewesen sei und daher gültige Weihen gespendet habe. Die zu seinen Gunsten verfaßten Schriften schildern anschaulich die jahrzehntelange Verwirrung, aber auch die Gewissensnöte der Formosianer. Und die Kämpfe zwischen ihnen und den Antiformosianern ließen den meisten Päpsten nur eine kurze Amtsdauer, denn häufig drohte diesen Kerker oder Ermordung. Daher war es immer noch ein Vorteil, als 904 mit Sergius III. eine Adelsclique eindeutig die Vorherrschaft in Rom erlangte. Daß eine neue Zeit anbrach, deutet ebenfalls das Abbrechen des 'Liber pontificalis' an; die letzte, aber unvollendete Vita hatte Stephan V. gepriesen. Und mit der Kaiserkrönung Ludwigs III. 901 hatte vorerst auch das vom Papst vergebene Kaisertum ein klägliches Ende gefunden.

V. DAS PAPSTTUM UNTER DEM EINFLUSS DES RÖMISCHEN ADELS (904–1046)

Als der Kardinal Cesare Baronio Ende des 16. Jahrhunderts seine Kirchenannalen verfaßte, um der in seinen Augen verzerrenden protestantischen Kirchengeschichte der Magdeburger Centurionen die katholische Auffassung entgegenzusetzen, bezeichnete er das 10. Jahrhundert als *saeculum obscurum* (dunkles Jahrhundert). Ihn hatten zu seinem Urteil neben dem Mangel an schriftlichen Zeugnissen auch die nach seiner Meinung unmoralischen Zustände im damaligen Rom veranlaßt. Diese negative Sicht wurde später noch dadurch verstärkt, daß seit dem 18. Jahrhundert einzelne Historiker die Herrschaft in Rom vor dem Eingreifen Ottos des Großen mit dem wenig schmeichelhaften Ausdruck 'Pornokratie' bedachten. Ein anderer Grund, die im folgenden darzustellende Epoche vorwiegend abschätzig zu beurteilen, war das schon bei Zeitgenossen deutliche Bestreben, die Erfolge des Reformpapsttums seit der Mitte des 11. Jahrhunderts gebührend von dem die vorangegangene Zeit angeblich kennzeichnenden Verfall abzuheben. Ob diese Pauschalverdikte, die zum Teil auch heute noch die Historiographie prägen, gerechtfertigt sind, ist jedoch zweifelhaft.

Um das Verhalten der römischen Bischöfe und Adligen angemessen bewerten zu können, müssen verschiedene politische und soziale Veränderungen, welche die Epoche charakterisierten, berücksichtigt werden. Sehen wir vom östlichen Bereich (Byzanz, Rußland) ab, so war das 10. Jahrhundert die letzte Zeit im europäischen Mittelalter, in der große Teile der Bevölkerung von fremden Invasoren bedroht wurden. Erst deren Abwehr und die sich anschließende politische Konsolidierung machten die spätere Entwicklung möglich, zu der auch der Aufstieg des Papsttums zu internationaler Geltung gehörte. Am bedrohlichsten für Italien waren vorerst die Sarazenen, die seit 902 unangefochten auf Sizilien herrschten und von dort wie von Nordafrika, Spanien und einem provenzalischen Stützpunkt aus Süditalien und die westliche Küste bedrohten. Bedeutende Siege – 915 am Garigliano, 1016 bei Luni –, an denen auch die Päpste Johannes X. und Benedikt VIII. beteiligt waren, bewirkten ebenso wie kleinere Unternehmungen in Mittelitalien und Auflösungserscheinungen im muslimischen Machtbereich selbst, daß seit Beginn des 11. Jahrhunderts die Sarazenen auf Expansion in Europa verzichteten, wenn wir einmal von Spanien absehen. Die durch die Ungarn verursachte Gefahr, die außer Mitteleuropa auch Teile Italiens plünderten, wurde infolge der Siege unter den deutschen Königen Heinrich I. (933 bei Riade) und Otto I. (955 bei Augsburg) sowie durch ähnliche Erfolge byzantinischer Kaiser und Kiewer Fürsten gebannt. Anschließend erstarkten bei den Ungarn selbst, aber auch bei den Böhmen und Polen einzelne Familien, die schließlich die Alleinherrschaft an sich rissen. Aus religiöser Überzeugung ebenso wie zur Absicherung ihrer Position förderten sie die von Deutschland ausgehende Christianisierung, eine Entwicklung, die infolge der seit Otto I. sich vertiefenden Bindungen zwischen den deutschen Herrschern und dem Papsttum allmählich auch diesem zugute kam. In der gleichen Zeit stabilisierten sich die Verhältnisse in Nordeuropa. Plünderungszüge von Wikingern gab es immer noch. Doch die Integration der Normannen am Unterlauf der Seine in das Westfränkische Reich seit Beginn des 10. Jahrhunderts bewirkte ebenso wie die Entstehung von Dynastien bei den Dänen, Norwegern und Schweden, daß seit der Jahrtausendwende in Skandinavien die bis heute bestehenden Reiche etabliert waren, wenngleich die Grenzen später noch wechselten. Infolgedessen konnte sich auch im Norden das Christentum stärker ausbreiten als zuvor.

Die deutschen Herrscher seit Heinrich I. hatten vor allem im sächsischen Gebiet die Bevölkerung dadurch vor den Invasoren zu schützen versucht, daß sie befestigte Burgen anlegten, die als Sitze von Adligen und Zufluchtsstätten dienten, wogegen die Bauern weiterhin auf dem Lande und außerhalb der Befestigungen siedelten. Hingegen hatte in Mittelitalien die Bedrohung durch Sarazenen und Ungarn einen Vorgang verstärkt, der seit dem 9. Jahrhundert zu beobachten ist: das ‘incastellamento’. Sofern die Siedlungen auf dem Lande – *villae, fundi, massae, domuscultae* – nicht erfolgreich befestigt werden konnten, zog die Landbevölkerung freiwillig, von Werbern gelockt oder von Grundherren gezwungen auf bis dahin unbesiedelte Höhen oder in noch aus der Antike existierende Höhensiedlungen, deren ‘Zyklopenmauern’ jetzt restauriert wurden. Infolgedessen konnte sie fortan sicherer leben, doch versumpften die Küstenniederungen nördlich und südlich des Tibers noch mehr als zuvor – die Malaria war daher für die deutschen Heere der schlimmste Feind –; außerdem fühlten sich seither die geistlichen wie weltlichen Herren gedrängt, möglichst viele Kastelle ihrer Herrschaft einzugliedern. Und wie diese neuen Kastelle und wiederbesiedelten Höhenstädte das Bild Mittelitaliens bis heute weitgehend prägen, so kennzeichneten Konflikte der Päpste mit Adligen und Klöstern – anfangs vor allem Farfa und Subiaco – um den Besitz von Kastellen und deren Umland die Geschichte des ‘Kirchenstaates’ bis in die frühe Neuzeit hinein und beeinflußten auch häufig die Position von Päpsten insgesamt und ihre Politik außerhalb Italiens. Besonders deutlich wird diese Abhängigkeit des Papsttums von lokalen Gegebenheiten in der nun zu schildernden Epoche.

Schon 897 Papstkandidat der antiformosianischen Partei, hatte Sergius III. erst 904 vom Lateran Besitz ergreifen können. Seinen Erfolg verdankte er vor allem Theophylakt. Dieser und seine Nachkommen beherrschten Rom in direkter Linie bis 963; wahrscheinlich aber gehörten auch die in der Folgezeit bis 1046 führenden Familien der Crescentier und Tuskulaner zu seinen Nachkommen. Wie sein griechischer Name vermuten läßt, stammte Theophylakt vielleicht aus einer der Familien, die während der byzantinischen Zeit in und um Rom zu Macht und Einfluß gelangt waren. Er selbst hatte die Positionen eines Vestarars und *magister militum* inne, er verwaltete demnach Teile des päpstlichen Schatzes und leitete die stadtrömische Miliz. Die Verbindung von päpstlichen Stellen mit städtischen Funktionen sollte auch für seine Nachfolger von Bedeutung bleiben. Leider fließen die Quellen zur Herrschaft in Rom während der ersten Jahrhunderthälfte äußerst spärlich; außer wenigen Urkunden besitzen wir vor allem die Berichte des Chronisten

Benedikt von S. Andrea am Soratte (nördlich von Rom) und Liutprands von Cremona, des Schandmauls der Zeit, die beide unter dem Einfluß der Taten Ottos des Großen schrieben. Doch ist es wahrscheinlich, daß Theophylakt kein Alleinherrscher war, sondern die Interessen seiner Standesgenossen berücksichtigen mußte. Daher war es für ihn wichtig, seinem Regime willfährige Kandidaten auf den Papstthron zu setzen und gute Verbindungen mit den einflußreicheren Nachbarn zu unterhalten. Zu diesem Zweck verheiratete er auch seine älteste Tochter Marozia I. mit dem Markgrafen von Spoleto, Alberich I. Diese Tochter vor allem war schon Liutprand, erst recht späteren männlichen Historikern ein Greuel; heute kann man sie als eines der gar nicht so seltenen Beispiele von Frauen des 10. Jahrhunderts würdigen, die selbständig waren und eine eigenständige Politik betrieben. Ob Marozia die Geliebte Sergius' III. und Mutter Johannes' XI. war, bleibt ungewiß; sicherer erscheint schon, daß sie den tatkräftigen Johannes X. einkerkern und später ermorden ließ, als dieser ein Bündnis mit dem norditalischen König Berengar I. schließen wollte, der 915 mit der Kaiserkrone geschmückt worden war, ohne allerdings viel für Rom zu tun. Marozia selbst wieder wurde 932 von ihrem aus erster Ehe stammenden Sohn Alberich II. gestürzt, als sie nach einer zweiten Ehe mit Wido von Tuszien Berengars Nachfolger Hugo von Vienne geheiratet hatte. Der neue Ehemann konnte knapp entfliehen.

Unter Alberich II. (932–955) erlebte Rom seine sicherste und beste Zeit während des ganzen Jahrhunderts. Im Gegensatz zu seinem Großvater Theophylakt regierte er Rom als Alleinherrscher. Den meisten Päpsten – abgesehen vielleicht von Agapitus II. – erging es wohl wie Marinus II., von dem der schon genannte Chronist Benedikt in bestem Latein schrieb: *Electus Marinus papa non audebat adtingere aliquis extra iussio Alberici principi.* („Der gewählte Papst Marinus wagte niemanden ohne Befehl des Fürsten Alberich anzurühren.“) Alberichs Position wird auch aus seinem 'Princeps'-Titel deutlich, den er wohl nach dem Vorbild der langobardischen Potentaten Süditaliens führte. Noch unabhängiger sollte sein Sohn und Nachfolger werden, der den klassischen Namen Oktavian trug. Die führenden Repräsentanten Roms mußten 954 Alberich schwören, den Sohn bei nächster Gelegenheit zum Papst zu wählen. Daher war Oktavian nach dem Tode Alberichs und Agapets nicht nur weltlicher Herr, sondern auch Bischof von Rom. Als Papst nannte er sich Johannes XII.; seitdem kam es immer häufiger vor, daß der zum Papst Gewählte einen neuen Namen annahm, bis der Namenswechsel schließlich seit dem Ende des Jahrhunderts zur Regel wurde. Doch hatte Johannes als Herrscher anscheinend wenig Erfolg. Gegenüber dem Unterkönig von Norditalien, Berengar II. von Ivrea, eine Schaukelpolitik betreibend, von Oppositionellen innerhalb des römischen Adels und Klerus bedrängt, rief er 960 Otto I., der schon seit 951 die italische Königskrone trug, von Alberich jedoch von Rom ferngehalten worden war, zur Kaiserkrönung nach Rom.

Seit 962 besaß Rom wieder einen mächtigen Schutzherrn. Doch wie schon unter Karl dem Großen, dem Otto nacheiferte, sollte sich für Rom der Schutz bald in Bedrängnis wandeln. Für Otto und seine Nachfolger war der Papst der oberste geistliche Leiter der Kirche – natürlich unter kaiserlicher Führung –, für den römischen Adel und weite Teile des Klerus der nominelle Garant einer, wenn auch regional begrenzten, Selbständigkeit. Infolge dieser Gegensätze kam es in den nächsten vierzig Jahren immer wieder zu Konflikten, die noch dadurch verschärft wurden, daß Mitglieder der führenden Adelsfamilien – vornehmlich der Crescentier, später auch der Tuskulaner – je nach Eigeninteresse heute den kaiserlichen Papst, morgen dessen Kontrahenten unterstützten. Das gleiche läßt sich bei vielen römischen Klerikern und Bischöfen des Umlandes beobachten. Das erste Zeugnis dafür bieten die letzten Jahre Johannes' XII. Aus politischen Gründen, die jedoch mit moralischen und theologischen Argumenten (Vorwurf sexueller Verfehlungen bzw. der Apostasie) abgesichert waren, setzte 963 eine vom Kaiser einberufene Synode den Papst ab und statt seiner den Protoskriniar Leo als neuen Papst ein. Nach Ottos Abzug konnte Johannes 964 nach Rom zurückkehren; eine von ihm geleitete Synode – besucht von vielen seiner ehemaligen Ankläger und Richter – setzte nun ihrerseits Leo als Eindringling ab. Und daß es dem Kaiser vor allem darum ging, die Kontrolle über das Papsttum zu behaupten, nicht aber um den geeignetsten Kandidaten, zeigte sich nach dem Tode Johannes' XII., der angeblich bei einem Ehebruch verschieden war. Weil sein Nachfolger Benedikt V. – ein frommer Mann mit dem ehrenvollen Beinamen 'Grammaticus' – ohne kaiserliche Einwilligung gewählt worden war, wurde er schon kurz nach der Wahl abgesetzt und nach Hamburg verbannt. Die wenigsten der folgenden Päpste starben eines natürlichen Todes; und wie schon seit 963 gab es auch jetzt gewöhnlich zwei konkurrierende Päpste. Mag dies für den Historiker auch kein Problem sein, so doch für den Dogmatiker; denn wegen fehlender Kriterien kann nicht entschieden werden, wer jeweils rechtmäßig regierte und somit die Petrustradition fortführte. Noch am erfolgreichsten war Johannes XIII., der vielleicht mit den Crescentiern verwandt war, jedenfalls von ihnen unterstützt wurde, aber auch das Wohlwollen Ottos des Großen genoß. Daher ist dieser Pontifikat in der zweiten Jahrhunderthälfte nicht nur einer der längsten, sondern auch der friedlichste gewesen.

Die Zustände komplizierten sich noch, seit Otto III. die Herrschaft angetreten hatte. Zum Mißfallen deutscher Herren, erst recht aber römischer Adliger wollte er Rom zum Sitz seiner Regierung machen, um sein Programm, die *renovatio imperii Romanorum* (Erneuerung des Reiches der Römer), durchzuführen. Daher beabsichtigte er, als erster westlicher Kaiser seine Hauptresidenz in Rom zu installieren – wo ist umstritten, vielleicht auf dem Palatin inmitten der Ruinen früherer Kaiserpaläste –; sein Reich und die Kirche wollte er als *servus Jesu Christi* oder *servus apostolorum* (Knecht Christi oder der Apostel) regieren. Mit diesen Titeln glich er sich – Sohn einer byzantinischen Prinzessin – oströmisch-byzantinischen Gepflogenheiten an; und der Papst sollte ihm wohl ebenso untergeordnet sein wie in Konstantinopel der Patriarch dem dortigen Kaiser. Für diese Annahme spricht, daß Otto als erster Kaiser außeritalische und ihm vertraute Päpste einsetzte: 996 seinen Verwandten Brun (Gregor V.), 999 seinen Lehrer Gerbert (Silvester II.). Doch schon aus Rücksicht auf die römischen Verhältnisse konnten beide Päpste ihrem Mentor nicht in allem gefügig sein, weil sie sonst keinerlei Rückhalt bei der römischen Bevölkerung besessen hätten. Und als 1002 der Kaiser, ein gutes Jahr später auch Silvester starben, waren die kaiserlichen Träume vorbei, und die Crescentier konnten wieder die Macht an sich reißen, die sie schon vor Ottos Eingriff besessen hatten.

Ohne kaiserlichen Schutz herrschte jetzt in Rom wieder zwar von lokalen Interessen bestimmte, aber verhältnismäßig friedliche Ruhe. Wie schon Theophylakt und Alberich waren die vor und nach Otto III. herrschenden Crescentier bestrebt, zur Aufrechterhaltung ihrer Macht ihnen genehme Kandidaten auf den Papstthron zu setzen. Und zur Kennzeichnung ihrer Stellung legten sie sich einen Titel bei, der bis zu Karls des Großen Kaiserkrönung die weltliche Gewalt bezeichnet hatte: den des *patricius*. Bis 1012 konnten sie ihre Herrschaft behaupten. Dann jedoch nutzten die unter Otto II. und vor allem Otto III. aufgestiegenen 'Grafen' von Tusculum den Tod des Crescentierpapstes Sergius IV. – er trug den schönen Beinamen 'Os porci' (Schweinsmaul) und war angeblich der Sohn eines Schusters –, um einen Papst ihrer eigenen Familie durchzusetzen. Dies gelang, denn der Gegenkandidat der Crescentier, Gregor VI., reiste vergeblich an den Hof Heinrichs II. Somit begann mit Benedikt VIII. die über dreißigjährige Periode der Tuskulanerpäpste. Doch entgegen der bisherigen Gewohnheit war in dieser Zeit nicht ein weltliches Mitglied der Familie der Herrscher, sondern der Papst selbst; die Verwandten dienten vor allem dazu, dessen weltliche Herrschaft abzusichern. Dieses System funktionierte bis 1044, vor allem auch wegen der gewöhnlich guten Beziehungen zu den deutschen Königen und Kaisern. Dann jedoch mußte Benedikt IX. einem neuerlichen Kandidaten der Crescentier, Silvester III., weichen. Kurz darauf wieder in Rom eingedrungen, verzichtete er zugunsten seines Taufpaten, der sich Gregor VI. nannte. Dieser zahlte seinem Patenkind Geld – ob als Entgelt für den Rücktritt oder zur Besoldung von Benedikts Truppen, ist unsicher – und galt bald als Simonist. Jedenfalls gab es nun drei Päpste, deren Legitimation umstritten war. Und als kurz darauf Heinrich III. zur schon seit Jahren beabsichtigten Kaiserkrönung nach Rom zog, ließ er 1046 in Sutri und Rom alle drei Prätendenten absetzen. Gregor VI. mußte – wie vor ihm schon Benedikt V. – nach Deutschland in die Verbannung, während die beiden anderen sich vorerst unangefochten in den von ihren Familien beherrschten Gebieten behaupten konnten: Silvester in der Sabina, Benedikt in den Albaner Bergen. In Rom hingegen begann nun die Zeit der 'deutschen Päpste' und damit allmählich auch die der großen Reform.

Die häufig verworrenen Zustände trugen verständlicherweise zum Verfall bisher bestehender Institutionen und Gewohnheiten bei. Abgesehen von einer Restaurierung der Lateranbasilika durch Sergius III. und Johannes X. und wenigen Neugründungen auf dem Aventin – durch Alberich II. –, dem Palatin und der Tiberinsel gibt es kaum Nachrichten über Kirchenbauten. Zu nennen ist noch das Nonnenkloster S. Ciriaco in der Adelsregion 'Via Lata', das als Adelsstützpunkt bis ins 12. Jahrhundert hinein bedeutend blieb. Noch weniger wissen wir darüber, ob die Stationsgottesdienste beibehalten wurden und soziale Einrichtungen wie die Wasserleitungen weiterhin funktionierten. Unter dem Verfall scheint auch die päpstliche Verwaltung gelitten zu haben. Der Ausstoß an päpstlichen Schreiben war so gering, daß ein eigenes Schreiberkolleg nicht mehr nötig war, sondern die anfallenden Arbeiten vom Bibliothekar, seinem Stellvertreter und von in der Stadt auch für andere Auftraggeber tätigen privaten Schreibern – als Skriniare, Notare oder Tabellionen bezeichnet – erledigt werden konnten. Und inwieweit außer dem Bibliothekar die anderen sechs *iudices de clero* tatsächlich noch zum – wenn auch niederen – Klerus gehörten und sich für den Papst betätigten, ist kaum zu erkennen, lediglich die Datierung und das Unterschreiben von Urkunden zeugten von ihrer Existenz. Allerdings trug dieser Verfall auch zur Neu- oder Umbildung von Institutionen bei.

Vielleicht schon unter Johannes XIV., der vor seinem Pontifikat als Bischof von Pavia die königliche Kanzlei in Italien geleitet hatte, sicher aber unter Silvester II. wurden in Rom Analogien zur deutschen Verwaltung erkennbar, die schließlich in der folgenden Epoche vollständig ausgebildet werden sollten. So benutzte man jetzt erstmalig außer Papyrus auch Pergament als Beschreibstoff für Urkunden. Wie in Deutschland leitete den Schriftverkehr teilweise ein Kanzler – als 'cancellarius' oder sogar 'archicancellarius' bezeichnet –, so daß sich die Stelle des Bibliothekars allmählich in ein Ehrenamt umwandelte. Daher konnte sie unter den Tuskulanern auch auswärtigen Prälaten wie dem Erzbischof Pilgrim von Köln übertragen werden. Gleichfalls seit Silvester II. gab es in der päpstlichen Umgebung vereinzelt besonders ins Vertrauen gezogene Geistliche, die wie am Hof des deutschen Herrschers den Titel eines 'Kapellan' führten.

Der deutsche Einfluß zeigte sich auch in der Liturgie. Für die Kaiserkrönung Ottos des Großen hatten deutsche Bischöfe eine Sammlung von liturgischen Texten nach Italien und Rom gebracht, die vor allem die Liturgie eines Bischofs beschrieb und kurz zuvor in Mainz zusammengestellt worden war: das sogenannte 'Pontificale Romano-Germanicum'. Ein großer Teil der darin enthaltenen Texte war während der Karolingerzeit aus Rom ins Frankenreich importiert, dort jedoch verändert worden. Einige Texte, wie etwa der Ordo zur Kaiserkrönung, waren vor 962 in Rom anscheinend völlig unbekannt gewesen. An diesem Texttransfer wird deutlich, wie sehr sich das Rom der Ottonenzeit von dem der Karolingerzeit unterschied. Hatte Rom in der früheren Epoche auf die noch 'barbarischen' Regionen kulturell bildend gewirkt, so wurde es nun von der dortigen höheren Kultur befruchtet. Von der neuen, nördlich der Alpen vorgenommenen Mischung aus römischen und fränkischen Texten leiten sich alle wichtigen Texte zur Liturgie der Papstweihe bis ins 13. Jahrhundert ab. Allerdings wurde die Herkunft aus dem selten geliebten Norden schnell vergessen; schon unter Gregor VII. galten die Texte als genuin römisch.

Von dieser Verdrängung war auch ein anderer liturgischer Text betroffen. Wie im vorigen Kapitel erwähnt, hatte die römische Gemeinde das Glaubensbekenntnis lediglich in der Taufliturgie gesprochen; und noch Leo III. hatte sich erfolgreich gegen die Übernahme des 'Filioque' gewehrt. Dieses Beharren auf der alten Tradition prägte auch das 10. Jahrhundert. Doch im Jahre 1014 setzte Heinrich II. anläßlich seiner Kaiserkrönung während einer Synode, die vielleicht von einer Synode Sergius' IV. vom Jahre 1009 vorbereitet war, bei Benedikt VIII. durch, daß das Credo wie in seinem Reich fortan auch in Rom während jeder Sonn- und Feiertagsmesse gebetet werde, und zwar einschließlich des 'Filioque'. Schon bald galt dies als so typisch römisch und liturgisch wie theologisch allein richtig, daß die Päpste seit Sergius IV. die Nichtbeachtung des 'Filioque' in Konstantinopel als Abweichung vom richtigen, katholischen Glauben ansahen. Demzufolge war der Streit um das 'Filioque' einer der Anlässe, die 1054 zum Bruch mit der Ostkirche führten. Und bis in unsere Zeit ist der Streit um das 'Filioque' ein Hindernis bei Unionsverhandlungen geblieben.

Ein anderer Hinweis auf die enge liturgische Bindung zwischen Deutschland und Rom in dieser Zeit ist der Kult des hl. Mauritius, des Hauptheiligen der ottonischen Dynastie, zu dessen Ehre um die Jahrtausendwende auch in St. Peter ein Altar errichtet wurde, der lange Zeit bei der Kaiserkrönung eine große Rolle spielte. Schließlich sei noch erwähnt, daß vielleicht gleichfalls seit Heinrich II. der Kaiser Ehrenkanoniker von St. Peter war, wie er auch in Deutschland aufgrund des theokratischen Herrschaftsverständnisses als Ehrenmitglied allen wichtigen Reichsstiften angehörte.

Doch zeigen andere liturgische Handlungen, daß der deutsche Einfluß sich nicht auf alle öffentlichen Funktionen des Papstes auswirkte, ja sogar – vor allem wohl seit den Tuskulanerpäpsten – ältere Gewohnheiten wieder verstärkt beobachtet wurden. Dazu gehören die Vorgänge bei der Übernahme des päpstlichen Amtes mit Betonung des Lateran, die großen Prozessionen und einige Volksfeste, die nach altrömischem oder byzantinischem Vorbild von Papst, Klerus und Volk gemeinsam gefeiert wurden und in Rom eine spezifische Ausformung besaßen: der Neujahrstag, ein Frühlingsfest – mit den *laudes Cornomanniae* in einer seltsamen Mischung von Latein und z. T. verballhorntem Griechisch – sowie der Karneval, der bis in die Neuzeit hinein unter Leitung des Papstes begonnen wurde. Für alle diese drei Feste haben wir genauere Kunde erst aus Texten, die wahrscheinlich aus der hier behandelten Epoche stammen.

In Fortführung älterer Traditionen wurde der Laterankomplex noch stärker zum Zentrum der bischöflichen Regierung. Davon war jetzt nicht nur der Palast, sondern auch die Basilika betroffen. Daher kam es jetzt erstmals vor, daß verstorbene römische Bischöfe nicht nur in St. Peter oder bei anderen wichtigen Heiligen (St. Paul, S. Lorenzo) beigesetzt wurden, sondern in der Bischofskirche selbst.

Auch dies sollte in der folgenden Epoche beibehalten werden. Auffälliger noch war die Betonung des Palastes als Herrschaftszentrum. Häufiger als früher hieß der Palast jetzt 'palatium'; dies hing auch damit zusammen, daß die sogenannte 'Konstantinische Schenkung' nun in Rom als historisches Zeugnis für die weltliche Stellung des Papstes angeführt wurde. Um 962 hatte sogar ein Kardinaldiakon Johannes eine Urkunde der Schenkung hergestellt und als Originalausfertigung des Kaisers Konstantin ausgegeben. Und wie in der Fälschung der Klerus des römischen Bischofs dem kaiserlichen Senat gleichgestellt war, so wurde jetzt in der Tat der Kardinalklerus eindeutig dem Palast zugeordnet: Die sieben Diakone, aber auch Teile des niederen Klerus wie Subdiakone und Akoluthen galten seit dem späteren 10. Jahrhundert als Mitglieder des Palastpersonals (*diaconus sacri palatii* u. ä.). Analog hießen auch die *iudices de clero* 'Palastrichter', ihre Anzahl war nun auf sieben beschränkt; sie erhielten in Traktaten – der älteren (spätestens um 962) und jüngeren (um 1030) 'Richterliste' sowie dem 'libellus de imperatoria potestate' (wohl Ende des 9. Jahrhunderts) – Funktionen zugeschrieben, wie sie die höheren Palastchargen des byzantinischen Kaisers oder der königlichen Residenz in Pavia innehatten. Aufgrund dieser Hervorhebung des Lateranpalastes fanden in ihm auch die römischen Regionalsynoden statt – zumindest unter Johannes XIX. (Silvesterkapelle).

Der Zentrierung der Herrschaft auf den Bischofspalast entsprach eine weltliche und kirchliche Neuorganisation Roms. In theoretischer Angleichung an die augusteische Zeit, jedoch in der Praxis mit Betonung der Tiberniederung bestand von nun an Rom wieder aus zwölf Regionen, auch wenn die Grenzen noch nicht klar zu bestimmen sind. Diesem Schema entsprechend war im weltlichen Bereich das Aufgebot der städtischen Miliz gegliedert, unter der Führung von 'Konsuln' oder *decarcones* (Bannerführer). Für die kirchliche Verwaltung erhielten die Regionen jetzt zwölf neue Diakone (*diaconi regionarii*), was wichtig ist für die spätere Bildung des Kardinalkollegs. Wie die neuen zwölf und die traditionellen sieben Diakone, beide Gruppen unter Leitung des Archidiakons, waren jetzt anscheinend auch die führenden Geistlichen der Titelkirchen, die Kardinalpriester, stärker dem Bischofspalast zugeordnet. Dies geht nicht nur aus ihrer Teilnahme an den Palastsynoden und aus Unterschriften auf päpstlichen Urkunden hervor, sondern auch aus der Tatsache, daß sie nur vom Papst geweiht und gerichtet werden durften – also exemt von der Gewalt eines anderen Bischofs waren –, sogar wenn ihre Kirche nicht in der Diözese Rom lag. Ein weiteres Zeugnis für die Hinwendung des gehobenen Klerus zum Bischofspalast ist der seit der Mitte des 10. Jahrhunderts erkennbare Zusammenschluß des übrigen Klerus zu einer Genossenschaft, der *fraternitas Romana* (römische Bruderschaft). Ursprünglich vielleicht nur für die gemeinsame Teilnahme an Begräbnissen von Mitgliedern gebildet, sollte diese Vereinigung vor allem im 12. Jahrhundert auch für andere kirchliche Belange und als potentieller Opponent zur päpstlichen Regierung bedeutsam werden. Der inneren weltlichen und kirchlichen Gliederung der Stadt folgte eine genauere Festlegung der Bistumsgrenze unter den Tuskulanerpäpsten. Benedikt VIII. unterstellte im Jahre 1018 dem Bischof von Porto die Tiberinsel und Trastevere mit Ausnahme der Titelkirchen und von zwei Klöstern; Johannes XIX. übertrug acht Jahre später dem Bischof von Silva Candida die Aufsicht über die Peterskirche und die ihr zugeordneten Institutionen. Die Stadt Rom endete vorerst also kirchlich wie weltlich am linken Tiberufer; und zumindest die weltliche Integration der jenseits des Tibers gelegenen Siedelgebiete in die Stadt erfolgte endgültig erst in der frühen Neuzeit. Die Maßnahmen der beiden Päpste sollten wohl auch der stärkeren Einbindung von Kardinalbischöfen in das päpstliche Regiment dienen. Daher erhielt Petrus von Silva Candida 1026 seine Residenz auf der Tiberinsel – also in der Diözese seines Portuenser Nachbarn –; in der folgenden Epoche bekam ein anderer Kardinalbischof, der von der Sabina, eine Residenz am Forum Romanum (S. Lorenzo in Miranda).

Wie die realen Veränderungen im päpstlichen Regiment sowie in der Gliederung Roms und seines Umlandes sollte auch eine Umformung der Ideologie für die Zukunft von Bedeutung sein. Diese bestand in einer intensiveren Betonung antiker Institutionen und Ideale, so wie man sie verstand. Die Impulse dazu gingen einerseits von den Kaisern, andererseits von Rom selbst aus.

Den Kaisern galt Rom als der legitimierende Fixpunkt ihrer Herrschaft. Daher hieß die Stadt selbst unter einem wenig an ihr interessierten Kaiser wie Konrad II. 'caput mundi' (Haupt der Welt). Beliebte Aufenthaltsorte der Herrscher in Deutschland wurden gern mit dem Ehrentitel 'Roma secunda' geschmückt (z. B. Aachen, Bamberg) und sogar in ihrer Anlage Rom angeglichen (Bamberg). Den Höhepunkt dieser Tendenz bildete der Versuch Ottos III., von Rom aus sein Reich zu regieren. Und da einzelne Kaiser selbst oder einige ihrer Mitarbeiter die antiken Grundlagen ihrer Herrschaft betonten, mußte dies auf Rom zurückwirken. Deutlich wird dieser Einfluß vor allem unter dem Pontifikat von Ottos Lehrer Gerbert, der sich in Erinnerung an die vermeintliche Zusammenarbeit von Papst und Kaiser in der Antike, also geprägt vom Mythos der 'Konstantinischen Schenkung', 'Silvester' nannte, obgleich der Kaiser selbst dem Text skeptisch gegenüberstand.

Ebenso wichtig war jedoch der innerrömische Impuls. Außer in den schon genannten, auch auf Byzanz oder Pavia anspielenden Traktaten zeigt sich dies in den neuen Regionen – sogar Trastevere wurde, obwohl nicht zur Stadt gehörend, gemäß dem augusteischen Schema als Region bezeichnet (*regio XIV* wie zur Zeit des Augustus). Die Stadt selbst wurde seit der Mitte des 10. Jahrhunderts analog zur Antike von einem Stadtpräfekten – als Parallele gab es sogar einen ominösen 'Seepräfekten' – oder Patricius regiert. Wohl nach antikem Vorbild nannte Alberich II. seinen Sohn 'Oktavian', ein Name, der dann bei den Crescentiern häufig wiederkehrte. Dieser Antikenrezeption entsprach außerdem die Berufung auf die 'Konstantinische Schenkung' und die Beanspruchung kaiserlicher Palastränge und Ehrenzeichen durch den Papst. Zu letzteren gehörte neben dem Pallium und der Tiara jetzt auch die Mitra. Und wie das Pallium verlieh er fortan die Mitra auswärtigen Prälaten – vor allem Äbten – als Zeichen besonderer Gunst. Umgekehrt mußten, worauf noch einzugehen ist, exemte Abteien und Bistümer ihm zuweilen Schimmel liefern, die seinen auf die 'Konstantinische Schenkung' zurückgehenden, dem Kaiser entsprechenden Rang manifestierten. Waren die Schimmel ebenso wie die Tiara und wohl auch die Mitra eher Zeichen seines weltlichen Ranges, so zeigte sich sein kirchlicher

Vorrang außer im Pallium darin, daß er im Gegensatz zu den Bischöfen keinen Krummstab, sondern die Ferula – einen wohl mit einem Kreuz geschmückten Stab – trug.

Bisher wurde relativ ausführlich beschrieben, welche Veränderungen das päpstliche Regiment in Rom erfuhr. Damit sollte deutlich werden, daß auch noch in dieser Epoche der Papst vor allem Bischof von Rom war. Doch mehrten sich zur gleichen Zeit Anzeichen für die allmähliche Leitung der Universalkirche durch den Papst. Beginnen wir mit Italien.

Der Sicherheit Roms dienten besonders seit Alberich II. Versuche, wichtige Kastelle der Umgebung der Stadt, vornehmlich in der Sabina und nahe den nach Süden führenden alten Konsularstraßen, unter die päpstliche Hoheit und somit unter die Gewalt des jeweiligen faktischen Machthabers zu bringen. Von erzählenden Berichten und einigen Urkunden abgesehen, ist dieser Prozeß hauptsächlich an den Besitzungen der Crescentier – in der Sabina und in den Gebieten von Tivoli und Palestrina – sowie der Tuskulaner (Albaner Berge) abzulesen. Auch in der folgenden Zeit wichtige Geschlechter wie die 'Grafen' von Galeria und die Frangipani werden unter den Tuskulanerpäpsten schon genannt. Seitdem bestimmt das Ringen um das Umland, wie erwähnt, den frühen Aufbau des 'Kirchenstaates' und weitgehend die tatsächliche Macht oder Ohnmacht der Päpste. In diesen Zusammenhang gehört auch der Versuch, die um Autonomie und eigenes Territorium bemühten Klöster Farfa und Subiaco – beide mit Dependancen in Rom – stärker dem päpstlichen Regiment zu unterstellen und die später so genannten Kardinalbistümer zugunsten des Papstes neu zu organisieren.

Für die Zukunft richtungweisend sollte die damalige Süditalienpolitik werden. Sie diente nicht nur der Abwehr der Sarazenen, sondern auch der Ausweitung des tatsächlich beherrschten Territoriums des Papstes und seiner Kirchenhoheit. Daher wurden Versuche unternommen, die Gebiete von Fondi (altes Patrimonium) und Terracina herrschaftlich zu sichern, wobei Silvester II. hinsichtlich Terracinas sogar als erster Papst es unternahm, die alte Vergabe durch Emphyteuse mit dem ihm vertrauten, nördlich der Alpen praktizierten Lehenswesen zu verbinden. Zugunsten der Kirchenhoheit wurden 944 wichtige Klöster wie Monte Cassino und S. Vincenzo al Volturno durch Exemtion dem Papst direkt unterstellt und seit den 60er Jahren langobardisch beherrschte Orte wie Benevent, Capua und Salerno, sogar auch im byzantinischen Machtbereich liegende Städte wie Siponto und Bari in Erzbistümer mit eigener Kirchenprovinz, aber unter nomineller Oberhoheit des Papstes umgewandelt. Zwar blieben diese Versuche vorerst meist noch ohne reales Ergebnis, doch dienten sie den Päpsten der folgenden Reformepoche als Basis für erfolgreichere Unternehmungen.

Bedenkt man, daß wichtige Seehäfen wie Neapel und Amalfi noch Byzanz unterstanden und gerade seit der zweiten Jahrhunderthälfte byzantinische Kaiser ihre Herrschaft in Süditalien ausweiteten, dabei zeitweise sogar Rom selbst bedrohten, so wird deutlich, daß das Verhältnis zwischen Papsttum und Byzanz nicht nur von dogmatischen oder kirchenpolitischen, sondern auch regionalen Problemen geprägt war; abgesehen von der langen byzantinischen Tradition in Rom war das östliche Kaiserreich auch faktisch den Päpsten oft näher als das der deutschen Herrscher. Marozia und ihr Sohn Alberich II. hatten noch versucht, mit friedlichen Mitteln, vornehmlich durch Heiratspläne, ein gutes Einvernehmen mit Byzanz zu erzielen. Davon hing auch das Verhalten der durch sie eingesetzten Päpste ab. Mit Ottos des Großen Kaiserkrönung nahmen hingegen die Konflikte mit Byzanz zu, weil die westlichen Herrscher – wie schon Karl der Große – auch Süditalien in ihren Machtbereich einzubeziehen versuchten. In diesen Zusammenhang gehören die oben genannten Gründungen von neuen, lateinischen Erzbistümern. Und nur aus dieser neuen Orientierung des Papsttums heraus ist es zu verstehen, daß Johannes XIII. den östlichen Kaiser zu dessen Mißfallen nicht mehr als 'imperator Romanorum' (Kaiser der Römer), sondern nur noch als 'imperator Graecorum' (Kaiser der Griechen) titulierte. Auch nach Ottos III. Scheitern behielt das Papsttum diese Politik bei. Benedikt VIII. unterstützte Aufstandsbestrebungen im byzantischen Italien – dabei kam das Papsttum auch erstmals in Kontakt mit den in der Folgezeit immer wichtiger werdenden Normannen – und bewegte nun seinerseits Kaiser Heinrich II., in Süditalien einzugreifen, während vordem die Initiative bei den deutschen Herrschern gelegen hatte. Und wegen der gleichzeitigen Kirchenpolitik und der Regelung hinsichtlich des Glaubensbekenntnisses wurde von nun an die endgültige kirchliche Spaltung, wenn wohl auch unabsichtlich, vorbereitet. Dieser Tendenz entsprach es, wenn die griechischen Klöster Roms immer stärker von lateinischen Mönchen frequentiert wurden. Eine Ausnahme bildete der Einfluß des süditalischen Eremiten Nilos, der nicht nur Otto III. beeindruckte, sondern auch unter dessen Schutz südlich von Rom die griechische Abtei Grottaferrata gründete, die zum Hauskloster der Tuskulaner wurde und für Jahrhunderte die 'Spezialisten' für die griechischen Lesungen im feierlichen Papstgottesdienst stellte.

Gleichzeitig mit der Verschlechterung des Verhältnisses zu Byzanz vertieften sich die Beziehungen der Päpste zum neuen politischen Zentrum im Westen, zu Deutschland. Hierfür wie auch für die Ausdehnung der Kontakte zu anderen Gebieten sind zwei Möglichkeiten zu nennen, die schon in der Karolingerzeit entstanden sind, aber erst seit dem 10. Jahrhundert immer häufiger genutzt wurden: die Leitung regionaler Synoden durch päpstliche Legaten und eine besondere Beziehung einer kirchlichen Institution – anfangs vor allem Klöster, später auch Bistümer – zum Papsttum. Die zweite Möglichkeit manifestierte sich im päpstlichen Schutz oder in der Exemtion. Der Schutz bestand vor allem darin, daß von der Gewährung des entsprechenden Privilegs an das jeweilige Kloster vom hl. Petrus beschützt wurde, ein Angriff also zugleich ein Angriff auf Petrus, den Himmelspförtner und Vikar Christi, war. Oftmals waren mit solcher Privilegierung das Recht auf freie Wahl von Abt oder Äbtissin und andere Vorrechte verbunden. Eine Weiterführung des Schutzes war die Exemtion (Herauslösung) von bischöflicher Gewalt durch direkte Unterstellung unter den Papst. Allerdings war diese Exemtion nie vollständig, sondern sie erstreckte sich normalerweise zum Nachteil auch für die Einnahmen eines Bischofs nur auf die Freiheit von bischöflicher Vermögensverwaltung und Disziplinargewalt – oberster Richter war in diesen Fällen der Papst – und das Recht für Abt, Äbtissin oder seit der Tuskulanerzeit auch für Bischöfe (zuerst Bamberg), direkt vom Papst, dessen Vertreter oder von einem frei zu wählenden Bischof die erforderlichen Weihen zu erhalten. Häufig mußten die Privilegierten einen Zins an den Papst zahlen; sie verbesserten somit seine Einnahmen.

Weil die deutsche Kirche am Ende der Karolingerzeit noch nicht voll ausgebaut und gefestigt war, wurde schon vor Ottos Kaiserkrönung auf Mitwirkung des Papstes Wert gelegt. Dies zeigte sich an von Legaten geleiteten Synoden in Deutschland (916 Hohenaltheim, 948 Ingelheim) oder an mit deutschen Materien befaßten römischen Synoden (921, 949) ebenso wie an Privilegien für deutsche Klöster oder Stifte (917 Fulda, 925/26 St. Ursula in Köln, 938 Gorze – für Deutschland sehr wichtig –, 939/41 St. Moritz in Magdeburg, 948 Gandersheim, 951 Essen, 961 Gernrode) sowie an bedeutenden deutschen Rompilgern (904 Salomo von Konstanz und St. Gallen, 942 Ulrich von Augsburg, 955 Hadamar von Fulda). Allerdings dürfen die päpstlichen Privilegien gerade für Deutschland nicht überbewertet werden. Weil die Privilegierten zugleich unter königlichem Schutz standen, also Reichsklöster oder -stifte waren, konnte der König eher als der Papst realen Einfluß ausüben. Von diesem Machtverhältnis waren auch die seit 962 privilegierten Klöster und Bistümer geprägt. Dennoch zeigen die Urkunden, wie stark schon vor der ersten Kaiserkrönung eines deutschen Herrschers in dessen Machtbereich das Interesse war, den Vorrang des Papstes anzuerkennen und durch dessen Privilegien die eigene Stellung gegen mögliche Kontrahenten zu sichern.

Für die europäische Geschichte insgesamt ist die Kaiserkrönung von 962 deshalb von Bedeutung, weil seitdem das Tragen der Kaiserkrone immer stärker auf das deutsche Königtum eingeschränkt wurde, die deutschen Könige als Kaiser also die höchsten Schutzherren der Kirche wurden, diese Würde aber nur vom Papst empfangen durften. Während jedoch in der hier behandelten Epoche dieses Aufeinander-Angewiesensein vornehmlich den Herrschern zugute kam, bot sich seit dem sogenannten 'Investiturstreit' den Päpsten die Möglichkeit, in deutsche Verhältnisse stärker als anderswo einzugreifen und die Macht des Herrschers zu beschneiden. Die vorläufige Abhängigkeit der Päpste von den Kaisern zeigte sich, wie schon dargestellt, in Rom selbst und in Süditalien. Doch hatte sie für das Papsttum auch positive Folgen. Wie in der Blüte der Karolingerherrschaft vereinten die jetzt von Kaiser und Papst einberufenen Synoden nicht nur die sonst gewohnten Repräsentanten italischer Kirchen, sondern auch deutsche oder sogar außerdeutsche Prälaten und Herrscher. Vor allem unter Otto III. und Heinrich II. dienten sie der Reorganisation und inneren Reform der Kirche, wie vor allem die Synode von Pavia des Jahres 1022 zeigte. Zwar lag die Initiative anfangs eindeutig bei den Kaisern; doch die Publizierung der Dekrete im Namen des Papstes machte ebenso wie die Leitung von Synoden durch Legaten deutlich, daß Organisation und Disziplin in der Kirche letztlich vom Papst zu regeln seien. Diese neue, auf Erfolgen der Karolingerzeit basierende Position konnte letzten Endes auch dann nicht erfolgreich angefochten werden, wenn in Kirchenrechtssammlungen – vor allem der des Bischofs Burchard von Worms als der einflußreichsten – die Eigenständigkeit jedes Bischofs betont wurde und einzelne Prälaten gerechtfertigterweise gegen Exemtionen oder einseitige Rechtsentscheide von Päpsten – etwa in Ehefragen – protestierten.

Weil die Kaiser zugleich Könige von Italien waren, profitierten die Päpste von der Verbindung zu ihnen auch in Norditalien. Die Gebietsansprüche des Papstes im ehemaligen Exarchat hatten Otto der Große 962 und Heinrich II. 1020 in den traditionellen Pacta – diese enden mit dem letztgenannten Kaiser – erneut bekräftigt; hingegen hatte Otto III. 1001 dem Papst Silvester II. aus eigener Macht, ohne Rekurs auf die Pacta oder gar die 'Konstantinische Schenkung', mehrere Gebiete südlich von Ravenna übertragen. Die faktische Durchsetzung der Rechte blieb weiterhin problematisch. Doch bewirkte die kaiserliche Politik, daß das Papsttum fortan stärker denn jemals zuvor als kirchliches Oberhaupt in Norditalien von Ravenna, Aquileja/Grado und sogar Mailand anerkannt war, selbst wenn in Einzelfällen Päpste gezwungen waren, der bisherigen Politik zuwiderlaufende Entscheidungen zu fällen, wie etwa Johannes XIX. angesichts der von Konrad II. unterstützten Ansprüche Aquilejas. Auf Bitten norditalischer Prälaten griffen sie in Bistumsquerelen schlichtend ein, mit Kaisern leiteten sie Reformsynoden; und wie die Privilegierung des Refomklosters Fruttuaria seit 1006 zeigt, förderten sie auch schon Bewegungen, die sich später als dem deutschen Einfluß hinderlich erweisen sollten. Ebenso bestanden schon vor 1046 Verbindungen der Tuskulanerpäpste zu anderen norditalischen Reformbewegungen – genannt seien Romuald von Camaldoli, Petrus Damiani und Guido von Pomposa. Doch ist zu betonen, daß die Initiative zu derartigen Kontakten gewöhnlich nicht von den Päpsten, sondern von den Partnern ausging. Das gilt auch für die Ostküste der Adria, wo 925 Legaten Johannes' X. eine Synode in Split auf Bitten des kroatischen Königs geleitet hatten, woraus sich allmählich ein Schutzverhältnis des Papstes zugunsten des dortigen Königtums entwickelte. Schließlich sei noch darauf verwiesen, daß die von den Kaisern maßgeblich initiierten Gründungen von neuen Kirchenprovinzen im Osten – durch Otto I. 968 Magdeburg, später durch Otto III. Gnesen für Polen und unter Heinrich II. die Organisation der ungarischen Landeskirche – den päpstlichen Hoheitsbereich erweiterten, weil die neuen Bistümer nominell vom Papst gegründet worden sind und ihm unterstanden. In Polen und Ungarn entstand daraus sogar die Zahlung eines Zinses durch den Herrscher, des Peterspfennigs, an den Papst. Damit sollte zugleich die Unterstellung unter den päpstlichen Schutz angezeigt werden, der seit 990 für Polen galt und wenig später auch Ungarn verliehen worden war.

Im Gegensatz zu Deutschland war der Machtbereich des Königs in Frankreich, dem ehemaligen Westfranken, vorerst noch sehr beschränkt. Bis zum Aussterben der Karolinger 987 war das königliche Ansehen durch häufige Kämpfe zwischen verschiedenen Kronprätendenten geschwächt worden; die Krondomäne der seit 987 regierenden Kapetinger war um Paris und Orléans zentriert. Die Nutznießer der königlichen Schwäche waren die Herzöge und Grafen, denen der König gewöhnlich nur als nominelles Oberhaupt galt. Den Machtverhältnissen entsprechend standen auch viele Bistümer und Klöster unter adligem Einfluß. Um dem zu begegnen, versuchten die Könige vor allem seit dem Ende des 10. Jahrhunderts, ihre Machtbasis dadurch auszuweiten, daß sie die Besetzungen von Abteien und Bistümern – etwa Reims und Bourges –, die außerhalb ihrer Domäne lagen, bestimmten, was jedoch nicht immer ohne Konflikte erfolgen konnte. Andererseits gründeten Hochadlige und Bischöfe neue Klöster nicht nur aus religiösen Motiven, sondern häufig auch zur Stabilisierung ihrer Macht. Die Verhältnisse wurden noch dadurch kompliziert, daß einzelne Klöster stärker als in Deutschland sich unter Ausnutzung der Machtverhältnisse von der Aufsicht der zuständigen Bischöfe oder auch vom zu starken adligen Einfluß zu befreien suchten. Und wegen des Fehlens zuständiger Instanzen in Frankreich wandten sie sich häufig an den Papst um Schutz und Unterstützung.

Daher wurde Frankreich schon im 10. Jahrhundert zum klassischen Land der Exemtion. Am berühmtesten und – wegen des späteren Ausbaus des Klosterverbandes – am folgenreichsten wurde die Exemtion des Klosters Cluny, dessen Patron von Anfang an der hl. Petrus war. Schon 909 und 928 durch den Stifter bzw. den Papst unter päpstlichen Schutz gestellt, erhielt es 931 ein Exemtionsprivileg, das mit Veränderungen von den folgenden Päpsten bis hin zu den Tuskulanern immer wieder bestätigt und erweitert wurde. Lediglich Benedikt IX. verhielt sich reservierter und hatte daher 1046 in Sutri keine Unterstützung durch den nun äußerst einflußreichen Abt Odilo von Cluny zu erwarten. Für Rom selbst wurde Cluny schon in seiner Anfangszeit deshalb wichtig, weil Alberich II. und dessen Päpste, vornehmlich Leo VII., mit Hilfe Odos von Cluny Klöster in Rom (z. B. St. Paul) reformieren ließen und dafür Odos Abtei beschenkten. Doch zeigt gerade auch das Beispiel Clunys, wie sehr die Exemtionen die traditionelle Kirchenstruktur schwächen und dafür die Position des Papsttums stärken konnten. So hatte im Jahr 1025 eine Synode zu Anse bei Lyon auf Betreiben des für Cluny zuständigen Bischofs von Mâcon die päpstlichen Exemtionsprivilegien als rechtswidrig und daher ungültig erklärt, weil sie dem Kanon 4 des Konzils von Chalkedon (451) zuwiderliefen, dem gemäß die Klöster dem jeweiligen Ortsbischof unterstünden. Johannes XIX. hatte daraufhin auf Bitten Odilos von Cluny zwei Jahre später die Privilegien bestätigt, den Erzbischof von Lyon und den Bischof von Mâcon zum Gehorsam ermahnt sowie König Robert von Frankreich zum Schutze Clunys aufgerufen, denn die päpstlichen Erlasse besäßen kanonische, das heißt kirchenrechtlich bindende Geltung. Damit wurde deutlich, daß gerade die Privilegienpolitik ein erfolgreiches Instrument war, um den päpstlichen Primat durchzusetzen.

Demzufolge bedienten sich dieses Mittels auch die meisten Päpste der folgenden Epochen.

Außer Cluny seien kurz noch andere Klöster genannt, weil gerade auch sie nicht nur zur Reform des Benediktinertums beitrugen, sondern auch als Basis für die künftige päpstliche Politik dienten: St.-Pons-de-Thomières, seit 937 dem Papst unterstellt, spielte um 1100 eine bedeutende Rolle bei der päpstlichen Politik in Aragón; Fleury, seit 938 exemt, galt als Begräbnisort des hl. Benedikt und war wichtig im Gebiet der Loire und für die Klosterreform in England; Fécamp, seit 1016 exemt wie Cluny, war eine Gründung des Herzogs der Normandie und verhalf dort später den Päpsten zu Einfluß. Schließlich sei noch die Unterstützung des Reformabtes Wilhelm von Volpiano angeführt, zu dessen Gründungen das schon genannte, seit 1006 exemte norditalische Kloster Fruttuaria gehörte. Andere von Wilhelm geleitete und reformierte Klöster waren z. B. St. Bénigne in Dijon, Gorze, Moyenmoutier und Fécamp. Von Wilhelms wie auch von Clunys Reformen waren viele Mitarbeiter der künftigen Reformpäpste oder diese selbst geprägt.

Ähnlich wichtig wie die Privilegienpolitik und zum Teil spektakulärer waren päpstliche Eingriffe in kirchliche Konflikte Frankreichs. So regelten Synoden in Ingelheim (948, geleitet von einem päpstlichen Legaten) und Rom (949) ein Schisma in der Erzdiözese Reims; gleichfalls mit einem Reimser Schisma befaßten sich eine Aachener Synode (991, wieder mit päpstlichen Legaten) und eine von Papst und Kaiser geleitete in Rom (996); eine andere von Gregor V. und Otto III. präsidierte Synode in Rom (999) faßte einen Beschluß zur Ehe des französischen Königs Robert mit einer Verwandten. Im Jahr 1007 schließlich sandte Johannes XVIII. einen Legaten nach Frankreich, weil wieder einmal französische Bischöfe – der Fall betraf Fleury – die päpstliche Autorität, Exemtionsprivilegien auszustellen, angezweifelt hatten. An einigen dieser Ereignisse wird zugleich auch deutlich, wie sehr die Zusammenarbeit zwischen deutschen Herrschern und Päpsten diesen auch außerhalb Italiens und Deutschlands zugute kam.

Wie in Frankreich waren auch in einem anderen ehemaligen Teil des Karolingerreiches, in Katalonien (der ehemaligen Spanischen

Mark), die politischen und kirchlichen Verhältnisse verworren. Und analog zu Frankreich gründeten katalonische Adlige Klöster und suchten ebenso wie ihre mönchischen Schützlinge Protektion in Rom. Zu diesem Zweck begaben sich seit der Mitte des 10. Jahrhunderts sogar mehr katalonische als französische Bittsteller – Laien wie Geistliche – an den päpstlichen Hof. Wie Cluny für Frankreich, bildete für Katalonien das Kloster Cuxá bei Prades das Vorbild, das seit 950 exemt war; wichtige Abteien wie Ripoll (951), Rodas (955) oder Besalú (977) folgten in der Exemtion wenig später. Und stärker als in Frankreich wurden in Katalonien die Päpste auch mit der Reorganisation (Vich, Urgel) oder Neueinrichtung (Besalú, gescheitert) von Bistümern befaßt. Im Jahre 1000 lud Silvester II. den Vizegrafen von Barcelona sogar vor eine römische Synode. Allerdings muß betont werden, daß auch in Katalonien die Initiative zu dergleichen Maßnahmen immer von dortigen Adligen und Prälaten ausging. Das ändert jedoch nichts an der Tatsache, daß Katalonien zum Sprungbrett für spätere Aktivitäten von Päpsten in Spanien wurde.

Zum größeren Teil Spaniens unterhielten die Päpste hingegen noch keine Kontakte. Deutlich wird dies an Plänen zur Wiedereinrichtung der Erzdiözese Tarragona, wobei zu bedenken ist, daß die Stadt selbst noch muslimisch beherrscht war: Wohl im Jahre 955 hatte eine spanische Synode in Compostela den Abt Caesarius von Montserrat mit der Leitung der neuen Kirchenprovinz betraut. Wegen innerer Schwierigkeiten wandte sich dieser 970 an Johannes XIII. um Hilfe, doch ohne Erfolg. Statt dessen unterstützte der Papst den Plan von katalonischen Petenten, den Erzbischofssitz nach Vich zu verlegen, was jedoch gleichfalls scheiterte. Man muß daher davon ausgehen, daß die katalonische Kirche getrennt von der des Königreiches León existierte, wobei diese bis zum Ende des 11. Jahrhunderts gewöhnlich unberührt von päpstlichen Maßnahmen blieb. Statt vom Papst wurde sie von Landessynoden und königlichen Aktivitäten gelenkt.

Im mozarabischen Teil Spaniens scheint sogar der Kalif analoge Funktionen wahrgenommen zu haben, indem er Bischöfe einsetzen konnte, wie aus dem Gesandtschaftsbericht des Abtes Johannes von Gorze hervorgeht. So war es auch nur eine folgenlose Episode, als ca. 946/51 ein mozarabischer Fürst aus Andalusien auf seiner Pilgerreise nach Jerusalem auch Rom besuchte. Doch geht aus diesem Besuch wie auch aus dem des Armeniers Symeon 981 und dem von christlichen Gesandten aus Ägypten und Palästina im Jahre 992 hervor, daß das Petrusgrab auch außerhalb der aus dem ehemaligen Karolingerreich gebildeten Regionen Ansehen genoß. Wehmütig im Rückblick auf die Spätantike stimmt es, wenn im Zeitraum zwischen 981 und 983 eine Gesandtschaft aus Karthago an Benedikt VII. den dortigen Priestermangel beklagt und den Papst um die Weihe eines Erzbischofs ersucht: Aus solchen sporadischen Nachrichten wird ersichtlich, wie stark der tatsächliche päpstliche Einfluß vorerst noch auf die Gebiete des früheren Karolingerreiches beschränkt war.

Diese Reduktion zeigt sich auch in den Beziehungen des Papsttums zu England. Getreu der Tradition pilgerten die meisten Erzbischöfe von Canterbury, zum Teil auch die von York, nach Rom, um vom Papst das Pallium zu empfangen, und zahlten bis zur Jahrtausendwende an den Papst dafür Gebühren. Anschließend wurden diese zugunsten einer jährlichen Abgabe aus ganz England, des erneuerten Peterspfennigs, erlassen. Ebenso existierte weiterhin bei St. Peter eine Vereinigung (*schola*), die aus Angelsachsen bestand und gleichfalls eine 'Schutzgebühr' an den Papst zahlte. Doch im Gegensatz zum Kontinent befaßte sich keine in Rom gehaltene oder von päpstlichen Gesandten geleitete Synode mit Kirchenproblemen Englands; ebensowenig gab es Privilegien zugunsten angelsächsischer Klöster. Vielmehr gingen Reformen von Angelsachsen selbst aus, unter dem Einfluß vor allem Fleurys und Clunys. Das bedeutete, daß das Papsttum keinen realen Einfluß auf die Kirche Englands ausüben konnte und daran anscheinend auch in England kein Interesse bestand. Dies zeigt auch der geringe Briefwechsel zwischen Rom und England. Demzufolge diente die häufig von England ausgehende, seit der Regierung Knuts des Großen verstärkte Missionierung der Dänen und Norweger ebenfalls vorerst noch nicht der Ausbreitung des päpstlichen Ansehens. Daran änderte auch nichts der Rombesuch Knuts anläßlich der Kaiserkrönung Konrads II. im Jahre 1027.

Schließlich sei noch auf eine andere Neuerung hingewiesen, die allmählich gleichfalls eine – nun auch theologisch – überhöhte Stellung des Papstes andeutete: die Kanonisation, also das Recht des Papstes, Christen für heilig zu erklären. Während bis zum Ende des 10. Jahrhunderts der Kult eines Heiligen gewöhnlich aus einer lokalen Verehrung erwachsen war, hatte im Jahre 993 erstmals ein Papst, Johannes XV., auf deutsche Bitten hin den früheren Bischof Ulrich von Augsburg zur Ehre der Altäre erhoben und seinen Kult für die gesamte Kirche vorgeschrieben. Den gleichen Rang hatten anschließend Johannes XVIII. fünf polnischen Martyrern und Benedikt VIII. dem armenischen Einsiedler Symeon zugesprochen. Zwar verliefen diese Kanonisationen noch ziemlich formlos, und es gab auch weiterhin lokale, vom Papsttum nicht reglementierte Heiligenkulte. Doch dienten diese drei Vorgänge schon unter Leo IX., vor allem jedoch seit dem 12. Jahrhundert der allmählichen Ausbildung einer päpstlichen Prärogative in der Heiligsprechung, die schließlich seit der Gegenreformation die Heiligsprechung durch einen anderen Prälaten oder gar die wildwuchernde Heiligenverehrung ausschloß.

Aus der Darstellung dürfte deutlich geworden sein, daß die behandelte Epoche nur teilweise ein im Sinne des Kardinals Baronio 'dunkles Jahrhundert' gewesen ist. Für die Zukunft grundlegend waren nicht nur die Veränderungen in Rom selbst – sie betrafen die weltliche und kirchliche Organisation sowie die Antikenrezeption – oder in Mittel- und Süditalien, sondern auch der erstmals ausgiebige Einsatz von Exemtionsprivilegien und Legaten. Davon waren vorläufig vor allem die aus dem ehemaligen Karolingerreich hervorgegangenen Länder betroffen. Diese Beschränkung sollte auch noch weitgehend die folgende Epoche kennzeichnen. Zugleich machten das Verhalten der Päpste – gewöhnlich nur Reaktion auf auswärtige Initiativen – gegenüber Klöstern und die Entsendung von Legaten deutlich, wie stark gerade in wichtigen Ländern wie Frankreich und Katalonien die dortige politische und kirchliche Instabilität der Durchsetzung des päpstlichen Primates zugute kam. Hingegen war die deutsche Kirche unter der Leitung des Herrschers, der sich schon zur Zeit Heinrichs II., erst recht aber in der Person Heinrichs III. als priesterlicher König erwies, für damalige Verhältnisse sehr gefestigt und homogen organisiert. Daher mußte Deutschland zum Prüfstein des Papsttums werden, sobald sich dieses seit Leo IX. allmählich vom Einfluß der Laien, zu denen auch der König gerechnet wurde, zu befreien suchte.

VI. DAS PAPSTTUM WÄHREND DES SOGENANNTEN 'INVESTITURSTREITS' (1046–1123)

Die deutschen Herrscher Heinrich IV. (1056–1106) und Heinrich V. (1106–1125) befanden sich häufig in Konflikten mit den damaligen Päpsten; einer der Streitpunkte war die Frage, ob der deutsche König Äbte und Bischöfe seines Reiches durch Verleihung von Ring und Stab mit ihrem Amt investieren dürfe. Die einseitige Gewichtung dieses Streitpunktes hatte schon Autoren des 12. Jahrhunderts wie Gerhoh von Reichersberg, erst recht jedoch deutsche Historiker des vergangenen Jahrhunderts mit seiner Betonung nationaler Aspekte und der Ablehnung 'ultramontaner' Einflüsse bewogen, die für den Aufstieg des Papsttums zu universaler Geltung konstitutive Epoche pauschalisierend als Zeitalter des 'Investiturstreits' zu bezeichnen. Neuere Forschungen haben gezeigt, daß der Konflikt um das Recht zur Investitur nur einen Teilaspekt der Umwälzungen jener Zeit darstellte. Weil jedoch auch andere Bezeichnungen – wie z. B. 'Reformepoche' – ebensowenig alle Veränderungen angeben, der erstgenannte Begriff international akzeptiert ist und auch schon implizit andeutet, daß eine der wichtigsten Folgen der Epoche die Loslösung des Papsttums aus der Bevormundung von Herrschern war, wurde er auch für diese Darstellung gewählt.

Den Anstoß zu den folgenden Veränderungen hatte Heinrich III. 1046 mit den durch ihn initiierten Synoden von Sutri und Rom gegeben. Daher wurde sein Eingreifen von den Zeitgenossen – gerade auch von den Reformfreunden – einhellig begrüßt. Doch je mehr die Reform sich durchsetzte und die Konflikte mit seinen Nachfolgern sich mehrten, um so stärker kam er in den Ruf eines Simonisten. Daher wandelte sich das Urteil über seine Tat von der Bejahung zur Verdammung, bis er schließlich um 1200 als Ketzer angesehen werden konnte. Schon dieser Wandel des Urteils macht deutlich, wie subjektiv gefärbt die jene Umwälzungen beschreibenden Texte sein konnten, so daß ihre Wertungen mit Vorsicht betrachtet werden müssen.

Heinrich III. war ebenso wie die Synodalen von 1046 bestrebt, die römische Kirche zu reformieren. Weil jedoch die ersten zwei von ihm gemäß der ottonischen Tradition eingesetzten Päpste – Clemens II. (1046/47) und Damasus II. (1047/48) – nur wenige Monate oder gar Tage ihrer kurzen Pontifikate in Rom verbringen konnten, setzten die Aktivitäten zugunsten einer Reform erst mit Leo IX. (1049–1054) ein. Dies lag nicht nur an der Persönlichkeit des neuen Papstes und seiner längeren Amtsdauer, sondern auch an den Personen, die er beim Einzug in Rom mitbrachte oder die bald zu ihm stießen. Zu ihnen gehörten spätere Päpste wie Hildebrand (Gregor VII.) und Friedrich von Lothringen (Stephan IX.) ebenso wie Humbert von Moyenmoutier (später Bischof von Silva Candida) oder Hugo Candidus (= der Weiße). Desgleichen wurde der Papst von auswärtigen Reformern unterstützt, zu denen neben Abt Odilo von Cluny etwa der Eremit Petrus Damiani und Erzbischof Halinard von Lyon zählten. Zu betonen ist, daß sie alle von Bestrebungen der Klosterreform – weniger von Cluny, mehr etwa durch Wilhelm von Volpiano – geprägt waren. Und weil ihre Erziehungsstätten schon in der vergangenen Epoche in engen Verbindungen zum Papsttum gestanden hatten, ging ihr Bestreben jetzt dahin, von einem in ihren Augen reformierten und gestärkten Papsttum aus ihre Reformvorstellungen in der gesamten Kirche durchzusetzen. Demzufolge bedeutete die Reform der Kirche von Anfang an zugleich eine Stärkung der päpstlichen Position. Allerdings besagt dies nicht, daß alle späteren Reformversuche schon seit 1049 theoretisch im Detail vorbereitet waren, erst recht nicht, daß alle Päpste und ihre Mitarbeiter dieselben Reformziele und -inhalte hatten. Eine historisch genaue Analyse müßte zumindest fünf Perioden nacheinander untersuchen – die Zeit Leos IX. und Viktors II. (1049–57), die Periode von Stephan IX. bis zu Alexander II. (1057–73), den Pontifikat Gregors VII. (1073–85), den Pontifikat Urbans II. (1088–99) sowie schließlich die Zeit von Paschalis II. bis zum 1. Laterankonzil (1099–1123) – und dabei auch noch nach einzelnen Personen und

Gruppen differenzieren. Doch aus Platzgründen bleibt für diese Darstellung nur die Möglichkeit der systematischen Zusammenfassung. Beginnen wir mit den Versuchen zu einer Reform des Klerus.

Eines der ersten Reformziele war die Ausrottung des Nikolaitismus. Dieser Terminus bezeichnete unter Bezug auf den Namen einer frühchristlichen Sekte das Zusammenleben von Geistlichen und Frauen. Von nun an sollte der Zölibat (*caelebs* = ehelos) als verpflichtende Norm nicht nur für Mönche und Kanoniker, sondern auch für alle Inhaber höherer Weihegrade vom Subdiakon bis zum Bischof durchgesetzt werden. Die Bemühungen hierzu dienten einerseits dem Ziel, den Gottesdienst nur von würdigen Geistlichen feiern zu lassen – entsprechend altkirchlichen Idealen wurde die Ehelosigkeit als Rückkehr zur vermeintlich wahren Natur des Menschen der Ehe vorgezogen –; andererseits sollte durch den Zölibat verhindert werden, daß Klerikerkinder das Amt ihrer Väter erbten; denn in diesem Fall bestand die Gefahr, daß geistliche Ämter vornehmlich der wirtschaftlichen Versorgung dienten. Daher wurde die Gesetzgebung zugunsten des Zölibates schon bald durch Sanktionen gegen Klerikerkinder ergänzt. Beide Vorhaben basierten auf entsprechenden Versuchen der Spätantike. Doch bestanden jetzt bessere Chancen zur Durchsetzung zumindest als überall gültige Gesetzesnorm, weil im Gegensatz zum 4. und 5. Jahrhundert nun zeitlich parallel das Papsttum als höchster Gesetzgeber der westlichen Kirche anerkannt wurde; darauf wird noch einzugehen sein. Zugleich schlossen beide Vorhaben Maßnahmen gegen die Frauen der Geistlichen ein; dabei galten die Frauen – gleichgültig, ob sie ihren Partnern legal angetraut waren oder nicht – als Konkubinen; bis zum Ende des 11. Jahrhunderts bestanden die Maßnahmen gegen sie meist darin, daß sie der jeweiligen Ortskirche als unfreie Mägde dienen sollten. Schließlich ist noch ein wichtiger Punkt zu betonen: Der Zölibatsbruch wurde nur dann bestraft, wenn er 'notorisch', d. h. öffentlich bekanntgeworden war. Damit wurde der heimliche Verstoß, also der Hang zur Heuchelei, zwangsläufig gefördert.

Wie das Verbot des Nikolaitismus, so wurde seit Leo IX. das der Simonie auf römischen Synoden dekretiert. Bezugnehmend auf die Erzählung von Simon Magus in der Apostelgeschichte galt schon seit der Spätantike der Erwerb geistlicher Vollmachten mit materiellen Mitteln als 'Simonie'. Gregor der Große hatte den Begriff weiter differenziert, indem er zwischen *simonia a manu* (Kauf), *simonia a lingua* (Erwerb durch Versprechungen) und *simonia ab obsequio* (Verpflichtungen infolge einer Weihe) unterschied. Diese weitgefaßte Definition wurde von den Reformern übernommen. Dennoch gab es unter ihnen Differenzen, wie die immer stärker radikalisierten Stellungnahmen des Kardinals Humbert von Silva Candida ('Adversus simoniacos libri tres') und relativ gemäßigte Traktate des Petrus Damiani beweisen. So war umstritten, ob Simonisten reordiniert, also neu geweiht werden müßten – ein theologisch diffiziles Problem, das erst durch die scholastische Theologie des 13. Jahrhunderts gelöst wurde –, und wer jeweils als Simonist zu gelten habe. Schon die Teilnehmer von Leos IX. erster römischer Synode hatten erschrocken argumentiert, daß bei allzu weiter Fassung des Begriffs sie allesamt Simonisten seien, die römische Diözese also bei Durchsetzung des Verbotes sämtliche Geistliche verlöre. Im Gegensatz zu früher geäußerten Thesen blieb der Einfluß Humberts am päpstlichen Hof relativ gering; die Päpste teilten gewöhnlich die pragmatische Auffassung Damianis. Und die päpstliche Praxis bei Bistumsbesetzungen vor allem seit Urban II. bewirkte allmählich, daß das Papsttum radikaleren Reformern nun als oberster Simonist galt und diese demzufolge schon im 12. Jahrhundert, wie das Schicksal etwa Arnalds von Brescia zeigt, verketzert und bekämpft wurden. Doch vorerst war das Papsttum der oberste Gegner der Simonie.

Sollte die Simonie wirksam bekämpft werden, so mußte zugleich geregelt sein, wie vor allem Bischöfe und Äbte kirchenrechtlich einwandfrei ihr Amt zu erhalten hätten. Daher setzten sich römische Synoden – gleichfalls unter Rekurs auf altkirchliche Vorstellungen – für die freie Wahl ein, die beim Bischof durch 'Klerus und Volk', beim Abt durch den Mönchskonvent zu erfolgen habe. Analoge Bestimmungen galten 1059 der Papstwahl, die noch zu behandeln sind. Und um strittige Wahlen schlichten zu können, setzten schon Versuche ein, nur die Wahl anzuerkennen, die von der *maior et sanior pars,* dem größeren und 'gesünderen' Teil der Wähler, vollzogen worden sei. Doch waren alle diese Bestimmungen so vage, daß gerade die Einsetzung oder Anerkennung von Prälaten ein Konfliktstoff zwischen geistlichen und laikalen Institutionen blieb und dem Papsttum je länger desto häufiger eine Handhabe bot, in die Verhältnisse der Ortskirchen bestimmend und regulierend einzugreifen.

Mit der Bekämpfung der Simonie und der Durchsetzung der freien Wahl hing auch das Verbot der Investitur zusammen. Schon Humbert hatte im dritten Buch seines Werkes gegen die Simonisten (verfaßt ca. 1059/61) die Investitur von Prälaten durch Laien verdammt, aber keine Resonanz gefunden; auch Gregor VII. hatte sich anfangs noch nicht gegen das Investiturrecht gewandt. Doch änderten er und seine Gefolgsleute ihre Einstellung auf einer römischen Synode des Jahres 1078. Dieser war ein Beschluß gegen die Investitur auf einer bretonischen Synode vorausgegangen, die jedoch das römische Dekret wohl nicht bestimmt hat. Allerdings zeigen die gleichzeitigen Maßnahmen, daß innerhalb der Kirche die Zeit dafür reif geworden war. Der kurz darauf, im Jahr 1080, einsetzende endgültige Bruch zwischen dem Reformpapsttum und Heinrich IV., der aus anderen Gründen erfolgte, verhinderte vorerst eine Betonung des Investiturverbots, weil der wichtigste Ansprechpartner fehlte. Erst unter Urban II. verstärkten sich die Maßnahmen gegen die Investitur von Prälaten durch Herrscher; dies richtete sich anfangs vornehmlich gegen die Könige von Frankreich und England. Gleichzeitig setzten jedoch Überlegungen ein, wie dieser Konflikt rechtlich zu lösen sei: Während Gregor VII. und Urban II. die Einsetzung von Prälaten in alle ihre Funktionen allein den kirchlichen Oberen vorbehalten wollten, entwickelten andere Autoren – unter ihnen vor allem der gewöhnlich seinem König ergebene Bischof Ivo von Chartres – Kriterien, die zwischen Spiritualien (rein geistliche Funktionen) und Temporalien (rein weltliche Funktionen und Güter) unterschieden. Daraufhin konnte der Streit zuerst um 1106/07 in Frankreich und England beigelegt werden: Den Herrschern wurde die Verleihung der Temporalien an die Prälaten zugesichert; außerdem wurde jedoch als Kompromiß – der als vorläufig galt – bestimmt, daß die Wahl im Beisein des Herrschers oder seines Vertreters stattzufinden habe. Einen entsprechenden Kompromiß schloß Kalixt II. 1122 nach langen Auseinandersetzungen mit Heinrich V.

auch mit dem Kaiser. Dieser Kompromiß, das sogenannte 'Wormser Konkordat', differenzierte zwischen den einzelnen Machtbereichen des Kaisers. In Deutschland, das jetzt erstmals – also von außen – als eigenständiger Herrschaftsbereich definiert war, sollte die Investitur mit den Temporalien mittels Verleihung eines Zepters zwischen Wahl und Weihe erfolgen, was dem Herrscher den Fortbestand seines Einflusses sicherte, in Reichsitalien und Burgund binnen sechs Monaten nach der Weihe. Dadurch waren dort die Möglichkeiten des Herrschers stark eingeschränkt, denn er kam erst zum Zuge, nachdem alle konstitutiven kirchlichen Akte schon vollzogen waren. Das war einer der Gründe, weshalb sich vor allem Burgund dem Herrscher immer mehr entzog.

Alle bisher skizzierten Reformvorhaben konnten nur gelingen, wenn die Position des Papsttums gleichzeitig gestärkt wurde. Schon die ersten Parteischriften der für den Papst sich einsetzenden Reformfreunde – etwa Humberts und Damianis – hatten dessen Suprematie innerhalb der Christenheit betont; ähnliche Stellungnahmen enthielten natürlich päpstliche Dekrete selbst und die Beschlüsse römischer Synoden. Programmatisch hat schließlich um 1075 Gregor VII. in Leitsätzen, dem 'Dictatus pape', die er in sein Register eintragen ließ, kundgetan, welche Rechte der Papst als Nachfolger Petri und somit als Vikar Christi für sich beanspruchte: Innerhalb der Kirche besitze er die oberste Aufsicht und Kontrolle; daher dürfe nur er neue Gesetze erlassen, könne er Prälaten ein- und absetzen und gelte er infolge seines Amtes schon auf Erden als heilig; nur wer die Lehre der römischen Kirche befolge, sei als katholisch anzusehen. Zum Teil auf der 'Konstantinischen Schenkung' fußend, aber wohl auch nach dem Vorbild Nikolaus' I. forderte Gregor außerdem, daß nur der Papst kaiserliche Insignien tragen dürfe und weltliche Herrscher ein- und vor allem absetzen könne. Diese Einschätzung der Welt basierte auf einer neuen Interpretation älterer Texte und wurde seit Urban II. noch deutlicher betont. Demnach wurde auf päpstlicher Seite die Zweigewaltenlehre Gelasius' I. jetzt gewöhnlich zugunsten einer eindeutigen Überordnung der geistlichen Gewalt über die weltliche ausgelegt; ebenso wurde die ursprüngliche Bedeutung von Leos I. Aussage über seine *plenitudo potestatis* immer mehr aufgegeben und statt ihrer die Interpretation gemäß dem Briefe Gregors IV. und der Pseudo-Isidorischen Dekretalen herausgestellt. Damit war von päpstlicher Seite aus die Stellung des Papsttums innerhalb der Kirche und sein Verhältnis zu den weltlichen Herrschern auf neue Art eindeutig definiert.

Um die Wirklichkeit dem eigenen Selbstverständnis anzupassen, mußte zuerst einmal geregelt werden, wie der Papst sein Amt erhalten solle. Dem diente das Papstwahldekret einer römischen Synode von 1059. Dieser waren Turbulenzen nach dem Tode Stephans IX. vorausgegangen, in deren Verlauf Teile des römischen Klerus und Adels den Bischof Johannes von Velletri zum neuen Papst gewählt hatten; dieser gehörte zwar zur Reformpartei, stand jedoch – wie sein Bistum in den Albaner Bergen andeutet – den Tuskulanern nahe und nannte sich nach deren letztem Papst Benedikt X. Kurz darauf hatte die Mehrheit der Reformpartei unter dem Schutz des Markgrafen Gottfried von Tuszien dessen Schützling Bischof Gerhard von Florenz (Nikolaus II.) zum neuen Papst gewählt und geweiht. Bei ihren Handlungen hatten zwar die Mehrzahl der Kardinalbischöfe, aber nur wenige Mitglieder des römischen Klerus und Volkes mitgewirkt. Zur eigenen Absicherung galt es nun, diese Vorgänge, die der Tradition widersprachen, nachträglich zu legalisieren. Daher wurde dekretiert, daß die Wahl außerhalb Roms stattfinden könne und vor allem von den Kardinalbischöfen zu vollziehen sei; diese hätten außerdem – weil der Papst nur Gott über sich habe – als Quasi-Metropoliten die Wahl zu kontrollieren und den Gewählten anschließend zu weihen; ihrem Votum hätten sich die übrigen Kleriker und die Römer, soweit anwesend, anzuschließen. Mit diesem Dekret, das vor allem in einer 1060 veränderten Fassung weiterwirkte, war der erste Schritt hin zum exklusiven Wahlrecht der Kardinäle getan; der nächste erfolgte aufgrund der besonderen Bedingungen des Schismas, das seit 1080 infolge der Wahl eines kaiserlichen Papstes – Clemens' III. (Wibert von Ravenna) – existierte. Weil dieser auch noch zur Zeit Urbans II. sich in Rom behauptete und sich dort vor allem auch auf die Kardinalpriester stützte, die in veränderten Fassungen des Papstwahldekretes als wichtigste Papstwähler galten, mußte Urban dieser Gruppe entgegenkommen und ihre Ansprüche weitgehend anerkennen, um seinen Einfluß in Rom zu stärken. Seit der gleichen Zeit oder wenig später – die genaueren Umstände sind unbekannt – wurden auch die sieben Palast- und zwölf Regionaldiakone zu den Kardinälen gerechnet, jedoch wurde ihre Gesamtzahl dabei auf achtzehn vermindert. Daher bestanden spätestens seit Kalixt II. die drei Gruppen der Kardinäle aus sechs – statt ursprünglich sieben – Bischöfen, deren Orte jetzt fixiert waren, 28 Priestern und 18 Diakonen. Allerdings war die Zahl von 52 Mitgliedern nur noch die Norm, weil schon seit Kalixt nicht mehr alle Stellen besetzt wurden. Die Verfestigung dieser Gruppen zu einem Kolleg erfolgte jedoch erst im Laufe des 12. Jahrhunderts.

Die Hervorhebung der ersten beiden Gruppen der Kardinäle war ursprünglich wegen ihrer liturgischen Dienste in den fünf bischöflichen Basiliken (Lateran, St. Peter, St. Paul, S. Maria Maggiore, S. Lorenzo fuori le mura) erfolgt. Infolge ihrer Machtsteigerung seit Leo IX. bzw. Nikolaus II. hatten sie jedoch weitere Funktionen erhalten. Die Zugehörigkeit der Diakone basierte auf ihren traditionellen Diensten am päpstlichen Hof. Allmählich ersetzten die Kardinäle auch – schon wegen der häufig instabilen Situation in Rom – die früher in der Fastenzeit tagende römische Synode von Papst, Bischöfen, Äbten und römischem Klerus und bildeten das wichtigste Gremium der Berater und Mitarbeiter des Papstes. Ihre dem Papst fast gleichrangige Position hatte schon unter Leo IX. ein früher Humbert zugeschriebener Traktat 'De Romano pontifice' betont. Basierte dies auf der Stellung, die einige Kardinäle schon in der vorangegangenen Epoche errungen hatten, so zeigte sich solcherart Kontinuität auch darin, daß vornehmlich die Kardinäle besonders seit Gregor VII., wie vordem schon seit dem 9. Jahrhundert, als wichtigste Legaten des Papstes andere Regionen visitierten und dort Synoden leiteten.

Eine weitere Stärkung ihrer Position erlangten die Kardinäle durch die Entstehung der römischen Kurie. Zwar sind wir über die päpstliche Verwaltung und ihre Finanzen während dieser Epoche nur unzureichend unterrichtet, doch wird zumindest deutlich, daß sich ein Wandel vollzog, der allerdings in Ansätzen schon seit dem späten 10. Jahrhundert vorbereitet war. Die niederen Schreiberfunktionen wurden wohl weiterhin von den traditionellen Skriniaren – sofern sich der Papst in Rom aufhielt – wahrgenommen; unter Leo IX. lassen sich dieselben Personen wie unter Benedikt IX. und Gregor VI. feststellen. Doch die Leitung hatte jetzt eindeutig der Kanzler statt des Bibliothekars inne; schon Friedrich von Lothringen war wichtig in dieser Position, erst recht – unter Urban II. – Johannes von Gaeta (späterer Papst Gelasius II.), der Schriftbild (Minuskel statt Kuriale) und Stil der päpstlichen Schreiben maßgeblich formte. Seit ihm wurde es auch üblich, daß der Kanzler Kardinal war. Ersetzte der Kanzler den Bibliothekar, so wurde der Archidiakon als Leiter der sonstigen Verwaltung seit Urban II. allmählich von einem neuen, aus Cluny übernommenen Amtsträger abgelöst, dem Kämmerer. Dieser war anfangs vor allem für die Finanzen zuständig, vielleicht auch schon für Archiv und Bibliothek, er machte also zugleich die früheren Funktionen des Vestarars und Arkars überflüssig. Wie das Amt des Kämmerers dem an weltlichen Höfen existierenden entsprach, so gab es jetzt am päpstlichen Hof analog auch einen Mundschenk, Seneschall und Marschall. Die beiden letztgenannten verschmolzen bald miteinander und ersetzten den traditionellen Sakellar. Ebenso gab es spätestens seit Paschalis II. päpstliche Kapläne. Und weil alle diese neuentstandenen Funktionen den an den westlichen Herrscherhöfen üblichen entsprachen, wurde der Oberbegriff bald von diesen entlehnt, so daß seit Beginn des 12. Jahrhunderts der päpstliche Hof 'curia' hieß. Seitdem ist der Ausdruck 'Kurie' dem päpstlichen Ämterapparat erhalten geblieben. Stadtrömische Urkunden nennen auch noch die sieben *iudices de clero*. Auf den Lateranpalast fixiert (*primicerius palatii* u. ä.), fungierten diese nun jedoch lediglich als Richter. Und es ist unsicher, ob sie noch vom Papst eingesetzt wurden und auf dessen Regierung Einfluß nehmen konnten.

Die konkurrierende Angleichung des päpstlichen Hofes an weltliche Zentren zeigte sich auch im Zeremoniell. Um den gewählten Papst einzusetzen, war es von nun an nötig, ihn nicht nur vom Lateran Besitz ergreifen zu lassen, in St. Peter oder einer anderen Peterskirche zu inthronisieren und dort zu weihen und ihm Pallium und Ferula zu überreichen, sondern er mußte nach der Wahl immantiert werden. Der dabei verwandte Mantel bestand aus Purpurstoff und signalisierte damit die Angleichung an das Kaisertum, dem diese Farbe bisher vorbehalten war. Dem entsprach es, wenn seit Paschalis II. betont wurde, daß der neue Papst im Lateran auf Sitzen Platz nahm, die zumindest fiktiv aus – gleichfalls dem Kaiser vorbehaltenem – Porphyr bestanden. Analog dazu wurden in die seit Anfang des 12. Jahrhunderts in römischen Kirchen errichteten Bischofsthrone und in dort neu geschaffene Fußböden Porphyrscheiben eingelegt. Damit wurde die seit der 'Konstantinischen Schenkung' und seit Leo III. betonte und von Gregor VII. erneut hervorgehobene Konkurrenz mit dem Kaisertum oder gar dessen Ersatz durch das Papsttum augenfällig sichtbar.

Wie schon angedeutet, sollte die Reform die gesamte westliche Kirche einbeziehen, die jetzt immer stärker als einheitlich strukturierte, vom Papst geleitete Universalkirche begriffen wurde. Um dieses Ziel zu erreichen, wurden auch außerhalb Roms wieder häufiger Synoden abgehalten, die – abgesehen von England, wo der königliche Einfluß beherrschend blieb – von Päpsten selbst (Leo IX., Urban II.) oder von päpstlichen Legaten geleitet wurden, so daß die Übernahme päpstlicher Direktiven ermöglicht war. Dem gleichen Ziel dienten Visitationsreisen päpstlicher Legaten in den ihnen zugewiesenen Gebieten. Und wie sehr die Stellung des Papsttums erstarkt war, zeigte sich daran, daß vor allem in Frankreich Legaten einzelne Äbte oder Bischöfe – teilweise ohne päpstlichen Auftrag – absetzten oder ernannten und durch Teilung oder Zusammenlegung von Bistümern in die kirchlichen Strukturen regulierend eingriffen. Und noch häufiger als in den beiden vorausgegangenen Epochen belohnten Päpste ihre Anhänger mit Vorrechten – vornehmlich Exemtionen – und veränderten damit zugleich die Kirchenstruktur weiterhin zu ihren Gunsten.

Als Basis für derartige Handlungen dienten die Sammlungen des Kirchenrechts. Allerdings machen gerade die zahlreichen neuen Sammlungen deutlich, daß das Kirchenrecht noch nicht einheitlich normiert war. Die Grundlage bildete gewöhnlich Pseudo-Isidor. Doch was darüber hinaus aufgenommen wurde, hing davon ab, welche Ziele der jeweilige Sammler verfolgte und welche Vorlagen er besaß. So nahmen etwa am päpstlichen Hof wirkende Sammler

(Deusdedit, Anselm von Lucca, Gregor von S. Grisogono) römische Texte ('Liber diurnus' u. a.) auf, die in französischen Sammlungen fehlen. Doch fast allen Sammlungen war gemeinsam, daß in ihnen Bestimmungen zeitgenössischer Päpste enthalten waren, im Unterschied zu den traditionellen Kompilationen. Dabei fällt auf, daß Gregor VII. im Gegensatz zu seiner politischen Wirkung relativ wenig repräsentiert war; vor allem seine intransigenten Verlautbarungen fehlen in späteren Sammlungen, so auch der 'Dictatus pape'. Die päpstlichen Texte lassen sich in zwei Gruppen gliedern: einmal in Entscheidungen päpstlicher Synoden, zum anderen in Verlautbarungen einzelner Päpste zu konkreten Fällen. Dabei ist hervorzuheben, daß zur zweiten Gruppe nicht nur Gebote und Verbote gehörten, sondern gerade auch – etwa hinsichtlich der Folgen des Zölibates und seiner Nichteinhaltung – Dispense, also Bestimmungen, die Abweichungen von der Norm regelten. Wie die Rechtssammlungen des schon genannten Ivo von Chartres zeigen, konnten die Dispense sogar die normativen Texte an Zahl übertreffen. Damit wird deutlich, daß zumindest einige Sammler – und Ivo war einer der einflußreichsten – Dispense nicht sosehr als zeitlich befristete Notstandsregelungen ansahen, sondern als auch für die weitere Praxis wichtige Milderung einer als zu streng angesehenen Norm. Und auch in Zukunft sollte die Dispensgesetzgebung und -praxis für Papsttum und Kirche von Bedeutung bleiben. Damit war der Papst nicht nur der oberste Gesetzgeber der Kirche, sondern auch derjenige, der darüber zu befinden hatte, wann und inwieweit Abweichungen von der Norm zulässig seien.

Gesetze und Dispense wie auch die Tätigkeit von Synoden und Legaten konnten jedoch nur dann Erfolg haben, wenn sie von den Betroffenen akzeptiert wurden. Daher sei nun nach den Anhängern der vom Papsttum geleiteten Reform gefragt.

Wie sich schon an den Mitarbeitern Leos IX. zeigte, fand das Papsttum den stärksten Rückhalt bei den verschiedenen Reformgruppen im Mönchtum. Während jedoch in älteren Forschungen der Einfluß und die Bedeutung Clunys allzu einseitig hervorgehoben worden war – weshalb die ganze Reformbewegung geradezu als 'cluniazensisch' charakterisiert werden konnte –, ist in den letzten

Jahrzehnten deutlich geworden, daß andere monastische Gruppen einen mindestens ebenso großen Anteil hatten. Zu ihnen zählten besonders in Italien Eremitengruppen, deren bedeutendster Protagonist Petrus Damiani war. Es wäre jedoch falsch, sich diese Eremiten als völlig weltabgewandte Einsiedler vorzustellen. Vielmehr sammelten sie Anhänger, die sie beeinflußten, und korrespondierten mit anderen Gesinnungsfreunden. Demzufolge entstanden aus derartigen Bewegungen auch neue Klostergemeinschaften, die – wie z. B. Camaldoli – Eremitentum und benediktinisches Mönchtum kombinierten. Stärker wurde das Eremitenideal bei den von Bruno von Köln gegründeten Kartäusern beachtet; doch mangelte es ihnen daher an einer größeren Breitenwirkung.

Wichtiger noch als die Eremiten waren für das Papsttum in Italien, Frankreich und Deutschland Mönchsgruppen, die sich von schon bestehenden Reformbewegungen abspalteten oder neu entstanden. Die Zeit war erfüllt von ständigen Neugründungen solcher Gemeinschaften. Je nach Entstehungszeit war ihre Bedeutung in dieser Epoche unterschiedlich groß. So spielten die Zisterzienser erst seit ca. 1130 eine bedeutende Rolle. Dagegen waren vor ihnen entstandene Gemeinschaften wie ewa St. Viktor bei Marseille, La Chaise Dieu, Vallombrosa oder Hirsau schon für energische Päpste wie Gregor VII. oder Urban II. wichtige Helfer. Einige von ihnen – wie die Hirsauer oder Vallombrosa unter Johannes Gualberti – sind sogar Beispiele einer frühen, den Gegner diffamierenden Agitation.

Schließlich seien noch die Gemeinschaften von Regularkanonikern genannt, d. h. von Klerikern, die unter Berufung auf den heiligen Augustinus gemeinsam lebten. Zuerst seit der Jahrhundertmitte vor allem in Italien feststellbar – z. B. San Frediano in Lucca, das auch den Klerus an der Lateranbasilika in Rom reformierte –, entstanden seit dem Pontifikat Gregors VII. derartige Gemeinschaften auch in Deutschland, Frankreich und auf der Iberischen Halbinsel. Ihnen allen war das Ideal der *vita apostolica* gemeinsam. Das besagte, daß sie nach dem Vorbild Jesu und der Apostel arm leben und den Glauben der christlichen Laien vertiefen wollten. Daher konnten gerade auch sie stark in der Bevölkerung wirken. Von den Päpsten wurden sie vor allem seit Alexander II. gefördert.

Alle Gruppen – seien es Eremiten, Mönche oder Regularkanoniker – setzten sich aufgrund ihrer eigenen Ideale für die Bekämpfung von Nikolaitismus und Simonie ein. Verband sie schon dieser gemeinsame Kampf mit dem Papsttum, so noch mehr die Exemtions- und anderen Privilegien, die sie sich von diesem erbaten. Demzufolge waren sie noch stärker als ihre Vorläufer in der vorangegangenen Epoche Wegbereiter der universalen Stellung des Papsttums.

Hingegen war der Rückhalt des Papsttums beim Episkopat gewöhnlich geringer. Allerdings deuten Bestrebungen verschiedener Erzbistümer, ältere Traditionen auszuweiten, an, daß der generelle Vorrang des Papsttums – trotz aller aktuellen Divergenzen – unbestritten war: Seit der Mitte des 11. Jahrhunderts wetteiferten die drei rheinischen Erzbistümer (Mainz, Köln, Trier) miteinander, welches von ihnen die 'speziellere' Tochter Roms sei. In Frankreich, doch auch andernorts, versuchten einzelne Erzbischöfe (etwa von Lyon und Toledo), für ein größeres Gebiet Primas zu werden und dadurch eine Position zwischen dem Papst und den anderen Erzbischöfen des betreffenden Bereiches zu erlangen. Und zumindest für die Päpste stand es fest, daß alle Prälaten – vom Bischof bis zum Patriarchen – nur ihre 'Mitarbeiter' (*opifices*) seien, wie es später Innozenz II. gegenüber dem Patriarchen Petrus von Aquileja ausdrückte. Daher war es für sie schon seit Gregor VII. klar, daß alle Rechtsverleihungen wieder aufgehoben werden könnten, wenn es tunlich erscheine. Dem entsprach der seit der Reformepoche häufig in Privilegien eingerückte Vorbehalt: *salva auctoritate sedis apostolice* („unbeschadet der Vorrechte des Apostolischen Stuhles"); ihn begründete z. B. Urban II. damit, daß der römischen Kirche als „der Fürstin aller Kirchen" (*ecclesiarum omnium princeps*) „von allen wie einer Mutter die höchste Ehrerbietung gezieme" (*cui ut matri debet ab omnibus reverentia exhiberi*).

Erstaunlich und nicht völlig zu erklären ist, daß die vom Papsttum propagierte Reform auch bei verschiedenen Gruppen von Laien ein positives Echo fand. Häufiger noch als zuvor gründeten Mitglieder des hohen und mittleren Adels Hausklöster, die sie meist mit Angehörigen der neuen Bewegungen besetzten, oder sie begabten neue

Reformstiftungen mit Gütern und Rechten. Ebenso profitierten die Regularkanoniker vom Adel. Mochten die Motive der adligen Gründer und Schenker vielfältig sein, auf jeden Fall wurden durch sie die Bestrebungen der Päpste gefördert. Auch bei Bevölkerungsgruppen in Städten – vornehmlich in Italien – fand die Kirchenreform Anklang. Am berühmtesten ist die 'Pataria' in Mailand, deren Name sich wohl von der Bezeichnung des städtischen Trödelmarktes ableitete. Unter Führung von städtischen Adligen und Klerikern bekämpfte sie Simonie und Zölibatsbruch bei Pfarrgeistlichen und die von Heinrich IV. eingesetzten Erzbischöfe. Ähnliche Phänomene lassen sich in anderen Städten Nord- und Mittelitaliens erkennen. Gefördert wurden derartige Kämpfe noch dadurch, daß die Päpste – vor allem Gregor VII. – die Laien aufriefen, die Gottesdienste von simonistischen oder nicht zölibatär lebenden Geistlichen zu boykottieren. Doch konnte dies auch für das Papsttum gefährlich werden, weil die Beurteilung der Kleriker hiermit dem Urteil der Laien anheimgestellt wurde. Daher rückten die Päpste seit dem frühen 12. Jahrhundert von der Unterstützung derartiger Laienbewegungen wieder ab. Die Folge war, daß diese seitdem immer häufiger als ketzerisch disqualifiziert wurden, denn sie bedrohten nun die im Papst gipfelnde und verfestigte Hierarchie.

In den Zusammenhang der religiös motivierten Laienbewegungen gehören auch die Kreuzzüge. Schon Alexander II. hatte 1064 den gegen das noch muslimische Barbastro in Aragón kämpfenden Adligen seinen Schutz versprochen; Gregor VII. wollte eine *militia sancti Petri* gründen, also eine Schar, die sich für seine Ziele mit Waffengewalt einsetzte. Zum Erfolg führte dies 1095 in Clermont, als Urban II. zur Wiedergewinnung des Heiligen Landes aufrief. Vor allem aus den französischen Gebieten stammende Adlige bildeten das erste Kreuzzugsheer, das 1096 aufbrach und drei Jahre später mit viel Blutvergießen Jerusalem eroberte. Und wie die von Peter von Amiens und anderen Predigern in Nordfrankreich und am Rhein entfesselte Massenbewegung anzeigte, fiel der Kreuzzugsaufruf auch bei nichtadligen Schichten auf fruchtbaren Boden. Wegen der Judenpogrome und der Massaker in Palästina wird der Kreuzzug heutzutage skeptischer beurteilt als früher. Und weil dem Papst die

Kontrolle alsbald entglitt und im frühen 12. Jahrhundert in Jerusalem versucht wurde, ein eigenständiges Patriarchat aufzubauen, entsprachen die Ergebnisse nicht den Erwartungen des Initiators. Obwohl selten betont: Der 1. Kreuzzug hatte dennoch Folgen für das Verhältnis des Papsttums zu den Ostkirchen. Weil fortan Antiochien und Jerusalem zum Königreich Jerusalem gehörten, wirkten dort westliche Geistliche als Patriarchen. Und diese wurden wie die lateinischen Erzbischöfe in Europa vom Papst in ihr Amt gewiesen. Daher untermauerten jetzt reale Zustände die schon ältere Rechtsfiktion, daß auch die Kirchen des Ostens dem Papst unterstünden.

Am Kreuzzug hatte kein einziger König teilgenommen. Die Herrscher von Frankreich und Deutschland waren damals im Kirchenbann, andere hatten kein Interesse oder wichtigere Ziele vor Augen. Schon daran ist zu erkennen, daß sich auch in dieser Epoche das Papsttum nicht immer und überall durchsetzen konnte.

Wie die Aktionen von 1046 erwarten ließen, entsprach das Verhältnis zwischen Papsttum und Heinrich III. dem zur Zeit Ottos I. und vor allem Ottos III. Kaiser und Päpste setzten sich gemeinsam für die Kirchenreform ein; und vor allem die Pontifikate Leos IX. und Viktors II. zeigten, daß die Päpste auch im Reich die Belange des Herrschers vertraten. Auswärts wurde diese Interessengleichheit bald erkannt, weshalb Heinrich I. von Frankreich seinen Prälaten verbot, an einer von Leo IX. in Reims gehaltenen Synode teilzunehmen. Schon während der Regentschaft der Kaiserin Agnes nach dem Tode Heinrichs III. verschlechterten sich jedoch die Beziehungen. Die Gründe hierfür waren vielfältig. Zu ihnen gehörte, daß seit Stephan IX., dem Bruder des Markgrafen Gottfried von Tuszien – unter Heinrich III. lange Zeit als Reichsfeind befehdet –, Schützlinge Gottfrieds (neben Stephan Nikolaus II. und Alexander II.) zu Päpsten gewählt wurden, ohne daß zuvor die Zustimmung des deutschen Herrscherhofes eingeholt worden war; ein anderer Grund war die seit Nikolaus II. veränderte Normannenpolitik der Päpste. Heinrich IV. war seit seiner Großjährigkeit (ca. 1064) ebenso wie Alexander II. und anfangs auch Gregor VII. bestrebt, die Politik seines Vaters fortzuführen. Doch führten innerdeutsche

Querelen sowie ein Streit um die Besetzung des Mailänder Erzbistums dazu, daß erst seine Berater, dann 1076 er selbst von Gregor gebannt und ihm vom Papst die Absetzung angedroht wurde. Zwar wurde er 1077 in Canossa vom Bann gelöst, doch die Wahl von Gegenkönigen in Deutschland mit Hilfe von päpstlichen Legaten und der seit 1078 anbrechende Streit um die Investitur führten dazu, daß Gregor VII. im Jahre 1080 im Namen Petri den Herrscher erneut bannte, nun auch absetzte und dessen baldigen Tod ankündigte. Im Gegenzuge besetzte Heinrich Rom, ließ in der Person seines Kanzlers für Italien, Wibert von Ravenna (Clemens III.), einen neuen Papst wählen und sich von diesem zum Kaiser krönen. Der in Rom isolierte Gregor wurde 1084 von den Normannen befreit, die dabei große Teile des antiken Siedlungsgebietes zerstörten (zwischen Colosseum und Lateran sowie Via Lata), und starb ein Jahr später in Salerno, von vielen Römern verflucht, doch in den Augen seiner Anhänger als Martyrer.

Urban II. konnte Rom erst in der Spätzeit seines Pontifikates teilweise zurückgewinnen, der Kaiser blieb im Bann bis zu seinem Tode. Das erleichterte Aufstände seiner Söhne Konrad und Heinrich. Dieser versuchte als neuer Herrscher (seit 1106), sich mit Paschalis II. zu einigen, und wurde von diesem 1111 zum Kaiser gekrönt. Zuvor hatte Heinrich nach turbulenten Verhandlungen dem Papst das 'Pravileg' vom Ponte Mammolo abgepreßt (Zugeständnis der Investitur mit Stab und Ring), das von den Reformanhängern abgelehnt und 1112 von Paschalis selbst indirekt widerrufen wurde. Schließlich führten neue Verhandlungen unter Kalixt II. mit dem 'Wormser Konkordat' 1122 auch im deutschen Reich zur Beilegung des Konfliktes. Daraufhin konnte derselbe Papst 1123 auf dem seit dem 16. Jahrhundert so genannten '1. Laterankonzil' den endlich errungenen Frieden feiern. Damit endete zugleich auch die hier behandelte Epoche.

Die seit 1076 bestehenden Konflikte bedeuteten nicht, daß die Kirchenreform in Deutschland stagnierte. Vielmehr setzten sich auch Heinrich IV. und die auf seiner Seite stehenden Bischöfe und Äbte für die Reform im Sinne Heinrichs III. ein. Doch versuchten sie verständlicherweise, den Einfluß der gegnerischen Päpste möglichst gering zu halten. Dafür benutzten sie alle zur Verfügung stehenden Mittel; so unterstützte etwa Heinrich IV. die Bürgerschaft von Worms und Köln, denn deren Bischöfe standen auf der Seite Gregors VII. Umgekehrt gebärdeten sich die Gegner des Herrschers als Freunde des Papstes und schmähten ihre Kontrahenten als Reformfeinde, wie das Schicksal des dem Herrscher ergebenen Bischofs Hermann von Bamberg zeigte. Die Folge war, daß zwar kaum jemand die Kirchenreform negierte, doch das Ansehen der Reformpäpste von der jeweiligen innenpolitischen Situation abhing.

In Frankreich muß – wie schon in der vorigen Epoche – zwischen der Krondomäne sowie den anderen vom König mehr oder weniger stark regierten Gebieten einerseits und dem weitgehend königsfernen Mittel- und Südfrankreich sowie Burgund auf der anderen Seite unterschieden werden. Für das Papsttum selbst waren die zuletzt genannten Regionen die wichtigeren. Wie schon ihre Vorgänger förderten die Reformpäpste die etablierten oder neu entstehenden Gemeinschaften von Mönchen oder Regularkanonikern. Reisende Päpste wie Urban II. fanden dort ihren Rückhalt, weihten dafür Kirchen oder Altäre und teilten Privilegien aus. Hier vor allem wirkten auch die päpstlichen Legaten. Daher wurden diese Gebiete neben Italien für das Papsttum äußerst lebenswichtig; die Basis für die später engen Beziehungen zwischen Papsttum und Frankreich war damit geschaffen. Hingegen waren die Kontakte zum Königtum weniger eng. Hatte schon Heinrich I. Leo IX. ablehnend gegenübergestanden, so kühlte sich das Verhältnis Ende des Jahrhunderts noch mehr ab, denn Philipp I. war wegen einer Eheaffäre gebannt und erkannte das Investiturverbot nicht an. Erst unter dem neuen König Ludwig VI. (seit 1108), nachdem der Konflikt um das Investiturrecht schon 1106 beigelegt war, konnte das Papsttum sein Ansehen auch im königlichen Frankreich stärker durchsetzen.

Noch mehr dem Papsttum entfremdet war England. Zwar wurde in den Jahren nach der Schlacht von Hastings (1066) behauptet, Wilhelm der Eroberer hätte im Schutze des heiligen Petrus und mit päpstlichem Segen England erobert, doch ist es fraglich, ob dies mehr als eine historiographische Fiktion war. Fest steht jedenfalls, daß die Reform der englischen Kirche, verbunden mit einer Ersetzung angelsächsischer Bischöfe durch Normannen, unter Leitung der Könige erfolgte. Daher diente die Reform vornehmlich der Stabilisierung der neuen Herrschaft, wenngleich die Leitung der Universalkirche durch das Papsttum nicht bestritten wurde. Reisen englischer Prälaten an die päpstliche Kurie und die Tätigkeit päpstlicher Legaten in England waren nur möglich, wenn es der König erlaubte. Daher kam es unter Urban II. nicht nur wegen des Investiturrechts, sondern auch wegen der nicht vom König erlaubten Appellation des Erzbischofs Anselm von Canterbury an den Papst zum Konflikt. Und auch nach dessen Beilegung 1107 blieb die reale Kirchenhoheit des Königs bestehen. Vielleicht hängt es damit zusammen, daß bald darauf der Erzbischof von Canterbury häufig als *legatus natus* galt, die Legatenwürde also mit dem Bischofsstuhl gekoppelt war, so daß eigens gesandte Legaten unnötig erschienen.

Kompliziert waren die Verhältnisse in Spanien. Die seit dem 10. Jahrhundert existierenden Beziehungen zu Katalonien wurden noch verstärkt. Dies zeigen nicht nur neu erteilte Privilegien für Klöster und andere Kirchen oder das Ausgreifen der vom Papsttum geförderten Reformbewegung von St. Viktor (Marseille) in die Pyrenäen, sondern auch die Tätigkeit päpstlicher Legaten. Für die Zukunft wichtiger sollte jedoch Aragón werden. Die dortigen Herrscher hatten seit 1035 versucht, ein von dem mächtigen Nachbarn León-Kastilien unabhängiges Königreich aufzubauen. Vor allem der zweite König, Sancho I. Ramírez (1063–1094), nutzte deshalb das Streben des Papsttums nach Anerkennung für seine Zwecke aus. Schon der erwähnte 'Kreuzzug' von Barbastro (1064) zeigte die neue Politik an. Wenig später unterstellte der König sich und sein Reich dem heiligen Petrus in Rom. Seitdem galt das Königreich zumindest am päpstlichen Hof als Lehen des Papstes. Konkret äußerte sich das neue Verhältnis darin, daß die Päpste seit Gregor VII. auf die Besetzung des vorerst einzigen Bistums, Jaca, Einfluß nahmen, päpstliche Legaten oder Spezialagenten wie Abt Frotard von St.-Pons-de-Thomières in Aragón wirkten und dort durch förmlichen Synodalbeschluß das römische Kirchenrecht und – zum ersten Mal in der Geschichte – die römische Liturgie für einen ganzen Herrschaftsbereich übernommen wurden.

Unterstand Aragón dem heiligen Petrus in Rom, so unterhielt León-Kastilien seit Ferdinand I. (1035–1065) eine besondere Beziehung zum heiligen Petrus in Cluny und zahlte dafür jährlich an das Kloster einen Zins. Doch profitierte Cluny nicht nur finanziell, denn es wirkte auch auf die Klosterreform und Kirchenleitung ein. Deutlich wird dies an dem aus Cluny stammenden Mönch Bernhard, der erst Abt des wichtigen Königsklosters Sahagún, später nach der Erwerbung Toledos durch Alfons VI. (1086) Erzbischof dieser Stadt wurde. Als Erzbischof von Toledo suchte Bernhard, unter Rückgriff auf die westgotische Kirchenorganisation, Primas der spanischen Kirche zu werden und dadurch seine Hoheit auf diese insgesamt auszudehnen. Damit jedoch handelte er sich den Protest seiner Kollegen in Braga und Santiago de Compostela ein, die gleichfalls unter Berufung auf die vorislamische Zeit versuchten, eigene autonome Kirchenprovinzen zu bilden. Solange Alfons VI. regierte – er starb 1109 –, standen die Chancen für Toledo am besten. Damals wurde die Lage auch insofern ungünstig für Santiago, als es behauptete, als Grabort des Apostel Jakobus neben Rom die einzige *sedes apostolica* im Westen zu sein, was schon Leo IX., später Urban II. als für das Papsttum gefährlich zurückwiesen. Nach Alfons' Tod brach in Kastilien das Chaos aus, denn Alfons' Tochter Urraca, ihr zweiter Mann – Alfons I. von Aragón – und schließlich die Parteigänger ihres Sohnes Alfons VII. kämpften um die Regierung. Daher fehlte den konkurrierenden Bischöfen der Rückhalt beim eigenen Herrscher. Und so wandten sie sich stärker und untertäniger als vorher an das Papsttum. Zwar sollte der Streit noch das ganze 12. Jahrhundert hindurch andauern, doch war spätestens seit Kalixt II. gebilligt, daß Braga und Santiago eigene Kirchenprovinzen mit ihnen unterstellten Suffraganbistümern bildeten. Das Positive für das Papsttum bestand darin, daß es zum ersten Mal als oberste kirchliche Instanz im bis dahin unzugänglichen wichtigsten Königreich der Halbinsel hatte eingreifen können. Allerdings erkannten gerade spanische Bittsteller, daß am päpstlichen Hof nichts umsonst zu haben war. Wie eine hübsche Satire, die wohl in Toledo in der Zeit des Pontifikates Urbans II. verfaßt wurde, zeigt, galten Albinus (Silberstück) und Rufinus (Goldstück) als oberste Schutzheilige der Päpste. Mit anderen Worten: noch während des Kampfes gegen die Simonie wurden Päpste als Simonisten bespöttelt, ihre moralische Autorität also angezweifelt.

Reichte somit seit dieser Zeit die Einflußsphäre des Papsttums bis an den südwestlichen Rand Europas, so war sein Ansehen in Skandinavien und Osteuropa noch relativ gering. Dagegen spricht auch nicht, daß Dänemark, Polen und Ungarn den Peterspfennig an das Papsttum zahlten, das diese Zahlungen gern als Anerkennung des päpstlichen Schutzes oder gar der eigenen Lehenshoheit interpretierte, denn die Kirchenorganisation dieser Gebiete war noch recht unterentwickelt und entsprach keineswegs – vor allem hinsichtlich des Zölibates – den Vorstellungen der Kirchenreformer. Daß jedoch vorerst kein Papst in diesen Ländern regulierend und reformierend eingriff, zeigt die faktische Ohnmacht des Papsttums. Erst in der folgenden Epoche konnten sporadisch päpstliche Legaten in die Länder reisen und – meist erfolglose – Reformsynoden halten. Neben Ungarn bildete Kroatien die Grenze zum byzantinischen Reichsverband und wurde gleichfalls von den Päpsten aufgrund unhistorischer Interpretation älterer Texte als päpstliches Lehen angesehen.

Die politische Grenze zum Osten sollte fortan immer stärker auch die kirchliche Trennung zementieren, denn 1054 trat eines der folgenreichsten Ereignisse dieser Epoche ein: die bis heute fortbestehende Spaltung der westlichen Kirche von der des Ostens. Mit Berufung auf die 'Konstantinische Schenkung' hatten damals die beiden Legaten Leos IX. – Friedrich von Lothringen und Humbert von Silva Candida – Patriarch und Kaiser in Konstantinopel gebannt, woraufhin der Patriarch seinerseits über den Papst das Anathema (Bannfluch) ausgesprochen hatte. Zwar hatten Päpste wie Gregor VII. zeitweise versucht, den Bruch rückgängig zu machen, und auch im 13. und 15. Jahrhundert sollte es an derartigen Versuchen nicht fehlen; doch einen dauernden Erfolg hatte keiner von ihnen. Das für das Papsttum positive Ergebnis war jedoch, daß fortan nur noch solche Länder zur rechtgläubigen Christenheit gezählt wurden, die die oberste Kirchenhoheit des Papsttums anerkannten, denn Einwände aus dem Osten konnten nun als die Meinungen von

Schismatikern oder gar Häretikern abqualifiziert werden. Eine Kirchenunion galt daher nur als möglich, wenn das Papsttum als oberste kirchliche Instanz akzeptiert wurde.

Die Legaten von 1054 hatten ursprünglich eine Einigung mit Byzanz erreichen sollen, um gemeinsam die Normannen in Süditalien bekämpfen zu können. Der Bruch mit der Ostkirche war einer der Gründe, weshalb die Päpste seit Nikolaus II. sich mit den Normannen verbündeten. Diese wurden Lehensleute des Papsttums und unterwarfen sich mit dessen Billigung erst ganz Süditalien, seit Ende des 11. Jahrhunderts auch Sizilien, zum Nachteil nicht nur der Langobarden und 'Sarazenen', sondern auch der Byzantiner. Und nachdem schon unter Otto I. Benevent, Capua und Salerno sowie Bari, später auch Siponto zu Erzbistümern geworden waren, die dem Papst unterstanden, wurden nun auch die neu eroberten Gebiete dem Papsttum wieder unterstellt, die Veränderungen des 8. Jahrhunderts also rückgängig gemacht. Doch war diese Kirchenhoheit vorerst weitgehend nominell, denn die faktische Hoheit übten die neuen Herren aus. Ähnlich wie im normannischen England konnten die Päpste nur mit Billigung der normannischen Herrscher eingreifen. Doch gaben sich die Päpste damit zufrieden, denn auch ihre weltliche Oberhoheit blieb anerkannt und führte in der Spätzeit Gregors VII. und unter Urban II. dazu, daß diesen Päpsten der normannische Schutz in Notzeiten sicher war.

Diesen Schutz hatten die Päpste um so mehr nötig, je weniger stabil die Verhältnisse in Rom, ihrer eigenen Bischofsstadt, fast die gesamte Epoche hindurch waren. Dies zeigt sich schon an den ständigen Einsetzungen von Gegenpäpsten, die mehr oder weniger Rückhalt bei Teilen der römischen Bevölkerung und des römischen Klerus fanden. Nach relativ geringen Erfolgen erst Benedikts IX., der nach 1046 trotz seiner Absetzung nach Rom zurückgekehrt war, später Benedikts X. und Honorius' II. hatte vor allem Clemens III. Rom weitgehend beherrscht, während seine verschiedenen Nachfolger meist nur Randfiguren waren. Die Folge jedoch war, daß – wie auch das Papstwahldekret von 1059 zeigt – Papsttum, Kardinalkolleg und Kurie sich der Stadt Rom immer mehr entfremdeten, oder anders formuliert: je mehr die Päpste Leiter der Universalkirche wurden, desto geringer war ihr Rückhalt in Rom selbst. Dennoch machten die Päpste wiederholt den Versuch, die Stadt Rom zu beherrschen, und verwandten darauf einen großen Teil ihrer Tätigkeit. Wie etwa die damaligen römischen Urkunden und die Berichte der sogenannten 'Annales Romani' zeigen, konnte ein Papst nur selten die Stadt als Ganzes beherrschen: Der Zutritt zum städtischen Siedlungsgebiet blieb häufig verwehrt, doch auch der Lateran und St. Peter waren gewöhnlich äußerst unsichere Aufenthaltsorte. Daher waren die Päpste auf die Unterstützung durch Stadtadlige angewiesen. Um Erfolg zu haben, förderten sie neue Familien, von denen die Pierleoni und Frangipani die bekanntesten sind. Diese wiederum nutzten das Papsttum für ihren eigenen Aufstieg und konnten bald – wie Gelasius II. erfahren mußte – selbst wieder für das Papsttum gefährlich werden. Zuletzt sei noch erwähnt, daß die Päpste seit Nikolaus II. erste Versuche unternahmen, durch eine Kastellpolitik in der Sabina und an den südlichen Konsularstraßen Teile des 'Kirchenstaates' effektiv zu regieren. Doch hatten sie damit vorerst nur geringen Erfolg, da sie auch hierin von der Mitarbeit des Adels und einzelner Klöster wie Farfa und Subiaco abhingen. Vorerst wichtiger war, daß im Jahre 1102 die Markgräfin Mathilde von Tuszien ihr Herrschaftsgebiet Paschalis II. vererbte. Weil dieses jedoch zum alten Königreich Italien gehörte, das die deutschen Könige weiterhin zu beherrschen suchten, wurde der Kampf um die 'Mathildischen Güter' vornehmlich seit Barbarossa zur Konstanten der folgenden Epoche.

Fassen wir zusammen. Die westliche Kirche, die jetzt als Universalkirche verstanden wurde, unterstand – zumindest in der Theorie unangefochten – dem Papst. Dieser besaß die *plenitudo potestatis* und galt als nicht absetzbar. Da er der oberste Richter und alleinige Gesetzgeber war, wurde das Kirchenrecht nach Dekreten zeitgenössischer Päpste verändert und konnten die Päpste in die Struktur der Kirche eingreifen. Letzteres zeigte sich nicht nur in den Dispensen oder in den Exemtionen von Klöstern, Stiften und Bistümern, sondern auch in der Neuerrichtung, Trennung oder Zusammenlegung von Bistümern und Kirchenprovinzen. Demzufolge war vor allem die Stellung der Erzbischöfe stark geschwächt, von den ominösen

Plänen zur Errichtung von Patriarchaten oder Primaten ganz zu schweigen. Bei ihrer Tätigkeit halfen den Päpsten außer den Legaten das neukonstituierte Kardinalkolleg und die neue Kurie, die alsbald beide übernational zusammengesetzt waren im Gegensatz zum früher fast ausschließlich römischen Mitarbeiterstab. Doch war dies einer der Gründe, weshalb sich die Päpste ihrer Bischofsstadt entfremdeten.

Zugleich erreichte es das Papsttum mit Hilfe einer neuen Interpretation der Gelasianischen Zweigewaltenlehre, durch stärkeren Rekurs auf die 'Konstantinische Schenkung' und mit anachronistischer Auslegung älterer Urkunden vor allem der Jahrtausendwende, das Verhältnis von kirchlicher und weltlicher Gewalt umzukehren. Hatten früher weltliche Herrscher Päpste absetzen lassen, so beanspruchte nun der Papst, Könige und Kaiser absetzen zu können und tat dies auch gegenüber Heinrich IV. Vor allem infolge der neuen Regelungen der Investitur hatten die meisten Herrscher ihre sakrale Würde verloren, eine weltliche Theokratie wie zuletzt unter Heinrich III. war fortan unmöglich. Vielmehr mußten die Herrscher um eine neue Legitimierung ihrer Herrschaft bemüht sein. Erst seitdem kann man vom Gegensatz von 'Staat und Kirche' sprechen. Darüber hinaus versuchten die Päpste nun ihrerseits, Schutz- oder Lehensherren weltlicher Herrschaftsbereiche zu werden, was ihnen anfangs vor allem in Aragón und im normannischen Italien glückte.

Ob und inwieweit die Kirchenreform gelang – also der Zölibat wirklich durchgesetzt, die Simonie erfolgreich bekämpft und kirchliche Wahlen tatsächlich frei waren –, ist äußerst fraglich. Doch die diesbezügliche Gesetzgebung wurde immer weniger bestritten und galt fortan – auch bei Kritikern – als einziger Gradmesser für ein christliches Leben des Klerus. Dies sollte schon im 12. Jahrhundert, erst recht seit dem Spätmittelalter nicht nur für die Kirchenorganisation im allgemeinen, sondern auch für das Papsttum gefährlich werden, je weniger es den im 11. Jahrhundert propagierten Maximen entsprach. Gefährlich auch deshalb, weil vor allem Gregor VII. selbst die Laien zu kritischem Verhalten aufgerufen und somit diesen die Chance geboten hatte, eigenständig auf Mißstände im Klerus zu reagieren.

VII. DER AUSBAU DER PÄPSTLICHEN AUTORITÄT (1124–1198)

Im Gegensatz zu ihren Vorgängern wie etwa Leo IX., Gregor VII., Urban II. und Kalixt II. werden die Päpste der neuen Epoche, von wenigen Ausnahmen wie Hadrian IV. abgesehen, häufig als schwache Charaktere dargestellt. Dennoch gelang es ihnen, die im 11. Jahrhundert geschaffene Basis zu erweitern und den realen Einfluß des Papsttums derart zu steigern, daß anschließend Innozenz III. (1198–1216) als *arbiter mundi* (Schiedsrichter der Welt) walten konnte. Dies läßt sich nur begreifen, wenn wichtige Veränderungen der Zeit mitberücksichtigt werden.

Innerhalb des Mittelalters ist das 12. Jahrhundert die Periode, in der sich die größte horizontale und vertikale Mobilität weiter Bevölkerungsschichten beobachten läßt. Ohne dies hier im einzelnen darstellen zu können, sei hervorgehoben, daß alte Siedlungsgebiete intensiver und bisher unkultivierte neu erschlossen wurden; dadurch besserte sich auch häufig der rechtliche und soziale Status der Siedler. Ebenso vermehrten sich gewöhnlich die Freiheiten der in gewachsenen oder neugegründeten Städten lebenden Bevölkerung. Auch vor dem Adel machte die neue Mobilität nicht halt, wie der Aufstieg der Ministerialen – der wichtigsten Träger der neuen, christlich geprägten Ritterkultur – aus der Unfreiheit anzeigt. Die Folgen für Kirche und Papsttum waren vielfältig. An der Siedlungstätigkeit waren neue Orden wie etwa die Zisterzienser zumindest zeitweise maßgeblich beteiligt; die Intensivierung der ländlichen Siedlungen erforderte ebenso wie die Vergrößerung und Vermehrung der Städte den Ausbau der Seelsorge und somit der Pfarreiorganisation. Eine weitere Folge war das Anwachsen der Pilgerströme, die vor allem den überregionalen Wallfahrtsorten – Jerusalem, Rom, Santiago de Compostela – zugute kamen. Für die Pilger wurden neue Brücken gebaut, Straßen verbessert, Hospitäler – meist unter der Leitung von Regularkanonikern – errichtet. Und vermehrten allein schon die Rompilger Vermögen und Ansehen des Papsttums, so vertiefte dieses seine Geltung noch dadurch, daß es Spitäler, vor allem die größeren, privilegierte, Ablässe genehmigte und gesetzgeberisch das Leben der Pilger und ihrer daheimgebliebenen Angehörigen regelte. Hingegen war das Verhalten der Päpste gegenüber städtischen Autonomiebestrebungen ambivalent: nutzten diese ihnen – wie etwa in Oberitalien während des Konfliktes mit Friedrich Barbarossa –, so förderten sie sie; wurde jedoch dadurch ihre eigene Herrschaft oder die von ergebenen bischöflichen Stadtherren gefährdet, so galten derartige Bestrebungen als häretisch. Weil die letztgenannte politische Tendenz nach dem Frieden von Venedig (1177) dominierte, prägte die Verketzerung von entsprechenden Autonomiebestrebungen das neue Kirchenrecht, was sich bis in die Neuzeit hinein auswirken sollte.

Die Intensivierung der Siedlung trug außerdem zur Verdichtung der weltlichen Herrschaft bei. Und weil dieser infolge der vorausgegangenen Konflikte die ideelle Basis entzogen worden war, veränderte sich jetzt gleichzeitig reales Ausmaß und theoretische Begründung: Die zur Wahrung des Friedens und der Gerechtigkeit *(pax et iustitia)* von Gott eingesetzten Herrscher intensivierten das Lehensrecht, beriefen sich auf das römische Recht Justinians und versuchten häufig, auch den Klerus ihrer richterlichen Gewalt zu unterwerfen. Wie noch zu zeigen sein wird, provozierte diese neue Verhaltensweise gerade auch Konflikte mit dem Papsttum. Diese Auseinandersetzungen wurden noch dadurch verschärft, daß sich gleichzeitig der Klerus als einheitlicher und in der Christenheit höchster Stand konsolidierte mit einheitlichem Standesrecht *(privilegium ordinis)* und eigener Gerichtsbarkeit *(privilegium fori)*, die Eingriffe weltlicher Instanzen verbot. Das bedeutete, daß in den Augen der klerikalen Protagonisten die Rechtsverhältnisse der Spätantike, auf die sich weltliche Herrscher beriefen, obsolet geworden waren.

Die theoretische Basis der Herrschaftslegitimation vertiefte sich damals sowohl auf weltlicher wie auf klerikaler Seite. Dieser Vorgang wurde dadurch erleichtert, daß infolge der sogenannten 'Renaissance des 12. Jahrhunderts' spätantike Phänomene stärker betont und idealisiert wurden und – davon und von Neuentwicklungen an den damaligen Schulen geprägt – die geistlichen wie auch die weltlichen Wissenschaften zu einer neuen Blüte gelangten. Kam dabei die Neuentdeckung des römischen Rechts beiden Seiten zugute, so profitierte von der neuen Scholastik der Theologie und des Kirchenrechts vor allem der Klerus bis hin zum Papsttum.

Zuletzt sei noch darauf verwiesen, daß spätestens in der Mitte des 12. Jahrhunderts der Reform-Elan der vorigen Epoche weitgehend geschwunden war, auch wenn simonistische und antizölibatäre Verfehlungen weiterhin auf Synoden traktiert wurden. Die Päpste waren jetzt nicht mehr in erster Linie mit der Durchsetzung der Kirchenreform, sondern mit der Bewahrung und dem Ausbau ihrer eigenen Position befaßt; dabei hießen sie auch Praktiken gut, die nicht nur frühere radikale Reformer wie Humbert von Silva Candida oder Gregor VII. verdammt hätten. Infolgedessen mehrte sich die Kritik an Papsttum und Kirche gerade in der Zeit, als das Verständnis für Kritik und das Interesse am Abbau von Mißständen bei den Etablierten schwand. Wie es schließlich Clemens III. in einer Dekretale (X 5.26.1) formulierte, galt Kritik am Papsttum als schweres Verbrechen. Weil sich jedoch der vornehmlich durch Gregor VII. geförderte religiöse Impetus gerade auch der Laien nicht mehr unterdrücken ließ, führte das Unverständnis der 'Amtskirche' schon im 12. Jahrhundert zur Entstehung religiöser Bewegungen, die – abgesehen etwa von den Katharern – anfangs vor allem Reformen forderten, bald jedoch verketzert wurden und daraufhin selbst Lehren und Praktiken guthießen, die nicht mehr mit der offiziellen Lehre und Liturgie übereinstimmten. Und spätestens seit dem Treffen Lucius' III. 1184 mit Barbarossa in Verona war auch das Papsttum bestrebt, alle Häresien mit Hilfe des 'weltlichen Armes' zu bekämpfen und auszurotten. Das Desinteresse der Päpste an tiefgreifenden Reformen und an einer besseren religiösen Unterweisung der Laien war daher einer der Hauptgründe dafür, daß vom 12. Jahrhundert an die lateinische Christenheit immer wieder aufs neue gespalten wurde. Dies bedeutete zugleich, daß die historisch legitimierende Basis der päpstlichen Position, nämlich die Durchsetzung der Kirchenreform, nicht mehr vorhanden war. Daher ist es verständlich, daß fortan zwar Gegner des Papsttums historische Argumente verwandten, die Päpste und ihre Anhänger jedoch von der Historie losgelöste kirchenrechtliche und dogmatische Maximen bevorzugten.

Wenden wir uns nun wichtigen Ereignissen zu. Schon nach dem Tode Kalixts II. 1124 hatten sich die Kardinäle nur noch mit Schwierigkeiten auf einen Kandidaten, Honorius II., einigen können. Daß die Divergenzen weiterbestanden, zeigte sich nach dessen Tod 1130. Kaum war Honorius verstorben, ließ der Kanzler Haimerich unter Bruch früherer Vereinbarungen am 14. Februar im Schutz der Frangipani einen seiner Anhänger zum Papst wählen, der sich Innozenz II. nannte. Die Mehrheit der Kardinäle war nicht anwesend gewesen und wählte am gleichen Tag einen Angehörigen des konkurrierenden Adelsgeschlechtes der Pierleoni zum Papst (Anaklet II.). Wer der rechtmäßige Papst sei, konnte nicht entschieden werden, denn dafür fehlten eindeutige rechtliche Kriterien. Demzufolge waren beide Päpste bemüht, möglichst zahlreiche und einflußreiche Anhänger zu gewinnen. Dabei siegte Innozenz II., weshalb sein Gegner seitdem offiziell als 'Gegenpapst' gezählt wird. Noch hundert Jahre zuvor hätte die gegenteilige Ansicht gegolten, denn Anaklet konnte sich in Rom behaupten, während sich Innozenz gewöhnlich in Oberitalien und Frankreich aufhalten mußte. Darin wird deutlich, wie sehr sich die Verhältnisse gewandelt hatten. Auch wenn Rom weiterhin die nominelle Residenz blieb, so war es doch wichtiger, außerhalb der Stadt anerkannt zu werden. Dabei spielten nicht sosehr, wie oft behauptet, unterschiedliche Programme der beiden Kandidaten eine Rolle, sondern persönliche Beziehungen und teilweise auch politische Konstellationen. Anaklet hatte lediglich in Rom, Unteritalien, Schottland (Konkurrenz zu England) und in Teilen Südfrankreichs Anhänger, während auf der Seite von Innozenz alle wichtigen Reformgruppen – Cluny, Zisterzienser, Regularkanoniker –, die meisten Bischöfe sowie die Herrscher von Deutschland, Frankreich und England standen. Sein rührigster Propagandist war Bernhard von Clairvaux. Wie tief und andauernd die Kluft war, zeigt sich außer in den gegenseitigen Schmähungen darin, daß Innozenz die Kardinäle Anaklets nach dessen Tod 1138 – auch von Bernhard kritisiert – schimpflich absetzte, seine Nachfolger bis

1154 gewöhnlich aus dem Kreis derer genommen wurden, die ihn gewählt hatten (Cölestin II., Lucius II., Anastasius IV.) und die nach seinem Tode im Jahre 1144 sich konstituierende autonome Regierung in Rom anfangs von einem Bruder Anaklets (Giordano Pierleoni) angeführt wurde. Auf diese wird noch einzugehen sein.

Stärker noch als bei diesem sollte sich beim nächsten Schisma (1159–1177), dem für zwei Jahrhunderte letzten, der Einfluß der Herrscher zeigen. Dies lag zum Teil an der veränderten innerkirchlichen und politischen Lage. Die meisten Protagonisten der älteren Generation waren unlängst verstorben: 1151 Suger von St. Denis (wichtigster Ratgeber Ludwigs VI. und Ludwigs VII.), 1152 Konrad III. von Deutschland, 1153 Eugen III. und Bernhard von Clairvaux, 1154 Roger II. von Sizilien und Stephan von England, 1156 Petrus Venerabilis von Cluny, 1157 Alfons VII. von Kastilien. Neue Herrscher wie Heinrich II. von England (1154–1189) und Friedrich Barbarossa (1152–1190) kündigten eine neue Zeit an, ebenso Papst Hadrian IV. (1154–1159). Dieser hatte 1156 mit dem Vertrag von Benevent eine auch von Kardinälen kritisierte Hinwendung zum Königreich Sizilien vollzogen, ein Jahr später auf einem Hoftag in Besançon den Kaiser brüskieren lassen. Beide Ereignisse führten zu einer Entfremdung zwischen Kaiser und Papst. Als nach dessen Tod 1159 wieder zwei Päpste gewählt worden waren, deren Legitimität umstritten blieb, unterstützte Barbarossa den Kandidaten der Minderheit, Viktor IV., der sizilianische König dagegen Alexander III., denn dieser war als Kanzler maßgeblich an der neuen Politik Hadrians IV. beteiligt gewesen. Im Gegensatz zu 1130 waren die Orden uneins: Cluny verhielt sich lange Zeit abwartend, die Hauptabteien der Zisterzienser votierten für Alexander, während bei den Regularkanonikern häufig Unsicherheit herrschte; ebenso war der Episkopat gespalten. Daher besaßen jetzt die Herrscher das größte Gewicht. Zunächst glaubte Barbarossa, Ludwig VII. von Frankreich und Heinrich II. von England zur Anerkennung seines Papstes bewegen zu können. Doch scheiterte dies an Barbarossas eigenen Fehlern. Daher konnte Alexander 1163 eine gutbesuchte Synode in Tours abhalten. Erschwert wurde die deutsche Position nach Viktors Tod 1164. Dessen Nachfolger Paschalis III. fand schließlich gleichfalls Barbarossas Hilfe. Dieser verpflichtete sogar 1165 auf einem Hoftag in Würzburg sich und seine Fürsten, Alexander niemals anzuerkennen. Doch war Paschalis damit eindeutig zum deutschen Papst geworden, der selbst bei Heinrich II. keine echte Unterstützung fand, obwohl dieser wegen seines Konfliktes mit Thomas Becket (1164–1170) Alexander III. wenig gewogen war. Sein Endstadium erreichte das Schisma 1168 nach dem Tode Paschalis'. Dessen Nachfolger – Kalixt III. oder gar Innozenz III. – waren lediglich Randfiguren. Den Ausschlag gab das Bemühen Barbarossas, die von Alexander III. geförderten oberitalischen Städte, die ihn 1176 bei Legnano schwer besiegt hatten, endlich unter seine Herrschaft zu bringen; dies aber konnte er nicht mehr mit rein militärischen Mitteln erzwingen, nachdem 1167 ein großer Teil seiner Truppen bei Rom der Malaria erlegen und die Überlebenden kriegsmüde waren. Nach einem geheimen Vorvertrag in Anagni 1176 söhnten sich Papst und Kaiser 1177 in Venedig aus. Der Kaiser verpflichtete sich dem Papst zur Rückgewinnung Roms, erreichte aber dafür die Nutznießung der Mathildischen Güter und einen Waffenstillstand mit den lombardischen Städten, die seine Oberhoheit anerkannten. Und wie Innozenz II. 1139 das Ende des Schismas mit einer Synode im Lateran gefeiert hatte, so tat auch Alexander III. 1179 (sog. 3. Laterankonzil). Doch im Gegensatz zu 1139 war das spätere Konzil wirklich ein 'Allgemeines', denn es versammelte Vertreter aller westlichen Länder um den Papst und zeigte diesen als eindeutigen Leiter der westlichen Universalkirche. Jetzt mußte dieser nur noch erreichen, auch in seiner Bischofsstadt seine Herrschaft durchzusetzen. Dies gelang einem seiner kurzlebigen Nachfolger, Clemens III., der sich 1188 mit den Römern einigte.

Mit diesem Vertrag, der dem Papst die Hoheit über die Stadt zurückgab, den Römern jedoch vorerst die faktische Regierung zugestand, war ein Konflikt beendet worden, der fast ein halbes Jahrhundert gewährt hatte. Schon die Päpste des Investiturstreits – abgesehen von Wibert (Clemens III.) – und ihre Nachfolger hatten in Rom selten ruhig residieren können. Ihr Aufenthalt in Rom war nur dann gewährleistet, wenn ihnen Adlige, vornehmlich die Pierleoni und Frangipani, Schutz gewährten. Die Pierleoni waren mehr oder weniger Anhänger Anaklets II. gewesen und somit Gegner Innozenz' II. Zum erneuten Konflikt mit diesem kam es 1143 infolge eines mißglückten Zuges gegen Tivoli. Die Situation spitzte sich weiter zu, als 1144 auch die meisten Stadtadligen aus Rom verjagt und eine neue, von der Mittelschicht getragene Kommunalregierung unter Leitung eines Senates gebildet wurde, während die Miliz unter der Führung des einzigen als kooperativ erkannten Adligen, Giordano Pierleoni, stand. Der Einschnitt galt als so bedeutsam, daß in römischen Urkunden nach einer neuen Zeitrechnung datiert wurde, der *aera renovationis senatus* (Zeit der Erneuerung des Senates). Und in der Tat: anders als in Oberitalien war das neue Regiment in Rom rein bürgerlich. Unter zum Teil irrigem Rückgriff auf die Antike und unterstützt von dem seit 1147 in Rom weilenden radikalen Kirchenreformer Arnald von Brescia versuchte der Senat, als einzig legitimer Repräsentant des römischen Volkes die Stadt, das 'Haupt der Welt' *(caput mundi)*, zu regieren. Er ging dabei so weit, aus eigener Machtvollkommenheit Konrad III. und Friedrich Barbarossa die Kaiserkrone anzubieten, stieß dabei jedoch auf Ablehnung durch diese Herrscher von Gottes, nicht von Volkes Gnaden. Unterstützt von Nachfolgern oder Nachkommen ehemaliger Amtsträger des Lateranpalastes – wie *primicerius, secundicerius* und Skriniare – und von der *fraternitas Romana,* der nach Regionen gegliederten Vereinigung des stadtrömischen Klerus, konnte der Senat seine richterliche Hoheit auch über die meisten römischen Kirchen ausüben, was damals einzigartig war. An der Machtlosigkeit der Päpste änderte auch nichts das kurzfristige Abkommen mit Eugen III. und Hadrian IV. oder die anfängliche Unterstützung Viktors IV. Und sogar der Kaiser fand sich 1167 mit der Regierung des Senates in einem Vertrag ab.

Wie römische Urkunden zeigen, die nach ihm datierten, war Alexander III. in Rom von vielen Stadtkirchen anerkannt – wenige datierten nach Viktor, mehr hingegen verhielten sich indifferent –, doch der Aufenthalt in Rom selbst blieb ihm gewöhnlich verwehrt. Ebenso erging es seinen ersten Nachfolgern. Lediglich den am Stadtrand gelegenen Lateran konnten sie zeitweise behaupten. Dennoch vollzog sich allmählich ein Wandel zugunsten des Papsttums. Seit der Spätzeit Alexanders wurden immer mehr Adlige in den Senat aufgenommen. Dies ging so weit, daß zeitweise ein oder zwei Stadtadlige versuchten, eine Alleinherrschaft aufzurichten. Und weil Mitglieder derselben Familien auch Kardinäle waren, entstand eine partielle Interessengleichheit zwischen Senat und Kardinalkolleg. Daher lag eine Einigung nahe, als der aus Rom stammende Paolo Scolari als Clemens III. Papst wurde. Um Rom zu sichern, rekrutierte sich fortan das Kardinalkolleg verstärkt aus Adligen Roms und dessen Umlandes, die an den wichtigsten Straßen zum Teil bis heute erhalten gebliebene Adelstürme errichteten. Dem gleichen Ziel entsprach es, daß von Clemens III. bis hin zu Gregor IX. (1187–1241) nur Mitglieder solcher Familien Päpste wurden und ihr wichtigster Vertreter, Innozenz III., es erreichte, den römischen Senator – meist gab es nur noch einen – zum Beauftragten des Papstes zu machen. Doch waren die Konflikte mit der Bevölkerung, wie die nächste Epoche zeigen wird, damit nicht beendet. Und festzuhalten ist, daß jetzt und in der Folge der Kampf um die Hoheit in Rom und um deren Bewahrung sowie die Rücksichtnahme auf römische Interessen mehr als oft angenommen die päpstliche Politik prägten.

Den gleichen Interessen entsprach es, wenn die Päpste versuchten, den deutschen Herrschern – Heinrich V., Lothar III., Friedrich Barbarossa und Heinrich VI. – die Mathildischen Güter abzuringen, und in Konkurrenz zum römischen Senat erneute Versuche unternahmen, die an den wichtigsten Ausfallstraßen liegenden Kastelle und Abteien zu beherrschen. Auch auf den beiden zuletzt genannten Aktionsfeldern konnte Innozenz III. erfolgreich beenden, was seine Vorgänger begonnen hatten.

Die starke Fixierung der Päpste auf Rom förderte die Kritik, denn die Römer galten als habgierig und falsch – eine verständlicherweise einseitige Einschätzung, weil die meisten Kritiker (Prälaten und Chronisten) dem Adel entstammten und gegenüber einer kommunalen Regierung und deren wirtschaftlichen Problemen wenig Verständnis zeigten. Auf weitere Kritik stieß die Kreuzzugspolitik mehrerer Päpste. 1146 hatte Eugen III. auf Drängen seines Mentors Bernhard von Clairvaux die geistige Führung eines neuen Kreuzzuges übernommen. Da an ihm im Gegensatz zum 1. Kreuzzug auch

Herrscher teilnahmen, stand zu erwarten, daß er den Vorrang des Papsttums in der westlichen Christenheit noch verstärken würde. Doch scheiterte er kläglich. Zwar trug der Papst am Scheitern keine Schuld, aber dies konnte nicht verhindern, daß er ebenso wie Bernhard dafür verantwortlich gemacht wurde. Vierzig Jahre später war es wieder soweit. Saladin hatte 1187 bei Hattin die Christen vernichtend geschlagen und anschließend auch Jerusalem erobert. Zum letzten Mal kam es zu einer weitgehenden Mobilisierung des Westens. Die Päpste, vor allem der früh verstorbene Gregor VIII., setzten sich für einen neuen Kreuzzug ein. Dieser wurde berühmt durch den Tod Barbarossas in Kleinasien und die Konflikte zwischen Richard Löwenherz und Philipp August von Frankreich. Aber im Vergleich zum Aufwand war der Erfolg gering. Lediglich Küstenstädte wie Akkon wurden zurückerobert, Jerusalem blieb in muslimischer Hand. Die Kreuzzugsbegeisterung war seitdem weitgehend erlahmt. Doch setzte mit diesem Kreuzzug eine Entwicklung ein, die von der folgenden Epoche an nicht nur für das Papsttum wichtig werden sollte: die Ersetzung des persönlichen Engagements durch Geld. In England und Frankreich war erstmals auch von der Geistlichkeit eine Kreuzzugsabgabe erhoben worden, der sogenannte 'Saladin-Zehnt'; und auch Clemens III. hatte von den Prälaten eine nicht fixierte Abgabe gefordert. Daraus entstand der Kreuzzugszehnt, der im 13. Jahrhundert zeitweise erheblich zum päpstlichen Budget, wenn auch nicht zur Rückgewinnung Jerusalems, beitragen sollte.

Wenden wir uns nun der institutionellen Weiterentwicklung und Gliederung des päpstlichen Hofes zu. Waren in der 'Konstantinischen Schenkung' der römische Klerus mit dem kaiserlichen Senat verglichen und im 11. Jahrhundert die Kardinäle vereinzelt als 'Senat' bezeichnet worden, so zeigte sich im 12. Jahrhundert, daß sie in der Tat maßgeblich an der Regierung beteiligt waren. Schon Kalixt II. hatte zu Beginn seines Pontifikates geklagt, er sei allzu sehr von der Mitwirkung der Kardinäle abhängig. Diese Abhängigkeit verstärkte sich noch während der beiden Schismen, als sich die päpstlichen Kontrahenten die Unterstützung möglichst vieler Kardinäle sichern mußten. Sogar ein tatkräftiger Papst wie Hadrian IV. mußte zumindest eine Entscheidung widerrufen, weil ihr die Kardinäle nicht zugestimmt hatten. Eine ihrer wichtigsten Funktionen war es, gemeinsam mit dem Papst im *consistorium* (damals: Gericht) Urteile zu fällen. Außer in den *causae maiores* (Gerichtsbarkeit über Prälaten), welche die Päpste, auf Innozenz I. basierend, für sich reserviert hatten und auf immer neue Materien ausdehnten, wurden auch immer häufiger Appellationen und regionale Prozesse, bei denen sich eine der Parteien unter Übergehung der örtlichen Instanzen direkt an den Papst wandte, von diesem und den Kardinälen entschieden. Wie auch papsttreue Autoren wie Bernhard von Clairvaux klagten, war die päpstliche Residenz vom Getriebe der im römischen Recht unterwiesenen Advokaten erfüllt, so daß Gebet und Kontemplation zu Schaden kamen. Auch einzelne Päpste wie Eugen III. klagten über die hohe Belastung durch allzu viele geringfügige Prozesse. Daher wurden in der 2. Jahrhunderthälfte nur noch solche Fälle zugelassen, deren Streitwert mindestens 20 Silbermark betrug. Seit Alexander III. wurde es außerdem üblich, die Entscheidung regionaler Fälle delegierten Richtern zu übertragen. Doch ob am päpstlichen Hof oder vor Ort entschieden, die Prozeßlawine zeigt deutlich an, wie stark das Ansehen des Papsttums gewachsen war. Vor allem von Bischöfen kritisiert, weil die traditionelle bischöfliche Gerichtsbarkeit eingeschränkt wurde, entsprach die neue Entwicklung einem damaligen Bedürfnis, denn auch wenn Mißbrauch nicht auszuschließen war, deutete sich hierin doch an, daß viele Kläger oder Beklagte vom päpstlichen Hof ein objektiveres Urteil erhofften als vom eigenen Bischof, an dessen Gerichtshof örtliche Machtkonstellationen Einfluß ausüben konnten. Aus dem gleichen Grunde war auch das Generalkapitel der Zisterzienser als überregionaler Gerichtshof begehrt; ähnliche Tendenzen zeigten sich bei der Ausdehnung königlicher Gerichtsbarkeit – vor allem in England und Sizilien.

Weiterhin waren die Kardinäle an der Ausstellung neuer und der Bestätigung älterer Privilegien beteiligt, wie ihre Unterschriften zeigen. Auch wenn unklar ist, inwieweit die Gültigkeit der Privilegien davon abhing, so wird daraus doch deutlich, daß zumindest die Petenten (Antragsteller) auf die Beteiligung der Kardinäle Wert legten. Die Bedeutung der Kardinäle zeigte sich auch auf dem 3. Laterankonzil 1179. Um künftig ein Schisma zu vermeiden, hatte dieses in seinem 1. Kanon dekretiert, daß der als rechtmäßiger Papst anzusehen sei, den zwei Drittel der Kardinäle gewählt hätten. Seitdem ist die Papstwahl exklusiv den Kardinälen vorbehalten. Zu nennen ist schließlich die Tätigkeit von Kardinälen als Legaten, denen vor allem während der Schismen, aber auch bei Konflikten mit Herrschern und bei der Entscheidung der häufig zwiespältigen Bischofswahlen große Bedeutung zukam. Doch gerade das Legatenwesen provozierte Kritik, denn viele Kardinäle zogen mit großem Gefolge durch die Lande und belasteten erheblich die Kirchen, die für ihren Unterhalt aufkommen mußten.

Die Zunahme der Geschäfte erforderte einen Ausbau der Kurie. Allerdings sind wir darüber nur unzureichend informiert. Konnten in Rom die traditionellen Skriniare die Schreibarbeiten übernehmen, so ist bei den häufigen Aufenthalten der Kurie außerhalb der Stadt davon auszugehen, daß reisende oder aus den jeweiligen Aufenthaltsorten rekrutierte Schreiber tätig waren. Doch waren diese nur für die Reinschrift zuständig. Den Inhalt vor allem der Privilegien mußte der Petent selbst formulieren. Anschließend setzten päpstliche Notare ein Konzept auf, das vom Papst – vielleicht auch von den Kardinälen – gebilligt werden mußte. Weil sich viele Fälle glichen, wurden vor allem seit Alexander III. Formulare erstellt und in dessen Spätzeit vom Kanzler Albert von Morra (später Gregor VIII.) ein Buch der Cursus (stilistische Wendungen) zusammengestellt. Buch und Formeln mußten geheimgehalten werden, um Fälschungen zu verhindern. Ebenso scheinen die Notare eine Vertrauensstellung besessen zu haben, so daß sie bei einem Pontifikatswechsel entlassen werden konnten, wie der Regierungsantritt Clemens' III. zeigte. Trotz aller Vorsichtsmaßnahmen wurden päpstliche Dokumente gefälscht; so hob Innozenz III. eine Fälscherwerkstatt in Rom aus, die unter Cölestin III. floriert hatte. Vereinzelt widerrief auch ein Papst eigene Entscheidungen, weil sie aus Unkenntnis der realen Verhältnisse formuliert waren. Geleitet wurde die Kanzlei weiterhin vom Kanzler; doch konnte dessen Funktion – vielleicht aus Finanzgründen – auch vom Papst ausgeübt werden, vor allem wenn dieser wie Alexander III. oder Gregor VIII. selbst vorher Kanzler gewesen war.

Eine wachsende Bedeutung erlangte in dieser Zeit der Kämmerer. Vor allem die beiden Kardinäle Boso (1154–1159) und Cencius Savelli (1188–1197; die Zugehörigkeit des Kämmerers zur Familie Savelli ist umstritten; vgl. auch S. 196, 344 Nr. 171, 367) sind hierbei zu nennen. Spätestens seit Boso war der Kämmerer für die gesamten Einnahmen und Ausgaben des päpstlichen Hofes zuständig und verwaltete einige Orte des 'Kirchenstaates', wenn es die politischen Zustände erlaubten, direkt. Zur besseren Kontrolle wurden seit Boso immer wieder Zinslisten und Güterverzeichnisse angelegt, von denen der 'Liber censuum' des Cencius (1192) der berühmteste ist. Aus diesem geht hervor, daß der Kämmerer Zahlungsunwillige exkommunizieren durfte und – abgesehen von der Kanzlei – der Vorstand aller Kurialen, also eine Art Personalchef und Disziplinarrichter, war. Vor allem seit der Konsolidierung in Rom unter Clemens III. und Cölestin III. waren die Geschäfte so angewachsen, daß der Kämmerer über eigene Schreiber und Mitarbeiter *(clerici camere)* verfügte. Vorher müssen die Zustände oft katastrophal gewesen sein, weil die oft fluchtartigen Reisen eine geordnete Verwaltung unmöglich machten. Daher wußte zum Beispiel Alexander III. während seines Aufenthaltes in Frankreich nicht, welche regulären Einnahmen ihm zustanden. Demzufolge lebten er und sein Hof vor allem von sogenannten 'Prokurationen', also auf Kosten der Gastgeber und der Kurienbesucher.

Über die übrigen Hofchargen gibt es nur selten Angaben. Daher sind wir auch wenig über die päpstliche Kapelle unterrichtet. Wahrscheinlich ist, daß deren Mitglieder regelmäßig an den Palastgottesdiensten des Papstes teilnahmen und mit Tätigkeiten vor allem in der Kanzlei betraut wurden. Weil viele von ihnen nur die Subdiakonsweihe besaßen, sind im 12. Jahrhundert die Bezeichnungen 'subdiaconus' und 'capellanus' häufig Synonyme. Für die Gesamtkirche war wichtig, daß seit dieser Zeit auswärtige Kleriker vom Papst zu Subdiakonen geweiht wurden, die, nach Hause zurückgekehrt, als päpstliche Ehrenkapläne fungierten. Für ihre Bischöfe war dies deshalb mißlich, weil solche Subdiakone weitere Weihen nur vom Papst oder in dessen Auftrag erhalten durften und selbst bei schweren Verbrechen ausschließlich der päpstlichen Gerichtsbarkeit unterstanden.

Derartige Exemtionen wurden ebenso wie die Zustände am päpstlichen Hof kritisiert. Nur wenige Kardinäle galten als nicht korrupt, von den niederen Kurialen ganz zu schweigen. Hinzu kam, daß seit Innozenz II. einzelne Päpste für Verwandte und Kuriale auswärtige Pfründen reklamierten. So erhob sich bald der Ruf nach einer Reform der Kurie. Viktor IV. war der erste Papst, der diesem Wunsche entsprechen wollte: Er schlug vor, den Kardinälen und Kurialen feste Einkommen aus Kathedralkirchen zukommen zu lassen und dafür alle Taxen und 'Geschenke' an der Kurie zu verbieten. Als einziger reagierte der Kaiser darauf positiv. Seitdem gehörten derartige Vorschläge zum Reformrepertoire papstkritischer Herrscher, später auch von Konzilien, während von den Päpsten dieser Zeitspanne lediglich Gregor VIII. ähnliche Konzeptionen entwickelte – vielleicht auch der Kämmerer Cencius –, ohne jedoch mehr Erfolg als Viktor IV. zu erzielen. Demzufolge blieb die Kurie ein dankbares Objekt für ehrbare Kritiker und spottlustige Satiriker.

Bedenken wir, daß trotz aller neu hinzugekommenen Pflichten es weiterhin eine der wichtigsten Aufgaben des Papstes blieb, oberster Liturge seiner Bischofsstadt und seines Hofes zu sein, so darf die Bedeutung des 12. Jahrhunderts für Liturgie und Zeremoniell des Papstes nicht verschwiegen werden. Analog zur höfischen Historiographie, die im späten 9. Jahrhundert geendet hatte und erst seit dem Schisma von 1130 in Anaklets Kardinal Pandulf und Alexanders III. Kardinal Boso Fortsetzer gefunden hatte, setzte mit dem Pontifikat Innozenz' II. zum ersten Mal seit langer Zeit wieder die Aufzeichnung päpstlicher Riten ein. Und im Gegensatz zur Historiographie, die mit Boso endete – später gab es nur noch Viten einzelner Päpste –, nahm die Abfassung liturgischer Ordines seit 1140 bis zum Ende des Mittelalters ständig zu, wobei bis zum Beginn der Avignonesischen Epoche die Texte des 12. Jahrhunderts späteren Autoren häufig als Vorlage dienten. Zwar besaßen die Ordines dieser Epoche ausnahmslos keinen offiziellen Charakter, doch bieten sie hinreichenden Aufschluß darüber, wie der Papst als Liturge fungieren sollte.

Studiert man die entsprechenden Texte, so fällt auf, daß sie alle die Anwesenheit des Papstes in Rom voraussetzen; der Papst gilt in ihnen also immer noch in erster Linie als Bischof von Rom. Daher sind diese Texte für Interessenten, die als potentielle Teilnehmer an der Liturgie in Frage kamen, auch vorwiegend dann aufgezeichnet worden, wenn sich die Kurie in Rom aufhielt: in der Spätzeit Innozenz' II. (1140–1143) und seit dem 3. Laterankonzil von 1179. Aus der Verbundenheit des Papstes mit Rom erklärt es sich auch, daß für die Zeit der Tuskulanerpäpste typische Zustände als noch existent dargestellt wurden und zum Beispiel die Kardinaldiakone nicht als Mitglieder des Kardinalkollegs, sondern als Funktionsträger des Lateranpalastes in Prozessionen ihren Platz hatten. Und trotz der Internationalisierung von Papsttum und Kurie nahm das Palastpersonal einen höheren Rang ein als die papstferneren Prälaten, zu denen auch die Kardinalbischöfe und Kardinalpriester gerechnet wurden. Dies sollte sich erst seit Innozenz III. ändern.

Dennoch entsprach das Zeremoniell auch den Veränderungen seit dem Investiturstreit. Dies geht nicht nur daraus hervor, daß Begriffe wie 'curia' in den Texten enthalten sind und seit Clemens III. der Kämmerer für die Verteilung der Presbyterien, der Spenden des Papstes an Kardinäle und andere Empfangsberechtigte an hohen Festtagen also, sowie für die Kosten etwa von Prozessionen zuständig war. Vielmehr galt entsprechend der vorigen Epoche auch jetzt noch vorläufig die Immantation als wichtigster konstitutiver Akt der Einsetzung eines Papstes, wie auch Schilderungen des Pontifikatsbeginns Viktors IV. und Alexanders III. zeigen. Daneben waren vor allem die Inthronisation und die Besitzergreifung des Lateranpalastes bedeutsame Akte. Doch vielleicht gerade weil sich Viktor IV. 1159 als der gemäß dem Zeremoniell 'rechtmäßigere' Papst dargestellt hatte, sorgte Alexander III. auf dem Konzil von 1179 dafür, daß die verschiedenen liturgischen Einsetzungsakte in ihrer rechtlichen Bedeutung gemindert wurden und statt ihrer die Wahl durch zwei Drittel der anwesenden Kardinäle als einzig relevantes Kriterium für die Zukunft galt.

Zeigte sich in der Immantation die Ranggleichheit des Papstes mit dem Kaiser, so wurde in dieser Zeit der Charakter des Papstes als des höchsten Herrschers noch stärker betont: Daher nahm die Bedeutung der Tiara als des wichtigsten Symbols der weltlichen Gewalt im Zeremoniell zu; in den vom Papst benutzten Kirchen mehrte sich der Gebrauch von Porphyr, die beiden aus Rom stammenden Päpste Innozenz II. und Anastasius IV. ließen sich in kaiserlichen Sarkophagen bestatten – Innozenz in dem Kaiser Hadrians, Anastasius in dem von Konstantins Mutter Helena –; im Lateranpalast ließ Innozenz II. Kaiser Lothar als päpstlichen Lehensmann (vielleicht wegen der Verleihung der Mathildischen Güter an den Kaiser und dessen Schwiegersohn) Güter malen, was Barbarossa erboste; diesem selbst wurde der rituelle Marschalldienst (Führen des päpstlichen Pferdes am Zügel) abverlangt und damit die scheinbare Unterstellung des Kaisers unter den Papst betont; schließlich ließ Clemens III., nachdem er die Oberhoheit über Rom errungen hatte, in der neuerbauten Vorhalle der Lateranbasilika die 'Konstantinische Schenkung' in Bildern darstellen und dokumentierte dadurch seine Stellung gegenüber der Stadt.

Aus den liturgischen Texten spricht nicht nur die Verbundenheit des Papstes mit Rom. Vielmehr wird wie auch im Bereich der Architektur ersichtlich, daß nun die Päpste erneut versuchten, Rom nach ihren Direktiven zu einen. Vor allem die beiden wichtigsten Basiliken – Lateran und St. Peter, deren Kanoniker sich damals in heftiger Konkurrenz miteinander befanden –, aber auch andere, wie etwa S. Lorenzo fuori le mura, begannen damals, Elemente der päpstlichen Liturgie für Feste zu übernehmen, an denen der Papst nicht in ihnen zelebrierte. Seine Kulträume waren in der Regel zwei Kapellen im Lateran: die vielleicht von Kalixt II. erbaute Nikolauskapelle, in der die päpstlichen Kapläne Dienst taten, und die wohl von Leo III. erbaute päpstliche Privatkapelle S. Lorenzo. Die letztgenannte wurde nun im Rang erhoben: An ihrem Altar durfte nur der Papst zelebrieren – diese Exklusivität wurde dann auch auf die Hauptaltäre in der Lateranbasilika und in St. Peter übertragen –; mit den angeblichen Reliquien des Lateran (Stab Aarons, die mosaischen Gesetzestafeln usw.) wurde eindeutig symbolisiert, daß nach päpstlichem Verständnis Rom Jerusalem als heiligster Ort der Christenheit abgelöst hatte. Deshalb hieß nun auch diese Kapelle analog zum Tempel in Jerusalem 'Sancta sanctorum' (sinngemäß: 'Allerheiligstes').

Zeigte sich in der Liturgie der geistliche Vorrang des Papsttums, so in der Ausweitung des Kirchenrechts seine Stellung als oberster Gesetzgeber und Richter, wie sie vor allem seit Gregor VII. vom

Papsttum und seinen Anhängern propagiert worden war. Um diesen Wandel besser verstehen zu können, müssen verschiedene innerkirchliche Veränderungen mitberücksichtigt werden. Während bis zum Beginn des 12. Jahrhunderts das Papsttum sich weitgehend auf die verschiedenen monastischen und kanonikalen Bewegungen gestützt hatte, war vor allem seit Kalixt II. der Episkopat miteinbezogen worden. Dies war dadurch erleichtert worden, daß die neuesten Bewegungen wie Zisterzienser und Prämonstratenser anfangs auf Exemtionen verzichteten. Allerdings veränderten die neuen Orden ihre Haltung, als um die Mitte des Jahrhunderts ihr Reform-Elan zurückging. Weil andererseits Alexander III. während des Schismas gerade auch auf die Unterstützung durch den Episkopat angewiesen war, ohne auf die der Orden verzichten zu können, verfolgte er eine zwiespältige Privilegienpolitik. Seine Haltung und die seiner Nachfolger wurde noch dadurch kompliziert, daß der auch vom Papsttum geförderte Ausbau der klerikalen Standesprivilegien in wichtigen Staaten auf den Widerstand von Herrschern stieß, die ihre Kontrolle über den Klerus ausweiten wollten. Schließlich sei noch betont, daß das kirchliche Prozeßwesen außer von Pseudo-Isidor sehr stark vom römischen Recht geprägt wurde, während Inhalt und Formen der päpstlichen Privilegien und Mandate häufig Neuland betraten; durch sie wurde vor allem seit Alexander III. die neue wissenschaftliche Disziplin des Kirchenrechts beeinflußt.

Um 1140 hatte ein wohl in Bologna lehrender Jurist, von dem außer dem Namen, Gratian, entgegen früheren Thesen nichts Sicheres bekannt ist, versucht, mit Hilfe der neuen scholastischen Methode die bisherigen, oft widersprüchlichen kirchlichen Normen in Übereinstimmung zu bringen. Daher nannte er sein Werk 'Concordia discordantium canonum' (Konkordanz widersprüchlicher Canones), doch wurde es später als 'Decretum Gratiani' bezeichnet. Obwohl eine Privatarbeit, wurde das Werk bald an den Rechtsschulen als maßgebliche Sammlung des traditionellen Kirchenrechtes benutzt. Da es unvollständig war, erhielt es Zusätze *(paleae)*, später auch Anhänge *(appendices)*; schließlich entstanden Sammlungen von Texten, die losgelöst vom Decretum überliefert wurden (Extravaganten). Für unser Thema wichtig ist, daß schon in den Anhängen, vor allem jedoch in den Sammlungen, deren Zahl vor allem in der Spätzeit Alexanders III. zunahm, der Großteil der Texte päpstliche Dekretalen (seit Leo IX., vornehmlich jedoch Alexanders III.) waren. Und da die Sammlungen außer in Alexanders Kernländern – Italien und Frankreich – auch in Spanien und England zusammengestellt wurden, läßt sich gerade an ihnen ablesen, eine wie weitreichende Geltung päpstliche Verlautbarungen für die Lehre des Kirchenrechts erlangt hatten. Dies zeigt sich auch in den seit ca. 1160 zunehmenden Kommentaren zum Decretum selbst, in denen päpstliche Dekretalen häufig als Beispiel des aktuellen Rechts angeführt sind. Gekrönt wurde die Sammeltätigkeit um 1190 durch den Dompropst von Pavia, Bernardus Balbi, der in systematischer Anordnung nach fünf Büchern alle wichtigen Extravaganten zusammenstellte. Als seine Intention nannte er ausdrücklich, nicht nur den Rechtslehrern, sondern auch den Richtern mit seinem Werk dienen zu wollen. Und da seine – als 'Compilatio prima' (erste Sammlung) bekannte – Sammlung bald allgemeine Anerkennung in den Rechtsschulen und im Gericht fand, trug er, der vor 1187 selbst an der Kurie tätig gewesen war, ebenso wie viele andere Dekretisten (= Kommentatoren des Decretum) erheblich zur allgemeinen Anerkennung päpstlicher Texte als gültige Rechtsnorm bei. Oder anders formuliert: Die tatsächliche Durchsetzung des päpstlichen Rechtes in der gesamten westlichen Christenheit verdankte das Papsttum nicht so sehr sich selbst, sondern den vielen Sammlern und Kommentatoren, die aus den disparaten Texten ein einheitliches Recht formten. Und da auch schon seit der Mitte des 12. Jahrhunderts einzelne Kardinäle und Päpste (Gregor VIII., vielleicht auch Alexander III.) als Rechtslehrer gewirkt hatten und in der folgenden Epoche von Innozenz III. an fast alle Päpste ausgebildete Juristen – selten Theologen – waren, trugen die Rechtsschulen erheblich zur Juridifizierung von Papsttum und Kurie bei.

An der eben beschriebenen Sammlertätigkeit hatte Deutschland anfangs nur einen geringen Anteil. Dies lag teilweise daran, daß man vor allem nach Italien oder Frankreich ging, um dort Recht zu studieren. Ein anderer Grund war aber wohl der immer wieder ausbrechende Konflikt zwischen Papsttum und Kaisertum; dabei ist zu betonen, daß bis 1197 die Kaiser – vornehmlich Friedrich Barbarossa und Heinrich VI. – die deutsche Kirche ziemlich fest im Griff hatten. Daher kamen auch neue Theorien, die während dieser Epoche zur Klärung des Verhältnisses von Kaisertum und Papsttum entwikkelt wurden, noch nicht zum Tragen. Weil sie jedoch die Basis für die ab 1198 vertretene Politik Innozenz' III. und seiner Nachfolger bildeten, seien sie kurz skizziert.

Von wenigen Ausnahmen wie Gregor VIII. abgesehen, interpretierte das Papsttum und sein Anhang die Gelasianische Zweigewaltenlehre jetzt so, daß die geistliche Gewalt der weltlichen übergeordnet sei. Eine Verschärfung erfuhr diese schon seit dem Investiturstreit vertretene Interpretation durch die sogenannte 'Zweischwerterlehre', wie sie anfangs nicht sosehr von Päpsten als vielmehr von einigen ihrer Anhänger wie Bernhard von Clairvaux oder Johann von Salisbury, aber auch von Kanonisten aufgestellt wurde. Ausgehend von einer typologischen Deutung einer Stelle des Lukas-Evangeliums (Lk 22, 38: „'Herr, hier sind zwei Schwerter'. Er erwiderte: 'Es ist genug'"), besagte die neue Theorie, die im 13. Jahrhundert weiterentwickelt wurde und eine dogmatisierende Ausformung in Bonifaz' VIII. berüchtigter Konstitution 'Unam sanctam' von 1302 fand, daß Christus dem Petrus und damit der von ihm geleiteten Kirche zwei Schwerter übertragen habe. Das eine symbolisiere die geistliche Gerichtsbarkeit und werde von der Kirche selbst gehandhabt; das andere sei Sinnbild der Blutgerichtsbarkeit und werde im Auftrag der Kirche vom 'weltlichen Arm', also von den Herrschern benutzt. In letzter Konsequenz bedeutete dies, daß weltliche Regierungen lediglich im Auftrag der Kirche ihr Amt ausübten und abgesetzt werden konnten, wenn ihre Amtsführung dem Papsttum mißfiel. Doch sei betont, daß diese Schlußfolgerung nicht von allen kirchlichen Autoren bejaht wurde. Schließlich ist noch die seit Alexander III. und Innozenz III. formulierte Translationstheorie zu nennen, die besagt, daß Leo III. das Kaisertum den Griechen entzogen und den Franken übertragen habe, deren Nachfolger die Deutschen seien. Auch diese Lehre konnte zur Begründung von Herrscherabsetzungen genutzt werden.

Wie schon angedeutet, waren diese Lehren während des 12. Jahrhunderts eher noch theoretisches Spielmaterial. In Ländern wie Deutschland, Sizilien – vor allem nach dem Vertrag von Benevent 1156 – und sogar Ungarn kontrollierten die Herrscher weitgehend die Ortskirchen, besaßen richterliche Zwangsgewalt auch über den Klerus und bestimmten daher gewöhnlich selbst, wie weit der Arm des Papstes reichte. Lange Zeit entsprach dem auch die Stellung der Kirche in England. Zwar hatte diese während der Thronwirren nach dem Tode Heinrichs I. (1137–1154) ihre Position verbessern können, doch hatte Heinrich II. seit seinem Regierungsbeginn die traditionelle Kirchenkontrolle wiedererlangt, die von anglonormannischen Kanonisten gleichfalls vertreten wurde. Daher schadete ihm anfangs auch nicht der Streit mit dem Erzbischof von Canterbury, Thomas Becket, der seit den Konstitutionen von Clarendon (1164) dem König unter anderem die Gerichtsbarkeit über kriminelle Kleriker bestritt. Erst nach Beckets Ermordung 1170, an der dem König die Mitschuld gegeben wurde, wendete sich das Blatt zugunsten der Kirche. Vor allem als seit ca. 1180 Heinrich, vom neuen französischen König Philipp August und seinen eigenen Söhnen bedrängt, die Vermittlung und Hilfe der Päpste benötigte, mußte er der Kirche mehr Freiheiten zugestehen, sie von der weltlichen Gerichtsbarkeit weitgehend eximinieren und Appellationen an den Papst sowie die Einreise päpstlicher Legaten erlauben. Und vollends seit der Regierung seiner Söhne Richard und Johann konnte das Papsttum seinen Einfluß ausweiten, so daß England ein wichtiger Adressat päpstlicher Dekretalen wurde, die man dort auch eifrig sammelte.

Das Kernland päpstlichen Einflusses blieb jedoch vorerst Frankreich. Das lag an den geistlichen Ratgebern der Könige, etwa Sugers von St. Denis, ebenso wie an der Rolle der Reformorden und an den häufigen Aufenthalten der Päpste in diesem Lande, in dem auch viele von ihnen studiert hatten und aus deren Geistlichkeit sie zahlreiche Kardinäle wählten. Auch als Philipp August begann, seine königliche Autorität auf bisher überwiegend königsfreie Gebiete auszudehnen und dabei in Konflikt mit Heinrich II. geriet, der mehr als die Hälfte Frankreichs beherrschte, blieb das Bündnis mit dem Papsttum bestehen, denn er war auf dessen Hilfe angewiesen.

Fast ebenso stark war die Stellung des Papsttums auf der Iberischen Halbinsel. Der päpstliche Schutz über Aragón blieb bestehen und zeigte sich zum Beispiel bei der Nachfolgeregelung und Vereinigung mit Katalonien 1151 sowie bei der kirchlichen Neuorganisation. Komplizierter war die Lage im westlichen Teil der Halbinsel. Alfonso Henríquez hatte es mit Krieg und Diplomatie allmählich erreicht, ein von Kastilien unabhängiges Königreich Portugal zu schaffen und dafür seit 1143 nicht nur die Billigung des Papsttums, sondern wie Aragón auch dessen Schutz erlangt. Dies erschwerte zeitweise die Beziehungen zwischen Papsttum und Kastilien. Weil jedoch im Zusammenhang mit diesen Autonomiebestrebungen die Selbständigkeit einer portugiesischen Landeskirche angestrebt wurde, was sich gegen die Ansprüche Toledos und Santiagos richtete, andererseits das Verhältnis zwischen dem Primas von Toledo und dem Erzbischof von Santiago immer noch ungeklärt war, reisten immer wieder Vertreter der drei konkurrierenden Erzbistümer zum Papst, führten an dessen Kurie Prozesse und bewirkten damit die häufige Entsendung von Legaten in ihre Gebiete. Auch wenn der Konflikt erst 1215 auf dem 4. Laterankonzil beigelegt wurde, so sorgte er doch schon vorher für eine dauernde Präsenz des Papsttums in Spanien.

Auch die nördlichen und östlichen Randgebiete gerieten jetzt stärker unter die Ägide des Papsttums. In Skandinavien ordneten Legaten – vor allem Nikolaus Breakspear (der spätere Papst Hadrian IV.) – die Kirchenorganisation. In slawischen Gebieten, etwa Böhmen, fanden Reformsynoden, die vor allem den Zölibat durchsetzen sollten, unter dem Vorsitz päpstlicher Legaten statt. Auch wenn deren Erfolg anfangs minimal blieb, so wird doch deutlich, daß jetzt das Papsttum in allen katholischen Ländern als höchste Rechts- und Lehrautorität der Kirche anerkannt war.

Um so schwerer konnten es die Päpste ertragen, daß ihre Stellung gegenüber dem Kaiser, und damit faktisch nicht nur in Deutschland, sondern auch in weiten Teilen Ober- und Mittelitaliens, relativ schwach war. Dieser Zustand verschlimmerte sich noch, als Heinrich VI. – 1191 unter Widerstreben von Cölestin III. zum Kaiser gekrönt – nach dem Tode Wilhelms II. von Sizilien (1189) für seine Frau Konstanze, die Tochter Rogers II., die Herrschaft über das unteritalische Königreich grausam erkämpfte, während die Päpste als Oberlehnsherren der Normannen Tankred von Lecce gefördert hatten. Nach dessen Tod 1194 war Heinrich Herr der Lage und wollte 1196 die Erbfolge für seinen Sohn Friedrich nicht nur in Sizilien, sondern auch in Deutschland vom Papst erzwingen. Die dabei von ihm angewandten Druckmittel – Besetzung der Mathildischen Güter und von Teilen des 'Kirchenstaates' durch seinen Bruder Philipp und Ministeriale wie Markward von Annweiler – zeigten der Kurie, wie bedroht ihre weltliche Herrschaft, dadurch aber auch eventuell ihre kirchliche Stellung, infolge der deutschen Umklammerung war. Es war daher für Rom ein Geschenk des Himmels, als im Herbst 1197 Heinrich VI. starb und daraufhin in seinen beiden Reichen Thronwirren ausbrachen. Diese geschickt für das Papsttum zu nutzen, war die Chance, die sich Innozenz III. bot, als dieser am 8. Januar 1198 37jährig zum Nachfolger des mit 93 Jahren verstorbenen Cölestin III. gewählt worden war. Damit war nicht nur das 'Zeitalter der greisen Päpste' beendet, sondern auch dem Papsttum der Weg zum Höhepunkt seiner Macht gebahnt.

VIII. DAS PAPSTTUM
AUF DEM HÖHEPUNKT SEINER MACHT
(1198–1303)

Die Veränderungen, die sich im Verlauf des 13. Jahrhunderts vollzogen, werden deutlich am Kontrast zwischen dem ersten und dem letzten Papst dieser Zeitspanne. Innozenz III. und Bonifaz VIII. vertraten weitgehend die gleiche Position. Doch während der erstere mit seiner Politik häufig erfolgreich war und daher auch von papstkritischen Historikern bewundert wurde – er gilt als der größte Papst des Mittelalters –, scheiterte Bonifaz in fast allen Bereichen. Dies lag nicht sosehr daran, daß er die päpstlichen Ansprüche – wie bis heute kritisiert – maßlos betonte, sondern daß sich das Verhältnis zwischen 'Kirche und Staat' grundlegend zu verändern begann. Innozenz III. hatte vor allem Expansionsbestrebungen weltlicher Herrscher eindämmen müssen und hierbei häufig die Unterstützung der jeweiligen Konkurrenten und führender Prälaten gefunden. Am Ende des 13. Jahrhunderts jedoch waren die Herrscher der beiden für das Papsttum wichtigsten Länder – Frankreich und England – nicht mehr sosehr auf Ausweitung ihrer Herrschaft, sondern auf deren innere Konsolidierung bedacht. Dazu gehörte, daß sie den Klerus ihrer Jurisdiktion unterstellen und besteuern wollten; dabei wurden sie teilweise von Geistlichen ihres Herrschaftsgebietes unterstützt, denn viele Prälaten und vor allem auch niedere Kleriker empfanden sich jetzt vornehmlich als Angehörige ihres Landes und wollten deshalb die Eingriffsmöglichkeiten des Papsttums reduzieren: wichtige Anzeichen für die künftige Zusammenarbeit von Landesherr und Landeskirche. Ein weiteres Indiz für die Veränderungen ist das Verhältnis des Papsttums zu Rom und zum Kirchenstaat, dem häufig zentralen Punkt päpstlicher Politik.

Die Basis der päpstlichen Rompolitik blieb der bereits genannte Vertrag zwischen Clemens III. und dem Senat von 1188. Waren damals die Interessen beider Seiten gewahrt worden, so versuchte schon Innozenz III., das kommunale Regime stärker seiner direkten Kontrolle zu unterstellen. Er erreichte es, daß fortan gewöhnlich nur noch ein Senator die Stadt regierte und als päpstlicher Beauftragter galt. Durch geschickte Ausnutzung stadtrömischer Expansionsbestrebungen – etwa gegenüber Viterbo – bestand unter ihm eine weitgehende Übereinstimmung von päpstlichen und stadtrömischen Absichten. Dies gilt auch noch für den Pontifikat seines Nachfolgers, Honorius' III. Zeichen dieser relativen Stabilität waren der weitere Ausbau des Lateran, eine neue Residenz bei St. Peter und der Neubau, die Restaurierung oder die Verschönerung vieler Kirchen in Rom. Der Sicherung des Papsttums dienten die von den Conti und Savelli nebst Verbündeten erbauten Geschlechtertürme. Doch schon unter Gregor IX. verschlechterte sich die Lage des Papsttums. Den Konflikt Gregors mit Friedrich II., auf den noch einzugehen sein wird, nutzten römische Adlige und Teile der Bürgerschaft aus, um die Autonomie zurückzugewinnen. Diese Tendenz verstärkte sich noch nach Gregors Tod. Sein kurzlebiger Nachfolger, Cölestin IV., wurde unter die Kardinäle entehrenden Umständen im Machtbereich der Frangipani und Orsini gewählt. Von Hadrian V. und Nikolaus IV. abgesehen wurde infolgedessen in diesem Jahrhundert kein Papst mehr in Rom gewählt. Anstelle Roms waren nun Anagni, Viterbo und schließlich Orvieto sowie Rieti Wahlorte und bevorzugte Residenzen der Päpste. Die Gunst der Stunde nutzend, errichteten die Römer während des Pontifikates Innozenz' IV. erneut ein kommunales Regiment unter Führung des Senators Brancaleone degli Andalò, der über hundert Adelstürme schleifen ließ. Dennoch waren die Päpste der zweiten Jahrhunderthälfte wie ihre Vorgänger hundert Jahre zuvor ständig bemüht, die Herrschaft über Rom zurückzugewinnen; Erfolg hatten vor allem Nikolaus III., der sich selbst zum Senator Roms ernannte, und Bonifaz VIII., ohne jedoch die Differenzen mit ihren Gegenspielern in Rom völlig zu beseitigen.

Ebenfalls seit Innozenz III. bemühten sich die Päpste verstärkt darum, die seit der Schenkung Pippins bestehenden Ansprüche auf die Herrschaft in Mittelitalien zu verwirklichen. Schon Innozenz gelang es, seine Herrschaft vornehmlich im römischen Umland (Campagna und Maritima) sowie in der südlichen Toskana (Patrimonium S. Petri in Tuscia) durchzusetzen. Er beherrschte die Gebiete, die vormals der römische Senat hatte unterwerfen wollen, und gilt als der Begründer des Kirchenstaates. Noch heute sichtbare Spuren der frühen päpstlichen Herrschaft sind die Werke römischer 'Kosmaten', Künstler, die nicht nur in Rom, sondern auch in dessen Umland Kirchen und Kreuzgänge mit Mosaiken und kleinen Skulpturen schmückten. Zuerst wohl Anhänger der römischen Kommune, bezeichneten sich viele von ihnen auch im 13. Jahrhundert als 'römische Bürger', doch ihre Aufträge erhielten sie jetzt von Päpsten und Kardinälen; man kann also folgern, daß dort, wo sie arbeiteten, ihre Auftraggeber die Herrschaft innehatten. Die späteren Päpste konnten vor allem nach dem Tode Friedrichs II. (1250) ihre Herrschaft – zumindest nominell – weiter ausdehnen auf das Herzogtum Spoleto, die Marken (an der Adria) und nach Verzicht durch Rudolf von Habsburg 1279 auch auf die Romagna (mit Bologna). Geleitet wurden diese Gebiete von Rektoren, die meist Kardinäle oder päpstliche Kapläne waren.

Allerdings dürfen wir uns die päpstliche Herrschaft nicht allzu intensiv vorstellen, vor allem nicht in den später hinzugekommenen Gebieten. Gewöhnlich war der Papst lediglich als nomineller Oberherr anerkannt, während die traditionellen Regime – teils kommunale Regierung, teils Familienherrschaft – weiterbestanden. Dies trifft selbst für die westlichen Kerngebiete zu, denn gerade auch die neuen Residenzstädte wie Viterbo oder Orvieto behielten ihre kommunale Regierung bei, mit der sich die Päpste bei Aufenthalten jeweils durch Verträge einigen mußten. Dennoch profitierte das Papsttum von seiner neuen Herrschaft, da jetzt nicht mehr nur kirchliche Institutionen – Bistümer und Abteien –, sondern auch weltliche Machtträger Abgaben zahlen mußten und damit zum Unterhalt der Kurie beitrugen.

Für die Stellung des Papsttums in der Gesamtkirche war der Kirchenstaat jedoch schon damals von Nachteil. Wegen der häufigen Konflikte mit Rom, aber auch mit anderen Kommunen und mit lokalen Machthabern wurde die gesamtkirchliche Politik der Päpste immer wieder von ihren mittelitalischen Ambitionen geprägt. Doch auch die politischen Mittel, welche viele Päpste anwandten, um ihre Landesherrschaft durchzusetzen oder auszubauen, forderten schon damals Kritik heraus. Stärker noch als den meisten ihrer Vorgänger diente ihnen Nepotismus als personalpolitisches Instrument. Außerdem riefen sie Kreuzzüge aus, um persönliche Gegner und widerstrebende Städte, die sie als Ketzer diffamierten, erfolgreicher bekämpfen zu können: eine der Verchristlichung der Welt nicht gerade förderliche Verquickung des kirchlichen Führungsanspruches mit weltlichen Interessen. Kompliziert wurde die Situation noch dadurch, daß die Päpste zur Sicherung der Mathildischen Güter und der süditalischen Grenze immer wieder erst mit den Staufern, später vor allem mit den aragonesischen Herrschern in Konflikt gerieten und dabei ihre lokalen Absichten zur Richtschnur ihrer gesamteuropäischen Politik erhoben.

Diese Vermischung von kirchlicher Zwangsgewalt, Personalpolitik und 'großer Außenpolitik' zur Durchsetzung der lokalen Herrschaft zeigte sich schon unter Innozenz III. Allerdings verstand es dieser Papst besser als die meisten seiner Nachfolger, seine Absichten mit theologischen und kirchenrechtlichen Argumenten zu begründen oder auch zu verschleiern. Deutlich wird dies an seinen Stellungnahmen im deutschen Thronstreit (1198–1208) zugunsten Ottos IV. und gegen Philipp von Schwaben. Weil dieser als Statthalter seines Bruders, Heinrichs VI., die Toskana – somit auch die Mathildischen Güter – mit teilweise brutalen Maßnahmen regiert hatte und im Kirchenbann war, im Königreich Sizilien dortige Barone unter Führung staufischer Ministerialen die Vormundschaftsregierung des Papstes bekämpften – Innozenz war 1198 von der Kaiserwitwe Konstanze als Vormund Friedrichs II. testamentarisch bestimmt worden –, weigerte sich der Papst, Philipp anzuerkennen, denn er befürchtete eine erneute Umklammerung Roms und des Patrimonium Petri. Daher mußte auch Otto IV. vor seiner Kaiserkrönung im Jahre 1209 auf die Mathildischen Güter und auf Eingriffe in Süditalien verzichten. Als nun der Kaiser sein Versprechen brach und der traditionellen Kaiserpolitik gemäß gegen Süditalien zog, wurde er als 'Feind der Kirche' gebannt. Anschließend lancierte der Papst die Krönung Friedrichs II. erst zum König von Sizilien, 1212 auch zum deutschen König. Um eine erneute Umklammerung zu vermeiden, ließ der Papst Friedrich schwören, möglichst bald seinen Sohn, Heinrich (VII.), zum König von Sizilien krönen zu lassen. Doch das Spiel wiederholte sich, auch wenn in Deutschland die Söhne des Kaisers, Heinrich und nach ihm Konrad IV., als Könige ihren Vater vertraten. Da Friedrich wie sein Großvater Barbarossa auch die Lombardei zu unterwerfen begann, in den Kirchenstaat eingriff und Autonomiebestrebungen in Rom unterstützte, drohte die weltliche Herrschaft des Papsttums zugrunde zu gehen. Daher wurde er schon von Gregor IX. wiederholt gebannt und schließlich von Innozenz IV. 1245 auf dem 1. Konzil von Lyon feierlich als Kirchenfeind, damit als Ketzer abgesetzt und ein Kreuzzug gegen ihn ausgerufen. Doch hatte dieser Akt in Italien vorerst keine Wirkung, denn selbst ein später heiliggesprochener König wie Ludwig IX. von Frankreich verweigerte dem Papst die Mithilfe. Lediglich in Deutschland, wo alsbald Gegenkönige gewählt wurden und seit 1256 das sogenannte 'Interregnum' bestand, trug die von italischen Interessen geprägte päpstliche Politik dazu bei, daß die Zentralgewalt immer mehr geschwächt wurde.

Um im Königreich Sizilien, dessen Oberlehensherr ja der Papst war, die Macht Friedrichs II. und nach dessen und Konrads IV. Tod (1250 bzw. 1254) die seines tatkräftigen Bastards Manfred (gest. 1266) zu brechen, hatte schon Innozenz IV. Kandidaten aus anderen Herrscherfamilien gesucht. Lange Zeit war Edmund, der Sohn Heinrichs III. von England, der Favorit. Doch Erfolg hatte erst Karl I. von Anjou, ein Bruder Ludwigs IX. von Frankreich, vor allem dank des Umstandes, daß damals nacheinander zwei französische Päpste – Urban IV. und Clemens IV. – regierten. 1265 von Clemens mit Sizilien belehnt, war er der Führer eines päpstlichen Kreuzzuges, in dessen Verlauf er erst Manfred (1266), dann Konradin (1268) besiegte. Diesen ließ er 1268 in Neapel als Hochverräter hinrichten. Noch skrupelloser als seine staufischen Vorgänger, strebte auch er die Herrschaft über ganz Italien an und ließ sich dafür in Rom zum Senator, in Florenz zum Podestà wählen. Wie sehr sein Machtstreben die Kurie verunsicherte, zeigte sich daran, daß nach

Clemens' IV. Tod je nach den Mehrheitsverhältnissen im Kardinalkolleg Gegner (z. B. Gregor X., Nikolaus III.) oder Anhänger (vor allem Martin IV., ein Franzose) des Anjou gewählt wurden.

Vollends verworren wurde die Lage nach der Sizilianischen Vesper (1282), durch die Karl auf Neapel und dessen Umgebung beschränkt wurde, während auf Sizilien fortan aragonesische Könige regierten. Schon Martin IV. hatte daraufhin einen Kreuzzug auch gegen Aragón führen lassen wollen, jedoch wenig Unterstützung gefunden. Jahrzehntelang blieb die Anerkennung der sizilianischen Könige umstritten und sorgte in der nächsten Epoche für neue Konflikte. Dem aragonesischen König Jakob II., der sich vordergründig von seinem auf Sizilien herrschenden Bruder distanziert hatte, sicherte eine raffinierte Diplomatie die Einverleibung Korsikas und Sardiniens – beide Inseln galten unter Berufung auf die 'Konstantinische Schenkung' als päpstliches Lehen. Die Kurie hingegen orientierte sich wegen der Ungelöstheit der 'Sizilischen Frage' noch stärker auf Neapel, so daß dessen Herrscher auch weiterhin großen Einfluß auf die Wahl und die Regierung der Päpste nahmen.

Wie erwähnt, bewirkte die Sorge um die Wahrung der weltlichen Herrschaft auch die Zunahme des Nepotismus am päpstlichen Hof. Schon Innozenz III. hatte im Kardinalkolleg, aber auch bei der Besetzung des Senatorenamtes und der Archipresbyterate an wichtigen Kirchen – etwa St. Peter – Verwandte bevorzugt, dagegen Mitglieder konkurrierender Familien wie der Savelli, zu denen der Kämmerer und Kanzler seines Vorgängers, Cencius, gehörte, kaltgestellt. Das Karussell drehte sich, als nun Cencius 1216 als Honorius III. Papst wurde, und wiederum, als mit Gregor 1227 ein Verwandter Innozenz' III. den Papstthron bestieg. Später waren es vor allem Päpste wie Nikolaus III. (Orsini) und Bonifaz VIII. (Caetani), die den Nepotismus erfolgreich anwandten. Der jeweils regierende Papst verlieh den Mitgliedern seiner oder befreundeter Familien auch wichtige Orte des Kirchenstaates. Das bedeutete, daß ein Papstwechsel dem jeweils bevorzugten Clan die Saturierung der eigenen Herrschaft versprach, der entmachteten Gruppe jedoch Verluste drohten, die hinzunehmen sie nicht gewillt war. Daher ist das 13. Jahrhundert nicht nur die Zeit des Aufstiegs neuer Familien

– Conti, Annibaldi, Orsini, Colonna, Caetani –, die zum Teil bis in die Gegenwart von ihrem damals errungenen Besitzzuwachs profitieren, sondern auch eine Phase andauernder familiärer Machtkämpfe im Kirchenstaat, in Rom sowie im Kardinalkolleg.

Neben dem Nepotismus ist ein Phänomen zu berücksichtigen, das in vielen Papstgeschichten nicht genannt ist: das der *familia*, also der persönlichen, gewöhnlich nicht auf Verwandtschaft basierenden Klientel. Die angesehenste *familia* war natürlich die des Papstes, die damals weitgehend aus den Mitgliedern der päpstlichen *capella* bestand. Doch hatte nicht nur jeder Kardinal, sondern auch jeder Kaplan oder andere höhere Kuriale seine eigene *familia*. Stieg dieser nun zum Kardinal auf, so konnte er seine Familiaren noch besser als zuvor fördern, erst recht wenn er Papst wurde, denn dann bildete seine alte *familia* den Kern der päpstlichen Kapelle. Demzufolge ist die Zugehörigkeit zu bestimmten *familiae* nicht nur wichtig für die Karriere an der Kurie bis hin zur Papstwürde – nicht verwunderlich, daß die meisten Kurialen Italiener waren –, sondern auch für die weltliche und kirchliche Politik der Päpste, denn viele Nuntien und Legaten wurden deshalb ausgewählt, weil sie als ehemalige Familiaren, als Kapläne oder auch als Kardinäle ihrem Auftraggeber nahestanden. Aus dem gleichen Grund haben auch auswärtige strebsame Kleriker – unter ihnen so berühmte Kanonisten wie Gottfried von Trani oder Raimund von Peñaforte – ihre Karriere als Familiaren von Kardinälen begonnen. Verbessert wurde die Chance noch dann, wenn man mit einem späteren Kardinal oder Papst während dessen Studienzeit befreundet gewesen war; dies zeigt der Aufstieg von Männern wie Robert Courçon oder Stephan Langton unter Innozenz III.

Eine weitere Folge der andauernden Kämpfe um Rom war die Entfremdung des Papsttums von dieser Stadt. Die durch die Verhältnisse bedingten häufigen Aufenthalte in anderen Residenzen bewirkten, daß an Rom gebundene Funktionsträger, die bis dahin noch überlebt hatten – *iudices, addextratores* (Vertreter des Adels bei Zeremonien), *schola cantorum* und andere –, ihre Rechte verloren; der ehemals bedeutsame Stationsgottesdienst konnte als Zeichen des liturgischen Zusammenwirkens von Bischof, Klerus und

Volk nur noch selten praktiziert werden – lediglich Innozenz III., Nikolaus III. und teilweise Bonifaz VIII. bildeten Ausnahmen; und ehemals konstitutive Zeremonien wie die Inthronisation in St. Peter und die Inbesitznahme des Lateran verloren ständig mehr an Bedeutung. Bei der Einsetzung eines neuen Papstes war fortan nach der Wahl die Krönung mit der Tiara – dem Symbol der weltlichen Macht – der wichtigste Akt; daher werden seit dem Ende des 13. Jahrhunderts bis heute die Einsetzungsakte insgesamt als 'Krönung' *(coronatio)* bezeichnet. Wie sehr Rom der Repräsentanz der Gesamtkirche hatte weichen müssen, zeigte schon die Neuregelung der Präzedenzen bei Papstprozessionen unter Innozenz III.: statt der Mitglieder des Lateranpalastes und des römischen Klerus zogen fortan die Kardinäle sowie die Vertreter der Universalkirche (Patriarchen, Erzbischöfe, Bischöfe) unmittelbar vor dem Papst einher. Damit war stärker als im Investiturstreit der Bruch der Traditionen sichtbar geworden, der sich in der folgenden Epoche infolge des Aufenthaltes in Avignon noch vertiefte und auch nach der Rückkehr nach Rom bis in die Moderne hinein fortbestand.

Wie schon erwähnt, bestimmten mittelitalische Interessen weitgehend das Verhältnis der Päpste zu weltlichen Herrschern. Besonders deutlich zeigte sich dies an der auf Sicherung Roms und des Kirchenstaates ausgerichteten Deutschlandpolitik, die auch für Deutschland selbst weitreichende Folgen hatte. Entsprechend definierte Innozenz III. während des deutschen Thronstreites (1198–1208) die päpstliche Position zur deutschen Königswahl, vor allem in seiner Dekretale 'Venerabilem' von 1202. Er gestand zwar den Reichsfürsten das alleinige Recht zu, den deutschen Herrscher zu wählen, doch reservierte er dem Papst ein Prüfungsrecht – was eine Ablehnung einschloß –; dabei bezog er sich darauf, daß die Anwartschaft eines jeden deutschen Königs auf die Kaiserkrone von deren Vergabe durch den Papst abhänge. Damit standen dem Papst bei entsprechender politischer Konstellation genügend Möglichkeiten zur Verfügung, in die deutsche Herrschernachfolge einzugreifen. Bald in die offiziellen Kirchenrechtssammlungen aufgenommen und auch in Deutschland nicht angefochten, wurde 'Venerabilem' bis in das 16. Jahrhundert hinein beachtet und blieb zumindest theoretisch bis 1917 in Kraft. Und auch die Königswahl selbst wurde seit dem späten 13. Jahrhundert formal immer stärker gemäß den Gewohnheiten bei kirchlichen Wahlen vollzogen.

In der realen Politik bewirkten die auf Mittelitalien fixierten Interessen des Papsttums einen immer wieder erneuerten Kampf gegen die Staufer, wobei die päpstlichen Ressentiments nach der Absetzung Friedrichs II. weiterbestanden. Hatte schon Innozenz IV. nach 1245 die Gegenkönige Heinrich Raspe und Wilhelm von Holland finanziell und durch Legaten unterstützt, so ließen sich auch seine Nachfolger von antistaufischen Absichten leiten. Daher lehnten sie nicht nur die Königskandidaturen Konrads IV. und Konradins ab, sondern neigten während des Interregnums mehr Richard von Cornwall zu, weil dessen Kontrahent, Alfons X. von Kastilien, mit den Staufern verwandt war. Und auch das Verhalten gegenüber Rudolf von Habsburg und Albrecht I. war häufig von dem Interesse bestimmt, die eigene Machtposition und die der Anjou in Italien nicht durch deutsche Eingriffe gefährden zu lassen. Lediglich Päpste wie Gregor X. und Nikolaus III. versuchten, die Macht Karls I. in Italien einzuschränken, und bemühten sich um eine engere Zusammenarbeit mit dem deutschen König. Doch waren dies kurzlebige Unternehmungen. Eine der Folgen war, daß es nach 1220 (bis 1312) keine Kaiserkrönung mehr gab und Italien – damit auch das Papsttum – sich ständig mehr Deutschland entfremdete.

Um so mehr verstärkte sich die Bindung an Frankreich. Dort hatten viele Kuriale und Kardinäle, somit auch Päpste, studiert. Von den nichtitalischen Kardinälen und Päpsten waren die meisten Franzosen, unter ihnen mehrere Äbte von Cîteaux. Ein großer Teil der päpstlichen Einnahmen kam wohl schon im 13. Jahrhundert aus Frankreich. In Lyon, das zwar noch theoretisch zum Reich gehörte, doch französisch geprägt war, wurden die beiden wichtigen Konzilien von 1245 und 1274 gehalten. Von dieser Verbindung profitierte auch die französische Krone. Die in den ersten Jahrzehnten des 13. Jahrhunderts durchgeführten und vom Papsttum angeregten Kriege gegen die Katharer in Südfrankreich nutzten ebenso der Expansion ihres Herrschaftsbereiches wie die spätere, vom Papsttum geförderte Inquisition. Und die Förderung Karls von Anjou seit

Urban IV. vertiefte den französischen Einfluß nicht nur auf das Papsttum, sondern auch im Mittelmeerraum. Gerade wegen dieser engen gegenseitigen Bindung mußte der noch zu schildernde Konflikt zwischen Philipp dem Schönen und Bonifaz VIII. die Position des Papsttums erschüttern.

Komplizierter war dessen Verhältnis zu England. Schon daß Johann Ohneland den mit ihm verwandten und vom Papst geförderten Otto IV. nicht unterstützte, hatte den Unwillen Innozenz' III. erregt. Die Situation spitzte sich zu, als nach einer zwiespältigen Bischofswahl in Canterbury Innozenz seinen Studienfreund und Kardinal, Stephan Langton, 1207 in Rom zum Erzbischof von Canterbury weihte, der König ihn jedoch nicht anerkannte. Johanns Politik, viele Bistümer und Abteien möglichst lange nicht zu besetzen, um während der Vakanz deren Temporalien für sich zu nutzen, verschärfte den Konflikt. Die Folge war, daß Innozenz 1211 den König bannte und abzusetzen drohte, über das Land das Interdikt verhängte und eine Invasion Englands durch den französischen Thronfolger – deklariert als Kreuzzug – förderte. Auch militärisch geschwächt, gab Johann nach und trug 1213 dem Papst sein Königreich als Lehen an. Seitdem war der Papst Oberlehensherr von England und bezog in dieser Funktion 1000 Silbermark als Jahreszins des Königs. Ein erstes Ergebnis der neuen Konstellation war, daß Innozenz die 1215 dem König abgerungene Magna Charta, an deren Abfassung auch Stephan Langton beteiligt war, nicht anerkannte. Und als 1216 Johanns Gegner nun ihrerseits den französischen Thronfolger aufforderten, den Kanal zu überqueren und die englische Krone zu tragen, stand der Papst auf der Seite Johanns. Nach dessen Tod im Jahre 1216 verhalf der in England weilende Kardinallegat Guala dem jungen Heinrich III. zur Krone. Seitdem bestand für Jahrzehnte ein besonders enges Verhältnis zwischen England und dem Papsttum, was sich äußerlich und bis heute sichtbar auch darin zeigte, daß im Auftrag des Königs in der Abteikirche von Westminster römische Kosmaten arbeiteten, das einzige Beispiel ihrer Kunst außerhalb Italiens. Neben Frankreich bescherte seit 1213 auch England dem Papsttum einen großen Teil der Einnahmen und seit der Jahrhundertmitte viele Pfründen für Kuriale und Kardinäle.

Das Kirchenrecht wurde in England gleichfalls besonders stark vom Papsttum geprägt. Doch wie in Frankreich setzten auch in England Ende des Jahrhunderts Bemühungen ein, den päpstlichen Einfluß zu verringern.

Intensiver als zuvor konnte das Papsttum seit Innozenz III. in die inneren Verhältnisse der spanischen Reiche eingreifen. Peter II. war der erste aragonesische König, der sich 1204 in Rom vom Papst als seinem Oberherrn krönen ließ. Und daß das Papsttum sich aus seiner Stellung als Oberlehensherr eine Kontrollfunktion zuschrieb, die bis zur Absetzung reichen konnte, zeigen die Aktionen gegen Peter III. von Aragón und dessen Nachfolger nach der Sizilianischen Vesper (1282) und die Deposition (1245) Sanchos II. von Portugal. Auch die kirchlichen Zustände wurden jetzt mehr als zuvor den päpstlichen Richtlinien angepaßt: Der alte Streit zwischen Toledo, Santiago und Braga wurde zum Nachteil Toledos auf dem 4. Laterankonzil (1215) geschlichtet; fortan genoß der Erzbischof von Toledo nur noch einen Ehrenvorrang, real waren alle drei Erzbistümer gleichgestellt. Durch Legaten, etwa den Kardinal Jean de Abbeville (1228–30), wurde auf Synoden das neue päpstliche Recht durchgesetzt. Das hatte zur Folge, daß erstmals auch von den Cortes die Klerikerehe verboten wurde und päpstliche Maximen Eingang in das neue kastilische Gesetzbuch – die von Alfons X. vollendeten 'Siete Partidas' – Eingang fanden. So erstaunt es nicht, daß nach der Eroberung der Estremadura und Andalusiens auch die Neuorganisation der dortigen Bistümer weitgehend gemäß päpstlichen Richtlinien vorgenommen wurde. Weniger allerdings folgten die Herrscher päpstlichen Weisungen, wenn es sich um ihre persönlichen Vorteile handelte. So schloß Sancho VII. von Navarra gegen den Protest Innozenz' III. ein Bündnis mit den Mauren; und auch bei Scheidungs- oder Heiratswünschen von Königen stießen päpstliche Mahnungen oder Verbote häufig auf taube Ohren.

Zweideutig war die päpstliche Haltung gegenüber Byzanz. Nach anfänglichem Zögern hatte Innozenz III. die 1204 durch die Teilnehmer des 4. Kreuzzuges erfolgte grausame Eroberung Konstantinopels und die Errichtung des dortigen Lateinischen Kaiserreiches gebilligt, obwohl ein Kreuzzug nur gegen Feinde des Glaubens geführt werden durfte, denn die Konsequenzen waren für ihn zu verlockend: Erstmals gab es einen Patriarchen von Konstantinopel, der die Suprematie des Papsttums anerkannte. Daß dieser im griechischen Klerus und Volk auf geringe Anerkennung stieß, brauchte den Papst nicht zu stören. Doch war der Triumph von kurzer Dauer, denn 1261 hatte Michael VIII. Palaiologos Konstantinopel zurückerobert, was auch zur Folge hatte, daß dort wieder ein griechischer Patriarch waltete, der die päpstlichen Ansprüche natürlich zurückwies. Daher unterstützten Urban IV. und Clemens IV. als Franzosen die Versuche Karls I. von Anjou, von Sizilien aus die Hegemonie über Byzanz zu erkämpfen. Anders der Italiener Gregor X. Dieser plante einen großen Kreuzzug, um Jerusalem zurückzuerobern, und suchte dafür Rückhalt auch in Byzanz; ebenso war Kaiser Michael an einem Ausgleich mit dem Westen gelegen. Nach langen Vorverhandlungen wurde erstmals seit dem Bruch von 1054 eine Kirchenunion zwischen Griechen und Lateinern 1274 auf dem 2. Konzil von Lyon geschlossen. Auch Gregors Nachfolger hielten zunächst an dieser fest. Dennoch hatte sie keinen Bestand, denn im Osten stieß die vom Westen unnachgiebig geforderte Anerkennung des 'Filioque' und der päpstlichen Suprematie auf allgemeine Ablehnung. So endete die Union mit dem Tod des Kaisers 1282.

Wie die vergebliche Union mit den Griechen erfolgte auch ein anderes spektakuläres Ereignis des Lyoner Konzils im Hinblick auf einen neuen Kreuzzug: die Teilnahme einer Gesandtschaft des mongolischen Ilkhans von Persion am Konzil. Schon Innozenz IV. hatte unter dem Eindruck des Mongolensturmes Beauftragte nach Karakorum, der mongolischen Zentrale, geschickt. Gregor X. erhoffte nun von den Verhandlungen, die palästinensischen Muslime auch von Osten her angreifen zu können. Zwar scheiterte auch dieser Plan, doch hatte er zur Folge, daß Franziskaner unter Duldung der Großkhane in China Dominikaner mit Billigung der Ilkhane in Persien missionierten und in ihrem jeweiligen Missionsbereich eine Bistumsorganisation schufen.

Dennoch blieben West- und Südeuropa wie für die Außenpolitik, so auch für die Kirchenpolitik der Päpste das Zentrum. Für beide Themenbereiche, die gewöhnlich eng zusammenhingen, galt die in dieser Epoche noch stärker als zuvor entwickelte Doktrin vom päpstlichen Amt. Diese wurde bis zur Mitte des Jahrhunderts vornehmlich in den Arengen (= Einleitungen) päpstlicher Verlautbarungen und in den kanonistischen Kommentaren zu Dekretalen und Konstitutionen formuliert; seit dem Ende des 13. Jahrhunderts verfaßten vor allem Theologen erstmals Traktate, die systematisch Probleme der Kirchenverfassung untersuchten, woraus eine neue theologische Teildisziplin entstand, die Ekklesiologie (= Lehre von der Kirche). Dieser Neubeginn ist nicht nur wissenschaftshistorisch interessant, sondern auch für die Lage der Kirche aufschlußreich, denn er zeigt, daß zumindest einzelne Gelehrte Bestandteile der Kirchenverfassung – vor allem das Verhältnis von Kirche und Staat – als problematisch erkannten. Und für das Papsttum selbst wurden die neuen Schriften wichtig, weil sie ihm als Vorlagen für eigene Stellungnahmen dienen konnten; ein berühmtes Beispiel hierfür ist die Übernahme von Thesen aus einem Traktat des Aegidius Romanus in Bonifaz' VIII. Konstitution 'Unam sanctam'.

Wichtig ist, daß die Päpste und ihre Anhänger kaum neue Theorien aufstellten, sondern die seit dem Investiturstreit entwickelten Ansätze vertieften und weiter ausbauten. Deutlich wird dies schon bei Innozenz III. Stärker noch als seine Vorgänger betonte er seine Stellung als *vicarius Christi* (Stellvertreter Christi) und damit zusammenhängend den Umfang seiner Amtsgewalt *(plenitudo potestatis)*. Von dieser Basis aus griffen er und seine Nachfolger verstärkt in die Belange der Ortskirchen ein, worauf noch einzugehen ist. Die Funktion des Papstes als Stellvertreter Christi wirkte sich auf sein Verhältnis zu den weltlichen Gewalten aus. Zwar hatte, wie schon erwähnt, Innozenz III. etwa in der Dekretale 'Venerabilem' von 1202 das Königswahlrecht der deutschen Fürsten nicht angetastet und im Jahr zuvor in einer anderen Dekretale ('Per venerabilem') betont, daß die höchsten weltlichen Herrscher in ihren Reichen die Gewalt direkt von Gott empfangen hätten, er also über sie keine weltliche Autorität besitze. Dennoch schrieb er sich Einwirkungsmöglichkeiten zu: Gegenüber dem deutschen Herrscher gründeten diese auf dem Kaiserkrönungsrecht und auf der Translationstheorie, gegenüber Portugal, Aragón, Sizilien, später auch England oder

Ungarn auf der Position des Papstes als Oberlehensherr, generell gegenüber allen Herrschern auf der Zweischwerterlehre und auf der Lehre von der Erbsünde. Deren theologische Aussage wurde politisch interpretiert: Weil alle Menschen sündhaft seien und der Mittlerschaft der Priester bedürften, könnten diese – vor allem natürlich der Papst als oberster Priester – korrigierend gegen weltliche Herrscher vorgehen, wenn diese wegen ihrer Sündhaftigkeit *(ratione peccati)* gefehlt hätten. Von Innozenz III. noch maßvoll vertreten, wurde diese Lehre seit Gregor IX. stärker hervorgehoben und schließlich zusammen mit der Zweischwerterlehre von Bonifaz VIII. in 'Unam sanctam' mit dogmatischem Anspruch fixiert und zugespitzt. Daher wurde den Herrschern auch immer weniger Einfluß auf die kirchlichen Institutionen in ihren Machtbereichen zugestanden. An ihre Stelle wollte nun der Papst treten.

Um die Ansprüche des Papsttums und das von ihm gesetzte Recht an den Rechtsschulen und Universitäten, aber auch an den Gerichten und gegenüber potentiellen Konkurrenten bekanntzumachen und durchzusetzen, ließ Innozenz III. als erster Papst von ihm veröffentlichte Texte durch einen Familiaren, den Kanonisten Petrus von Benevent, in einer Sammlung zusammenstellen, der sogenannten 'Compilatio tertia', die er 1210 als offizielle Dekretalensammlung publizierte; ihm folgte 1226 Honorius III. mit der 'Compilatio quinta'. Beide Sammlungen waren ebenso wie inoffizielle Kompilationen überholt, als Gregor IX. 1234 den von seinem Pönitentiar Raimund von Peñaforte zusammengestellten 'Liber Extra(vagantium)' veröffentlichte, der seitdem bis 1917 als offizielle Sammlung vor allem des nach Gratian entwickelten, vom Papsttum geprägten Kirchenrechts galt. Spätere Dekretalen und Konzilsbeschlüsse wurden in teils offiziellen (Innozentianen, Gregorianen), teils inoffiziellen Sammlungen tradiert, schließlich von Bonifaz VIII. 1298 (Liber Sextus), 1317 von Johannes XXII. (Klementinen) publiziert. Diese drei Sammlungen – also der 'Liber Extra' und der 'Liber Sextus' und die Klementinen – prägten seitdem nicht nur die kirchenrechtliche Praxis, sondern wurden vielfach in Apparaten kommentiert, in Summen systematisch erläutert, für die Praxis in Beichtsummen, Sakramentalien, Wahltraktaten usw. aufgearbeitet, in Repertorien und Inventaren stichwortartig zusammengefaßt sowie auf Synoden rezipiert. Und auch Sammlungen des weltlichen Rechtes (Kastilien: Siete partidas, England: die Rechtssammlung Bractons) dienten sie als Vorlage. Schon aus dieser vielfältigen Verbreitung wird deutlich, wie weitgehend unangefochten sich das päpstliche Recht in dieser Epoche durchsetzte. Allerdings bedeutete dies nicht, daß die Wirklichkeit immer dieser Norm entsprach, wie zum Beispiel die dem 4. Laterankonzil (1215) häufig widersprechende Praxis der Eheschließungen bis zum Ende des Mittelalters zeigt.

Ein in Recht und Praxis häufig traktiertes Problem war, wie ein Bischof sein Amt erlangen solle. Zumindest in der Theorie stand fest, daß die Wahl der wichtigste Akt sei; umstritten jedoch war, wer wählen darf und wie die Wahl zu vollziehen sei. Hinsichtlich der Papstwahl hatte schon das 3. Laterankonzil 1179 dekretiert, daß nur die Kardinäle mit Zweidrittelmehrheit einen Papst zu wählen hätten. Gregor X. regelte anschließend auf dem 2. Lyoner Konzil 1274 die Form der Wahl im Konklave, die Clemens V. noch verfeinerte. Seitdem war bis in die jüngste Vergangenheit die Papstwahl festgelegt. Ihr glich sich die Bischofswahl immer mehr an. Spätestens auf dem 4. Laterankonzil stand fest, daß analog zum Kardinalkolleg das Domkapitel als einziges Wählerkollegium zu fungieren hätte. Doch anders als bei der Papstwahl konnte bei einer Bischofswahl eine Minderheit als *sanior pars* ('gesünderer' Teil) der Mehrheit entgegentreten und somit deren Kandidaten ablehnen. Deshalb stellten Innozenz III. und Gregor IX. Richtlinien auf, die die Wahlform und die Ansprüche von Wählergruppen regeln sollten. Weil diese Merkmale jedoch nicht eindeutig waren, wurde die Kurie immer wieder mit strittigen Bischofswahlen befaßt. Dies änderte sich auch nicht, als seit Gregor X. und Nikolaus IV. auch für die Bischofswahlen das Votum der Mehrheit als ausschlaggebend angesehen wurde, denn wegen der vorangegangenen häufigen Prozesse hatte es sich eingebürgert, daß auch ein einwandfrei gewählter Bischof vom Papst nominiert (ernannt) werden müsse. Damit hatte das Papsttum den ausschlaggebenden Einfluß auf die Besetzung der Bistümer gewonnen. Weitergehend behielt sich das Papsttum die Einsetzung von

Bischöfen dann vor, wenn eine strittige Wahl erfolgt war oder der letzte Amtsinhaber an der römischen Kurie gestorben war. Diese Provision erfolgte ebenso wie die Nomination nach Beratung von Papst und Kardinälen im Konsistorium. Dies zahlte sich auch finanziell aus: Aus einer anfänglich freiwilligen Spende hatte sich nämlich Ende des 13. Jahrhunderts eine Gebühr entwickelt, die jeder Bischof – und auch jeder Abt – zahlen mußte, wenn er sein Amt vom Papst erhalten wollte, das *servitium commune* (allgemeine Dienstleistung); es betrug ein Drittel der ersten Jahreseinnahme. Seit Bonifaz VIII. wurden die Zahlungsverpflichtungen und erfolgten Zahlungen der Bischöfe und Äbte in eigenen Registern verbucht, wobei eine Hälfte dem Papst, die andere den Kardinälen zustand. Darüber hinaus mußte jeder Kandidat noch *servitia minuta* (verkleinerte Dienstleistungen) zahlen, die insgesamt soviel wie der Anteil eines einzelnen Kardinals betrugen und bestimmten Kurialen zugute kamen. Aus den Servitienverzeichnissen wird das finanzielle Übergewicht Englands und Frankreichs, weniger schon Spaniens und Deutschlands, gegenüber Italien deutlich: Während etwa ein Drittel der italischen Bischöfe von der Zahlung befreit war, weil ihr Einkommen unter 100 Florenen (= Gulden) lag, zahlten als reichste Bischöfe die von Rouen, Toulouse und Winchester je 12000 Florenen; und auch die knapp dreißig 5000 bis 10000 Florenen zahlenden Bischöfe stammten – abgesehen vom Patriarchen von Aquileja – nicht aus Italien. Noch eindeutiger war die regionale Ausrichtung bei den Äbten, denn die zwanzig 4000 bis 8000 Florenen zahlenden Äbte amtierten ausschließlich in Frankreich und in den Niederlanden. Kraß ausgedrückt: Die als Päpste, Kardinäle und Kuriale sowie auf den Konzilien dominierenden Italiener lebten weitgehend auf Kosten der transalpinen Ortskirchen.

Daher waren sie auch an dortigen niedrigeren Pfründen, vor allem an gut dotierten Dompfründen und anderen Kanonikaten, interessiert. Schon Päpste des 12. Jahrhunderts hatten Verwandte und Vertraute mit kirchlichen Stellen außerhalb Italiens versorgt, ebenso wie ihre Nachfolger seit Innozenz III. Doch waren die Päpste bis zur Mitte des 13. Jahrhunderts auf die Mitwirkung der lokalen Institutionen angewiesen gewesen. Dies änderte sich seit Clemens IV. Er reservierte sich die Vergabe aller der Pfründen, deren Inhaber an der Kurie gestorben waren. Allerdings ist der Begriff 'Kurie' schillernd. Gewöhnlich residierte der Papst nicht in Rom, sondern in anderen Orten, die oft zu klein waren, als daß sie alle Kurialen beherbergen konnten. Folglich galten alle Orte, an denen diese ihren Geschäften nachgingen, als jeweiliger Sitz der Kurie. Am Ende des 13. Jahrhunderts auf einen Umkreis von zwei Tagesreisen fixiert, wurde dieser Radius gleichzeitig auch auf die Pfründenvergabe angewandt: Alle die Pfründen waren dem Papst reserviert, deren Inhaber in diesem Umkreis verstorben waren. Damit war ein nützliches Instrument geschaffen – im 14. Jahrhundert wurde es noch perfektioniert –, um den Kurialen ein gutes Einkommen zu verschaffen. Und schon um 1300 uferte die Provisionspraxis dahingehend aus, daß Expektanzen (Anwartschaften) auf freiwerdende Pfründen vergeben und Ansprüche auf die Spolien (= Nachlaß) verstorbener Pfründeninhaber erhoben wurden. Allerdings konnten sich diese Praktiken noch nicht überall durchsetzen; wahrscheinlich kam nur etwa die Hälfte der Providierten in den erhofften Genuß. Wichtig jedoch ist, daß auch die meisten Pfründen in Frankreich, den Niederlanden und England lagen.

Schon bei der Besetzung von Bistümern, erst recht bei der Vergabe von Pfründen, wurde das Papsttum häufig auch deshalb von auswärts eingeschaltet, weil viele Bewerber einen Makel aufwiesen: vor allem den der nichtehelichen Geburt. Von den Geistlichen mehrerer iberischer Bistümer war unter Gregor IX. etwa ein Drittel illegitimer Herkunft, ein ähnlich großer Anteil muß auch für andere Diözesen vermutet werden; und zumindest in Skandinavien war Ende des 13. Jahrhunderts wiederum ein Drittel dieser Illegitimen, also ungefähr 10 Prozent des gesamten Klerus, von Priestern und anderen Zölibatären gezeugt worden. Sofern die Klerikerkinder nicht in ein Kloster oder ein Regularkanonikerstift eintraten, um dort für die Sünden ihrer Väter zu büßen, bedurften sie eines Dispenses. Strebten sie die Priesterweihe, ein mit Seelsorge verbundenes Benefiz oder gar ein Bistum an, so konnte sie nur der Papst dispensieren. So erteilte allein Innozenz IV. sechs Priestersöhnen und einem Bischofssohn einen Dispens, damit sie zu Bischöfen geweiht werden konnten. Abgesehen davon, daß hierin deutlich wird, wie wenig die Zölibatsgesetzgebung des 11. Jahrhunderts beachtet wurde, zeigen die Dispensierungen, wie weit der Papst Vorrechte der Bischöfe sich angeeignet hatte und wie tiefgehend er in diözesane Belange eingriff. Häufiger als in früheren Zeiten dispensierte der Papst auch von anderen, altkirchlichen oder modernen Kirchenrechtsnormen. Die Dispense ersetzten nun weitgehend die bis zur vorigen Epoche üblichen Exemtionen. Und gerade an ihnen wird deutlich, daß nicht nur die oft rigide Gesetzgebung, sondern die – natürlich nur gegen Gebühren erteilten – Dispense studiert werden müssen, wenn man die Rechtswirklichkeit erkennen will.

Häufig bezog sich die päpstliche Gesetzgebung und Regierungspraxis auf die Kreuzzüge. Der Schutz der Kreuzfahrer und ihrer daheimgebliebenen Angehörigen wurde seit Innozenz III. verstärkt kirchenrechtlich geregelt; an Dekretalen zum Kreuzzugsrecht entwickelten Kommentatoren frühe Ansätze zu einem Völkerrecht. Ebenso waren Päpste wie Innozenz III., Honorius III., Innozenz IV. und Gregor X. bemüht, Kreuzzüge ins Leben zu rufen; diesem Bemühen dienten auch die Konzilien von 1215 und 1274. Aus dem gleichen Grund wurden die Ritterorden weiterhin privilegiert und im 13. Jahrhundert immer wieder Kreuzzugssteuern eingetrieben. Dies änderte sich auch nicht, als 1291 die letzten Kreuzfahrerstädte von den Muslimen erobert worden waren. Doch erlahmte die Begeisterung für das Heilige Land immer mehr. Schuld daran war nicht nur die Erfolglosigkeit der Kreuzzüge, sondern auch der Mißbrauch der Kreuzzugsidee gerade durch die Päpste. Wie schon erwähnt, führten oder unterstützten sie jetzt Kreuzzüge gegen politische Gegner – Staufer, Aragonesen, Engländer –, gegen persönliche Widersacher – Colonna unter Bonifaz VIII. – sowie gegen wirkliche oder vermeintliche Häretiker – Albigenser in Südfrankreich, Stedinger an der unteren Weser. Desgleichen nutzten die Päpste Kreuzzugszehnte, um eigene Kriege zu finanzieren oder befreundeten Herrschern zu helfen.

Besonders die Ketzerkreuzzüge sind bis heute umstritten, denn sie zeigten, wie gering die Kirche ihre Unterweisungskraft einschätzte und statt dessen auf Gewaltanwendung setzte. Allerdings muß hierbei berücksichtigt werden, daß zumindest die Etablierten – auf geistlicher wie weltlicher Seite – durch die Häresien die kirchliche und politische Ordnung bedroht und sich daher berechtigt sahen, mit Gewalt die Gegner dieser Ordnung zu bekämpfen. Und noch Innozenz III. hatte, wie vor ihm schon Alexander III., versucht, durch Zugeständnisse einige Gruppen – etwa die 'Lombardischen Armen' – wieder zu integrieren, trotz Kritik aus den eigenen Reihen. Und auch später noch wurden Versuche gebilligt, durch Glaubensgespräche Häretiker in die Kirche zurückzuführen. Doch änderte dies nichts daran, daß Gewalt bevorzugt wurde, zuerst in Form von Kreuzzügen, seit Gregor IX. vor allem durch die Inquisition. Diese basierte auf Dekreten Lucius' III. ('Ad abolendam') und Innozenz' III. ('Vergentis in senio') sowie auf Herrschererlassen – etwa dem Krönungsversprechen Friedrichs II. von 1220 –, wurde aber erst von Gregor IX. und Innozenz IV. voll ausgebildet und perfektioniert. Hatte jener die Verbrennung als Strafe für rückfällige oder 'verstockte' Ketzer – nach weltlichem Vorbild – dekretiert und Zeugen die Anonymität zugesichert, was Denunzianten das Geschäft erleichterte, so hatte Innozenz IV. die Tortur für die Untersuchung zugelassen und als Strafe für reuige Ketzer die 'Mauer', die lebenslängliche Kerkerhaft, bestimmt. Als Inquisitoren fungierten Bischöfe, deren Beauftragte und päpstliche Legaten, vor allem jedoch Mitglieder der neuen Bettelorden, unter denen sich Dominikaner besonders hervortaten, weshalb der Spitzname 'domini canes' (Hunde des Herrn = des Papstes) bald verbreitet war.

Überhaupt läßt sich die Durchsetzung der päpstlichen Autorität während dieser Zeit nicht voll verstehen, wenn man die neuen Orden nicht berücksichtigt. Noch Innozenz III. hatte versucht, die älteren Reformorden, vor allem die Zisterzienser, für seine Ketzerpolitik einzusetzen. Doch war er gescheitert, denn diese Orden waren wegen ihrer monastischen Struktur für die Seelsorge ungeeignet. So dienten sie ihm auf dem 4. Laterankonzil nur noch als Vorbild für die regionale Organisation der Benediktiner. Für Mission, Seelsorge und Ketzerkampf benötigte er hingegen neue Helfer. Seit der Jahrhundertmitte wird in Franziskuslegenden berichtet, Innozenz hätte vom Einsturz der Lateranbasilika – also 'der Mutter und des Hauptes aller Kirchen' – geträumt, der nur durch Franz verhindert worden sei. Bald bildlich dargestellt und später auch auf Dominikus übertragen, bewies die Erzählung die hohe Selbsteinschätzung der Bettelorden als Retter der Kirche, verklärte jedoch die Vergangenheit. Zuerst war es nämlich der Papst, der schon seit 1209 im Einvernehmen mit dem Bischof von Assisi Franziskus und dessen Anhänger unterstützte und förderte, allerdings unter der Bedingung, daß sie sich dem Klerus eingliederten. Ebenso förderte schon er die Gründungen des Kastiliers Dominikus. Seine Nachfolger, vornehmlich der mit Innozenz verwandte Gregor IX., folgten seinem Beispiel. Trotz unterschiedlicher Regeln und innerer Strukturen unterstanden die Oberen beider Orden dem Papst. Außerdem hatten zuerst die Franziskaner, später auch die Dominikaner jeweils einen Kardinal als Protektor am päpstlichen Hof, der ihre Interessen wahrnahm, zugleich aber auch die Direktiven des Papstes weiterleiten konnte. Und während vor allem die Dominikaner dem Papsttum als Inquisitoren nützten, dienten die Franziskaner der Verbreitung der römischen Liturgie, denn Franz hatte für die Riten seines Ordens die Gewohnheiten der römischen Kurie übernommen und somit die Vereinheitlichung der katholischen Liturgie nach römischem Vorbild während des späten 16. Jahrhunderts vorbereitet. Analog vor allem zu den Franziskanern wurden seit Alexander IV. auch andere Gemeinschaften als Bettelorden vom Papsttum organisiert (Augustinereremiten, Karmeliten u. a.). Allerdings verhinderte die enge Bindung zwischen Papsttum und Bettelorden nicht, daß in der zweiten Jahrhunderthälfte Konflikte entstanden, vor allem zwischen Franziskanergruppen und einzelnen Päpsten, die sich an der Interpretation der Armutsforderung entzündeten. Und wegen der starken Privilegierung der Orden und deren erfolgreicher Seelsorge opponierten bald auch Pfarrer und Bischöfe, denn sie bangten um die ihnen zustehenden Gebühren – etwa bei Beerdigungen – und Rechte. Nur mühsam und lange angefochten konnte Bonifaz VIII. im Jahre 1300 durch die Konstitution 'Super cathedram' einen Ausgleich der Interessen schaffen.

Zuletzt sei in diesem Zusammenhang auf die päpstliche Privilegierung von Universitäten hingewiesen. Die meisten von ihnen waren ohne päpstliche Einwirkung entstanden. Einige von ihnen legten lange Zeit keinen (Oxford, Cambridge) oder kaum (Bologna) Wert auf päpstliche Bestätigungen. Anders dagegen Paris. Schon von Honorius III. ('Super speculam') hatte es sich seine Organisation und Rechte bestätigen lassen und sich auch bei späteren Konflikten durch päpstliche Schreiben abgesichert. Bald folgten diesem Beispiel andere französische Universitäten, später auch das spanische Salamanca. Daher wurde es Ende des 13. Jahrhunderts für Universitäten zur Gewohnheit, sich nach dem Pariser Vorbild vom Papsttum privilegieren zu lassen, die Universitäten waren demzufolge jetzt Körperschaften päpstlichen Rechtes. Doch darf das Datum eines Universitätsprivilegs nicht – wie häufig geschehen – als Gründungsdatum angesehen werden, denn dem Privileg ging gewöhnlich die oft lange währende Entstehungsphase voraus. Dem Pariser Vorbild folgte auch Innozenz IV., als er ein Studium an der Kurie gründete – hier wirkte zum Beispiel zeitweise Thomas von Aquin –, und Bonifaz VIII., der ein Studium in Rom privilegierte, dessen Lehrer jedoch von den Rektoren der *fraternitas Romana* bestellt wurden.

Die mannigfachen Aktivitäten der Päpste erforderten eine Neuorganisation und Ausweitung der römischen Kurie. Schon Innozenz III. hatte die Kanzlei straffer organisiert, doch auch unter einigen seiner Nachfolger fanden Veränderungen im Aufbau und innerhalb der Funktionsbereiche der Kanzlei statt. Ähnlich verhielt es sich mit der Kammer. Und wegen der Ausweitung der päpstlichen Tätigkeit kamen neue Amtsbereiche hinzu, wie etwa die Pönitentiarie. Die Umwandlung und der Ausbau der Kurie dauerte demnach das ganze 13. Jahrhundert an. Der Einfachheit halber wird im folgenden die Kurie so beschrieben, wie sie unter Nikolaus III. und Bonifaz VIII. bestand. Dabei ist noch zu beachten, daß die Bedeutung der verschiedenen Kurialen von der jeweiligen Interessenlage abhing: Für den auswärtigen Bittsteller waren Kanzlei und Pönitentiarie sowie die Gerichte am wichtigsten – denn dort erhielt er die von ihm erstrebten Bescheide und Gunsterweise –, außerdem noch die Torhüter und Kammerherren, an denen er ohne 'Handsalben' nicht vorbeikam; einem Kurialen dürften, sofern er nicht eine Pfründe erstrebte oder in einen Prozeß verwickelt war, die Hofämter bedeutend erschienen sein, denn von diesen erhielt er die täglichen Rationen für sich und sein Reittier – eine Besoldung durch Geldzahlungen gab es noch nicht –; der Papst schließlich legte besonderen Wert auf die Kammer, die die Einnahmen und Ausgaben verwaltete, die politische Korrespondenz betreute und den größten Teil der Kurialen beaufsichtigte.

Die Kanzlei bestand aus dem Vizekanzler (seit Honorius III.), der im Gegensatz zum früheren Kanzler selten ein Kardinal war, den Notaren nebst Abbreviatoren, dem *auditor litterarum contradictarum,* dem Corrector und den von der Kanzlei kontrollierten Kollegien der Skriptoren und Prokuratoren. Gewöhnlich war auch noch die *audientia sacri palatii* mit Geschäften der Kanzlei befaßt, weshalb auch sie dem Vizekanzler unterstand. Um die Aufgaben der einzelnen Personen zu erkennen, sei kurz und vereinfacht der Weg eines Petenten an der Kurie geschildert, soweit er sich aus den zum Teil divergierenden Zeugnissen rekonstruieren läßt.

Zuerst mußte der Bittsteller einen Prokurator (= Sachvertreter) aufsuchen – Herrscher und reiche kirchliche Institutionen hatten oft einen eigenen –, der seine Bitte in einer dem kurialen Stil entsprechenden Petition formulierte. War diese Arbeit bezahlt, so ging der Petent mit der Petition zur Kanzlei, ließ seinen Antrag datieren *(data communis)* und von einem Notar übernehmen, der ihm zugeteilt oder von ihm ausgesucht worden war. Dieser ließ nun von einem seiner Abbreviatoren (wörtlich: Abkürzer) nach dem Wortlaut der Petition ein Konzept herstellen. War dies getan, der Text genehmigt und bezahlt, ging der Antragsteller oder sein Prokurator mit dem Konzept zum Distributor (= Verteiler) der Skriptoren. – Diese waren zunftmäßig organisierte Schreiber und durch einen Diensteid dem Vizekanzler unterstellt; an ihrer Spitze standen ein Reskribendar (= Auftraggeber der Abschriften) und (etwa seit Alexander IV.) ein Distributor, die sie aus ihren Reihen wählten. Ihre Einnahmen flossen in eine gemeinsame Kasse, aus der der Reskribendar ihnen ihr Einkommen anteilig zuwies. – Der Distributor nun übergab einem der Skriptoren das Konzept zur Reinschrift *(littera ingrossata),* ließ bei Bedarf die Reinschrift von anderen Skriptoren noch vervielfältigen und die Reinschrift taxieren. Anschließend wurden Konzept und Reinschrift an den Notar zurückgebracht und bei ihm miteinander verglichen *(prima visio* bzw. *auscultatio)*. Stellten sich gravierende Fehler heraus, mußte die Reinschrift neu geschrieben werden, bei Schuld des Skriptors auf dessen Kosten. Eine zweite Korrektur, die Form und Inhalt betraf, erfolgte sodann oft durch den Corrector. Dieser schickte – sofern nicht eine erneute Reinschrift nötig war – das Exemplar zum Papst, falls es wegen seiner Bedeutung vor diesem verlesen werden mußte, oder gleich in die *audientia sacri palatii* (andere Bezeichnung: *audientia publica,* später: Rota). Im zweiten Fall wurde die Reinschrift im Beisein anderer Petenten und Prokuratoren verlesen. Erhob einer von diesen Einspruch gegen den Text, mußte der Fall daraufhin vor dem *auditor litterarum contradictarum* (wörtlich: Hörer=Richter widersprochener Briefe, sachlich: Richter bei Briefen, die auf Widerspruch gestoßen waren) verhandelt werden. Wurde dem Einspruch nicht stattgegeben, erfolgte die Bullierung durch zwei Bullatoren, die gewöhnlich Zisterzienserkonversen waren. War das Schreiben nicht durch die Audientia gegangen und noch nicht in der Hand des Petenten oder seines Prokurators, konnte auch jetzt noch eine Annullierung *(revocatio)* vor dem Vizekanzler erfolgen. Gewöhnlich aber erhielt nun der Petent sein Schriftstück, konnte dieses, wenn er Wert darauf legte, zur Sicherheit in das päpstliche Register, das der Vizekanzler beaufsichtigte, eintragen lassen – als Vorlage diente die Reinschrift oder das Konzept – und bezahlte die anfallenden Taxen (Reinschrift, Bullierung, Registrierung).

Gewöhnlich wurden in der Kanzlei Benefizialbriefe (für Pfründen) und die verschiedenartigen Justizbriefe geschrieben, außerdem konnten dort auch vom Papst angeregte Schreiben *(littere curiales)*, sofern diese nicht durch die Kammer erledigt wurden, und aushilfsweise Briefe der Pönitentiarie geschrieben werden. Doch meist schrieben die Pönitentiare, später auch schon eigene Skriptoren, die bei ihnen anfallenden Briefe selbst. Die Pönitentiarie, im 13. Jahrhundert entstanden – der Name erscheint zuerst unter Gregor IX. – und erst in der folgenden Epoche durch Benedikt XII. voll organisiert, ist hinsichtlich des päpstlichen Kirchenregiments wohl die aufschlußreichste 'Behörde'. Sie war nämlich zuständig für alle

Gnaden, die der Papst erteilte, sofern er nicht die Erteilung sich selbst vorbehalten hatte. Daher gehörte in den Kompetenzbereich der Pönitentiarie die Lösung von Exkommunikationen, die dreimal im Jahr – vor allem am Gründonnerstag – vom Papst in den sogenannten *processus generales* verkündet worden waren, die Lösung von geistlichen Strafen (bei Häretikern, Fälschern päpstlicher Bullen u. a.), die Vergabe des Rechtes, sich einen eigenen Beichtvater auszuwählen, alle Ablaßbewilligungen und vor allem alle Dispense. Anfangs hatte es nur einen Pönitentiar gegeben, der zugleich wohl auch der Beichtvater des Papstes und der Kardinäle war. Später häufig selbst Kardinal, assistierten ihm *poenitentiarii minores,* deren Existenz sich seit Honorius III. nachweisen läßt und zu denen bedeutende Persönlichkeiten wie der Kanonist Raimund von Peñaforte und der Chronist Martin von Troppau zählten. Bei Rom-Aufenthalten teilweise auch als Beichtväter im Lateran und in St. Peter tätig, wurden sie gewöhnlich wegen der nötigen Sprachkenntnisse verschiedenen Nationen entnommen. Seit der zweiten Jahrhunderthälfte rekrutierten sie sich immer mehr aus Mitgliedern der Bettelorden. Wegen der ständig wachsenden Aufgaben halfen ihnen seit Innozenz IV. Skriptoren, die sich dann in Avignon nach dem Vorbild der Kanzleischreiber zu einem Kolleg vereinten.

Die Kammer behielt ihre traditionellen Aufgaben. Doch erweiterte sich auch ihr Kompetenzbereich durch die intensivierte Beherrschung und damit Ausnutzung des Kirchenstaates, infolge der Vermehrung der Abgaben lehensabhängiger Herrscher, zu denen jetzt auch der englische König gehörte, aufgrund der zahlreichen Kreuzzugszehnten sowie der neu hinzugekommenen Servitien. Daher vergrößerte sich der Apparat. Dem Kämmerer halfen maximal sieben Kammerkleriker, Schatz und Bibliothek verwalteten seit der Jahrhundertmitte ein bis zwei Thesaurare (Schatzmeister) – wahrscheinlich gab es auch schon Thesaurare für die Gebiete des Kirchenstaates –, außerhalb des Kirchenstaates trieben Kollektoren die Einnahmen ein. Für Protokolle und andere Schreibarbeiten waren Kammernotare zuständig. Schon in der zweiten Jahrhunderthälfte erfolgte der Geldverkehr gewöhnlich wohl nicht mehr direkt; vielmehr waren Kaufleute als Bankiers *(mercatores curiam sequentes)* zwischengeschaltet, deren Vertreter vor Ort von den Zahlungspflichtigen oder den Kollektoren die Abgaben empfingen und deren Vertreter an der Kurie das Bargeld verwalteten, so daß Kämmerer und Kammerkleriker nur noch die Kontrolle ausübten und die Art der Ausgaben bestimmten. Für Fiskalprozesse gab es einen Richter *(auditor camere)* und einen Anwalt *(advocatus fisci)*. Wie schon erwähnt, war der Kämmerer auch für die politische Korrespondenz zuständig, wobei ihm bzw. dem Papst Geheimschreiber *(secretarii)* halfen. Für diese Korrespondenz vor allem, aber auch für Verwaltungsschreiben wurden etwa seit Urban IV. eigene Register geführt.

Im Gegensatz zum 12. Jahrhundert wurde jetzt auch das kuriale Gerichtswesen organisatorisch gestrafft. Für die meisten Fälle war die seit Innozenz III. existierende *audientia sacri palatii* (auch: *audientia publica*, später 'Rota' genannt) zuständig. Sofern ihre Auditoren nicht die Fälle selbst erledigten, wurden diese – wie schon seit Alexander III. bekannt – delegierten Richtern übertragen. Gewöhnlich beriet sich der jeweilige Auditor mit seinen Kollegen, bevor er sein Urteil fällte. Für Disziplinverstöße von Kurialen war hingegen gewöhnlich der Kämmerer zuständig, während deren kriminelle Vergehen sowie Verbrechen von Laien, die sich an der Kurie aufhielten, der Justizmarschall richtete. Dieser war häufig auch päpstlicher Heerführer, daher Adliger und oft ein Verwandter des regierenden Papstes.

Der Versorgung der Kurialen dienten die vier Hofämter – Küche *(coquina)*, Brotamt *(panataria)*, Weinamt *(buticularia)* und Marstall *(marescallia)* –, die nach Ausweis von Rechnungsbüchern aus der Zeit Bonifaz' VIII. etwa 60 Prozent der kurialen Ausgaben verwalteten, sowie das Almosenamt *(elemosina)*, das außer Spenden an Arme auch Unkosten für Prozessionen sowie zeitweise auch die Ausgaben für Palastbauten und Palastgärten bestritt.

Nicht ein eigenes Amt, sondern – wie schon oben erwähnt – Kern der päpstlichen *familia* und somit Reservoir für fast alle wichtigen kurialen Funktionen war die päpstliche Kapelle, auch wenn deren eigentliche Aufgabe die Gestaltung der päpstlichen Palastgottesdienste blieb. Hinsichtlich der Kapelle muß jedoch zwischen den zahlreichen 'Ehrenkaplänen' und den an der Kurie fungierenden, in der *capellania* wohnenden Kaplänen – im 14. Jahrhundert als *capellani commensales* (am Tisch des Papstes sitzende Kapläne) bezeichnet – unterschieden werden. Solch ein Kaplan zu sein, war das sicherste Fundament einer erfolgreichen Karriere. So erstaunt es nicht, daß Vizekanzler und Kämmerer, aber auch die Thesaurare, Kanzleinotare, Pönitentiare und Auditoren gewöhnlich Mitglieder der Kapelle gewesen waren und sich die Skriptoren bemühten, Kapläne zu werden.

Die Bedeutung der Kapläne geht auch daraus hervor, daß sie sich in ihrer Kleidung bis zur Mitte des 13. Jahrhunderts nicht von den Kardinälen unterschieden. Erst Innozenz IV. erlaubte den Kardinälen, zur Abhebung von den Kaplänen purpurne Birette zu tragen. Weil bis dahin Purpur als kaiserliche Farbe dem Papst vorbehalten war, wird schon an diesem Detail der Kleiderordnung ersichtlich, daß die Bedeutung des Kardinalkollegs noch zunahm. Wenig später wurden die Kardinäle als Nachfolger der Apostel, als 'Teile des päpstlichen Körpers' *(pars corporis pape)* – analog zum spätantiken kaiserlichen Senat – und als 'Säulen der Kirche' bezeichnet. Die beiden letzten Titel wurden später in Deutschland auf die dortigen Kurfürsten übertragen. Und zumindest der zweite Titel hatte auch rechtliche Bedeutung, denn entsprechend dem römischen Recht galt aufgrund dieser Titulatur ein Angriff auf einen Kardinal als Angriff auf den Papst selbst und damit als Majestätsverbrechen. Und daß der reale Einfluß der Kardinäle in der Kirche zugenommen hatte, geht zum Beispiel daraus hervor, daß sie auch dann bischöfliche Funktionen wahrnahmen, wenn sie selbst keine Bischofsweihe besaßen. So degradierte unter Martin IV. der Kardinalpriester Ancherus häretische Priester; und auch Kanonisten diskutierten die Frage, ob ein Kardinalpriester Geistliche degradieren dürfe. Gleichzeitig wuchs der Reichtum der Kardinäle, denn Nikolaus IV. hatte ihnen die Hälfte der Einkünfte aus dem Kirchenstaat zugesprochen; und seit dem Ende des Jahrhunderts waren sie auch zur Hälfte an den Servitien beteiligt. Wie stark ihr Druck auf den Papst sein konnte, zeigte sich in der Aufhebung von Gregors X. strenger Konklaveregelung durch dessen Nachfolger. Und auch als Cölestin V. diese Bestimmung wieder erneuert und Bonifaz VIII. sie in den 'Liber Sextus' aufgenommen hatte, ließ der Widerstand der Kardinäle nicht nach, weshalb in der folgenden Epoche Clemens V. und Clemens VI. Erleichterungen für die Papstwahl dekretierten.

Für die Gewichteverteilung innerhalb der Kurie ist wichtig, daß schon in Rom, erst recht außerhalb der Stadt die meisten Kurialen nicht im Papstpalast amtierten. Dessen ständige Bewohner waren außer dem Papst und dem Palastpersonal (Kubikulare = Kammerherren, Türhüter u. ä.) nur noch der Kämmerer und die Thesaurare sowie die Angehörigen der vier Hofämter, was die Bedeutung dieser Gruppen für das Papsttum unterstreicht. Die Kanzlei hingegen war – im Gegensatz zu manchen weltlichen Herrscherhöfen – nie im Papstpalast untergebracht. Vielmehr erledigten deren Angehörige die anfallenden Geschäfte gewöhnlich in den eigenen Wohnräumen, die sich während der häufigen Reisen sogar an anderen Orten als dem Aufenthaltsort des Papstes befinden konnten. Die relative Bedeutungslosigkeit der Kanzlei für das Papsttum geht auch daraus hervor, daß ihre Angehörigen gewöhnlich ohne ausdrückliche Verlängerung der Amtszeit mehreren Päpsten dienten, während Kämmerer und Thesaurare, aber auch die Pönitentiare als päpstliche Vertrauenspersonen ihr Amt mit dem Tode ihres Auftraggebers verloren und neu ernannt werden mußten.

Der große Geschäftsandrang hatte den Ausbau der Kurie notwendig gemacht. Daß an der Kurie auch Mißbräuche einreißen konnten, hatte schon Innozenz III. erkannt. Daher versuchten er und einige seiner Nachfolger, die schlimmsten Übelstände, vor allem die Korruption, durch Festlegung von Gebühren und Funktionsbereichen auszurotten, was von keiner damaligen weltlichen Verwaltung bekannt ist. Dennoch mehrten sich im 13. Jahrhundert die Stimmen, die gerade die Bestechlichkeit der Kurialen – vor allem der Türhüter, Kammerherren und Kanzleiangehörigen – kritisierten.

Doch auch die päpstliche Politik war nicht immer sicher vor Kritik. So formulierten Kritiker zum Beispiel eine Lehre, die heute als Stütze des päpstlichen Anspruchs als oberster Glaubenshüter der Kirche gilt: die Lehre von der Unfehlbarkeit *(infallibilitas)* des

Papstes. Auf älteren kanonistischen Traditionen basierend, wurde sie Ende des 13. Jahrhunderts zuerst von papstkritischen Franziskanern formuliert, die dagegen opponierten, daß vor allem Bonifaz VIII. die von Nikolaus III. 1279 als authentische Regelerklärung erlassene, den Franziskanern günstige Konstitution 'Exiit qui seminat' revidieren wollte. Die Lehre von der päpstlichen Unfehlbarkeit war also anfangs ein Versuch, die Gesetzgebungskompetenz des Papstes einzuschränken, indem sie ihn an die Verfügungen seiner Vorgänger binden wollte. Erst seit Johannes XXII. wurden, anfangs von Kanonisten wie Guido Terreni, Versuche unternommen, die neue Lehre zugunsten doktrinärer Ansprüche des Papsttums zu interpretieren.

Ein anderer Stein des Anstoßes war die Unterstellung der Konzilien unter den Papst. Gerade die Konzilien dieses Jahrhunderts (1215, 1245, 1274), vor allem das 4. Laterankonzil, hatten nicht sosehr der Beratung des Papstes, sondern der Durchsetzung seiner Absichten in der Gesamtkirche dienen sollen. Doch gab es schon damals Ansätze zu einer Korrektur. Ausgehend von der üblichen Formulierung der Symmachianischen Fälschung – *summa sedes* (bzw. *papa*) *a nemine iudicetur, nisi a fide devius* (der Papst kann von niemandem gerichtet werden, außer wenn er vom Glauben abweicht), worin eingeschlossen war, daß ein Papst Häretiker werden könne – war von Kanonisten, aber auch Theologen kontrovers diskutiert worden, ob der Papst im Falle der Häresie überhaupt noch Papst sei und, wenn ja, wer dann über ihn zu richten habe. Und während des 13. Jahrhunderts nahmen die Stimmen zu, die ein Generalkonzil als einzig mögliche Instanz ansahen. Politisch virulent wurde diese eher akademische Lehre dadurch, daß seit dem Konflikt zwischen Gregor IX. und Friedrich II. Herrscher an ein derartiges Allgemeines Konzil appellierten, um den jeweiligen päpstlichen Gegner richten zu lassen.

Zur Krise wurde die Kritik unter Bonifaz VIII. Genährt von Endzeiterwartungen verschiedener christlicher Gruppen teils häretischer (Apostoliker u. a.), teils orthodoxer Ausrichtung (so die meisten Spiritualen), die hier nicht genauer vorgestellt werden können, hatte die Hoffnung zugenommen, daß das Zeitalter der durch Christus symbolisierten und vom verweltlichten Papsttum geleiteten Kirche abgelöst würde durch das Reich des Heiligen Geistes. Die Überleitung sollte durch einen sogenannten 'Engelpapst' erfolgen. Als nun nach einem jahrelangen Konklave am 5. Juli 1294 der hochbetagte Eremit Peter von Morrone zum Papst gewählt worden war, der den verheißungsvollen Namen Cölestin V. annahm, sahen viele in ihm diesen erwarteten Engelpapst. Doch ihre Hoffnung trog. In politischen und administrativen Geschäften unerfahren, vom neapolitanischen König Karl II. und Mitgliedern seines neuen Ordens, den seitdem so genannten 'Cölestinern', einseitig beeinflußt, versagte der Papst völlig und machte deutlich, daß ein 'Armer im Geiste' nicht als Vikar Christi taugte. Nach Beratung mit einigen Kardinälen, vornehmlich mit Benedikt Caetani, dankte Cölestin am 13. Dezember als erster Papst freiwillig ab; dies bereitete schon damals vielen Kanonisten Kopfzerbrechen, da unklar war, ob ein Papst resignieren dürfe. Elf Tage später wurde der Caetani-Kardinal zum Papst gewählt: Bonifaz VIII. Weil nicht nur Anhänger Cölestins mutmaßten, dieser sei von seinem Nachfolger zum Rücktritt gezwungen worden und Bonifaz daher nicht rechtmäßiger Papst, ließ der neue Papst seinen greisen Vorgänger in dem isolierten, im Machtbereich der Caetani gelegenen Castel Fumone zur Verhinderung einer Befreiung internieren, wo Cölestin 1296 starb. Doch die Zweifel an der Rechtmäßigkeit von Bonifaz endeten nicht.

Die Angriffe mehrten sich, weil Bonifaz Entscheidungen seines Vorgängers aufhob, an Stadttoren und in Kirchen – wahrscheinlich sogar auf Altären – Ehrenstatuen von sich aufstellen ließ und sich damit der Idolatrie (= Götzendienst) verdächtig machte, die Macht seiner Familie auf Kosten der Colonna erweiterte und gegen diese auch mit kirchlichen Mitteln (Exkommunikation, Deposition und Kreuzzug) vorging, vor allem jedoch, weil er in Konflikte mit Philipp dem Schönen von Frankreich und Eduard I. von England geriet. Beide Herrscher hatten in ihrem gegenseitigen Krieg während der Sedisvakanz (1292–1294) eigenmächtig den Klerus ihrer Länder besteuert und dies 1296 ohne Erlaubnis des Papstes neuerlich getan. Letzteres widersprach dem 4. Laterankonzil. Gegen diese Maßnahmen erließ Bonifaz nach Protesten von Teilen des Landesklerus die Bulle 'Clericis laicos'. In dieser betonte er, wie sehr die Kleriker unter den Laien zu leiden hätten, bekräftigte er den Kanon des 4. Laterankonzils und stellte jede Zuwiderhandlung unter Strafe. Daraufhin verweigerten der englische Klerus, aber auch die Barone, ihrem König weitere Steuern, ähnlich verhielt sich der französische Episkopat. Als Reaktion verbot Philipp die Ausfuhr von Edelmetall, Geld und Wechseln, was die päpstlichen Einnahmen erheblich gefährdete. Nach weiteren gegenseitigen Anklagen gab der Papst 1297 nach, um freie Hand gegen die Colonna zu haben. Er sah sich sogar gezwungen, die Gültigkeit von 'Clericis laicos' für Frankreich aufzuheben. In diesen Zusammenhang gehört auch die Heiligsprechung Ludwigs IX. von Frankreich, des Großvaters von Philipp, durch den Papst im selben Jahr.

Doch nachdem Bonifaz im Jahre 1300 durch das erste Heilige Jahr das Ansehen des Papsttums eindrucksvoll hatte demonstrieren können – Hunderttausende sollen damals nach Rom gepilgert sein –, begann der Konflikt mit Frankreich erneut im darauffolgenden Jahr. Ausgelöst wurde er durch den Fall des ersten Bischofs der neuen Diözese Pamiers, Bernard Saisset, der wegen des Patronates über seine Bischofsstadt mit Philipp zusammengestoßen war. Der König machte ihm deshalb den Prozeß als Hochverräter und Häretiker, ließ ihn verurteilen und in Narbonne inhaftieren. Damit war das klerikale *privilegium fori* eindeutig verletzt. Bonifaz verlangte im Gegenzug die Freilassung Saissets, entzog dem König alle päpstlichen Privilegien, wodurch 'Clericis laicos' wieder in Kraft gesetzt war, und lud den König, dessen Episkopat nebst Domkapitel und Universitätslehrer für Ende 1302 zu einer Synode nach Rom. In der entsprechenden Bulle 'Ausculta fili' (5. 12. 1301) beschuldigte er nicht nur Philipp, den Klerus unterdrückt und sein Volk betrogen zu haben, sondern betonte er auch die von Gott gewollte Unterstellung der christlichen Könige unter den Papst. Damit hatte er den Konflikt zum prinzipiellen Streit um die Rechte von Kirche und Staat gemacht. Im Beisein des Königs wurde 'Ausculta fili' verbrannt und deren generelle Thesen in überspitzter Formulierung durch eine gefälschte Bulle ('Deum time') in Frankreich verbreitet. Eine anschließend (10. 4. 1302) vom König berufene Ständeversammlung, zu der erstmals auch Städte gehörten, unterstützte Philipp. Im weiteren Verlauf des Konfliktes erließ Bonifaz nach der spärlich besuchten französischen Synode in Rom am 18. November 1302 die Konstitution 'Unam sanctam'. In ihr betonte er gemäß der päpstlichen Interpretation der Zweischwerterlehre und mit einer eigenartigen Deutung von Bibelstellen die päpstliche Stellung noch stärker als zuvor; anschließend dekretierte er, daß „es für jedes menschliche Geschöpf heilsnotwendig sei, dem römischen Bischof untertan zu sein" *(Porro subesse Romano pontifici omni humanae creaturae declaramus . . . omnino esse de necessitate salutis)*. Zwar entsprach diese Formulierung einigen Thesen von Thomas von Aquin und Aegidius Romanus, doch war sie nun keine bloße Lehrmeinung mehr, sondern – vorgeblich – ein Glaubenssatz. Dennoch blieb die Konstitution weiterhin umstritten, gehörte sie bis zum Ende des Mittelalters nicht zum offiziellen Kirchenrecht, auch wenn sie kommentiert wurde, und erlangte sie erst durch die Bestätigung durch das 5. Laterankonzil 1516 – nach einem erneuten Konflikt mit Frankreich – in der katholischen Kirche allgemeine Anerkennung.

Trotz neuer Verhandlungen zwischen Papst und König verschärfte sich der Konflikt weiter. Philipps derzeitiger Kanzler, Guillaume Nogaret, verbündete sich mit den Colonna und übernahm deren Vorwürfe gegen Bonifaz, während dieser vorhatte, den König zu exkommunizieren und dessen Untertanen von ihrem Treueid zu entbinden. Dies sollte am 8. September 1303 geschehen. Doch am Tage zuvor stürmte Nogaret zusammen mit Sciarra Colonna den Palast des Papstes in Anagni und forderte diesen zum Rücktritt auf. Als Bonifaz sich weigerte, wurde er gefangen, um zur Verurteilung nach Frankreich gebracht zu werden. Zwar befreiten ihn die Bürger von Anagni, vorher Helfer der Colonna, doch starb er einen Monat später gebrochen in Rom.

Mit seinen kirchenpolitischen Absichten gescheitert, sollte Bonifaz das Papsttum auch in der folgenden Epoche noch erheblich belasten. Die vor allem Innozenz III. zu verdankende hohe Stellung des Papsttums war mit seinem Fall erschüttert. Zugleich deutete sich in seinem Konflikt mit Philipp von Frankreich an, was die folgenden Jahrhunderte charakterisieren sollte: die Zurückdrängung des übernationalen Papsttums durch die neuen Verbündeten, Landesherr und Landeskirche. Wegen dieser weitreichenden, bedeutenden Perspektive ist die Auseinandersetzung am Schluß dieses Kapitels ausführlicher als andere Geschehnisse beschrieben worden.

IX. DAS PAPSTTUM IN AVIGNON (1303–1378)

Der als Bonifaz' Nachfolger gewählte Benedikt XI. hatte eine schwere Bürde übernommen. Das Attentat von Anagni und der Tod seines Vorgängers ließen erneut Kämpfe zwischen Caetani und Colonna sowie Aufstände im Kirchenstaat aufleben. Von der bonifazianischen Partei im Kardinalkolleg unter Führung des alten Matteo Rosso Orsini gestützt, genoß Benedikt zwar die Hilfe Karls II. von Neapel, hatte jedoch den französischen König gegen sich, weil dessen Kanzler Nogaret weiterhin die Colonna unterstützte und zusammen mit dem König ein Allgemeines Konzil forderte, das Bonifaz als Ketzer verurteilen sollte. In dieser schwierigen Lage kam der Papst dem König entgegen, exkommunizierte jedoch Nogaret und dessen Helfer, sobald er aus Rom ins sichere Perugia entwichen war. Dort starb er nach einem nur acht Monate dauernden Pontifikat.

Seinem Tode folgte ein elfmonatiges Konklave, weil die beiden Kardinalfraktionen – Matteo Rosso Orsini und die Bonifazianer, sein Neffe Napoleon Orsini und die profranzösische Richtung – lange Zeit keinen gemeinsamen Kandidaten finden konnten. Schließlich einigte man sich dank raffinierter Diplomatie Napoleons auf den Erzbischof von Bordeaux, Bertrand de Got, den die Bonifazianer irrigerweise für einen der Ihren hielten. Dieser nahm die Wahl an und nannte sich Clemens V.; doch reiste er nicht nach Rom, sondern beschied die Kardinäle zur Krönung nach Lyon, das schon damals unter französischem Einfluß stand, auch wenn es noch nominell zum Kaiserreich gehörte. Dort wurde Clemens unter unheilverkündenden Umständen gekrönt. Anschließend äußerte er wiederholt seinen Willen, nach Italien zu ziehen; tatsächlich jedoch hielt er sich aus gesundheitlichen und politischen Gründen ausschließlich in Mittel- und Südfrankreich auf.

Weil Clemens zahlreiche Nepoten sowie andere Landsleute in das

Kardinalkolleg aufgenommen hatte und stark vom französischen König beeinflußt war – auf beides wird noch einzugehen sein –, befanden sich nach seinem Tode die italienischen Kardinäle in der Minderheit. Daher war nach seinem Tode 1314 die Wahl eines Nachfolgers noch mehr erschwert als 1304. Bald verließen die Italiener nach Pressionen durch klementinische Parteigänger das Konklave in Carpentras und boykottierten es zwei Jahre lang. Die Schwierigkeiten waren auch nicht beendet, als sich alle Kardinäle 1316 in Lyon wieder trafen, denn der Bruder des französischen Königs, der künftige Philipp V., setzte entgegen seinen Versprechen das Kolleg erneut unter Druck. Eine Einigung kam erst zustande, als der ehemalige Papstmacher Napoleon Orsini drei seiner Landsleute überredete, sich mit den Südfranzosen zu einigen. Ihr gemeinsamer Kandidat war der auch von Philipp akzeptierte 72jährige Jacques Duèze aus Cahors, der sich nach seiner Wahl Johannes XXII. nannte. Von 1310 bis 1312 Bischof von Avignon, zog Johannes nach seiner pompösen Krönung in Lyon in seine ehemalige Bischofsstadt, erhob den amtierenden Bischof, einen seiner Nepoten, zum Kardinal, ernannte diesen zum Administrator der Diözese und machte den Bischofspalast zu seiner eigenen Residenz. Seitdem war für die nächsten sechs Jahrzehnte Avignon Sitz des Papsttums.

Lange Zeit ist diese Epoche als 'Babylonische Gefangenschaft' der Päpste bezeichnet worden, vor allem von national gesinnten Italienern seit Petrarca. – Daß von nun an die Benennung 'italienisch' statt 'italisch' für die Einwohner Italiens gebraucht wird, ist dadurch begründet, daß sich diese seit dem 14. Jahrhundert immer stärker als durch die gemeinsame Volkssprache 'italienisch' geeint ansahen, wie etwa Dante und Petrarca es bezeugen. Dem entsprach ein politischer Einigungsversuch durch Cola di Rienzo. – Doch hatte Avignon gegenüber Rom viele Vorteile: Es gab keine Adelsfraktionen als potentielle Kontrahenten; die Stadt lag verkehrstechnisch günstiger, denn die Rhône war eine der bedeutendsten Nord-Süd-Verbindungen, eine wichtige Ost-West-Straße kreuzte den Fluß auf dem Pont St. Bénézet ('Pont d'Avignon'); theoretisch gehörte die Stadt noch zum Reich, faktisch zum Machtbereich der Anjou – Johannes war von 1308 bis 1310 Kanzler der Könige von Neapel gewesen –, bis

Clemens VI. sie 1348 mit Einwilligung Karls IV. von Deutschland von der Königin Johanna kaufte; umschlossen war die Stadt von der Grafschaft Venaissin, die seit der 2. Hälfte des 13. Jahrhunderts dem Papsttum unterstand; andererseits begann das französische Territorium jenseits der genannten Brücke, was schnelle Hilfe ermöglichte. Bedenkt man, daß sich die Päpste seit dem Investiturstreit häufiger außerhalb Roms als in der traditionellen Bischofsstadt hatten aufhalten müssen, was den Aufbau einer kontinuierlichen Verwaltung erheblich erschwert hatte, so bot sich dem Papsttum in Avignon endlich die Chance, eine effektive und lokal konstante Administration – natürlich auch mit all ihren noch zu charakterisierenden Nachteilen – zu schaffen.

Zentrum der päpstlichen Regierung war der Papstpalast. Hatte Johannes den übernommenen Bischofspalast lediglich durch Anbauten (Halle für die Audientia) ergänzt, so begann Benedikt XII. 1335 mit einem Neubau. Die frühere Pfarrkirche der Kathedrale wurde zur Palastkapelle; ihr schlossen sich südlich drei Flügel an, so daß der Palast an ein Kloster gemahnte, was bei dem Bauherrn, einem Zisterzienser, nicht erstaunt. In der Verlängerung des östlichen Palastflügels befanden sich die Repräsentationsräume und der päpstliche Wohnturm. Clemens VI. erweiterte in prächtigerer Form die Anlage durch einen weiteren Wohnturm, einen neuen Trakt, der eine zweite Kapelle und eine neue Audientia-Halle enthielt (im Süden), sowie durch eine Verlängerung des westlichen Flügels, durch die man den Palast betrat. Spätere Ergänzungen und Erweiterungen erfolgten vornehmlich unter Innozenz VI. und Urban V. Trotz aller Verstümmelungen infolge der Französischen Revolution ist der Papstpalast der umfangreichste und imponierendste erhaltene Repräsentationsbau des Mittelalters.

Auf ihn konzentrierte sich vor allem seit der Jahrhundertmitte das Leben der Päpste. Während zuvor Wahl und Krönung eines Papstes vor allem im Dominikanerkloster und in der Kathedrale stattgefunden hatten, wurden jetzt die beiden konstitutiven Akte – entgegen der römischen Tradition – ausschließlich im Palast vollzogen. Ebenso konzentrierte sich die ehemals für Bischof, Klerus und Volk Roms konzipierte Liturgie auf den Palast, was den Ausschluß weiter

Teile des Klerus und Volkes nach sich zog. Diese Umwandlung der städtischen Liturgie in ein Palastzeremoniell sollte Selbstverständnis und Repräsentationsformen des Papsttums für über fünf Jahrhunderte prägen. Der Papst war fortan ein dem Volk entrückter Herrscher; der gewöhnliche Kleriker und Pilger erblickte ihn in Avignon nur noch dann, wenn er – von Leibwachen abgeschirmt – zum Gastmahl eines Kardinals zog, eine Sommerfrische (Châteauneuf-du-Pape u. a.) aufsuchte oder wenn er als Leichnam in die Kathedrale überführt wurde. Die Ersetzung Roms durch den Palast wurde auch bei Altarweihen und an einigen Benennungen deutlich: getreu dem damals schon bekannten Motto 'ubi papa, ibi Roma' (wo der Papst ist, da ist Rom) ersetzte Benedikts Kapelle mit ihrem Johannes-Patrozinium die Lateranbasilika, Clemens' Neubau St. Peter; der Haupteingang zum Palast war nach den beiden Apostelfürsten benannt, und ein östlicher, von Urban V. erbauter Trakt hieß später, während der Zeit des Schismas, direkt 'Roma'.

Wie das Zeremoniell waren auch alle wichtigen Regierungsfunktionen im Palast konzentriert: Unmittelbar nördlich der Wohntürme hielten die Päpste die Konsistorien und veranstalteten – nach dem Rang der Gäste abgestuft – Empfänge. Die beiden geistlichen Gerichtshöfe – die Rota und der *auditor litterarum contradictarum* – tagten in den Neubauten Clemens' VI. Deren zentrale Bedeutung für das Papsttum war schon unter Clemens V. offenkundig geworden, denn dieser hatte – noch von der lokalen Aufsplitterung der Kurie durch die ständigen Reisen ausgehend – dekretiert, eine Papstwahl solle dort stattfinden, wo sich beim Tod des letzten Papstes die beiden Audientien befänden. Der Konzentrierung der Verwaltungsfunktionen entsprach es, wenn auch die wichtigsten Mitarbeiter der Päpste im Palast untergebracht waren. Außer dem gewöhnlichen Palastpersonal – dem *magister domus* (Palastaufseher), den Kubikularen (Kammerherren), der von Benedikt XII. neu gegründeten *capella* und den in drei Rängen eingestuften Türhütern – wohnten und arbeiteten Kämmerer und Thesaurare zuerst direkt im päpstlichen Wohnturm, später im Eingangsflügel, desgleichen Vertraute wie der *confessor* (Beichtvater) oder dem Papst besonders nahestehende Kardinäle. Schon daran zeigt sich, daß die Kammer für den Papst immer noch die wichtigste 'Behörde' war, deren Leiter er unmittelbar und ständig in seiner Umgebung haben wollte. Hingegen waren die Funktionsräume von Kanzlei und Pönitentiarie auch weiterhin dort, wo die einzelnen Offizialen – vom Vizekanzler und Großpönitentiar bis hinab zu den Skriptoren und Prokuratoren – jeweils wohnten, sei es in Avignon selbst oder in dessen Vorort jenseits der Rhône (Villeneuve-lès-Avignon). Noch heute bestimmen neben den damals neuerbauten oder verschönerten Kirchen die Häuser der Kurialen, vornehmlich die Kardinalslivreen, das Aussehen beider Orte.

War die Anlage des Papstpalastes Ausdruck für den neuen Lebens- und Regierungsstil der Päpste, so entsprach der Ausbau der Kurie dem inzwischen noch vermehrten Geschäftsanfall. Die neue Umgebung und der politische Zwang steigerten auch die Bedeutung der Kardinäle. Zur Überwindung der italienischen Fraktionen im Kardinalkolleg, somit auch zur eigenen Absicherung, hatte schon Clemens V. überwiegend Südfranzosen (17), darunter zahlreiche Nepoten (7), ins Kolleg aufgenommen. Dem gleichen Prinzip entsprachen gewöhnlich die Kreationen unter seinen Nachfolgern. Und weil im Gefolge der Kardinäle andere Verwandte als Familiaren in kuriale Funktionen aufrückten, wurden auch noch unter einem späteren Papst Nepoten eines Vorgängers oder eines früher kreierten Kardinals in das Kolleg aufgenommen oder wurden sogar Päpste – Benedikt XII. war ein Nepot von Clemens' V. Vizekanzler Arnaud Nouvel, Gregor XI. ein Nepot Clemens' VI. Hatten früher Angehörige römischer Adelsgeschlechter weitgehend das Kolleg konstituiert und häufig seine Politik dominiert, so bildeten jetzt Kleriker aus Süd- und Mittelfrankreich, seit Clemens VI. vor allem Limousiner, die Mehrheit unter den Kardinälen. Neben ihnen gab es noch relativ viele Nordfranzosen und Italiener, einige Spanier, je einen Engländer unter Clemens V. und Urban V., doch keinen einzigen Deutschen, von anderen Nationalitäten ganz zu schweigen. Die wechselnde regionale Herkunft führte nicht nur zu Rivalitäten bei Papstwahlen, sondern auch zu Versuchen, stärkeren Einfluß auf das Papsttum auszuüben, um so die Macht der eigenen Gruppe zu stärken. Dementsprechend diente einer der Versuche des Kollegs dem

Ziel, bei der Aufnahme neuer Kardinäle mitzuwirken und die Gesamtzahl nicht anschwellen zu lassen, denn eine zu große Zahl hätte Einfluß und Einnahmen des einzelnen verringert. Deutlich wird dies etwa an der Wahlkapitulation – der ersten bekannten in der Papstgeschichte – nach dem Tode Clemens' VI. 1352. Zwar widerrief der neugewählte Papst, Innozenz VI., die Kapitulation nach der Wahl, doch die entsprechenden Tendenzen des Kollegs blieben bestehen. Schließlich sei noch darauf hingewiesen, daß Papstnepoten oder Landsleute von Päpsten häufig auch die wichtigsten Behörden leiteten: Kanzlei und Pönitentiarie, doch auch die Kammer.

Die Organisation der einzelnen Behörden schloß an die Entwicklung des vergangenen Jahrhunderts an, wurde jedoch in Avignon weiter ausgebaut. Für die dem Vizekanzler unterstehenden Bereiche – Kanzlei und Rota – war vor allem der Pontifikat Johannes' XXII. von Bedeutung. In Kanzleiordnungen des Jahres 1331 ordnete er den Geschäftsgang, vor allem auch die Gebühren, für die Kanzlei, den *auditor litterarum contradictarum* und für die Rota, wahrscheinlich auf Initiative seines Vizekanzlers Pierre des Prés. Diese Verordnungen blieben, mit einigen Erweiterungen, auch für die spätere Zeit bis ins nächste Jahrhundert hinein vorbildlich. Doch konnten sie nicht alle Mißstände beseitigen. So hatte Benedikt XII. erkannt, daß viele Suppliken (Bittschriften) nicht bearbeitet wurden, weil die Petenten die Türhüter und Kammerherren nicht genügend mit 'Handsalben' bedacht hatten. Daher befahl er die Registrierung der Suppliken; die seit seinem Nachfolger erhaltenen Supplikenregister sind eine der wichtigsten Quellengruppen zur Geschichte der Kurie.

Mehr als sein Vorgänger für das geistliche Leben aufgeschlossen, führte Benedikt XII. eine Prüfung der Pfründenbewerber ein; deren niedriger Bildungsstand wird aus den Prüfungsbedingungen ersichtlich, denn gefordert wurden lediglich Kenntnisse im Lesen und Schreiben (Latein) und eine passable Stimme. Aus dem gleichen Grund organisierte Benedikt – für die folgende Zeit grundlegend – die Pönitentiarie: Diese erhielt jetzt eine feste Geschäftsordnung und ein Formularbuch; infolge der vermehrten Arbeit organisierten sich jetzt auch ihre Skriptoren zu einem Kolleg. Benedikts langlebigste Gründung jedoch war die *capella* – ursprünglich *capella intrinseca* (= innere Kapelle), später *capella papalis* oder *pontificia* genannt –, die noch heute als 'Sixtinische Kapelle' besteht. Aufgabe der ihr angehörenden *cantores* (Sänger) war es, anstelle der früheren Kapläne den päpstlichen Palastgottesdienst zu gestalten. Und je mehr dieser das gesamte Zeremoniell bestimmte, um so mehr kamen neue Funktionsträger hinzu: Zeremonialkleriker, Akoluthen, Subdiakon, Sakristan. Waren schon diese zum Teil Vertraute des Papstes, so spielte seit Johannes XXII. und Benedikt XII. auch ein anderer Funktionsträger eine größere Rolle als zuvor, der *confessor* (= Beichtvater), der die päpstlichen Gemächer beaufsichtigte, dessen andere Tätigkeiten jedoch gerade wegen seiner Vertrauensstellung selten genau zu erkennen sind. Als Vertrauenspersonen fungierten anfangs auch die Sekretäre für die politische Korrespondenz und die Referendare, die dem Papst wichtige Schriftstücke vortrugen und allmählich der Kanzlei eingegliedert wurden.

Genannt sei schließlich noch die Kammer, in der sich jetzt die für die Schriftführung zuständigen Kammerkleriker zu einem – meist siebenköpfigen – Kolleg zusammenschlossen; war damit die Arbeit in der Zentrale fester organisiert, so diente demselben Ziel die Einteilung der gesamten Kirche in regionale fiskalische Bereiche (Kollektorien), in denen Kollektoren und Subkollektoren für die Eintreibung der Einnahmen sorgten. Und hatte schon in der vorigen Epoche die *familia* als wichtiges Sprungbrett für Karrieren gedient, so wurde auch diese Chance in Avignon dadurch institutionalisiert, daß bestimmte Chargen – Kammerkleriker, Kanzleiskriptoren u. a. – von Amts wegen zur päpstlichen *familia* gehörten und dadurch automatisch Anteil an den *servitia minuta* hatten und größere Chancen bei der Pfründenvergabe genossen.

Im Gegensatz zum 13. Jahrhundert wurden die meisten Kurialen jetzt nicht mehr durch Naturalien, sondern durch Geld entlohnt. Schon dadurch steigerte sich der Geldbedarf der Kurie; hinzu kamen die Vergrößerung des Personals und der höhere Lebensaufwand der Päpste und Kardinäle. Daher ist die avignonesische Epoche die Zeit der effektivsten fiskalischen Erfassung – man kann auch sagen: Ausnutzung – der Gesamtkirche durch das Papsttum.

Der Grund hierzu wurde durch administrative Verfügungen und gesetzgeberische Erlasse gelegt. Sie betrafen zuerst einmal die Reservationen. Clemens V. erweiterte diese auf alle Bistümer, deren Inhaber an der Kurie konsekriert worden waren, oder die dort resigniert, durch Translation neu besetzt oder getauscht wurden. Durch seine Konstitution 'Ex debito' (1316) erweiterte Johannes XXII. noch die Reservationen, denn sie galten jetzt auch bei der Ungültigkeitserklärung einer Wahl oder bei Zurückweisung einer Postulation und bezogen außerdem alle Pfründen von Kardinälen oder Kurialen ein. Alle bisherigen Reservationen wurden 1335 von Benedikt XII. zusammengefaßt und neuerlich erweitert, bis schließlich unter Urban V. die Besetzung aller Bistümer sowie, von einer bestimmten Einkommensgrenze an, aller Männer- und Frauenklöster dem Papst reserviert war. Da in der gleichen Zeit das Papsttum auch die Besetzung der Leitungsfunktionen der Bettelorden immer stärker beeinflußte, waren jetzt von ihm praktisch alle kirchlichen Oberen abhängig.

Außerdem wurden auch niedere Pfründen immer häufiger an der Kurie verliehen und dort finanziell genutzt. Dadurch entstand zugleich die Gefahr der Pfründenhäufung. Diese versuchte Johannes XXII. 1317 durch die Konstitution 'Execrabilis' zu bannen, in der er selbst klagte, daß eine erschreckende Menge von Ordens- und Weltgeistlichen aus Gier immer mehr Pfründen sammeln, diese aber zum Nachteil der Seelsorge vernachlässigen würden. Daher schränkte er den Pfründenbesitz ein: Fortan dürfe der Inhaber einer mit Seelsorge verbundenen Pfründe *(beneficium cum cura)* nur noch eine einzige Pfründe ohne Seelsorgepflichten (*beneficium sine cura;* daher: 'Sinekure') besitzen. Doch beachtete er selbst seine Bestimmung ebenso wie 'Ex debito' nur selten, von den Pfründenjägern ganz zu schweigen. Er selbst verschlimmerte die Situation noch durch die Vergabe zahlreicher Expektanzen (Anwartschaften), wobei es auf die Dauer wenig nutzte, daß er sie auf dem Totenbett und sein Nachfolger während seines Pontifikates widerrief oder zumindest einzuschränken suchte. Die Folge war, daß manchmal bis zu sechs Bewerber Expektanzen auf eine Pfründe besaßen und um deren Besitz an der Kurie prozessierten. Die Kumulation zeigte sich besonders bei Kardinälen, so besaß Napoleon Orsini etwa hundert

Pfründen; aber auch ein mittlerer Kuriale wie etwa ein Kammerkleriker war darauf bedacht, zumindest mehrere Kanonikate als Sinekuren zu besitzen. Lediglich Benedikt XII. suchte die schlimmsten Mißbräuche abzustellen, indem er beim Tode eines Kardinals aus dessen Erbmasse Entschädigungen für von diesem vernachlässigte Pfründen zahlen ließ; allein im Falle des Dominikaners – also 'Bettelmönches' – Guillaume de Peire de Godin beliefen sich die Entschädigungen auf ca. 8430 Gulden, etwa 1000 Gulden mehr, als der Erzbischof von Magdeburg im Jahr einnahm. Die Pfründenvergabe lockte Tausende an die Kurie, erst recht, wenn es sich um niedrig dotierte Pfründen (*in forma pauperum*, bis zu 24 Gulden jährliches Einkommen) handelte. Zwar läßt sich deren Zahl nicht nachprüfen, weil sie gewöhnlich nicht registriert wurden, doch sollen sich allein in den ersten Monaten nach der Wahl Clemens' VI. etwa 40000 Kleriker in Avignon um derartige Pfründen beworben haben.

Die Pfründen – über die Taxen bei der Vergabe hinaus – auch finanziell zu nutzen, waren die Päpste seit Clemens V. bestrebt. Dieser verlangte erstmals 1306 Annaten, die Einkünfte des ersten Jahres, von allen freien oder freiwerdenden Pfründen in England, Irland und Schottland. Zwar protestierte dagegen 1307 ein Parlament in Carlisle, ebenso das Konzil von Vienne, doch deren Erfolg blieb minimal. Johannes XXII. erhob wiederholt in ganz Europa, dazwischen auch in einzelnen Regionen Annaten; seit 1326 mußten für alle an der Kurie vakanten Pfründen Annaten gezahlt werden. Doch schwankte deren Höhe; vor allem seit dem Ende der Epoche war es die Hälfte des ersten Jahresertrages. Erfaßt waren jetzt alle an der Kurie vergebenen Pfründen ab 25 Gulden jährliches Einkommen.

Analog zur Einziehung von Servitien und Annaten hatte es sich bis zu Urban V. durchgesetzt, daß der Papst sich den Nachlaß (Spolien) aller Bischöfe, Äbte, Pröpste, Dekane und Rektoren (Leiter von Pfarreien) sowie aller Kardinäle und Kurialen reservierte, desgleichen die Nutzung aller an der Kurie freigewordenen Pfründen während ihrer Vakanz (sogenannte Interkalarfrüchte).

Die vier bisher genannten Einkunftsarten – Servitien, Annaten, Spolien, Interkalarfrüchte – bildeten den Hauptteil der päpstlichen Einnahmen. Nahmen diese stetig zu, so verringerten sich die Erträge aus Kreuzzugszehnten, weil diese – wenn überhaupt gezahlt – mit den Landesherren geteilt werden mußten, und der Ertrag aus Lehenszinsen. So bezahlte z. B. England seit 1365 keinen Zins mehr. Um dennoch bei erhöhten Ausgaben genügend Mittel zu besitzen, machten die Päpste ehemals freiwillige Spenden (*subsidium caritativum* = Unterstützung aus christlicher Liebe) zu Zwangsabgaben. Allein ein von Johannes XXII. für einen italienischen Feldzug in Frankreich erhobenes Subsidium erbrachte über 200 000 Florenen, das entsprach der Höhe des durchschnittlichen Jahreseinkommens der Kurie unter diesem Papst. Weitere Einnahmen waren Strafgebühren (erhoben vom Justizmarschall), die Steuern aus dem Kirchenstaat und der Grafschaft Venaissin sowie sogenannte Kompositionen (= Vereinbarungen, meist Entschädigungen nach Friedensschlüssen). Clemens VI. erschloß 1350 als neue Quelle das Heilige Jahr. So gestand er den Bewohnern von Mallorca zu, zu Hause den Jubiläumsablaß zu gewinnen – also nicht nach Rom pilgern zu müssen –, sofern sie an ihn 30 000 Gulden zahlten, ein Präzedenzfall für Bonifaz IX. und die Päpste des 15. Jahrhunderts. Schließlich sei noch eine andere Art der Gelderhebung genannt, die besonders böses Blut erregte: die Prokurationen. Ursprünglich galten diese Zuwendungen für einen Bischof, Archidiakon oder Dekan zu deren Unterhalt bei Visitationsreisen, sie waren also nur zahlbar bei tatsächlich durchgeführten Visitationen. Schon um 1300 mußten solche Prokurationen auch dann gezahlt werden, wenn keine Visitation erfolgte. Der letzte Schritt bestand im 14. Jahrhundert darin, daß Päpste diese Prokurationen für sich reservierten, natürlich ohne daß Visitationen in ihrem Auftrag durchgeführt wurden. Auch in diesem Fall war also von einem Instrument zur Verbesserung von Seelsorge und Disziplin nur noch der fiskalische Ertrag geblieben.

Verschlimmert wurde der fiskalische Druck – vor allem bei Servitien – noch dadurch, daß säumige Zahler exkommuniziert wurden, was die Ausübung geistlicher Pflichten unmöglich machte und die Servitien erst recht in den Ruch der Simonie brachten; 1328 exkommunizierte z. B. Johannes XXII. über dreißig Bischöfe und mehr als vierzig Äbte, und auch seine Nachfolger griffen zu dieser Maßnahme.

Wie schon angeführt, wurden die verschiedenen Gelder von Kollektoren eingetrieben; doch die Überweisung an die Kurie und dortige Auszahlung erfolgte durch – meist florentinische – Banken. Und weil die Höhe der Einkünfte wegen der jeweils unterschiedlichen Anzahl der Vakanzen schwankte und seit der Jahrhundertmitte von den Ausgaben übertroffen wurde, fungierten die Banken auch als Gläubiger. Gerade die übernationale Tätigkeit der im päpstlichen Dienst tätigen Banken trug erheblich zur Ausweitung der Geldwechsel und Bankkredite bei und ließ schon vor gut fünfzig Jahren die These entstehen, daß der avignonesische Fiskalismus eine der wichtigsten Voraussetzungen zur Entstehung des Frühkapitalismus gewesen sei.

Das eingenommene Geld wurde je nach persönlicher Einstellung und politischer Zielsetzung der Päpste ausgegeben. So verwandte z.B. Johannes XXII. das meiste für Kriege (Jahresdurchschnitt: 63 %) und Verwandte und Freunde (ca. 4 %), während sich sein Nachfolger Benedikt XII. auf Almosen (20 %) und Bauten sowie Immobilien (25 %) konzentrierte. Unter Clemens VI. nahm der zeremonielle Aufwand zu – allein die Krönung im Jahre 1342 kostete 15000 Gulden –, während unter Innozenz VI. die Aufwendungen für die Rückeroberung des Kirchenstaates einen Großteil der Ausgaben ausmachten (insgesamt ca. 1 Million = etwa 45 % der Ausgaben während des gesamten Pontifikates). Ebenso unterschiedlich war auch das Haushaltsgebaren der einzelnen Päpste. Johannes XXII. und Benedikt XII. hatten mehr eingenommen als ausgegeben. Clemens VI. und Innozenz VI. zehrten von diesen Rücklagen, bis sie aufgebraucht waren. Urban V. und Gregor XI. vergrößerten das schon unter ihren Vorgängern entstandene Defizit, so daß sie immer häufiger Anleihen bei den Hofbankiers nehmen mußten, eine schwere Hypothek für die folgende Epoche.

Etwa 50 Prozent der Servitien und anderen Einnahmen kamen gewöhnlich aus Frankreich, von dort stammten auch die meisten Kardinäle und Kurialen. Schon dies zeigt die enge Bindung des Papsttums an Frankreich. Verständlich, daß die Päpste bemüht waren, mit den französischen Königen auf gutem Fuß zu stehen. Wegen der Regierung Bonifaz' VIII. und des Attentates von Anagni war dies jedoch anfangs problematisch. Philipp IV. erpreßte vor allem Clemens V. mit der Drohung, auf einem Generalkonzil, das er nach Lyon einberufen wollte, Bonifaz als Ketzer – wegen Idolatrie und anderer Vergehen – verurteilen zu lassen. Unter des Königs Druck ließ Clemens wichtige Texte wie 'Clericis laicos' im päpstlichen Register tilgen; eine solche Vorgehensweise hatte es bis dahin noch nie gegeben. Inwieweit es dem König jedoch mit der Prozeßdrohung wirklich ernst war, ist ungewiß, denn auch er brauchte den Papst. Schon vor 1305 hatte Philipp vorgehabt, alle in Frankreich bestehenden Ritterorden (Johanniter, Templer, Ritter vom Heiligen Grab) unter seiner Leitung als sogenannter 'Großmeister' zu vereinen; bei der Papstkrönung in Lyon (1305) hatte er sich gegenüber Clemens über die Templer beklagt. Zwei Jahre später ließ er alle französischen Templer verhaften, foltern und verhören. Inquisitoren setzten die Verhöre fort. Die erpreßten Geständnisse bekannten antichristliche Gepflogenheiten und sexuelle Verfehlungen. Ob der König an solche Verfehlungen glaubte, ist nicht zu beweisen. Wichtiger für ihn war wohl, daß er ebenso wie Eduard I. von England bei den Templern hoch verschuldet war. Daher war er an einer Vernichtung des Ordens interessiert. Seit einem Treffen in Poitiers (1308) setzte er den Papst zunehmend unter Druck. Schließlich berief dieser ein Konzil nach Vienne ein, das dort 1311 zusammentrat. Dieses sollte sich auch mit einem neuen Kreuzzug und der Kirchenreform befassen, doch die Templerfrage stand im Vordergrund. Gegen den Widerstand zahlreicher Konzilsteilnehmer hob Clemens schließlich den Orden auf dem Verwaltungswege auf; im Gegenzug verzichtete der König auf einen Prozeß gegen Bonifaz, ließ jedoch 1313 dessen Vorgänger Cölestin V. von Clemens heiligsprechen. Außer auf der Iberischen Halbinsel waren theoretisch die Johanniter Erben der Templer; doch in Wirklichkeit übernahm zumindest in Frankreich der König die meisten ihrer Güter. Er starb im gleichen Jahr wie Clemens.

Weil seine Söhne jeweils nur kurze Zeit regierten, war zunächst das Papsttum in der Person des politisch versierten Johannes XXII. die stärkere Potenz. Erst die Herrscher der neuen, seit 1328 regierenden Dynastie der Valois – vor allem Philipp VI. (1328–1350) und

Karl V. (1364–1380) – konnten wieder stärker auf das Papsttum einwirken. Dabei kam ihnen zugute, daß zwei der Päpste – Clemens VI. und Innozenz VI. – zeitweise als königliche Kanzler oder Berater gewirkt hatten. Die beiden politischen Hauptprobleme der damaligen Zeit waren für das Papsttum der Hundertjährige Krieg (1338–1453) und der Konflikt der Kurie mit dem deutschen König Ludwig dem Bayern. Zunächst zu den großen englisch-französischen Auseinandersetzungen: Der Krieg war von England begonnen worden, weil Eduard III. als Enkel (über seine Mutter) Philipps IV. den Valois die französische Krone bestritt; tatsächlich jedoch diente er der Wahrung und Rekuperation des englischen Besitzes auf dem Festland als Erbe der Plantagenets. Eine seiner Folgen war die Verheerung französischer Landschaften, von der sich einige – Quercy, Auvergne – jahrhundertelang nicht mehr erholten. Von dieser Verarmung – die Pestwellen seit 1348 taten ein übriges – waren auch zahlreiche Kirchen und Klöster betroffen; zu bedenken ist auch, daß viele Kuriale, Kardinäle und die Päpste seit Clemens VI. aus den verwüsteten Regionen stammten. So ist es nur zu naheliegend, daß die Päpste dem englischen Invasor keine großen Sympathien entgegenbrachten und die französischen Könige politisch unterstützten. Inwieweit sie jedoch diesen auch finanziell – womöglich gerade mit Einnahmen aus England – halfen, ist trotz aller in England erhobenen Beschuldigungen nicht einwandfrei zu klären. Deutlich wird lediglich, daß die französischen Könige stärker als bisher und wohl mit päpstlicher Billigung eigene Kleriker mit ertragreichen Pfründen providierten – also das päpstliche Besetzungsrecht für sich beanspruchten –; außerdem wurden ihnen seit Clemens VI. in ihrem Territorium erhobene Kreuzzugszehnten ohne Rückzahlungsverpflichtungen zur Verfügung gestellt.

Doch genügten diese päpstlichen Maßnahmen schon, um die antikuriale Stimmung in England zu mehren. Ursprünglich bedeutete dies nicht, daß der englische Klerus unbedingt auf der Seite seines Königs stand. Vielmehr ging es ihm um die Wahrung der eigenen Interessen. Daher wurden die Erlasse Bonifaz' VIII. zur Sicherung der eigenen klerikalen Steuerfreiheit genutzt. Aus dem gleichen Grunde hatte es der niedere Klerus in den Anfangsjahren Eduards III. erreicht, nicht mehr zum Parlament einberufen zu werden, um sich nicht unter dessen Druck zu Steuern verpflichten zu müssen. Andererseits waren ihm – bei Interessengleichheit – Parlament oder König als Bundesgenossen willkommen. Das zeigen der Protest des Parlaments von Carlisle (1307) gegen die von Clemens V. erhobenen Annaten und die Unterstützung des Klerus durch die Regierung bei der Nichtbeachtung von Johannes' XXII. Konstitutionen 'Ex debito' (1316) und 'Execrabilis' (1317). Deutlich wurde die Interessengleichheit zwischen Klerus und Krone (ebenso auch dem Landadel) auch in der Mitte des Jahrhunderts. Von der Furcht beherrscht, die englischen Pfründen würden durch päpstliche Vergabe zu sehr von Auswärtigen ausgenutzt und die englischen Zahlungen kämen dem französischen Kriegsgegner zugute, hatten Parlamente in zwei Beschlüssen – dem Statute of Provisors (1351) und dem Statute of Praemunire (1353) – das päpstliche Besetzungsrecht zugunsten der englischen Patronatsherren und der Krone eingeschränkt und die Ausfuhr englischer Gelder an die Kurie verboten. Zwar hielt sich Eduard III. selten an diese Statuten, obwohl spätere Parlamente sie bekräftigten, doch unterstützten sie in England die Bestrebungen, vom Papsttum unabhängig zu werden, was auf die Dauer vor allem die Position des Königs gegenüber der Landeskirche stärkte. Mithelfer dabei waren in der Spätzeit Eduards III. gerade auch niedere Kleriker, die im königlichen Dienst tätig waren, wie der später im Schisma als Papstkritiker hervortretende John Wiclif.

Der Krieg zwischen England und Frankreich belastete teilweise auch das Verhältnis des Papsttums zu Deutschland; wichtiger dafür aber war die Italienpolitik beider Mächte. Dem Papsttum lag vor allem daran, Rom und den Kirchenstaat zu sichern und das Königreich der Anjou in Neapel nicht zu gefährden. Zu Albrecht I. von Deutschland hatte Clemens V. ein gutes Verhältnis gehabt, weil er den übergroßen Einfluß Frankreichs eindämmen wollte. Daher begrüßte er nach Albrechts Ermordung auch die Wahl des Luxemburgers Heinrich VII., denn Philipp hatte die deutsche Krone für Karl von Valois angestrebt. Doch änderte er seine Einstellung, als Heinrich früher als geplant, 1312, – von Anjou-Gegnern wie Dante freudig begrüßt – zur Kaiserkrönung nach Rom zog und die Machtinteressen des neuen Königs von Neapel, Robert (1309–1343), berührte. Weil dessen Truppen St. Peter besetzt hielten, mußte Heinrich von drei Kardinälen im Lateran gekrönt werden. Als nun der neue Kaiser anschließend gegen Robert als Majestätsverbrecher vorging, stand der Papst auf dessen Seite. In dem daraufhin ausbrechenden Streit, der auch nach Heinrichs frühem Tod (1313) fortlebte, wurden auf beiden Seiten Stellung und Recht des Kaisertums gründlich erörtert: Während zum Beispiel Dante in seiner 'Monarchia' die direkte Unterstellung des Kaisertums unter Gott begründete, behauptete der Papst die Abhängigkeit des Kaisers vom Papst. Seine Anschauung formulierte er nach Heinrichs Tod in zwei Dekretalen, die als Bestandteile der von Johannes XXII. publizierten Klementinen auch künftig die Rechtsgrundlage für das Papsttum bildeten. In der ersteren ('Romani principes') betonte Clemens, daß die von den deutschen Fürsten Erwählten *(Electi)* der päpstlichen Approbation bedürften und als Kaiser dem Papst durch einen Treueid verpflichtet seien, die Kirche zu schützen. In der zweiten Dekretale ('Pastoralis cura') verteidigte er Robert gegen den Vorwurf des Majestätsverbrechens, denn dessen Königreich gehöre nicht zum Imperium, sondern der König sei Lehensmann *(homo ligius et vasallus)* des Papstes; und weil der Papst über dem Kaiser stehe und bei Vakanz dessen Gewalt habe, sowie aufgrund der päpstlichen *plenitudo potestatis* hebe er Heinrichs Urteile über Robert als ungültig auf. Wenig später ernannte Clemens kraft der sich zugeschriebenen Kompetenz während der Reichsvakanz Robert zum Reichsvikar in Italien. Beide Dekretalen hatten den späteren Konflikt mit Ludwig dem Bayern vorprogrammiert.

Seit 1314 kämpften in Deutschland zwei Kandidaten um die Königskrone – der Habsburger Friedrich und der Wittelsbacher Ludwig –, bis dieser den Rivalen 1322 besiegte und zur Aufgabe zwang. Johannes XXII. hatte beide Prätendenten nur als 'Erwählte' *(Electi)* behandelt, also keinen anerkannt. Vielmehr nutzte er die Situation, um Robert von Neapel als Reichsvikar in Italien zu bestätigen und alle Anjou-Gegner, vor allem die Mailänder Visconti, als 'Tyrannen', Häretiker und Rebellen mit Hilfe eines Kreuzzuges zu bekämpfen. Von diesen um Hilfe gebeten, griff Ludwig seit 1323 in

Oberitalien ein. Die Folge war, daß der Papst ihn weiterhin nicht anerkannte, vielmehr jetzt einen neuen, diesmal französischen Kandidaten für die deutsche Krone suchte. Gegen ihn wehrte sich Ludwig auf Hoftagen in Nürnberg und Frankfurt (1323/24) und griff nun seinerseits – vor allem in der Sachsenhäuser Appellation – den Papst als Ketzer an. Fortan kam es zwischen Ludwig, den Johannes abschätzig als 'den Bayern' titulierte, und den Päpsten bis 1346 immer wieder zu Konflikten, die von Verhandlungen an der Kurie unterbrochen wurden; sie stellten den letzten großen Kampf zwischen Kaisertum und Papsttum dar. Der König erschwerte seine Lage schon bald dadurch, daß er sich 1328 in Rom vom alten Sciarra Colonna, einem der Attentäter von Anagni, zum Kaiser krönen ließ – die einzige durch einen Laien vollzogene Kaiserkrönung seit der Karolingerzeit – und in Nikolaus V. einen ohnmächtigen Gegenpapst aufstellte. Erfolgversprechende Verhandlungen mit Benedikt XII. scheiterten 1337, weil Ludwig nicht auf seine aus der Kaiserkrönung abgeleiteten Ansprüche verzichtete, den Approbationsanspruch des Papstes nicht anerkannte und mit England ein Bündnis schloß. Clemens VI. schließlich war weniger verhandlungsbereit als sein Vorgänger und baute alsbald Karl IV. zum Gegenkandidaten auf, der 1346 von der Mehrheit der Kurfürsten gewählt und nach Ludwigs Tod (1347) allmählich in ganz Deutschland anerkannt wurde. Ludwigs Fehler besagen nicht, daß die kuriale Position unangefochten war. Der päpstliche Approbationsanspruch wurde in Deutschland nie, auch nicht von Karl IV., anerkannt, war also nur eine einseitige Parteierklärung; und die weitgehend profranzösische und anjoufreundliche Stellung der drei Päpste machte ihnen Objektivität unmöglich. Politisch geschickter als Ludwig, kam Karl IV. den Päpsten verbal entgegen; doch tatsächlich erreichte er eine wachsende Unabhängigkeit Deutschlands vom Papsttum. Italien hingegen überließ er ebenso wie Burgund sich selbst.

Während des Konfliktes Ludwigs mit der Kurie wurde offenkundig, wie weit sich Deutschland dem Papsttum schon entfremdet hatte. Johannes XXII. und seine Nachfolger hatten wiederholt Gebiete, deren Bewohner Ludwig unterstützten, mit dem Interdikt belegt und damit die Ausübung aller Riten untersagt. Hielt man sich

– wie vor allem die Dominikaner – an dieses Verbot, gab es in manchen Städten jahrzehntelang keine Taufen, kirchlichen Eheschließungen oder Bestattungen und keine Gottesdienste; wurde das Verbot nicht beachtet, sank das päpstliche Ansehen. In beiden Fällen wuchs die Aversion gegen das Papsttum und der Einfluß vor allem städtischer Regimente auf den Klerus – etwa in Straßburg. Und wie der 1338 verfaßte 'Planctus ecclesiae in Germania' (Klagelied der Kirche in Deutschland) des Konrad von Megenberg unverhüllt zeigt, waren schon damals Gedanken, die deutsche Kirche vom Papsttum zu trennen, in Deutschland nicht fremd. Durch keinen einzigen Kardinal an der Kurie präsent, entfremdete sich auch die deutsche Hierarchie dem Papsttum. Deutlich wird dies z. B. an einem Pontificale, das im Auftrag des Erzbischofs Balduin von Trier, des Bruders Heinrichs VII. und Großonkels Karls IV., zusammengestellt wurde. Bis zum frühen 16. Jahrhundert stärker als römische Pontifikalien in Deutschland verbreitet, enthält es weder einen Ordo zur Kaiserkrönung noch einen zur Papstkrönung. Wie Karl IV. in seiner Politik auf die Fortführung der Prinzipien Ottos I. verzichtete, so waren auch in der Liturgie die Folgen der Ottonenzeit nicht mehr aktuell.

Für die spätere Konzilsepoche wichtig, intensivierten sich vor allem seit Urban V. wieder die Kontakte zu Konstantinopel. Im Jahre 1369 hatte zum ersten Mal seit 700 Jahren ein byzantinischer Kaiser (Johannes V.) Rom besucht. Seine Absicht war es, westliche Hilfe gegen die in Kleinasien und auch schon in Griechenland vordringenden Türken zu erhalten. Zwar erzielte er keinen Erfolg, doch blieben seitdem die Bedrohung des Ostreiches und die Versuche, eine Kirchenunion zu schließen, der Anlaß für ständig erneuerte Kontakte zwischen Ost und West, die auch dazu führten, daß jetzt stärker als zuvor im Osten westliche Theologen wie Thomas von Aquin rezipiert wurden.

Jenseits von Byzanz erlitt allerdings die lateinische Kirche seit der gleichen Zeit schwere Einbußen, denn die seit 1368 in China regierende Ming-Dynastie beendete dort die lateinische Mission und Kirchenorganisation. Ebenso trugen die wenig später beginnenden Kriegszüge des Mongolenführers Timur Lenk zum Niedergang des

Christentums in Mittelasien bei. Positiv für Byzanz und den Westen waren seine Unternehmungen lediglich deshalb, weil er auch die Türken bedrohte und somit deren weiteres Vordringen im Westen vorerst verhinderte.

Die Kritik am Papsttum wurde in Deutschland, aber auch andernorts, noch verstärkt durch die fiskalistische Pfründenpolitik, die inflationäre Handhabung von kirchlichen Strafen, die politische Nutzung des kirchlichen Eherechts – vor allem durch Johannes XXII. – sowie durch die eigensüchtige Ausnutzung von Kreuzzugsablaß und Kreuzzugszehnten. Mindestens ebenso gravierend waren die Zweifel an der Rechtgläubigkeit der Päpste, vor allem an der Johannes' XXII. Ausgelöst wurden solche Zweifel im sogenannten 'Armutsstreit'. Seit Beginn des Jahrhunderts hatten strenge Spiritualen im Franziskanerorden stärker als zuvor dessen Kommunität vorgeworfen, nicht mehr das von Franziskus geforderte Armutsgebot zu erfüllen. Ihr Wortführer an der Kurie war der von Clemens V. geförderte Ubertino von Casale. Auch das Konzil von Vienne hatte die Vorwürfe akzeptiert. Hingegen unterstützte Johannes XXII. die Ordensleitung unter Führung des 1316 gewählten Michael von Cesena und ließ widerspenstige Spiritualen verfolgen. Doch auch den Ordensführern entfremdete sich der Papst, als man sich im 'theoretischen Armutsstreit' darüber stritt, ob Christus und die Apostel arm gewesen seien, also kein Eigentum besessen hätten. Ein Generalkapitel in Perugia hatte 1322 die Frage bejaht und als rechtgläubige Lehre hingestellt. Für den Papst als Nachfolger Christi mußte dies tiefgreifende Konsequenzen haben, nämlich den Verzicht auf jegliches Eigentum. Johannes gab daraufhin die bis dahin verbotene Diskussion von Nikolaus' III. Konstitution 'Exiit' frei und verzichtete auf das Eigentum des Ordens, das die Päpste seit Innozenz IV. bzw. Nikolaus III. zur Wahrung von dessen 'Armut' übernommen hatten; damit stellte er die vorgebliche Armut des Ordens als Fiktion hin. 1323 schließlich bezeichnete er die in Perugia aufgestellte Behauptung von der Armut Christi als häretisch; im Gegenzug beschuldigten ihn einige Franziskaner der Häresie, was Ludwig der Bayer dankbar aufgriff. Zu ihm flohen deshalb 1328 der Ordensgeneral Michael sowie seine Ordensgenossen Bonagratia von Bergamo und Wilhelm Ockham, die an der Kurie festgehalten worden waren, und unterstützten ihn zusammen mit einem anderen Flüchtling, Marsilius von Padua, ideologisch in seinem Kampf gegen die Kurie – vor allem in der Spätzeit Johannes' XXII. und nach dem Scheitern der Verhandlungen 1337. Doch auch Teile des Kardinalkollegs unter Führung des Napoleon Orsini wandten sich an Ludwig, um eine Verurteilung des Papstes durch ein Generalkonzil zu erreichen. Ebenso äußerten sich Robert von Neapel und seine Gattin Sancia gegen die theologischen Armutsvorstellungen von Johannes.

Neue Munition lieferte er ihnen in Predigten in den Jahren 1332/33 über die *visio beatifica* (Schau der Seligen). In Anknüpfung an frühchristliche Anschauungen vertrat der Papst die Meinung, daß die Seelen der Gerechten erst nach dem Endgericht Gott voll schauten, während die damals gängige Lehrmeinung diese Schau schon mit dem Tode einsetzen ließ. Nun hatte der Papst nach Meinung der meisten Theologen auch dogmatisch gefehlt. In Paris stellte sich die Regierung gegen ihn, ebenso verfaßte Robert von Neapel einen Traktat gegen seine These. Daß Ludwig und seine Mitarbeiter diese Chance nutzten, ist verständlich. Um die Kritik einzudämmen und aus eigener Überzeugung fixierte Benedikt XII. 1336 die traditionelle Lehre als Dogma. Weil er jedoch seinen Vorgänger nicht verurteilte und dessen Meinung über die Armut Christi – verständlicherweise – teilte, galt auch er Ockham und anderen als Ketzer. Gerade durch diese Mischung von politischen, kirchenrechtlichen und dogmatischen Elementen erhielt der Konflikt zwischen Ludwig und der Kurie seine Brisanz; im Bereich von Jurisdiktion und Lehre schwächte er die Position des Papsttums.

Erschwerend kam hinzu, daß viele das Papsttum für den Hauptschuldigen am Niedergang der Kirche hielten und es nicht mehr für fähig ansahen, die Kirche zu reformieren. Der einzige Avignoneser Papst – und für zwei Jahrhunderte der letzte Papst überhaupt –, der aus eigenem Antrieb eine Kirchenreform versuchte, war Benedikt XII. Seine Veränderungen an der Kurie und bei der Pfründenvergabe sind schon kurz genannt worden. Folgenreicher waren seine Konstitutionen zur Reform einiger Orden – 1335 für die Zisterzienser (sein eigener Orden), 1336 für die Benediktiner und Franziskaner, 1339 für die Regularkanoniker –, die zumindest als Leitlinien bis ins 15. Jahrhundert, einige sogar bis zum 17. Jahrhundert galten, obwohl sie sehr stark monastischen Vorstellungen entsprachen, was vor allem dem Gehalt der Franziskanerregel nicht gerecht wurde. Doch zeigt gerade auch Benedikts Pontifikat, daß eine tiefgreifende Reform der Kirche durch das Papsttum vorerst nicht möglich war, denn er blieb nicht nur von regional und monastisch beschränkten Vorstellungen geprägt, sondern sparte auch die Reform des eigenen Amtes aus.

Doch gerade die Reform des Papsttums und der Kurie wurde seit dem Beginn des Jahrhunderts, vor allem aber seit dem Konzil von Vienne, immer häufiger gefordert. Bischöfe wie der jüngere Wilhelm Duranti von Mende beabsichtigten eine Stärkung des Episkopates und damit der Konzilien, Vertreter des Königtums wie Jean Quidort aus Paris wünschten eine Gleichberechtigung von Staat und Kirche, Vordenker späterer Lehren wie Marsilius von Padua postulierten sogar schon die Unterordnung des Klerus unter die staatliche Obrigkeit. Anfangs häufig lediglich theoretisches Spielmaterial, nützlich bei politischen Konflikten mit einzelnen Päpsten, mußten diese Theorien an Wirkung gewinnen, sobald das Papsttum mit Beginn des Schismas von 1378 auf die Hilfe der weltlichen Gewalten angewiesen war. Diesem Schisma vorangegangen war die Rückkehr des Papsttums nach Rom.

Trotz des Aufenthaltes jenseits der Alpen hatten sich die Päpste schon seit Clemens V. bemüht, Rom und den Kirchenstaat ihrer Herrschaft zu sichern. Und wie bei ihren Vorgängern im 13. Jahrhundert hatte diese Absicht stark auf ihre Deutschlandpolitik eingewirkt, wie die Konflikte mit Heinrich VII. und Ludwig dem Bayern zeigten. Ebenso äußerten sie häufig die Absicht, die Kurie nach Rom zurückzuverlegen. Doch zumindest in den ersten Jahrzehnten scheiterten ihre Bemühungen am Widerstand der auch im Kirchenstaat aufsteigenden Signori und an den häufig von Parteikämpfen zerrissenen Kommunen, wie etwa die langjährige Legation von Johannes' XXII. Nepoten Bertrand de Poujet zeigte. Lediglich römische Kardinäle, vor allem Giacomo Caetani Stefaneschi, unterhielten engeren Kontakt zu ihrer Vaterstadt, wie noch heute die von

Stefaneschi geförderten Kunstwerke in St. Peter (von Giotto und anderen Künstlern) beweisen. Etwas erfolgreicher war schon Benedikt XII. Er ließ nicht nur die Lateranbasilika und St. Peter restaurieren, sondern versuchte 1338 auch einen Streit innerhalb Roms beizulegen; sein Legat Bertrand de Déaux erließ für einzelne Kommunen Statuten, die lange gültig blieben.

Auf Benedikts Erfolgen konnte Clemens VI. aufbauen. Zu Beginn seines Pontifikates erschien eine römische Gesandtschaft in Avignon, die ihn – der Tradition seit Nikolaus III. folgend – zum Senator von Rom proklamierte und ihn bat, nach Rom zurückzukehren und ein neues Heiliges Jahr zugunsten der römischen Kirchen und Wirte auszurufen. Dem zweiten Wunsche willfahrte der Papst, indem er für 1350 entgegen der Weisung Bonifaz' VIII., nur alle hundert Jahre ein solches Jubiläum anzusetzen, ein Heiliges Jahr verkündete. Gestört wurden die Vorbereitungen 1347 durch einen Mann, der fünf Jahre zuvor der Gesandtschaft angehört hatte: Cola di Rienzo, eine der bizarrsten Gestalten der Zeit. Ein Freund Petrarcas, wollte er als Nachfolger Konstantins, Ritter des Heiligen Geistes und Volkstribun Rom von der Herrschaft des Adels befreien und Italien unter der Führung Roms neu einen. Dies gefährdete auch die päpstliche Herrschaft. Als sichtbares Zeichen ließ er eine Steinplatte mit der *lex regia* Vespasians, die die Übertragung der Herrschaft durch das Volk an den Kaiser zum Hauptthema hatte und am Ende des 13. Jahrhunderts in einem Altar der Lateranbasilika verbaut worden war, im Konservatorenpalast auf dem Kapitol anbringen, wo sie sich noch heute befindet. Nach sieben Monaten war Rienzos Traum vorläufig ausgeträumt, der Held in die Berge entwichen. Anschließend begannen im großen Stil die Vorbereitungen des Jubiläums, in Rom geleitet durch den Legaten Annibaldo von Ceccano, einen Nepoten Stefaneschis. Trotz der gerade überstandenen, durch den 'Schwarzen Tod' geprägten Notzeiten war das Heilige Jahr ein finanzieller Erfolg, wurden die Bande zum Papsttum trotz eines Attentats auf den Legaten enger.

Unter dem neuen Papst, Innozenz VI., erfolgten dann die wichtigsten Vorbereitungen für eine Rückkehr nach Rom: die militärische Unterwerfung großer Teile des Kirchenstaates durch den spanischen Kardinal Gil Albornoz, die mit Unterbrechungen von 1353 bis 1365 andauerte. Noch heute stehen in vielen Städten seine Rocche (Zwingburgen); verewigt hat er sich durch seine Konstitutionen, die, auf Bertrand de Déaux und lokalen Statuten (etwa Perugias) aufbauend, bis in die Napoleonische Ära die Verfassungsgrundlage des Kirchenstaates bildeten; daher gilt der Kardinal nach Innozenz III. als zweiter Gründer des Kirchenstaates. Und bis heute lebt das von ihm in Bologna gegründete Spanische Kolleg von seiner Dotierung. Nur in Rom ist der Kardinal nie gewesen. Anfangs stützte er sich dort auf den wieder nach Rom zurückgekehrten Cola di Rienzo, der 1354 im Auftrage des Papstes versucht hatte, die Stadt als Senator zu befrieden; doch war er schon nach neun Wochen am Widerstand des Stadtadels (Savelli und Orsini) gescheitert und von dessen Klientelen grausam getötet und verstümmelt worden. Doch blieb sein Wirken nicht ohne Erfolg. Im Jahre 1358 war – von Albornoz bestätigt – eine neue kommunale Regierung ans Ruder gekommen, deren Statuten von 1363 denen anderer Kommunen in Mittelitalien ähnelten (mit einem auswärtigen Podestà, genannt 'Senator') und für die nächsten Jahrzehnte das städtische Leben regelten. Und wie frühere Stadtregierungen beanspruchte auch die neue für sich einen Stadtdistrikt als Herrschaftsbereich, der jetzt von Montalto im Norden bis Terracina im Süden reichte.

Auf Autonomie bedacht, mußte die römische Regierung mit den Päpsten in Konflikt geraten, sobald diese nach Italien zurückkehrten. Den ersten Versuch hierzu unternahm Urban V. Von Albornoz in Corneto (heute: Tarquinia) begrüßt, zog der Papst am 16. Oktober 1367 in Rom ein; der Kardinal war zwei Monate zuvor gestorben. Urban restaurierte die großen Kirchen, vor allem St. Peter, wo er nach avignonesischem Vorbild den Palast erweiterte und residierte, denn der Lateran lag – wie es in Rechnungsbüchern der Kammer formuliert ist – „außerhalb der Stadt". Urbans Bestreben war es, die neu aufgestiegenen Gewalten in Italien, vor allem die Mailänder Visconti, zu entmachten, um auf der Apenninhalbinsel der mächtigste politische Faktor zu sein. Doch gelang ihm das nicht, da sich Florenz zurückhielt und militärische Erfolge ausblieben. Ein von Karl IV. vermittelter Frieden sicherte den Status quo. 1368 verließ der Papst

Rom, wohl der dortigen Unruhen überdrüssig, und weilte fortan vor allem in Viterbo und Montefiascone, das er als Residenz ausbaute. Von seinen politischen Mißerfolgen enttäuscht und von Kardinälen gedrängt – auch bei zwei Kreationen in Montefiascone hatte er Franzosen bevorzugt –, kehrte er 1370 nach Avignon zurück, gegen den Rat der hochangesehenen Nonnen Katharina von Siena und Birgitta von Schweden. Gut zwei Monate nach der Rückkehr starb er.

Sein Nachfolger Gregor XI., mit knapp 18 Jahren von seinem Onkel Clemens VI. zum Kardinal kreiert, plante schon bald die erneute Rückkehr nach Rom. Zur Vorbereitung rief er 1371 eine neue Liga gegen die Visconti zusammen. Um deren Machtstellung endgültig zu vernichten, bereitete er 1375 die Romreise vor, diesmal von vielen Kardinälen unterstützt. Von mehreren Verbündeten im Stich gelassen, mußte er jedoch im gleichen Jahr einen wenig günstigen Frieden mit den Visconti schließen. Die Lage verschlechterte sich noch durch ein Bündnis zwischen Mailand und Florenz, dem sich andere Städte der Toskana und des Kirchenstaates anschlossen, aufgebracht durch hohe Subsidienforderungen des Papstes. Nach Anwerbung von Söldnern und heftigen Drohungen gegen Florenz verließ Gregor am 13. September 1376 Avignon für immer, von Katharina von Siena in seinen Plänen bestärkt. Anfang des Jahres 1377 in Rom, fand der Papst fast den ganzen Kirchenstaat in Aufruhr. Weil jedoch auch Florenz aus geschäftlichen Interessen an einer Versöhnung gelegen war, fand unter Vermittlung ausgerechnet der Visconti im Februar 1378 ein Kongreß in Sarzana statt, auf dem der Friede wiederhergestellt werden sollte. Doch bevor die Verhandlungen abgeschlossen werden konnten, starb Gregor am 27. März in Rom.

X. SCHISMA UND REFORM
(1378–1447)

Wie Urban V. hatte wohl auch Gregor XI. am Ende seines Pontifikates vorgehabt, nach Avignon zurückzukehren, und zwar bis zum Sommer 1378. Für diese Annahme spricht, daß Gregor eine Woche vor seinem Tode eine Konstitution erließ, in der er für den Fall, daß er vor dem September sterbe und deshalb eine Neuwahl in Rom nötig wäre, die Papstwahldekrete Alexanders III. und Gregors X. aufhob. Damit wollte er den Druck der Römer mindern und eine rasche Nachfolge ermöglichen. Gewählt sollte der sein, den die einfache Mehrheit, also vor allem die Limousiner Kardinäle, aus ihrer Mitte erkoren hätte. Doch ging des Papstes Plan nicht in Erfüllung, denn der Kämmerer – sein Cousin Pierre de Gros – hielt den Text zurück, so daß kein Kardinal dessen Bestimmungen kannte; daher verlief die Wahl am 7. April gemäß den festgelegten Formalien.

Dennoch kann nicht behauptet werden, daß die Kardinäle ohne äußeren Druck handeln konnten. Zuerst von Abgesandten der Miliz und der Stadtregionen Roms, dann von der vor St. Peter versammelten Volksmenge selbst wurde unter Drohungen verlangt, daß ein Römer oder zumindest ein Italiener gewählt werde. Nach Diskussion mehrerer Kandidaten einigten sich die meisten Kardinäle auf Bartolomeo Prignano, den Erzbischof von Bari, der anstelle des in Avignon gebliebenen Vizekanzlers die Kanzlei leitete. Doch nun protestierte die den Palast stürmende Menge und verlangte einen Römer, weshalb die verängstigten Kardinäle in Eile den greisen Francesco de' Tebaldeschi in der Kapelle inthronisierten und anschließend aus dem Palast flohen. Am folgenden Tag kehrten die meisten Kardinäle, von Prignano aufgefordert, in den Palast zurück und inthronisierten ihn, der sich jetzt Urban VI. nannte. Wie üblich überreichten sie ihm Suppliken und zelebrierten statt seiner, bevor er am Ostersonntag (18. April) gekrönt wurde, die Gottesdienste der Karwoche. Auch in den folgenden drei Monaten blieben sie an seinem Hofe und assistierten ihm bei liturgischen Handlungen. Ebenso schienen ihn die in Rom weilenden Kurialen anerkannt zu haben. Dennoch wurden schon bald Zweifel an der Rechtmäßigkeit der Wahl geäußert, so zwei Tage nach Urbans Wahl durch einen Franziskaner während dessen Predigt in der Kirche Ara Coeli und in Geheimschreiben von Kardinälen an auswärtige Fürsten. Urban selbst trug nichts dazu bei, sich Freunde zu machen. In den Augen der hochmögenden Kardinäle ein armseliger Erzbischof *(archiepiscopellus)*, dessen Bistum nur 1500 Gulden Servitien zahlte, war er von seinem raschen Aufstieg geblendet und glaubte sich im Recht, Kardinäle und Könige nach Gutdünken absetzen zu können. Er redete zuviel und unklug und stieß dadurch auch seine eigenen Anhänger vor den Kopf; und daß er selbst wiederholt betonte, vom Heiligen Geist erwählt worden zu sein, nährte die Zweifel am Zustandekommen seiner Wahl. Vollends lächerlich machte er sich, wenn er behauptete, die im Lateranpalast konterfeiten Apostelfürsten, die vordem traurig ausgesehen hätten, lächelten nun, da er als Papst amtiere.

Zum Bruch kam es im Sommer. Die Kardinäle versammelten sich größtenteils in Anagni, wohin im Juni die Kurie verlegt worden war, während Urban nach Tivoli zog. Dorthin schickten die Kardinäle einen Gesandten, der dem Papst in ihrem Namen mitteilte, er habe kein Recht auf die päpstliche Würde, vielleicht aber werde er bei einer erneuten Wahl wiedergewählt. Als Vermittler dienten anschließend die noch in Rom verbliebenen italienischen Kardinäle – Orsini, Corsini und de Borsano; sie versuchten schon frühzeitig ein Generalkonzil als Schlichter einzuberufen. Doch scheiterten die Vermittlungsversuche; am 20. Juli erklärten die französischen Kardinäle die Wahl für ungültig. Nach Fondi im neapolitanischen Machtbereich übergesiedelt, wählten sie am 20. September im Beisein ihrer italienischen Kollegen den Kardinal Robert von Genf zum neuen Papst, der sich Clemens VII. nannte und am 31. Oktober gekrönt wurde; die Insignien einschließlich der Tiara hatte der Kämmerer ihm zugeführt. Von jetzt an gab es für die nächsten Jahrzehnte zwei Päpste.

Wer der rechtmäßige Nachfolger Petri sei, bereitete nicht nur den nichtfranzösischen Kardinälen – den drei Italienern (Tebaldeschi war schon tot) und dem Aragonesen Pedro de Luna – Schwierigkeiten, sondern auch den zeitgenössischen Herrschern, Prälaten und Theologen oder Juristen. Noch heute ist die Frage umstritten; lediglich für katholische Kirchenhistoriker, die vom 1. Vaticanum und von seit der Mitte des 15. Jahrhunderts aufgekommenen Anschauungen geprägt sind, ist eindeutig, daß Urban und seine Nachfolger die rechtmäßigen Päpste gewesen seien. Für Urban spricht, daß er formal gemäß den traditionellen Gesetzen gewählt worden ist und ihm die in Rom weilenden Kardinäle drei Monate hindurch gedient hatten; die ihm zur Last gelegte Unfähigkeit *(incapacitas)* war kirchenrechtlich nicht eindeutig definiert, die moralische Integrität vieler französischer Kardinäle als Nepotisten, Simonisten und Pfründenjäger nicht über alle Zweifel erhaben, auch Clemens VII. entsprach nicht gerade dem Idealbild eines Papstes; und weltlichen Druck hatte es auch bei früheren Wahlen – so etwa 1316 bei der Wahl Johannes' XXII. – gegeben. Wegen der umstrittenen Rechtslage kann der Historiker lediglich konstatieren, daß es seit Ende 1378 zwei Päpste gab, von denen jeder auch moralisch unbescholtene und kirchenrechtlich versierte Anhänger besaß. Wie schon 1130 und 1159 lag die Entscheidung bei den führenden Prälaten und Ordensleitern, vor allem jedoch bei den Herrschern. Diese waren uneins und nutzten die Gelegenheit zu ihren Gunsten, worauf noch einzugehen sein wird. Das Resultat war, daß sich die Obödienzen (Geltungsbereiche) der beiden Päpste nach kirchenpolitischen Gesichtspunkten festigten.

Clemens VII. hingen außer den alten Kardinälen auch die meisten Kurialen an; seit 1381 hielt er sich in Avignon auf. Beide Umstände sicherten den Geschäftsgang an seiner Kurie. Seit 1380 entschieden sich für ihn Frankreich – die bisher wichtigste Einnahmequelle –, Kastilien, Schottland (gegen England), schließlich auch Aragón und Navarra. Urban VI. mußte erst eine neue Kurie aufbauen. Schon seit 1378 konnte er auf Deutschland (außer am Oberrhein), dessen nördliche und östliche Nachbarn, auf die meisten italienischen Machthaber und England zählen; auch Portugal entschied sich nach langen Schwankungen zu seinen Gunsten – aus Konkurrenz zu Kastilien und im Bündnis mit England. Viele große Orden – Zisterzienser, Bettelorden – spalteten sich und hatten nun zwei Leitungsgremien; ebenso kam es aufgrund innerer Kompetenzkämpfe dazu, daß Domkapitel und Klosterkonvente sich Clemens anschlossen, wenn ihr Bischof oder Abt Anhänger Urbans war – und umgekehrt. Eifrige Pfründenbewerber supplizierten bei beiden Päpsten. Doch auch die Kardinäle selbst waren manchmal schwankend; am bekanntesten ist das Beispiel des von Urban schon 1378 kreierten Pileus de Prata, der 1387, nachdem Urban im Jahr zuvor fünf Kardinäle als angebliche Verschwörer hatte hinrichten lassen, nach Avignon überwechselte, aber 1391 nach Rom zurückkehrte, weshalb er der 'Kardinal mit den drei Hüten' hieß. Daß die Verdoppelung von Papst und Kurie wegen der von beiden Seiten übernommenen Ansprüche auf den jeweils gerupften Gläubigen lastete, somit das Ansehen des Papsttums nicht eben stärkte und bei Andauern der Spaltung die Unsicherheit hinsichtlich der Gültigkeit von Weihen und Sakramenten vergrößerte, ist einsichtig. Vertieft wurde die Spaltung noch dadurch, daß Clemens VII. in Benedikt XIII., Urban VI. in Bonifaz IX., Innozenz VII. und Gregor XII. Nachfolger erhielten, die von ihrer Rechtmäßigkeit überzeugt waren und nicht ernsthaft an Rücktritt dachten. Daher mußte versucht werden, auf anderem Wege das Schisma zu beenden.

Während die Päpste selbst – vor allem der als Kriegsherr erfahrene Clemens VII. und sein persönlich integrer, politisch noch versierterer Nachfolger Benedikt XIII. – der *via facti* folgten, also versuchten, durch Sieg über den Gegner die Einheit wiederherzustellen, entschieden sich nach vergeblichen Verhandlungen die französische Regierung und die Pariser Universität 1395, ihrem Papst den Gehorsam aufzukündigen *(via cessionis)*. Der Beschluß wurde auf einer Pariser Frühjahrssynode gefaßt, gegen den Widerstand des Universitätskanzlers Pierre d'Ailly, der vordem Familiar Benedikts gewesen war und bald darauf von diesem das Bistum Le Puy erhielt. Benedikt lehnte die Forderungen der ersten wie auch der im Sommer gehaltenen zweiten Synode ab. Folgenreicher war für ihn die dritte Synode von 1398. Weil sich in der Zwischenzeit nach einem Waffenstillstand zwischen England und Frankreich beide Länder und das mit Frankreich verbündete Kastilien auf die *via cessionis* geeinigt hatten, verblieb Benedikt nur noch Aragón. Am 28. Juli verkündete Karl VI. von Frankreich feierlich die Substraktion (Entzug der Obödienz). Dem Beispiel folgten 18 Kardinäle, die ins französische Villeneuve-lès-Avignon übersiedelten und Benedikt an der Ausübung seines Amtes zu hindern suchten. Der Papstpalast wurde mit Kanonen beschossen; und auch nach einem Waffenstillstand (1399) blieb der Papst im Palast eingeschlossen. Doch 1403 wendete sich das Blatt: Benedikt entkam und erreichte bald darauf die erneute Unterstützung durch die Kardinäle und die französische Regierung. Das lag vor allem daran, daß jetzt wieder der Benedikt wohlgesonnene Herzog von Orléans die französische Politik – damit auch das Verhalten der Kardinäle – bestimmte. Anschließend versuchte Benedikt mehrere Jahre lang, durch Verhandlungen und politischen wie auch militärischen Druck, sich mit den römischen Päpsten zu einigen, deren Regime vor allem durch Machtkämpfe im Königreich Neapel äußerst gefährdet war. Schon im September 1407, dann im Frühjahr 1408 sollten sich Benedikt und Gregor XII. erst in Savona, dann in einem toskanischen Ort treffen, um eine Lösung des Schismas herbeizuführen. Als die entsprechenden Versuche schließlich vor allem an Gregor XII. scheiterten, verließen diesen die meisten Kardinäle, appellierten an ein Generalkonzil und verstärkten ihre Beziehungen zu Benedikts Kardinälen. Diesem hatte Frankreich 1408 erneut die Obödienz entzogen, nachdem im Vorjahr sein wichtigster Fürsprecher, Herzog Ludwig von Orléans, auf Anstiften des Herzogs von Burgund ermordet worden war. In der Gefahr, von einer französischen Gesandtschaft unter Führung des Patriarchen von Alexandrien, Simon de Cramaud, gefangengenommen zu werden, berief Benedikt ein Konzil ins aragonesische Perpignan und begab sich auf dem Seeweg dorthin. Doch die meisten seiner Kardinäle vereinigten sich nun mit ihren römischen Kollegen und beriefen bald darauf ihrerseits ein Konzil nach Pisa; als letzter folgte Gregor XII., der allerdings das im Einflußbereich seiner Heimatstadt Venedig liegende Cividale zum Konzilsort bestimmte, wohin jedoch nur wenige Prälaten kamen. Es gab demzufolge drei mehr oder weniger gleichzeitig tagende Konzilien.

Daß jetzt alle beteiligten Parteien die Beendigung des Schismas von einem Konzil erhofften, macht deutlich, wie sehr die 'konziliare Idee' verbreitet war. Schon Kanonisten des 12. und 13. Jahrhunderts hatten ein Allgemeines Konzil als mögliche Korrektivinstanz gegenüber dem Papsttum angesehen, Herrscher wie Friedrich II., Philipp der Schöne und Ludwig der Bayer hatten in Konflikten mit Päpsten an ein Generalkonzil appelliert; ebenso war während der Vorbereitungen des 2. Konzils von Lyon (1274) und des Konzils von Vienne (1311/12) das Konzil als höchstes Gremium für die Kirchenreform propagiert worden. Angesichts des avignonesischen Papsttums mehrten sich die Befürworter von Konzilien und wiesen diesen zum Teil auch schon als Repräsentation der Gesamtkirche eine höhere Stellung als dem Papsttum zu; dabei werden vereinzelt Rückgriffe auf die vom Kaiser einberufenen Konzilien der Spätantike deutlich, so etwa bei Marsilius von Padua.

Angesichts dieser Tradition erstaunt es nicht, daß schon 1378 die drei italienischen Kardinäle, seit dem folgenden Jahr Pariser Professoren wie Heinrich von Langenstein oder der Wormser Dompropst Konrad von Gelnhausen ein Konzil vorschlugen, auf dem das Schisma beendet werden sollte. Und erst recht mußte diese Möglichkeit favorisiert werden, nachdem die anderen Wege – *via facti* und *via cessionis* – zu keinem Ziel geführt hatten. Umstritten war freilich noch, wer legitimiert sei, ein Konzil einzuberufen, denn seit dem 12. Jahrhundert galt dies als päpstliches Vorrecht. Und sowohl Benedikt XIII. wie auch Gregor XII. zeigten, daß sie mit ihren Konzilsplänen an der Tradition festhielten, doch nahmen nur relativ wenige Prälaten an ihren Konzilien teil. Für die Legitimierung Pisas war wichtig, daß die Geltung des Kardinalkollegs im Laufe des 14. Jahrhunderts noch zugenommen hatte, einigen gar die Kardinäle statt der Bischöfe als Nachfolger der Apostel galten; Kardinäle Clemens' VII. hatten in ausführlichen Traktaten ihre Stellung als Richter über die Papstwahl hervorgehoben. Außer den Kardinälen wurde den Fürsten, vor allem dem römischen König oder Kaiser, das Recht zugesprochen, die Kirche in einer Notsituation zu einem Konzil zu zwingen. Wie die Frage der Einberufung, wurde auch die der Zusammensetzung unterschiedlich beantwortet: es gab Befürworter eines Konzils in jeder Obödienz, dem entsprachen Perpignan und Pisa; daneben aber wurde auch an ein Konzil aus beiden Bereichen oder an ein reines Kardinalskonzil gedacht. Ebenso umstritten war, ob das Konzil als Repräsentationsorgan der Universalkirche über dem Papst stünde und allein unfehlbar sei. Diese Meinungsvielfalt sollte auch weiterhin bestehenbleiben, so daß bei späteren Konflikten zwischen Papsttum und Konzil Befürworter beider Parteien sich auf Vorläufer berufen konnten.

Die Konzilien von Perpignan und Cividale sollten die Ansprüche des jeweiligen Papstes untermauern. Gregor XII. hatte wenig Erfolg und mußte schließlich fliehen. Benedikt XIII. erreichte, daß ihn Aragón und ein Teil des provenzalischen Klerus weiterhin unterstützten, obwohl er es ablehnte zu resignieren. Immerhin sandte das Konzil eine Gesandtschaft nach Pisa. Und nicht nur deren Mitglieder, sondern auch andere Konzilsteilnehmer und Kuriale wandten sich von Benedikt ab und dem neuen Pisaner Papst, Alexander V., zu.

In Pisa waren außer 24 Kardinälen über 80 Bischöfe, zahlreiche Äbte und viele Abgesandte von Bischöfen, Fürsten und Universitäten versammelt, in der Mehrzahl aus Italien und Frankreich. Geleitet von Kardinälen und dominiert von Simon de Cramaud als Führer der Franzosen, tagte das Pisaner Konzil in 22 Sitzungen; diese wiederum wurden vorbereitet in den sogenannten 'Nationen' (französische, italienische, deutsche, englische, provenzalische) und im Kardinalkolleg. Ziel war vor allem die Absetzung der beiden Päpste und die Wahl eines neuen Papstes; außerdem wurden schon Fragen der Kirchenreform behandelt. Am 5. Juni 1409 wurden Benedikt XIII. und Gregor XII. als Schismatiker, Häretiker und Eidbrecher exkommuniziert und ihnen die Obödienz entzogen. Anschließend wurde das Konklave vorbereitet. Aus der Wahl ging am 26. Juni der Erzbischof von Mailand, der auf Kreta geborene und im Dienst der Visconti aufgestiegene Petrus Philargi, als Alexander V. hervor. Am 7. Juli gekrönt, bestätigte er seinen Anhängern ihre während des Schismas erworbenen Pfründen und berief für 1412 ein neues Konzil, das sich mit der Kirchenreform befassen sollte.

Wenn auch Pisa einen wichtigen Markstein auf dem Wege zur

kirchlichen Einheit bildete, so war doch die unmittelbare Folge, daß es fortan drei Päpste gab, denn die spanischen Herrscher und Landeskirchen erkannten Alexander V. nicht an, und auch der deutsche König Ruprecht hielt zu seinem römischen Papst. Dies änderte sich, als der ungarische König Sigismund, ein Sohn Karls IV., 1411 zum deutschen König gewählt worden war, denn er hatte schon frühzeitig Pisa unterstützt. Alexanders Nachfolger, Johannes XXIII., hatte dem Pisaner Beschluß entsprechend 1412 ein Reformkonzil in Rom eröffnet, auf dem aber wenig geschah, und bei dessen Vertagung (1413) ein neues Konzil angekündigt. Bald darauf von Ladislaus von Neapel, der den gesamten Kirchenstaat bedrohte, aus Rom vertrieben, ließ Johannes zwei Kardinäle mit Sigismund über das künftige Konzil verhandeln; einer der Unterhändler war der Kanonist und Konzilsanhänger Francesco Zabarella. Das Ergebnis der Verhandlungen war, daß Sigismund für den 1. November 1414 ein Konzil in Konstanz ankündigte und der Papst Ende 1413 die Berufungsbulle veröffentlichte. Dem folgten lange Verhandlungen Sigismunds mit Kastilien und vor allem Aragón, um auch die Anhänger Benedikts XIII. zum Besuch zu überreden. Eine andere Schwierigkeit boten Konflikte zwischen England und Frankreich, in die auch Burgund verwickelt war. Sigismund gelang es, den Ausbruch des Krieges bis zum Konzilsbeginn zu verhindern und dadurch die Anwesenheit auch französischer, englischer und burgundischer Teilnehmer zu ermöglichen. Zum ersten Mal seit der Spätantike war es ein weltlicher Herrscher, der eine Zusammenkunft der gesamten Kirche, natürlich jetzt nur der des Westens, zustande gebracht hatte. Schon dies aber zeigt deutlich, daß das Konzil von Konstanz stark von politischen Gegebenheiten abhängig war.

Das am 5. November 1414 von Johannes XXIII. eröffnete Konzil sollte der – hier noch zu behandelnden – Kirchenreform und Glaubensfragen, vor allem aber wie sein Pisaner Vorgänger der Einheit der Kirche dienen. Bald wurde deutlich, daß auch ein Rücktritt Johannes' nötig sei, um die Einheit zu erreichen. Dieser schien nachzugeben, entfloh jedoch am 21. März 1415 aus der Stadt in den Schutz des Herzogs von Österreich und wollte das Konzil auflösen. Um dem entgegenzutreten, beschloß das Konzil am 6. April, daß ein

Allgemeines Konzil eine höhere Gewalt besitze als der Papst (Dekret 'Haec sancta'). Alsdann begann es den Prozeß gegen Johannes und setzte am 29. Mai den als Gefangenen zurückgebrachten Papst als Simonisten, Begünstiger des Schismas und schlechten Leiter der Kirche ab. Wenig später, am 4. Juli, erklärte Carlo Malatesta in Gregors XII. Namen dessen Rücktritt. Länger und schließlich erfolglos verliefen die Bemühungen Sigismunds und des Konzils, Benedikt XIII. zum Rücktritt zu bewegen. Immerhin waren durch den Vertrag von Narbonne (13.12.1415) die spanischen Reiche für die Teilnahme am Konzil gewonnen worden, auch wenn es noch zwei Jahre währte, bis ihre Vertreter tatsächlich als fünfte 'Nation' dem Konzil beiwohnten und Benedikt die Obödienz entzogen war. Schließlich wurde dieser am 26. Juli 1417 abgesetzt. Dies hinderte ihn aber nicht, sich im aragonesischen Peñiscola bis zu seinem Tode (1423) als rechtmäßigen Papst zu verstehen. Von allen Päpsten der Schismazeit war er der beste; unter günstigeren Umständen wäre er wahrscheinlich ein bedeutender Papst geworden.

Anders als 1409 unterstützten 1415 bis 1417 alle Herrscher und Landeskirchen das Vorgehen gegen die Päpste. Daher konnte nach Benedikts Absetzung erwartet werden, daß der neue Papst überall anerkannt werde. Gewählt wurde schließlich nach mehreren Wahlgängen am 11. November der Römer Oddo Colonna, der sich nach dem Tagesheiligen Martin V. nannte, am 21. November gekrönt wurde und fortan das Konzil leitete. Am 21. März 1418 verkündete er in seinem Namen sieben schon vor seiner Wahl ausgehandelte Reformdekrete und schloß mit den fünf Konzilsnationen Separatabkommen (Konkordate), die – von England abgesehen – fünf Jahre bis zum nächsten Konzil gelten und die Verwirklichung der Reformbeschlüsse sichern sollten, vor allem die Verringerung des päpstlichen Stellenbesetzungsrechtes.

Martin V. mußte Kardinäle und Mitarbeiter aller drei Obödienzen übernehmen, andererseits hatte das Konzil die Anzahl der Kurialen und die päpstlichen Einnahmen eingeschränkt. Daher war er bestrebt, möglichst schnell nach Rom zurückzukehren und den Kirchenstaat neu zu nutzen. Am 16. Mai 1418 hatte er Konstanz verlassen; doch erst am 28. September 1420 konnte er feierlich in Rom einziehen. Erschwert wurde seine Lage durch den ersten großen italienischen Condottiere, Braccio da Montone, der weite Teile Mittelitaliens, also auch des Kirchenstaates, beherrschte. Hinzu kam die verworrene Lage im Königreich Neapel. Martin belehnte Ludwig III. von Anjou mit der Krone und bestimmte ihn zum Nachfolger der Königin Johanna II.; diese revanchierte sich mit der Adoption des jungen, aber energischen Alfons V. von Aragón, der schon Sizilien beherrschte, 1421 in Neapel einzog und den Anspruch des damals noch lebenden Benedikt XIII. als Druckmittel benutzte. Nach einem Waffenstillstand (Herbst 1421) und weiteren Verhandlungen verließ Alfons jedoch vorerst 1424 Neapel. Im gleichen Jahr fiel Braccio bei der Belagerung von L'Aquila, nachdem schon 1420 ein Aufstand in Bologna von päpstlichen Truppen niedergeschlagen worden war. Daher konnte der Papst ab 1424 verstärkt an den Neuaufbau des Kirchenstaates gehen – er gilt als dessen dritter Gründer. Und da zu dem Zeitpunkt auch die meisten Konstanzer Konkordate ausgelaufen waren, standen ihm fortan auch wieder mehr Einnahmen aus Pfründenvergaben zur Verfügung. Doch ist es einsichtig, daß er in dieser angespannten Lage nicht viel Mühe auf das neue Konzil in Pavia/Siena (1423/24) verwandte und es bald auflöste, denn sein Ziel war nicht eine Reform der Kirche, sondern die Restauration des Papsttums nach dem Vorbild des 13. und 14. Jahrhunderts. In dieser Hinsicht hat Martin Großes geleistet und die folgende Zeit geprägt.

Doch hielt er sich, wenn auch nicht freiwillig, an seine Konstanzer Versprechungen. Auf dem Konzil war kurz vor der Papstwahl, am 1. Oktober 1417, beschlossen worden, daß regelmäßig Konzilien stattfinden sollten (Dekret 'Frequens'): das erste nach fünf Jahren, das zweite sieben Jahre später, weitere alle zehn Jahre; der jeweilige Papst durfte die Fristen lediglich verkürzen, nicht aber verlängern. Dem Wortlaut genügend, berief Martin kurz vor seinem Tode ein neues Konzil nach Basel, dem der Kardinal Giuliano Cesarini präsidieren sollte, mit der Vollmacht, es bald aufzulösen. Der neue Papst, Eugen IV., bestätigte Cesarinis Auftrag, der daraufhin durch seine Vertreter – er selbst kämpfte noch gegen die Hussiten – das Konzil am 23. Juli 1431 eröffnen ließ. Schon wenige Monate später, am

12. November, löste Eugen, dem Vorbild seines Vorgängers in Siena folgend, das Konzil wieder auf. Doch hatte er weniger Erfolg als dieser, denn Cesarini lehnte Eugens IV. Auftrag ab, von der Mehrheit der Kardinäle (15 von 21) unterstützt. Fortan waren Konzil und Papst Gegner, auch wenn dieser, von den Verhältnissen im Kirchenstaat gezwungen, am 15. Dezember 1433 seine Aufhebungsbulle widerrief.

Seinen späteren Sieg verdankte Eugen IV. den Griechen. Seit 1433 wurde von Konzil und Papst mit Konstantinopel verhandelt, damit als Grundlage für einen Türkenkreuzzug eine Union mit der Ostkirche erreicht werde. Der Hauptstreitpunkt war der Tagungsort des Unionskonzils. Weil neben Eugen auch die Griechen an einem italienischen Ort interessiert waren, was die meisten Basler ablehnten, gelang es 1437 dem Papst mit zum Teil zweifelhaften Mitteln, am 18. September 1437 das Konzil von Basel nach Ferrara zu verlegen und anschließend dorthin auch die griechischen Abgesandten zu dirigieren. Weil jedoch die meisten Konzilsteilnehmer in Basel blieben, gab es jetzt zwei Konzilien, also ein neues Schisma. Dieses wurde noch dadurch verschärft, daß das Basler Konzil am 25. Juni 1439 Eugen IV. absetzte und am 5. November den verwitweten Herzog Amadeus VIII. zum neuen Papst – den letzten Gegenpapst bis heute – wählte, der sich Felix V. nannte. Während dieser Zeit, am 6. Juli 1439, hatte Eugens Konzil, das mittlerweile nach Florenz verlegt war, die Union mit den Griechen geschlossen (Dekret 'Laetentur coeli'), der weitere Unionen – mit Armeniern, Kopten, Maroniten etc. – folgten. Wenn auch diese Vereinigungen im Osten kaum beachtet wurden, so stärkten sie doch das Prestige des Papstes im Westen. Seine Position besserte sich noch dadurch, daß selbst Frankreich seine Absetzung nicht anerkannte, Kastilien ab 1439 zu ihm hielt, England indifferent war und Alfons V. 1443 nach der Eroberung Neapels und unter großen Zugeständnissen Eugens zu diesem überwechselte. Schließlich bekannte sich auch der deutsche König Friedrich III. zu Eugen IV., weil er von diesem die Kaiserkrone empfangen wollte. Und auch mit den deutschen Kurfürsten – der Kölner und Mainzer Erzbischof waren von Eugen 1446 abgesetzt worden – kam es 1447 zur Einigung. Daher konnte bald darauf

Nikolaus V. als neuer Papst die Kirche einen und schließlich auch den Rücktritt Felix' V. sowie die Auflösung des Basler Konzils (1449, 1447 nach Lausanne verlegt) erreichen und daraufhin verstärkt die Restauration der päpstlichen Macht anstreben.

Seit Beginn des Schismas hatte es sich immer wieder gezeigt, wie sehr das Ansehen der gegnerischen Päpste vom Wohlwollen weltlicher Gewalten abhing. Daß diese die Gelegenheit nutzten, um ihren Einfluß auf den Landesklerus zu vermehren, liegt nahe. Am erfolgreichsten waren Herrscher, die zur römischen Obödienz gehörten, weil die Position der römischen Päpste gewöhnlich schwächer als die der avignonesischen Konkurrenten war. Besonders in England gelang es den Königen, das Recht der Stellenbesetzung den Päpsten zu entziehen und selbst wahrzunehmen, so daß vor allem der höhere Klerus ständig mehr vom Königtum abhängig wurde, eine wichtige Voraussetzung für die anglikanische Kirchenverfassung des 16. Jahrhunderts. Wegen dieser Veränderungen waren die englischen Konzilsteilnehmer auch kaum noch an den Reformbemühungen in Konstanz und Basel interessiert, denn die dort verlangte Beschneidung der päpstlichen Rechte und Einnahmen war in England schon weitgehend verwirklicht. Auf den ersten Blick überraschend, hatten aber auch italienische Fürsten und Kommunen – Mailand, Venedig, Florenz – den Klerus stärker unter ihre Kontrolle gebracht; dabei kam ihnen zugute, daß die römischen Päpste wegen der häufigen Bedrohung durch Neapel und der daraus resultierenden Unsicherheit im Kirchenstaat auf ihre Unterstützung angewiesen waren. Komplizierter war die Lage in Deutschland. Außer Italienern bildeten Deutsche – soweit erkennbar – das Gros der Kurialen in Rom. Die deutschen Herrscher waren infolge innerdeutscher Machtkämpfe (Wenzel, Ruprecht) oder auch aus Überzeugung sowie zwecks Erlangung der Kaiserkrone stärker auf die Zusammenarbeit mit den Päpsten angewiesen. Andererseits konnten auch in Deutschland einzelne Fürsten und Stadträte durch die Gründung von Universitäten oder durch die Förderung und Kontrolle von Reformen – vor allem bei Benediktinern und Bettelorden – den Landes- oder Stadtklerus stärker als zuvor der eigenen 'Obrigkeit' unterstellen. Um diese Politik noch verstärkt fortführen zu können, und angehalten durch Klagen von enttäuschten ehemaligen Kurialen, etwa Dietrichs von Niem, befürworteten gerade auch deutsche Konzilsteilnehmer weltlichen wie klerikalen Standes die Reform von Papsttum und Kurie, um dadurch auch für ihre Regionen päpstliche Rechte und Einnahmen zu verringern. Davon profitierte vor allem in der Spätzeit Eugens IV. und unter Nikolaus V. auch der deutsche König, wie noch zu zeigen ist.

Innerhalb der avignonesischen Obödienz nutzte vor allem Aragón die Gunst der Stunde. Peter IV. 'el Ceremonioso' (1336–1387) hatte zwar ähnlich wie sein kastilischer Kollege die strittigen Papstwahlen von 1378 in Zeugenverhören prüfen lassen, sich jedoch 'indifferent' verhalten, also keinen der beiden Päpste anerkannt. Er gründete für sein Herrschaftsgebiet eine eigene 'Apostolische Kammer', die die Pfründeneinnahmen treuhänderisch verwaltete, sie aber bei Bedarf dem König zur Verfügung stellte, was natürlich den königlichen Einfluß auf die Besetzung geistlicher Stellen förderte. Peters Nachfolger, Johann I. (1387–1395), entschied sich für Clemens VII. Seitdem waren die aragonesischen Könige bis hin zu Alfons V. (1416–1458) die ausdauerndsten Unterstützer der avignonesischen Obödienz, was auch darin begründet war, daß seit 1394 bis zum Ende des Schismas der aragonesische Hochadlige Pedro de Luna, dessen Verwandte oft wichtige Regierungsstellen innehatten, als Papst Benedikt XIII. regierte. Doch je unsicherer die Hilfe Frankreichs für Avignon wurde, desto mehr geriet Benedikt in Abhängigkeit von Aragón. Das zeigte sich auch daran, daß er sich seit 1408 nur noch in aragonesischen Orten aufhielt (Perpignan, Peñiscola) und überwiegend Kuriale aus Aragón einstellte. Vollends zur politischen Puppe wurde Benedikt, als ihn in den Jahren 1416/17 die meisten Kurialen verließen und auch der neue Herrscher, Alfons V., Konstanz unterstützte. War es für seine Bestrebungen, Neapel zu erringen, nützlich, drohte Alfons mit der erneuten Förderung Benedikts. Aus dem gleichen Grunde tolerierte er 1423 die Wahl eines neuen Papstes in Peñiscola, Clemens' VIII., der erst 1429 vor dem Legaten Martins V., Pierre de Foix, zurücktrat. Und auch in der folgenden Zeit konnte Alfons das Papsttum mit Neapel erpressen, bis er sich 1443 mit Eugen IV. einigte. Seine politische Dominanz in

Süditalien und im westlichen Mittelmeerraum bewirkte darüber hinaus, daß gerade unter ihm der Klerus – sowohl in den Kronlanden als auch auf Sizilien – noch stärker vom Königtum abhängig wurde und die Lehnsabhängigkeit vom Papsttum zur bloßen Fiktion degenerierte.

Weniger Erfolg hatten die Könige von Kastilien, denn seit den Machtkämpfen von 1369 war die neue Dynastie der Trastámara auf die Unterstützung des hohen Klerus angewiesen. Wegen Erbfolgekonflikten anfangs auch mit Portugal und England verfeindet, schloß sich Kastilien immer stärker Frankreich an, was seine Haltung im Schisma und gegenüber den Konzilien von Pisa und Konstanz beeinflußte. Daß jedoch auch in Kastilien der König die Kirche wieder verstärkt kontrollierte, zeigte die Versammlung in Medina del Campo: Nachdem sich schon der erste König der neuen Dynastie, Heinrich II. (gest. 1379), durch seine in Rom weilenden Gesandten über die beiden Papstwahlen hatte sorgfältig informieren lassen, schickte sein Nachfolger, Johann I. (1379–1390), 1380 Beauftragte nach Avignon und Rom, die dort Anhänger der beiden Päpste als Zeugen anhörten. Die dabei gemachten Aussagen dienten als Grundlage für Beratungen des Königs mit Prälaten und Vertrauten in Medina del Campo, die durch weitere Schriften und erneute Anhörungen am Ort selbst ergänzt wurden. Aufgrund der über hundert Aussagen und nach langen Diskursen – vom November 1380 bis zum Mai 1381 – entschieden sich schließlich der König und daraufhin auch der kastilische Klerus für Clemens VII. Medina del Campo war der größte bis dahin über ein einziges kirchliches Problem geführte Prozeß; seine Unterlagen existieren noch und zeigen eindeutig das Übergewicht des Königs gegenüber seinem Klerus. Die beiden folgenden Könige – Heinrich III. (1390–1406) und der vom Adel abhängige Johann II. (1406–1454) – schlossen sich seit ca. 1396 immer stärker Frankreich an, favorisierten allerdings noch lange Benedikt XIII. Daher schickten sie 1409 auch noch keine Abgesandten nach Pisa, erst in Konstanz waren seit 1417 kastilische Teilnehmer anwesend. Seitdem unterstützte Kastilien stärker als Aragón Martin V., doch gab es im Lande weiterhin zahlreiche Befürworter der konziliaren Idee. Ihr Hauptrepräsentant war dann in Basel der renommierte Theologe und Konzilschronist Juan de Segovia.

Sosehr auch die Könige von Aragón und Kastilien, in geringerem Maße die von Navarra und Portugal, das Schisma zur Festigung ihrer Kirchenhoheit nutzten und Aragón Benedikt XIII. als politisches Druckmittel anwandte, ausschlaggebend für den Bestand der avignonesischen Obödienz war Frankreich. Wie schon zuvor kamen aus diesem Bereich bis 1408 die meisten Kardinäle und Kurialen, von französischen Abgaben hing weitgehend das päpstliche Budget ab. Daher war die Anerkennung Clemens' VII. durch Frankreich im Jahre 1380 grundlegend wichtig für das Bestehen der avignonesischen Obödienz. Um so gravierender mußte dann auch der Obödienzentzug von 1398 sein, bei dem die königliche Regierung durch die Pariser Universität und den hohen Klerus unterstützt wurde. Doch mußten die Prälaten bald mit Enttäuschung feststellen, daß auch in Frankreich das Königtum an die Stelle des Papstes treten wollte, indem es das königliche Provisionswesen intensivierte. Der damalige König, Karl VI. (1380–1422), stand bis 1382 und wiederum seit 1392 unter Vormundschaft; ausschlaggebend war daher die jeweilige Vorherrschaft eines seiner Verwandten im Kronrat. Von diesen förderte Karls Bruder, Herzog Ludwig von Orléans, Benedikt XIII., weshalb die Regierung bis 1398 und erneut von 1403 bis zu Ludwigs Ermordung (1407) Benedikt unterstützte. Ludwigs Kontrahenten fanden Hilfe bei der Pariser Universität, deren Professoren immer stärker eine konziliare Lösung forderten. Auf die Universität stützte sich auch der nächste König, Karl VII. (1422–1461), weshalb sowohl in Pisa und Konstanz als auch in Basel französische Prälaten und Professoren eine große Rolle spielten. Karl VII. nutzte das Basler Konzil auch, um seine Herrschaft zu sichern. Nachdem er 1435 in Arras mit Philipp dem Guten von Burgund Frieden geschlossen hatte und dadurch freie Hand bei der Vertreibung der Engländer besaß, übernahm er 1438 auf Drängen von Prälaten seines Machtbereiches in der Pragmatischen Sanktion von Bourges zahlreiche, das päpstliche Besetzungsrecht einschränkende Beschlüsse des Basler Konzils für sein Reich und stellte sich damit automatisch gegen Eugen IV. Der Papst fand Unterstützung in Südfrankreich, weil dessen

Prälaten das königliche Provisionswesen in ihren Regionen verhindern wollten, ein interessantes Beispiel für die politische Nutzung oder Abwehr von Kirchenreformen. Und auch weiterhin hielt der südfranzösische Klerus eher zu Rom als zum König, um damit seine Unabhängigkeit von der Krone zu wahren. Seinen wichtigsten Gegner hatte er jedoch nicht im König, sondern im von den Ständen beauftragten Gericht (Parlement) in Toulouse, denn dieses schränkte schon seit den 20er Jahren klerikale Privilegien ein, so etwa durch Urteile gegenüber kriminellen Klerikern.

Begründet wurden die Forderungen nach einem Konzil wie auch die Eingriffe von weltlichen Instanzen in kirchliche Angelegenheiten häufig mit der Kritik am Zustand der Kirche, wobei Papsttum und Kurie gewöhnlich als die Hauptschuldigen genannt wurden. Liest man die in Pisa gegen Benedikt XIII. und Gregor XII., erst recht aber die in Konstanz gegen Johannes XXIII. erhobenen Vorwürfe, so wird gerade in den überzogenen Stellungnahmen deutlich, was alles damals Päpsten zugetraut wurde, ein Horrorbild des 'Stellvertreters Christi', das bei weitem die Vorwürfe gegen Benedikt IX. (1046) und die Verdammungen in Dantes 'Inferno' übertraf: Benedikt XIII. – und kaum weniger Gregor XII. – sei nicht nur gegen den eigenen Rücktritt und verlängere dadurch das Schisma, sondern verübe Gewalttaten, bestrafe ihm nicht nach dem Munde redende Kuriale, lasse sie hinrichten oder auf Galeeren schicken, begünstige sogar Häresien und magische Praktiken. Noch schlimmer soll Johannes XXIII. gewesen sein: Von Jugend an einem Leben voller Laster verfallen – was gegen seine Wähler sprach –, habe er auch als Kardinal und Papst ein unsittliches Leben geführt. Er habe seinen Vorgänger, Alexander V., vergiftet, sei äußerst habgierig, ein großer Simonist und verschleudere Güter der Kirche und des Kirchenstaates zum eigenen Nutzen.

Nachteilig für das Papsttum als Institution war, daß viele dieser Vorwürfe – auch wenn übertrieben und einseitig personalisiert – zutrafen und durch das damalige Kirchensystem und die Nöte der Schismazeit bedingt waren. Simonie, wie sie die Zeitgenossen verstanden, übten vor allem die römischen und Pisaner Päpste, wenn sie seit Bonifaz IX. den Ablaßhandel forcierten und an der Kurie den

Ämterhandel besonders bei Kollegien (der Skriptoren, vielleicht auch schon der Kammernotare und Kursoren) duldeten oder sogar förderten. Ebenso läßt sich die grausame Bestrafung von mißliebigen Kardinälen und Kurialen seit Urban VI. und Clemens VII. nachweisen. Für den Klerus der verschiedenen Obödienzen bedrükkender war jedoch die Abgabenlast infolge der Existenz von zwei, seit 1409 sogar drei Kurien, denn diese waren in Lebensstil und Personalbestand zumindest tendenziell genauso aufwendig wie die Kurie vor dem Schisma. Daher forderten und beschlossen vor allem die Konzilien von Konstanz und Basel eine Reform der Kurie und eine Einschränkung der päpstlichen Prärogativen: Um die Krönung eines häretischen Papstes auszuschließen, sollte seit 1417 jeder Papst nach seiner Wahl seinen Glauben mit dem sogenannten 'Glaubensbekenntnis Bonifaz' VIII.' beschwören, Bischöfe durften nicht gegen ihren Willen versetzt (transferiert) werden, die Erhebung von Spoliengeldern und Prokurationen durch den Papst war untersagt. Waren diese Forderungen am 9. Oktober 1417 beschlossen und von Martin V. nach seiner Wahl akzeptiert, so sollte der künftige Papst weitere Reformen selbst vornehmen. Durch diese wollte man das päpstliche Reservationsrecht und damit die Zahlung von Servitien und Annaten einschränken, ebenso das Appellationswesen und andere Bereiche der Gerichtsbarkeit der Kurie; eingeschränkt oder völlig aufgehoben werden sollten auch die Zahlung der Interkalarfrüchte, die Entfremdung von Kirchengut, die Austeilung von Dispensen und Ablässen, die Übertragung von Kommenden (Übertragung von Prälaturen zur Verwaltung). Um dies zu ermöglichen, war zugleich an eine Veränderung des Provisionswesens, an eine Verringerung und qualitative Verbesserung des Kardinalkollegs sowie an eine bessere Organisation der Kanzlei und Pönitentiarie gedacht worden. Viele dieser Vorschläge wurden in Basel erneut traktiert und – vor allem hinsichtlich der Pfründenvergabe und der kurialen Einnahmen – beschlossen. Der institutionellen Verankerung der Kirchenreform in der Struktur der Gesamtkirche kam zugute, daß die beiden schon genannten Konstanzer Dekrete 'Haec sancta' und 'Frequens', in denen die Suprematie des Konzils über dem Papst und die regelmäßige Einberufung von Konzilien verkündet waren, bis zur Jahrhundertmitte fast einhellig als alle Christen bindend anerkannt waren; lediglich die beiden Päpste Martin V. und Eugen IV. sowie einige ihrer Parteigänger hielten an der päpstlichen Suprematie fest.

Doch sollte ihnen trotz ihrer anfangs geringen Zahl die Zukunft gehören. Ein Nachteil der Konzilien war, daß sie nicht kontinuierlich tagten und ihre Teilnehmer an einer zu langen Dauer der Sitzungsperioden im Blick auf die Pflichten in ihren Sprengeln wenig interessiert sein konnten. Hinzu kam, daß in Basel vor allem seit 1438 die Prälaten in der Minderheit waren und viele Teilnehmer zwar andere, nicht aber sich selbst reformieren wollten. Und je länger das Schisma zwischen den Konzilien von Basel/Lausanne und Ferrara/Florenz andauerte, desto konzilsmüder wurden der höhere Klerus und die meisten weltlichen Gewalten. Schon aufgrund dieser Umstände saß das Papsttum am längeren Hebel. Außerdem scheint keiner der seit 1409 regierenden Päpste ernsthaft eine Reform der eigenen Institution erwogen zu haben. Das machte schon Alexander V. deutlich, der zwar als Kardinal in seiner Eröffnungspredigt in Pisa eine Reform an Haupt und Gliedern gefordert, sofort nach seiner Wahl aber die päpstliche Position gemäß der Tradition verteidigt hatte. Ähnlich verhielt sich Martin V. Die in Konstanz beschlossenen Dekrete befolgte er nur so lange, wie er durch die Konkordate verpflichtet war; eigene, über die Dekrete hinausgehende Reformen hat er nicht angestrebt. Erst recht war von Eugen IV., einem Nepoten Gregors XII., keine Reform zu erwarten, was sich schon aus seinem Konflikt mit dem Basler Konzil erklären läßt. So blieben auch die Reformforderungen der Wahlkapitulationen, die seit 1431 jeder Papst beschwor, Makulatur. Das Desinteresse der Päpste an Reformen zeigte sich auch in ihrem Verhalten gegenüber der übrigen Kirchen- und Ordensreform: Sofern nicht familiäre Interessen im Spiele waren wie bei der Begünstigung des Paduaner Reformklosters S. Giustina durch Eugen IV., reagierten die Päpste nur – wie schon ihre Vorgänger seit dem 12. Jahrhundert – auf Petitionen von Reformgruppen, entwickelten jedoch hierbei keine eigene Initiative.

Diese Fixierung auf den Fortbestand der eigenen Position erklärt sich zum Teil aus dem Erbe des Schismas und des Konstanzer Konzils. Schon Alexander V., erst recht Martin V. hatten den Großteil der Kurialen aus zwei bzw. drei Obödienzen übernehmen müssen. Weil andererseits das Konstanzer Konzil die Anzahl der Kurialen eingeschränkt hatte, gab es unter Martin zahlreiche *supernumerarii* (= Überzählige), die aus ihrem Amt keine Einkünfte bezogen und oft lange warten mußten, bis ein Gehaltsempfänger ausschied. Die Mehrheit der Kurialen stammte von der Kurie Benedikts XIII. und garantierte daher die von Avignon geprägte Kontinuität in den Behörden, im Hofstaat sowie im Zeremoniell. Prominentestes Beispiel hierfür war François de Conzié – eine Art Talleyrand der Schismazeit –, der das für politische Korrespondenz, Verwaltung und Finanzen so wichtige Amt des Kämmerers 1386 von Clemens VII. erhalten hatte und es auch nach seinem Übertritt zu Alexander V. und Martin V. bis zu seinem Tod (1431) behielt. Zwar weilte er seit Johannes XXIII. als päpstlicher Vertreter in Avignon, doch blieb sein Einfluß an der Kurie auch späterhin gewahrt, denn als Vizekämmerer amtierte unter Martin V. sein Nepot Louis Aléman, der 1426 Kardinal wurde und als Gegner Eugens IV. in Basel eine wichtige Rolle spielte. Aber trotz der Dominanz der avignonesischen Kurialen wurde keiner von ihnen seit 1409 Papst. Vielmehr waren alle Päpste seit Alexander V. von früheren römischen Päpsten zu Kardinälen kreiert worden: Johannes XXIII. von seinem Landsmann Bonifaz IX., Alexander V. und Martin V. von Innozenz VII., Eugen IV. von seinem Onkel Gregor XII. Schon unter diesem Blickwinkel wird es verständlich, daß seit 1417 die früheren römischen Päpste immer stärker als rechtmäßige Nachfolger Petri gewertet wurden, die avignonesischen Amtsträger jedoch als 'Gegenpäpste' galten. Daß als solche heutzutage auch die beiden Pisaner Päpste bezeichnet sind, ist hingegen erst im 20. Jahrhundert vom Vatikan festgelegt worden. Damit sollte noch eindeutiger die römische Sukzession bis hin zu Gregor XII. als einzig rechtmäßige Papstreihe deutlich werden.

Außer der Anzahl der Kurialen hatte das Konstanzer Konzil auch die Einnahmen des Papsttums vorläufig eingeschränkt; allerdings konnte Martin V. 1423 nach Ablauf der Konkordate außer in England die Pfründenhoheit wieder weitgehend zurückgewinnen. Abgesehen von seiner Abkunft aus dem römischen Adel dürfte ihn auch diese Einschränkung bewogen haben, sich um die Rückeroberung des Kirchenstaates zu bemühen. Wie vor ihm schon Bonifaz IX., dessen Erfolge jedoch unter den Nachfolgern durch die Einfälle aus Neapel zunichte gemacht worden waren, führte Martin zahlreiche Feldzüge und stabilisierte seine Herrschaft mit Hilfe der Colonna, seiner Familie. Etwa zwei Drittel der Einnahmen kamen unter ihm aus dem Kirchenstaat, wurden jedoch überwiegend auch wieder für diesen ausgegeben. Verständlich, daß Eugen IV. die Macht der Colonna zu brechen suchte; diese waren vorerst stärker, so daß er 1434 aus Rom fliehen und erst 1443 dorthin zurückkehren konnte. Doch blieb sein weltliches Regiment weiterhin wenig stabil. Wie die Beendigung des Basler Schismas gelang auch die Festigung der Herrschaft in Rom und im Kirchenstaat erst seinem Nachfolger, Nikolaus V.

XI. RESTAURATION UND RENAISSANCE (1447–1534)

Eugen IV. hatte seine Rückkehr nach Rom vor allem den militärischen Erfolgen des Kardinals Vitelleschi (gest. 1440) zu verdanken, eines in seinen Mitteln nicht gerade wählerischen Heerführers. Dennoch blieb die weltliche Herrschaft des Papstes wenig stabil und vom Kräfteverhältnis der römischen Adelsfamilien abhängig. Dies zeigte sich auch nach Eugens Tod, denn die Wahl des Kardinals Prospero Colonna, eines Nepoten Martins V., scheiterte am Widerstand der Orsini. Als Kompromißkandidat wurde daraufhin der Toskaner Tommaso Parentucelli gewählt, der sich nach seinem früheren Patron, dem Kardinal Niccolò de'Albergati, Nikolaus V. nannte. Ein eifriger Förderer von Wissenschaft und Kunst, leitete dieser die Epoche des Renaissance-Papsttums ein.

Der Neubeginn zeigte sich am deutlichsten am Vatikanpalast. Statt des Lateran, den zuletzt noch Martin V. gefördert und als Grablege gewählt hatte, bevorzugten die Päpste von nun an bis heute den Vatikan als Residenz, so daß im Laufe der Jahrhunderte der Palastname synonym für die päpstliche Regierung verwendet wurde. Schon Nikolaus V. plante eine völlige Neuanlage; dafür sollte auch die mehr als tausend Jahre alte Petersbasilika abgerissen und durch einen modernen Bau ersetzt werden – eines der nicht seltenen Beispiele dafür, daß die 'Wiedergeburt' (Renaissance) der Antike zuerst einmal in der Zerstörung antiker Bauten bestand. Doch konnte der Papst seine Pläne nur in geringem Maße verwirklichen: Die Basilika blieb vorerst noch erhalten; lediglich der Palast wurde durch einen Wohntrakt erweitert und zum Teil ausgeschmückt, seiner Sicherung diente ein noch heute stehender Turm. Nikolaus' Beispiel folgten die nächsten Päpste. Bekannt sind vor allem der Neubau (vielleicht auch nur die gründliche Renovierung) der großen Palastkapelle durch Sixtus IV., die Erweiterung und Verschönerung der Wohn- und Repräsentationsräume vornehmlich unter Alexander VI. und Julius II., Anbauten an St. Peter – so eine Benediktionsloggia – sowie seit Julius II. (1506) der allmähliche Abbruch der alten und Bau der neuen Petersbasilika. Dem neuen Lebensstil entsprachen der von Innozenz VIII. begonnene Belvedere und der zwischen diesem und dem Wohnflügel für Festlichkeiten angelegte große Hof; der Sicherheit dienten seit Julius II. die neue Palastummauerung, die schon vorher begonnene stärkere Befestigung der Engelsburg sowie deren Verbindungsmauer mit dem Vatikanpalast.

Die erneuerte päpstliche Herrschaft zeigte sich ebenso in den zahlreichen, von Päpsten, Kardinälen und reicheren Kurialen geförderten Kirchenbauten und in den oft großdimensionierten Kardinalspalästen, von denen einige – wie der Palazzo Capranica, die später so genannte 'Cancelleria' und der Palazzo Venezia – sogar den Abriß älterer Häuser und die Verlegung von Straßen erzwangen. Die Residenz am Vatikan bewirkte außerdem, daß stärker noch als seit Urban V. die für das Papsttum wichtigen Berufszweige – Bankiers, Künstler, Handwerker – sich in der Nähe des Tiberüberganges niederließen und das Bild der dortigen Stadtregionen prägten. Bekannt ist vor allem das von der Engelsbrücke ausgehende Viertel der Florentiner; ihre Konkurrenten, die Genuesen, siedelten als Schiffsunternehmer vor allem im Südteil von Trastevere in der Nähe des großen Hafens. Im Umkreis der Piazza Navona und westlich davon hatten die Kurialen, Handwerker und Pilger aus anderen Nationen – Katalanen, Kastilier, Deutsche, Franzosen –, zentriert bei den entsprechenden 'Nationalkirchen', ihre Wohngebiete.

Entstanden schon durch die verschiedenen Neubauten neue Straßenzüge, so griffen die Päpste seit Sixtus IV. direkt in die Stadtplanung ein. Außer einer auf antiken Resten basierenden Brücke (Ponte Sisto) ließ Sixtus vor allem eine neue Verbindungsstraße zwischen Engelsbrücke und der Piazza Navona anlegen (Via del Governo Vecchio). Wie diese Projekte dienten auch Straßenveränderungen unter Alexander VI. im Borgo von St. Peter und in der Region Parione vor allem den Bedürfnissen der zahlreichen Pilger in den Heiligen Jahren 1475 und 1500. Julius II. hatte sogar eine völlig neue Stadtplanung im Sinn, stieß damit jedoch auf den Widerstand der römischen Verwaltung und konnte deshalb nur eine neue Prachtstraße (Via Giulia) bauen.

Dennoch waren diese Veränderungen des Stadtbildes so tiefgreifend, daß sie nur gelingen konnten, weil die Päpste stärkeren Einfluß auf das römische Stadtregiment gewannen. Noch Nikolaus V. und seine Nachfolger bis hin zu Paul II. waren, wie schon vor ihnen Martin V. und Eugen IV., darauf angewiesen gewesen, die von der merkantilen Oberschicht Roms getragene städtische Regierung zu tolerieren und im Einvernehmen mit ihr zu herrschen. Eugen hatte lediglich durchsetzen können, daß an die Stelle des traditionellen Stadtpräfekten, dessen Amt seit Jahrhunderten die Adelsfamilie de Vico besaß, ein *gubernator* (*governatore* = Leiter) trat, der von ihm bestätigt werden mußte. Und wie prekär die Lage noch war, zeigte unter ihm und seinen Nachfolgern der Widerstand der Römer gegen die Ansiedlung norditalienischer Textilhandwerker und Kaufleute oder 1453 die Verschwörung des Römers Stefano Porcaro gegen Nikolaus V. Erst Sixtus IV. konnte, zum Teil mit Gewalt, seit 1473 die kommunale Verfassung abändern und den städtischen Magistrat der Apostolischen Kammer direkt unterstellen, weshalb seitdem der Vizekämmerer zugleich auch *governatore* der Stadt war. Daher begannen auch erst unter ihm die oben genannten städtebaulichen Veränderungen. Und wenn auch unter seinem Nachfolger, Innozenz VIII., die Römer versuchten, ihre Autonomie zurückzugewinnen, so verfestigte sich doch unter Alexander VI., Julius II. und Hadrian VI. das päpstliche Stadtregiment immer mehr zum Nachteil der städtischen Autonomie. Äußere Zeichen dafür waren schließlich der auf päpstliche Weisung erfolgte Neubau des Kapitols, des Zentrums der Stadt, durch Michelangelo, die Errichtung päpstlicher Ehrenstatuen im Kapitolspalast seit Leo X. und schließlich unter Paul III. der Bau einer päpstlichen Villa auf dem Kapitol. Und wenn auch die auf dem Kapitol angebrachten Inschriften dem Vorbild der altrömischen Rhetorik folgten und alte römische Feste wie die Palilien (Geburtstag der Stadt Rom) erneut gefeiert wurden, war fortan Rom – mehr als jemals zuvor – fest in päpstlicher Hand.

Die Festigung der päpstlichen Herrschaft zeigte sich auch im Zeremoniell. Von der Entwicklung in Avignon geprägt, wurde vor allem seit Sixtus IV. der Vatikan immer mehr zum Zentrum päpstlicher Riten. Dort fand seit Kalixt III. die Papstwahl statt; vom Palast aus zog der Gewählte zur Krönung in die benachbarte Petersbasilika. Lediglich der Zug zum Lateran (*possesso* = Inbesitznahme) erinnerte noch an die Tradition des frühen und hohen Mittelalters, verlor jedoch derart an Bedeutung, daß er seit Julius II. losgelöst von der Krönung und mehrere Tage später durchgeführt werden konnte. An die Stelle der Stationskirchen trat die große Palastkapelle; selbst die Petersbasilika wurde nur noch an wenigen großen Festen – unter Leo X. lediglich drei – aufgesucht. Und wie in Avignon zogen in Rom die traditionellen Prozessionen nur noch durch den Palast; dort fanden gewöhnlich auch die Weihen von Bischöfen und Klerikern statt. Ausnahmen bildeten die durch den Borgo führende Fronleichnamsprozession sowie die Feier des Karnevals.

Zugleich mehrten sich die Zeichen für die Verweltlichung des Papsttums: Zog ein Papst durch die Stadt, so übertraf das weltliche Gefolge die Anzahl der geistlichen Würdenträger. Statt selbst die Messe zu zelebrieren, überließen die Päpste dies immer mehr Kardinälen und Kurienbischöfen; oft waren sie sogar an hohen Festen abwesend, weil sie die Jagd oder andere Lustbarkeiten bevorzugten. Auch die Liturgie selbst erhielt profane Elemente: Vor dem die Monstranz tragenden Alexander VI. tanzten während einer Fronleichnamsprozession tamburinschlagende Narren; die für den liturgischen Gesang bestellten Kapellsänger führten vor Leo X. Komödien auf. So erstaunt es nicht, daß Innozenz VIII. seine Töchter im Palasthof mit großem Gepränge verheiratete, Kurtisanen und hochgestellte Damen vor allem seit Alexander VI. Zugang zum Palast erhielten und zu seiner Zeit während eines Gottesdienstes in S. Agostino Prostituierte den Altarraum füllten und den zelebrierenden Kardinal sowie die Kapellsänger behinderten.

Somit entsprachen die meisten Päpste dieser Epoche dem damals üblichen Bild eines italienischen Renaissancefürsten, von einer Nachfolge Christi blieb lediglich noch der Titel des *vicarius Christi*. Jene Entsprechung zeigte sich auch in der verstärkten Förderung von Wissenschaft und Kunst. Schon Martin V. hatte in Konstanz weilende oder nach Rom ziehende Humanisten in die Kurie integriert; als päpstliche Sekretäre trugen Humanisten wie Flavio Biondo dazu bei, den Stil päpstlicher Briefe dem Zeitgeschmack anzupassen. Ebenso hatte Eugen IV., vor allem während seines Aufenthaltes in Florenz, Humanisten gefördert, sofern sie ihm nicht – wie Lorenzo Valla – zu kritisch eingestellt waren. Doch der große Durchbruch erfolgte erst unter Nikolaus V. Dieser vermehrte nicht nur die Anzahl italienischer Humanisten an der Kurie, sondern bereicherte auch die Bibliothek mit ihren Werken und klassischen Schriften. Pius II. wählte seinen Papstnamen nach dem Beinamen des Vergilschen Aeneas ('Pius Aeneas') und intensivierte somit die in seinem Vornamen als Laie – Enea (Silvio Piccolomini) – schon gegebene Bezugnahme auf die Antike. Er war selbst als Humanist tätig und gründete vor allem für Gesinnungsgenossen ein neues Kolleg von Abbreviatoren. Auch sein Nachfolger Paul II. war trotz gegenteiliger Polemik nicht ein Feind der Humanisten, auch wenn er Schwierigkeiten mit der Akademie des Humanisten Pomponius Laetus hatte. Berühmt wurde schließlich die Neugründung der päpstlichen Bibliothek durch Sixtus IV., deren erster Leiter der von Paul II. inhaftierte Humanist und Papstchronist Platina war. Wie stark sich im ausgehenden 15. Jahrhundert der Humanismus an der Kurie durchsetzte, zeigte die Übernahme der humanistischen Minuskel als Normschrift nicht nur für Bücher, sondern auch für die Erzeugnisse der Kanzlei. Und weil Söhne von Humanisten ihren Vätern als Kuriale folgten und auch die meisten späteren Päpste dem Vorbild ihrer Vorgänger nacheiferten, blieb der Humanismus die ganze Epoche über die vorherrschende Bildungsmode in Rom, nach der sich häufig sogar die Prediger in Papstgottesdiensten orientierten. Doch während die Angehörigen der ersten Jahrzehnte – wie Lorenzo Valla oder Platina – auch dem Papsttum gegenüber kritisch gesonnen sein konnten, überwog unter ihren Nachfolgern seit der Jahrhundertwende die devote Haltung gegenüber dem zahlenden Auftraggeber.

Noch für den heutigen Rom-Besucher einsichtiger ist die Förderung der bildenden Künste durch die Päpste. Bedacht wurden vor allem Florentiner Künstler, was sich aus der lange währenden künstlerischen Dominanz der Arnostadt und der engen Verbindung vieler

Päpste mit florentinischen Bankiers erklärt: Schon die Grabplatte Martins V. war unter Eugen IV. aus Florenz nach Rom importiert worden; Nikolaus V. beschäftigte Fra Angelico, der auch in Rom begraben ist; für die Krönung Pius' II. bemalte Benozzo Gozzoli Prozessionsfahnen. Aus späteren Pontifikaten seien Ghirlandaio und Botticelli (unter Sixtus IV.), Sangallo und vor allem Michelangelo (seit Julius II.) genannt. Doch wirkten in Rom noch andere Italiener wie Signorelli (Sixtus IV.) oder Pinturicchio (Alexander VI.). Auch aus Orten des Kirchenstaates wurden Künstler nach Rom gerufen: Melozzo da Forlì und Perugino (Sixtus IV.), später Bramante und sein Schützling Raffaello. Wie etwa dessen Fresken (Wunder Leos IV., Konstantinische Schenkung usw.) zeigen, befolgten die meisten Künstler noch mehr als die Humanisten die Weisungen ihrer Auftraggeber; lediglich Michelangelo blieb bekanntlich eigenständig und wurde seit Clemens VII. immer mehr zum Kritiker der etablierten Kirche. Und gerade die Tätigkeit der Künstler ließ Rom seit der Jahrhundertwende zum Zentrum der italienischen Renaissance werden und bewies anschaulich, wie sehr sich die Stadt schon damals zur Residenz der Päpste gewandelt hatte.

Wie die Tätigkeit der Kosmaten im Patrimonium Petri zwei Jahrhunderte zuvor, zeigte auch die Attraktivität Roms für Künstler wie Perugino, Melozzo und Bramante, wie sehr sich seit der Mitte des 15. Jahrhunderts die päpstliche Herrschaft im Kirchenstaat erneut gefestigt hatte. Die Vorgehensweise der Päpste entsprach der Tradition, denn wie ihre Vorgänger in früheren Jahrhunderten setzten auch die Renaissance-Päpste überwiegend Verwandte und Landsleute als militärische Führer sowie als Leiter vor allem der unsicheren Regionen ein und begnügten sich gewöhnlich damit, von den Signori und Kommunen als Oberherren anerkannt zu werden und Steuern einzuziehen; diesem Schema folgten selbst so kriegerische Päpste wie Alexander VI. und Julius II. Lediglich die Kriegstechnik hatte sich geändert, wie der verstärkte Einsatz von Söldnern, die Einrichtung einer stehenden Truppe durch Nikolaus V. und die Benutzung von Kanonen es zeigen. Der Straffung der herrscherlichen Gewalt wenig förderlich war, daß noch mehr als frühere Päpste – etwa Bonifaz VIII. – Pius II., Sixtus IV., Innozenz VIII. und Alexander VI.

traditionelle oder neu eroberte Gebiete des Kirchenstaates zu selbständigen Herrschaften für Neffen und Söhne umwandeln wollten. Diese Absichten stießen nicht nur im Kardinalkolleg und in den betreffenden Gebieten (Urbino, Romagna usw.) auf Widerstand, sondern erschwerten auch die Beziehungen zu anderen italienischen Staaten. Ebenso verhängnisvoll war es, wenn die der Medici-Familie angehörenden Päpste Leo X. und Clemens VII. das Papsttum und den Kirchenstaat benutzten, um die Herrschaft ihrer Familie in Florenz zu sichern oder nach republikanischen Intermezzi neu zu etablieren.

Die gewöhnlich starke Förderung von Verwandten und Landsleuten – Ausnahmen bildeten lediglich Nikolaus V. und die kurzlebigen Päpste Pius III. und Hadrian VI. – hatte wie schon früher Machtkämpfe nach dem Tod des jeweiligen Papstes zur Folge. Bekannt sind außer den immer wiederkehrenden Konflikten zwischen Colonna und Orsini die Verfolgungen der 'Katalanen' nach Kalixts III., der Sienesen nach Pius' II. und der Genuesen nach Sixtus' IV. Tod oder die Vertreibung von Sixtus' IV. Nepoten Giuliano della Rovere unter Alexander VI. sowie nach dessen Tod die seines Sohnes Cesare Borgia und Giulianos triumphale Rückkehr und Wahl zum Papst (Julius II.). Und wie fest der Nepotismus etabliert war, zeigte – noch stärker als im 13. Jahrhundert – die Herkunft vieler Päpste: Innozenz VIII. war zumindest ein Landsmann seines Vorgängers Sixtus IV., Julius II. dessen Nepot; ebenso waren Alexander VI., Pius III. und Clemens VII. Verwandte der früheren Päpste Kalixt III., Pius II. und Leo X. Abgesehen von Nikolaus V., Paul II. (Nepot Eugens IV.) und Hadrian VI. besetzten vier Familien neunmal den Papstthron, von denen der von Sixtus IV. etablierte Klüngel mit drei Pontifikaten am erfolgreichsten war. Bedenkt man, daß diesem auch die Medici ihren Aufstieg zur Papstwürde mittelbar zu verdanken hatten, denn der spätere Leo X. war 1489 als Dreizehnjähriger Kardinal geworden, nachdem seine illegitime Schwester den Sohn Innozenz' VIII. geheiratet hatte, so werden die Folgen der Personalpolitik Sixtus' IV. und seines Nachfolgers noch deutlicher.

Sorgten die Thronwechsel und die Familienpolitik immer wieder für Unruhen im Kirchenstaat, so auch Regierungsmaßnahmen von

Päpsten, die den Interessen der Barone vor allem in Roms Umgebung zuwiderliefen. Genannt zu werden verdient vor allem die päpstliche Agrarpolitik. Weil Familien wie die Colonna, Orsini, Savelli und Caetani auf ihren Großgrundbesitzgütern den Getreideanbau zugunsten der Weidewirtschaft verringert hatten, waren nicht nur viele Bauern vertrieben oder zu Saisonarbeitern abgestiegen, sondern war auch die Versorgung der immer zahlreicher werdenden Bevölkerung Roms erschwert; während die Menge des Getreides sich verringerte, stieg der von den Baronen diktierte Preis. Dem versuchte schon Sixtus IV. gegenzusteuern. Er dekretierte 1476, daß ein Drittel der unbebauten Landflächen enteignet und als Landlose an Bauern für den Getreideanbau übereignet werden solle. Gegen die Maßnahme wehrten sich seit 1480 die Barone, vornehmlich die Colonna, so daß Innozenz VIII. den Plan aufgab, weil er auf die Unterstützung der Colonna angewiesen war. Einen erneuten Versuch unternahm Julius II., als er gegen den baronalen Widerstand eine Preiskontrolle einführte. – Wie wenig er dem römischen Adel traute, zeigte sich darin, daß er dessen Mitglieder aus der Palastgarde entfernte und dafür Schweizer Landsknechte einstellte (die bis heute bestehende 'Schweizergarde') und keinen Römer zum Kardinal kreierte. – Ebenso bemühte sich auch Clemens VII., die Getreideproduktion der baronalen Ländereien zu lenken und zu kontrollieren. Doch der Widerstand des Adels machte auch diese Versuche weitgehend zunichte.

Während die ständig verstärkte Einschränkung der römischen Autonomie von Sixtus IV. bis zu Hadrian VI. die Stadt immer mehr zur päpstlichen Residenzstadt umgewandelt hatte, blieb der Kirchenstaat also weiterhin ein instabiles Gebilde, über das die Herrschaft immer neu erkämpft und durch Zwangsmaßnahmen gefestigt werden mußte.

Fünf Monate nach der Wahl Nikolaus' V. war der Herzog Filippo Maria Visconti von Mailand ohne männlichen Erben gestorben. Der von verschiedenen Prätendenten geführte Kampf um die Stadt, die drei Jahre lang als Republik regiert wurde ('Ambrosianische Republik' 1447–1450), endete mit dem Sieg von Filippos Schwiegersohn Francesco Sforza, der ab 1450 als Herzog regierte. Doch wurde seine

Regierung weiterhin von Venedig, Neapel, dem Papsttum und anderen Staaten angefochten. Erst unter dem Eindruck der Eroberung Konstantinopels durch die Türken (1453) schlossen im April 1454 Mailand, Florenz und Venedig in Lodi einen Frieden, dem bald auch Alfons von Neapel und Nikolaus V. beitraten. Für die nächsten vierzig Jahre sicherte dieser Vertrag das Gleichgewicht unter den fünf italienischen 'Großmächten', das lediglich von den Machtbestrebungen päpstlicher Nepoten, durch das oftmals feindliche Verhältnis zwischen dem Papsttum und dem neuen neapolitanischen König Ferrante (1458–1494) sowie 1478 bis 1480 durch die Verwicklung Sixtus' IV. in ein Attentat gegen die Florentiner Medici gestört wurde. Daher blühten gerade in diesen Jahrzehnten Wissenschaft, Kunst und auch Wirtschaft in Italien.

Die 'vierzig glücklichen Jahre', wie man sie später verklärend nannte, endeten 1494. Der neue Herzog von Mailand, Lodovico il Moro, hatte den rechtmäßigen Anwärter, einen Schwiegersohn Ferrantes von Neapel, beseitigt. Um seine Herrschaft zu stabilisieren, förderte er die Pläne des neuen französischen Königs, Karls VIII., zur Eroberung Neapels. Wenig später starb Ferrante. Seinen Thron beanspruchte Karl VIII., weil der letzte Nachkomme der Anjou – der in die Provence geflohene 'gute König' René – seine Herrschaftsrechte an die in Frankreich regierenden Valois abgetreten hatte. Im Frieden mit den Herrschern von England, Deutschland und Spanien, unterstützt von Mailand, erpreßte Karl von Florenz Zugeständnisse, eroberte Neapel und vertrieb den dortigen König Ferdinand II., zu dessen Gunsten zuvor Alfons II. abgedankt hatte. Verwirrt wurde die Situation noch durch die Vertreibung der Medici aus Florenz – dort herrschte seit 1494, von Savonarola unterstützt, eine republikanische Regierung – und durch machtpolitische Absichten des neuen Papstes, Alexanders VI. Zwar mußte Karl VIII. schon 1495 unter dem Druck einer gegen ihn geschlossenen Liga Italien wieder verlassen, doch seine Ambitionen lebten fort. Sein Nachfolger, Ludwig XII., zählte zu seinen Vorfahren auch die Visconti und beanspruchte daher nicht nur Neapel, sondern auch Mailand. Allerdings scheiterte auch sein Feldzug nach Unteritalien (1501) und sicherte lediglich die direkte Regierung Neapels und Siziliens seit 1505 durch aragonesische Vizekönige. Oberitalien jedoch blieb weiterhin umstritten, vor allem wegen der französischen Ansprüche auf Mailand. Mit häufigen Wechseln regierten die Sforza – Lodovico, Massimiliano und Francesco II. – sowie die französischen Könige Ludwig XII. und Franz I. das Herzogtum. Schließlich griff auch der neue spanische und deutsche König, Karl V., ein, besiegte 1525 Franz I. bei Pavia und gliederte 1535 das Herzogtum für Jahrhunderte endgültig dem Herrschaftsbereich der Habsburger ein. Am Ende des Jahrhunderts war außerdem die Expansion Venedigs auf dem Festland (der sogenannten *terra ferma*) beendet worden; allerdings konnte es nicht – wie Kaiser Maximilian I. vorgehabt hatte – dem habsburgischen Machtbereich eingegliedert werden.

Die Eingriffe der außeritalienischen Mächte suchten die Päpste für sich zu nutzen. Unter Alexander VI. hatte dessen Sohn Cesare mit französischer Billigung – schließlich war er als Herzog von Valence Lehensmann des französischen Königs – Gebiete in der Romagna und Emilia erobert. Julius II. hingegen, vorher selbst im französischen Exil, widmete sich der Befreiung Italiens von den 'Barbaren' und machte sich damit Frankreich zum Feind. In diesen Zusammenhang gehört das Konzil von Pisa, das 1511 oppositionelle Kardinäle auf Weisung Ludwigs XII. berufen hatten. Dort wurden die Konstanzer Dekrete 'Haec sancta' und 'Frequens' erneuert, was den Papst veranlaßte, 1512 ein eigenes Konzil im Lateran zu eröffnen. Sein Nachfolger, Leo X., setzte gezwungenermaßen anfangs wieder auf die Karte Frankreichs, mit dessen Hilfe er 1512 wieder die Herrschaft seiner Familie in Florenz durchsetzen und das Pisaner Konzil beenden konnte. Später lehnte er sich mehr an Spanien an. Doch war er bemüht, Frankreich und Spanien gleichermaßen von Italien fernzuhalten. Deshalb war er 1519 nach Maximilians Tod gegen die Wahl des französischen oder spanischen Königs zum neuen Herrscher in Deutschland; statt dessen favorisierte er den sächsischen Kurfürsten Friedrich den Weisen, dem er paradoxerweise sogar anbot, einen ihm Genehmen – wohl Martin Luther (!) – zum Kardinal zu erheben.

Als verhängnisvoll erwies sich schließlich die Politik von Leos Cousin und zweitem Nachfolger, Clemens VII. Obwohl dieser mit spanischer Unterstützung gewählt worden war, schloß er sich nach Karls V. Sieg bei Pavia 1525 zusammen mit dem ebenfalls durch Karl wieder zur Macht gelangten Francesco II. von Mailand der Liga von Cognac an, in der sich Frankreich, Florenz und Venedig gegen Karl vereint hatten. Zu Karl hielten in Italien lediglich noch Herzog Alfonso d'Este von Ferrara und die Colonna. Diese verheerten die Campagna südlich von Rom mit dem Ziel, ihren Machtbereich auszuweiten. Zum Eklat kam es, als deutsche Landsknechte auf Rom marschierten und nach dem Tode ihrer Anführer zusammen mit spanischen und süditalienischen Söldnern im Mai 1527 die Stadt eroberten. Bei ihren zügellosen Plünderungen während dieses 'Sacco di Roma' wurden zahlreiche Kunstwerke und Archivalien Roms zerstört, die Bevölkerung dem Hunger und der Pest ausgeliefert. Clemens mußte fliehen, auf oberitalienische Städte (Piacenza, Parma und Modena) verzichten und mitansehen, daß in Florenz die Herrschaft seiner Familie erneut zusammenbrach. Auch ein erneuter Feldzug der Franzosen konnte Karls Truppen nicht verdrängen. Schließlich schlossen 1529 Frankreich und Spanien, dann auch Karl und der Papst Frieden. In Bologna trafen sich zum Abschluß Karl und Clemens. Dieser krönte 1530 jenen zuerst zum König von Italien, nachdem er ihn im Jahr zuvor schon mit Neapel belehnt hatte, und schließlich – ebenfalls noch in Bologna – am 22. Februar, Karls Geburtstag, zum Kaiser. Dies war die letzte Krönung eines Kaisers durch einen Papst. Mit der Belehnung und den Krönungen war die Vorherrschaft Karls in Italien auch rechtlich gesichert, der Kirchenstaat noch stärker als unter den Staufern eingeschnürt. Der Abstieg des Papsttums und seines Staates zu einer Mittelmacht in Italien hatte begonnen.

Von den Ambitionen der Päpste in Italien waren, wie schon deutlich wurde, weitgehend auch ihre Beziehungen zu den anderen europäischen Staaten bestimmt. Hinzu kam das Erbe der Konzilien von Konstanz und Basel. Um das Basler Schisma zu beenden, schloß Nikolaus V. 1448 mit dem deutschen König Friedrich III. ein Konkordat, das den päpstlichen Einfluß auf die deutschen Bistumsbesetzungen ebenso wie die traditionellen Pfründeneinnahmen zugunsten des Königs beschnitt; durch andere Konkordate des Papstes mit den Kurfürsten nahm auch deren Einfluß auf die deutsche Kirche zu. Wegen der veränderten Machtverhältnisse blieb die der Kirchenreform unter päpstlicher Leitung dienende Legationsreise des Kardinals Nikolaus von Kues 1451 ohne größeren Erfolg. Und wenn sich auch Friedrich III. 1452 als letzter Herrscher noch in Rom zum Kaiser krönen ließ und nochmals 1468 Rom besuchte, Maximilian I. zeitweise den absonderlichen Plan hegte, zugleich Kaiser und Papst zu werden, seit der Jahrhundertwende auch die Augsburger Fugger als päpstliche Bankiers fungierten, fast ständig ein Deutscher dem Kardinalkolleg angehörte und mit Hadrian VI. sogar ein Niederländer Papst wurde, so verringerten sich doch allmählich die institutionellen Bindungen zwischen dem Papsttum und Deutschland. Lediglich der Zustrom deutscher Pilger – vor allem in den Heiligen Jahren 1450, 1475 und 1500, weniger schon 1525 – und der bald kritisierte Verkauf römischer Ablässe nahmen noch zu.

Schwankungen unterworfen war das Verhältnis der Päpste zu Frankreich. Solange er lebte, übte der dem Königshaus verwandte Kardinal Guillaume d'Estouteville (1439–1483) großen Einfluß zugunsten der Könige an der Kurie aus. Allerdings konnte auch er nicht verhindern, daß infolge der Pragmatischen Sanktion von Bourges (1438) die Beziehungen zwischen Karl VII. und den Päpsten gespannt blieben. Erst Karls Sohn Ludwig XI. verzichtete weitgehend auf deren Durchsetzung. Doch blieb sie ein willkommenes Druckmittel, wie ihre erneute Inkraftsetzung durch Karl VIII. und Ludwig XII. zeigte. Ludwig XI. war vornehmlich darauf bedacht, seine Herrschaft nach innen zu festigen und die immer noch bestehende Bedrohung durch Burgund und England zu verringern; deshalb hatte er versucht, mit den übrigen Mächten, so auch mit dem Papst, Frieden zu wahren, wenn er es für nützlich hielt. War ihm dies weitgehend gelungen, so bereitete er doch in seiner Spätzeit durch die schon erwähnte Übernahme der Ansprüche Renés von Anjou auf Neapel die kommenden Konflikte vor. Seit seinem Nachfolger, Karl VIII., war die Stellung der Päpste zu Frankreich gewöhnlich von dessen Italienpolitik bestimmt. Für die Zukunft wichtig wurden schließlich die Kompromisse während des 5. Laterankonzils (Konkordat von Bologna, 1516), die zwar die theoretische

Anerkennung von 'Unam sanctam' auch in Frankreich und die Aufhebung der Pragmatischen Sanktion bewirkten, jedoch das dortige faktische Kirchenregiment dem König überließen, denn der Papst verzichtete weitgehend auf die Besetzung der Bistümer oder Abteien und der niederen Pfründen, außerdem schaffte er für Frankreich alle Reservationen und Expektanzen ab. Damit war die seit dem Großen Schisma verstärkt zu beobachtende Einflußnahme des französischen Königs auf die 'gallikanische Kirche' nunmehr auch vom Papsttum akzeptiert worden. Lediglich der Klerus Südfrankreichs bildete vorerst noch eine Ausnahme. Bestrebt, den königlichen Einfluß möglichst gering zu halten, und ohne große Chancen, mit Hilfe des Königtums Karriere zu machen, nutzten viele seiner Mitglieder die Gelegenheit, als Kuriale dem Papst zu dienen und dadurch in ihrem Herkunftsland schließlich Prälatenstellen zu erhalten.

Wie schon in den beiden vergangenen Epochen, blieb auch während der Renaissance das Verhältnis zu den spanischen Reichen relativ eng. Dies lag nicht nur an den beiden aragonesischen Päpsten Kalixt III. und Alexander VI., sondern auch an der Präsenz zahlreicher Spanier an der Kurie und der relativen Schwäche der meisten Könige in der zweiten Hälfte des 15. Jahrhunderts. Einer der stärksten Verteidiger der päpstlichen Restauration war der Kastilier Juan de Torquemada; sein Neffe pflegte als königlicher Vertrauter und strenger Großinquisitor sein Erbe. Ein wichtiger Erfolg des Papsttums war es, daß zu Beginn des 16. Jahrhunderts der Erzbischof von Toledo, Francisco Ximénez de Cisneros, den römischen Ritus für Kastilien verbindlich vorschrieb und den traditionellen mozarabischen Ritus auf wenige Ausnahmen einschränkte. Und kurz zuvor, im Jahre 1494 (Vertrag von Tordesillas), hatte Alexander VI. – nach der Entdeckung Amerikas – unter Bezugnahme auf seine durch die 'Konstantinische Schenkung' legitimierte Autorität als Herr der 'westlichen Inseln' – deren nicht genauer definierten, daher ausdehnbaren Bereich hatte angeblich Konstantin dem Papst Silvester übertragen – die Grenze zwischen den Eroberungssphären der Portugiesen und Spanier festgelegt; den ihm daraus zustehenden Tribut läßt noch heute die mit Gold gezierte Kassettendecke in S. Maria Maggiore erahnen. Und keine der beteiligten Parteien störte es, daß ein halbes

Jahrhundert zuvor Nikolaus von Kues und Lorenzo Valla die 'Konstantinische Schenkung' als Fälschung erkannt hatten. Bald darauf wurden auch die Beziehungen der Kurie zu Spanien von der jeweiligen Italienpolitik dominiert. Und alle Kontakte zu Rom konnten nicht verhindern, daß auch in Spanien – Erbe des Großen Schismas – schon im 15. Jahrhundert, erst recht seit den 'Katholischen Königen' Isabella und Ferdinand, die Landeskirchen immer stärker vom Königtum gelenkt wurden.

Das beste Beispiel einer königlich bestimmten Landeskirche aber bot schon damals England. Zwar war die Stellung des Königs während der innerenglischen, sogenannten 'Rosenkriege' geschwächt worden. Doch hatten schon in deren Spätphase Eduard IV., erst recht seit 1485 die neuen Könige des Hauses Tudor, Heinrich VII. und Heinrich VIII., wieder verstärkt die Bistümer nach eigenen Interessen besetzt. Dem Papsttum kam es auch kaum zugute, daß gerade unter diesen Königen vereinzelt Erzbischöfe von Canterbury Kardinäle wurden, denn diese dienten nicht nur der Repräsentanz Roms in England, sondern häufig auch dem königlichen Kirchenregiment. Daß schließlich der Einfluß des Königs auf die Kirche stärker war als umgekehrt, zeigte Heinrich VIII., als er erstmals mit Thomas Morus einen Laien zum Lordkanzler bestimmte. Und auch dieser konnte nicht verhindern, daß der König die Scheidung von seiner ersten Frau, Katharina von Aragón, 1534 zum Anlaß nahm, um die englische Kirche endgültig vom Papsttum zu lösen und definitiv sich selbst zu unterstellen.

An der meist geringen Autorität der Päpste in anderen Ländern lag es auch, daß ihr anfangs wichtigstes politisches Vorhaben, der Kampf gegen die Türken, mißlang. Diese hatten mit Hilfe von Christen konstruierter Kanonen 1453 Konstantinopel erobert und damit das byzantinische Kaiserreich vernichtet. Unter dem Schock dieses Ereignisses hatte Nikolaus V. schon vor dem Frieden von Lodi versucht, die italienischen Herrscher in einer Allianz gegen die Türken zu einen; außerdem unterstützte er finanziell die Abwehrkämpfe der Ungarn unter Johannes Hunyadi und der Albaner unter Skander-Beg. Seine Politik setzte noch verstärkt Kalixt III. fort. Um die europäischen Fürsten zu gewinnen, bestimmte er den Kardinal Carvajal zum Kreuzzugslegaten und ließ von dem Franziskaner Johannes von Capestrano den Kreuzzug predigen. Ein Ergebnis war immerhin die Vertreibung der Türken aus der Gegend um Belgrad (1456) durch ein von Hunyadi und Capestrano geführtes Heer. Im selben Jahr demonstrierte eine vom Kardinal Ludovico Trevisan geleitete Flotte die Stärke der christlichen Front in der Ägäis. Um diese Unternehmungen zu finanzieren, verpfändete oder verkaufte der Papst Kleinodien und Bücher der von Nikolaus V. gesammelten Bibliothek. Dennoch hatte er keinen andauernden Erfolg, da die europäischen Fürsten uneins waren und auch er selbst durch die Forderung nach einer Union der Griechen mit der römischen Kirche unter päpstlicher Suprematie die verbliebenen byzantinischen Teilherrscher brüskierte.

Ebenso scheiterte Pius II., der schon vor seiner Papstwahl zum Kampf gegen die Türken aufgerufen hatte. Sein von ihm für 1459 nach Mantua einberufener Fürstenkongreß war nur von wenigen Herrschern beschickt worden; und da Venedig, dessen Flotte benötigt wurde, kurz zuvor zur Sicherung seiner Besitzungen Frieden mit dem Türkensultan Mehmed II. geschlossen hatte, fehlte auch die Basis für ein erfolgreiches Unternehmen. 1463 rief Pius erneut zum Kreuzzug auf und konnte dafür Venedig gewinnen. Im Angesicht der ansegelnden Flotte starb er ein Jahr später in Ancona, die Venezianer kehrten in ihren Heimathafen zurück. Teilweise am Papst selbst war ein anderer Plan gescheitert, den seit 1462 der böhmische König Georg von Podiebrad entwickelt hatte: die Vereinigung Europas zu einem Staatenbund. Weil dadurch die traditionellen Führer – Kaiser und Papst – überspielt wurden und Georg schon vorher (1458) die vom Basler Konzil gebilligten, aber vom Papsttum nicht anerkannten Prager Kompaktaten beschworen hatte (Laienkelch, freie Predigt u. a.), verweigerten ihm Friedrich III. wie auch Pius die Unterstützung. Paul II. rief deshalb 1466 gegen ihn sogar zum Ketzerkreuzzug auf, allerdings ohne Erfolg. Ebenso scheiterte dieser Papst 1470 mit einem neuen Kreuzzugsplan gegen die Türken, nachdem diese den letzten großen Besitz Venedigs in der Ägäis, Negroponte (Euböa), erobert hatten. Schließlich landeten in der Zeit des Papstes Sixtus IV. Türken sogar in Apulien; doch auch jetzt blieben die italienischen Herrscher uneins, von den anderen Ländern ganz zu schweigen. Gleichfalls ohne Ergebnis blieb der päpstliche Plan, durch die Heirat des Moskauer Großfürsten Iwan III. mit einer Nichte des letzten Kaisers die russische Kirche mit Rom zu vereinen und gegen die Türken zu mobilisieren. Die Folge war lediglich, daß Iwan sich als Nachfolger von Byzanz aufführte und daher Moskau zum 'dritten Rom' ausbaute.

Daß sich dennoch die Gefahr verringerte, hatte der Westen dem Tode Mehmeds II. im Jahre 1481 zu verdanken. Weil es – wie im Islam üblich – keine legitimierte Erbfolge gab, mußte Bajazet II. als neuer Herrscher bemüht sein, alle potentiellen Rivalen auszuschalten. Daher floh sein Bruder Dschem nach Rhodos und wurde vom Großmeister der Johanniter, der zur Belohnung Kardinal wurde, Innozenz VIII. als Geisel übergeben. Um Dschems Rückkehr zu verhindern, zahlte Bajazet fortan jährlich eine hohe Summe an den Papst und verzichtete auf Eroberungen in Italien. Deshalb war es für das Papsttum auch nicht so gravierend, daß weiterhin von Innozenz VIII. und Leo X. initiierte Kreuzzugspläne scheiterten. Als später Soliman II. erneut in Ungarn einfiel und selbst Wien bedrohte, plante Hadrian VI. eine Reform von Kirche und Kurie, um ein besseres Fundament für einen Türkenkreuzzug zu legen. Doch starb er bald, und sein Nachfolger, Clemens VII., war zu sehr mit seiner Familien- und Italienpolitik befaßt, um Hadrians Pläne weiterverfolgen zu können.

Gerade die päpstlichen Kreuzzugspläne zeigten somit eindrucksvoll, daß die europäischen Herrscher mehr am Ausbau ihrer Staaten als an einer gemeinsamen Politik interessiert waren und demzufolge die geistliche Führung der Christenheit durch das Papsttum nicht mehr durchzusetzen war.

Daran änderte auch nichts die erneute ideologische Festigung der päpstlichen Position nach dem Ende des Basler Konzils. Hatten schon die Päpste der Schisma- und Konzilsepoche auf ihren Prärogativen beharrt, was freilich Ausdruck bloßer einseitiger Interessenpolitik war, so wurde seit dem Ausgang der Konzilszeit die päpstliche Suprematie auch von ehemaligen Parteigängern des Basler Konzils wie Nikolaus von Kues oder Enea Silvio Piccolomini propagiert. Und selbst wenn von ihnen wie auch von strengeren 'Papalisten'

– genannt sei Juan de Torquemada – Forderungen der Konzilien nach Kirchenreform weiterhin vertreten wurden, so machten sie doch deutlich, daß die Universalkirche eindeutig vom Papst geleitet werde und dieser daher die einzig zuständige Instanz für die Gesamtreform sei. Diesen Grundsatz auch in der Praxis anzuwenden, unternahmen unter Nikolaus V. dessen Legaten Nikolaus von Kues und Guillaume d'Estouteville in Deutschland und Frankreich. Weil jedoch in diesen Ländern wie auch in Spanien die eigentliche Reform von örtlichen Kräften getragen und abhängig war und die Reform von Papsttum und Kurie weiterhin auf sich warten ließ, vertiefte gerade das noch weit verbreitete Bedürfnis nach einer auch das Papsttum einschließenden Reform die Kluft zwischen ihm und den Landeskirchen. Und selbst wenn der ehemalige Konzilsanhänger Enea Silvio als Papst Pius II. durch seine Bulle 'Execrabilis' die Appellation an ein Konzil verbot, um das Ausspielen der Konzilsidee gegen das Papsttum für die Zukunft zu unterbinden, so blieb die Möglichkeit, ein Konzil zu berufen, dennoch ein politisches Druckmittel für einzelne Herrscher – vor allem in Deutschland und Frankreich –, das in der Öffentlichkeit mit Anerkennung rechnen konnte. Demzufolge herrschte bis in die Zeit des Trienter Konzils (1545–1563) der Kontrast in der Kirche vor, daß die Päpste ihre Position auch unter Berufung auf überholte Texte (wie die 'Konstantinische Schenkung') 'absolutistisch' ausbauten – ein für die sogenannte 'Gegenreformation' wichtiger Faktor –, bei Herrschern, Prälaten, Orden und Gläubigen jedoch – nach der eigenen Intention unterschiedlich stark – die Konstanzer und Basler Konzilsbeschlüsse weiterlebten. Und wenn auch die Versuche zur Realisierung eines über dem Papst stehenden Konzils an den politischen Gegebenheiten scheiterten – Zeugnisse dafür sind die Erneuerung des Basler Konzils im Jahre 1482 und das von Ludwig XII. ventilierte Pisaner Konzil (1511/12) –, so zeigte doch auch die geringe Resonanz des 5. Laterankonzils, das weitgehend päpstlichen Absichten diente und fast nur von Italienern besucht war, daß jener Gegensatz weiterbestand.

Erstaunlicherweise war auch das Kardinalkolleg ein Bewahrer der Konzilstradition. Anders als im 14. Jahrhundert und trotz des päpstlichen Nepotismus vereinigte es in sich Angehörige verschiedener Nationen: regelmäßig Italiener der fünf 'Großmächte', Franzosen, Spanier und Deutsche, außerdem aber zeitweise auch Portugiesen und Engländer, ja sogar vereinzelt Polen und Ungarn. Oberflächlich gesehen kann daher von einer Repräsentation der westlichen Gesamtkirche im Kardinalkolleg gesprochen werden. In der Praxis überwog jedoch der Einfluß der Kardinäle, die dem Papst verwandt waren oder ihm aus anderen Gründen nahestanden, was schon aus der Kirchenstaatspolitik zu erklären ist. Daher beschränkten sich die Versuche zu einer Kirchenreform gewöhnlich auf die günstige Gelegenheit einer Papstwahl: Die Wahlkapitulationen wiederholten bis ins 16. Jahrhundert hinein die von Konstanz und Basel geprägten Reformforderungen; einzelne langlebige Kardinäle wie der von Pius II. als Nepot kreierte Francesco Todeschini-Piccolomini, der zum Schluß selbst noch als Pius III. kurz Papst war, produzierten eifrig gewöhnlich Makulatur bleibende Reformvorschläge. Dem gleichen Geschick fielen die für das 5. Laterankonzil erarbeiteten Reformtraktate anheim. Und auch wenn einzelne Päpste selbst die Kurie reformieren wollten, hatten sie keinen größeren Erfolg: Pius II. hat den detaillierten Reformentwurf der Bulle 'Pastor aeternus' nie veröffentlicht; Alexander VI. verlor schnell das Interesse an einer Reformkommission, die er nach der Ermordung seines Sohnes Juan und eigener, als ominös empfundener Gefährdung durch einen Deckeneinsturz im Vatikan eingesetzt hatte; Hadrian VI. scheiterte an seiner Unkenntnis hinsichtlich Kardinalkolleg und Kurie sowie an deren Widerstand. Und viele an Wahlkapitulationen beteiligte Kardinäle desavouierten sich selbst, wenn sie sich – etwa bei den Wahlen Alexanders VI. und Julius' II. – kaufen ließen, also Simonie betrieben. Dies machte nach dem seit dem 11. Jahrhundert entwickelten Kirchenrecht die Wahlen ungültig, hat bisher jedoch – im Gegensatz zu der Einschätzung, die die avignonesischen Päpste seit 1378 und die Pisaner Päpste fanden – bei Befürwortern der päpstlichen Sukzessionsliste keine Bedenken erzeugt.

Trotz ihrer Erfolglosigkeit sind jedoch die diversen Reformentwürfe nicht ohne historischen Wert, denn sie wahrten die Reformtradition auch am päpstlichen Hof bis in die Periode des Trienter Konzils, außerdem geben sie wichtige Aufschlüsse über die Organisation und die Mißstände der römischen Kurie. Dies ist gerade deshalb wichtig, weil die Behördenorganisation der Renaissance noch nicht so detailliert wie die Avignons untersucht worden ist. Eine Ausnahme bilden lediglich die Kanzlei und einige neu geschaffene Institutionen. Weiterhin der Leitung des Vizekanzlers unterstehend – von Kalixt III. bis zu Innozenz VIII. war es Rodrigo Borja, der spätere Alexander VI. –, setzte sich die Kanzlei überwiegend aus Kollegien zusammen, die weitgehend ihre Mitglieder selbst bestimmten und daher der Kontrolle entzogen waren; ihr ranghöchstes Kolleg, die Protonotare (früher: Notare), besaß jetzt bischöflichen Rang, hatte jedoch an realer Bedeutung verloren. Um die Aufsicht zumindest bei wichtigen Schreiben zu behaupten, stärkten die Päpste die Funktion der Referendare und schufen am Ende des Jahrhunderts mit dem *summator* (wörtlich: der Zusammenfassende) eine Vertrauensstellung, deren Inhaber bedeutende Texte dem Papst persönlich vortrug. Eine andere Möglichkeit, die Kanzleistellen wieder stärker dem päpstlichen Besetzungsrecht zu unterstellen, war anfangs die Regulierung des Ämterhandels, der sich gerade in den Kollegien der Kanzlei seit Bonifaz IX. immer mehr durchgesetzt hatte, oder die Umwandlung schon bestehender Stellen in käufliche mit Fixierung der Mitgliederzahl, wie es zuerst Pius II. mit dem Kolleg der Abbreviatoren unternahm. Auf den Ämterhandel wird noch einzugehen sein.

Wie die Kanzlei behielt auch die Apostolische Kammer ihre traditionelle Gliederung weitgehend bei. Allerdings wurde sie jetzt, der Entwicklung seit Martin V. folgend, nur noch nominell vom Kämmerer, tatsächlich jedoch vom Vizekämmerer geleitet, dem Thesaurare, Kammerkleriker, Kammernotare und auch die für die päpstliche Korrespondenz wichtigen Sekretäre unterstanden. In der Realität steigerte sich noch die Tätigkeit der Kammer mit der Unterstellung der städtischen Regierung Roms unter den Vizekämmerer als *governatore* durch Sixtus IV. und mit der vor allem seit diesem Papst verstärkten finanziellen Nutzung des Kirchenstaates. Allerdings lag die tatsächliche Geldverwaltung jetzt ausschließlich in den Händen der Generaldepositare, die als Vertreter meist toskanischer Finanzhäuser (Medici, Chigi, Strozzi) auch weitgehend die Kredite an Päpste vergaben – die Fugger spielten eine geringere Rolle – und dadurch auch auf die Ämtervergabe sowie das Einnahmen- und Ablaßwesen verstärkt Einfluß nahmen. Wie Kanzlei und Kammer blieben die Pönitentiarie und die verschiedenen Gerichtshöfe in ihrer in Avignon ausgebildeten Gliederung bestehen, auch wenn ihre Wirksamkeit infolge der Konstanzer und Basler Dekrete oder wegen der Entstehung neuer Organe eingeschränkt war. Zu erwähnen ist noch die päpstliche Kapelle, die gleichfalls dem Avignoneser Schema folgte, aber noch weiter ausgebaut wurde. Die ihr angehörenden Zeremonienmeister haben uns seit Johannes Burckard (1483–1506) für den Papsthof wertvolle Tagebücher hinterlassen; ihr Sängerkolleg nahm schon seit Eugen IV., erst recht seit Sixtus IV. berühmte Komponisten auf, die zur prachtvollen Gestaltung des päpstlichen Zeremoniells erheblich beitrugen.

Von den neugeschaffenen Ämtern ist am wichtigsten das des Datars. Unter Kalixt III. hatte diese Stellung dessen Landsmann Cosmas von Montserrat inne, der zugleich päpstlicher *confessor* (= Beichtvater), daher Verwalter der päpstlichen Gemächer einschließlich der Bibliothek, des Archivs und der Privatschatulle des Papstes war. Als Pius II. beide Stellen wieder getrennt besetzte, übernahm der Datar Vertrauensfunktionen des *confessor.* Und wenn auch die Entwicklung des Amtes, gerade weil es eine Vertrauensstellung war, schwer zu erkennen ist, so wird doch deutlich, daß allmählich seit Pius II. der Datar – häufig kritisiert und von vielen gehaßt – mit allen Geschäften befaßt war, die kirchenrechtlich gesehen in der 'Grauzone' lagen. So fixierte er die Taxen für Kompositionen (= Abmachungen) bei Dispensen, Indulgenzen und bei der Vergabe von kurialen Ämtern. Demzufolge setzte er auch die Preise der käuflichen Ämter fest und führte seit dem Ende des 15. Jahrhunderts die Register über die Zahlung der Kompositionstaxen und der Kaufpreise. Kontrolliert wurde er jedoch noch lange von der Kammer, die die einschlägigen Verordnungen und Mandate aufzeichnete, die finanziell entgoltenen Resignationen auf Ämter entgegennahm und seit dem Ende des 15. Jahrhunderts die käuflichen Ämter in Listen verzeichnete und publizierte.

Die Ausweitung des Ämterhandels an der Kurie war sehr kompliziert und darf nicht, wie häufig geschehen, ausschließlich als Möglichkeit der Kapitalbeschaffung für die Päpste verstanden werden. Vielmehr ging bei traditionellen Kollegien und Einzelstellen deren Umwandlung in käufliche Stellen gewöhnlich auf die Initiative der damaligen Inhaber zurück, die aus dem Verkauf ihrer Stellen Profit schlagen wollten. Nur bei neugeschaffenen Kollegien läßt sich die Initiative der Päpste selbst feststellen. Und nur bei diesen Stellen kam dem Papsttum der Nutzen beim Erstverkauf voll zugute; eine weitere Gelegenheit, den ganzen Kaufpreis zu vereinnahmen, bestand für die Päpste bei der Privation (= Entzug der Pfründe), Promotion (= Beförderung) oder dem plötzlichen Tod eines bisherigen Inhabers. Gewöhnlich jedoch mußten sie sich mit der Kompositionstaxe zufriedengeben, die durchschnittlich zehn Prozent der Kaufsumme betrug.

Bis hin zu Paul II. waren vor allem solche Stellen käuflich, deren Inhaber von Taxen (Skriptoren, Abbreviatoren, verschiedene Notarskollegien) oder Sporteln (= 'freiwillige' Spenden) und Trinkgeldern (Kursoren, *servientes armorum,* Türhüter) lebten; der freie Handel mit diesen Stellen beeinträchtigte also das päpstliche Budget nicht. Dies änderte sich unter Sixtus IV. Infolge des Fiaskos seiner Florenzpolitik 1478 gründete er neue käufliche Kollegien – insgesamt 244 Stellen – und betonte dabei den fiskalischenNutzen, weshalb auch fortan die Stellen oft 'portiones' (= Anteile) hießen. Seine Nachfolger verfuhren hierin wie er. Seit der gleichen Zeit wurden auch Stellen, deren Inhaber vom Gehalt lebten (Kammerkleriker u. a.) oder richterliche bzw. Vertrauenspositionen innehatten (Fiskaladvokat, Kammerrichter, *summator* u. a.), käuflich; ihr Verkauf belastete das päpstliche Budget selbst und minderte den Einfluß des Papstes auf die Besetzung wichtiger Stellen. Seit Julius II. wurden reine Anleihekollegien gegründet, deren Mitglieder nur noch selten reale Funktionen an der Kurie ausübten; und weil die Rendite – sie betrug im Jahr durchschnittlich acht bis zehn Prozent der Kaufsumme – den Käufern nicht immer genügte, wurden bis 1525 nicht nur die Einnahmen aus den Ämtern, somit auch die Kaufpreise, ständig erhöht, sondern neue Anreize durch die Ausstattung käuflicher Ämter mit Privilegien geschaffen. Blieb ein Amt nichtkäuflich, dem Papst die Besetzung also weiterhin gesichert, so konnte seine Vergabe dennoch dadurch fiskalisch genutzt werden, daß der neue Inhaber eine Kaution zahlen mußte, die er gewöhnlich nicht erstattet erhielt. Bedenkt man, daß spätestens seit 1492 auch für die Wahl zum Papst Summen an die Wähler zu entrichten waren, so erstaunt es nicht, daß seit Leo X. – wenn auch kaschiert – Kardinalsstellen und das spirituelle Amt des Großpönitentiars verkauft wurden, was eindeutig simonistisch war. Doch im Jahre 1526 wurde in Rom in der Tradition italienischer Leihanstalten *(montes pietatis)* der Monte de la Fede (= Leihanstalt des Glaubens) gegründet. Dessen Ertragszinsen verlockten viele Geldanleger, auf die Investitionen im Ämterhandel zu verzichten, so daß dessen Preise zurückgingen. Ein Jahr später bewirkte der Sacco di Roma einen Kollaps auch der päpstlichen Finanzen. Deren Sanierung gelang erst unter den Päpsten seit Paul III., die dabei jedoch – trotz aller 'Reform' der Kurie – auch den Ämterhandel weiter betrieben.

Verständlich, daß schon damals der Ämterhandel bei vielen auf Kritik stieß. Ein anderer Kritikpunkt war der Bereich der Kommende. Darunter sind vor allem hohe Pfründen (Bistümer und Abteien) zu verstehen, die einem Geistlichen zur Verwaltung *(= in commendam)* übertragen wurden. Schon im 14. Jahrhundert genutzt und ursprünglich jeweils zeitlich befristet, wurde die Kommendierung trotz aller Kritik in Konstanz und Basel im 15. und 16. Jahrhundert von den Päpsten exzessiv betrieben. Besonders Kardinäle, Nepoten und andere Günstlinge von Päpsten, aber auch Verwandte und Protégés von Herrschern erhielten aus persönlichen und politischen Gründen Kommenden zur finanziellen Nutzung, gewöhnlich ohne sich um die entsprechenden Aufgaben zu kümmern. Und je mehr die Besetzung der Prälaturen vor allem seit dem frühen 16. Jahrhundert von den Landesherren ausgeübt wurde, um so mehr nutzten auch diese die Chance der Kommendierung, besonders häufig in Frankreich und Spanien.

Ämterhandel wie Kommendierung trugen zumindest teilweise zur Verbesserung der päpstlichen Finanzen bei. Weitere Einnahmen flossen aus dem Kirchenstaat. Diese reichten von den direkten und indirekten Steuern oder Zöllen über die Nutzung der Salinen an der

Tibermündung, das Monopol über die unter Pius II. bei Tolfa entdeckten Alaunvorkommen sowie die Erträgnisse aus dem Verkauf oder der Verpachtung von Verwaltungsstellen in Rom und im Kirchenstaat, eventuell bis hin zu Schutzgebühren der in Rom arbeitenden Prostituierten und der dortigen Juden. Hinzu kamen die traditionellen Pfründeneinnahmen, die jedoch seit den Konzilien und der daraufhin stärkeren Position vieler weltlicher Herrscher eingeschränkt waren. Weiter ausgebaut wurden in dieser Zeit die Einnahmen aus der Verleihung von Heilig-Jahr-Privilegien an andere Kirchen (sogenannte 'Romprivilegien') und – besonders kritisiert – aus dem Verkauf von Ablässen; allerdings waren an den zuletzt genannten Geldern auch die Prediger, die vermittelnden Bankhäuser und oft die jeweiligen Landesherren beteiligt. Aus der Zeit Sixtus' IV. existiert ein Verzeichnis der Einnahmen aus dem Kirchenstaat, seit 1497 gab es Listen der käuflichen Ämter, unter Clemens VII. schließlich wurde 1525 ein 'Budget' der Kammer aufgestellt. Doch sind alle diese Unterlagen lückenhaft, erst recht gibt es bisher kaum Arbeiten über die päpstlichen Gesamteinnahmen und die verschiedenen Ausgaben. Deshalb sind wir im Gegensatz zum 14. Jahrhundert schlecht über die päpstlichen Finanzen dieser Epoche unterrichtet. Es lassen sich lediglich Verschiebungen der Proportionen konstatieren. So trugen unter Leo X. Deutschland (ca. 16 %) und Italien (ca. 32 %) mehr zu den Einnahmen aus Servitien und Annaten bei als im 14. Jahrhundert, während zum Beispiel der Anteil Frankreichs (ca. 30 %) zurückgegangen war. Doch waren diese Erträge mit jährlich insgesamt ca. 17000 bis 20000 Dukaten sowieso weitaus geringer als 150 Jahre zuvor. Übertroffen wurden sie wohl von den Einnahmen aus dem Kirchenstaat, dem Ämterverkauf und den Ablaßgeldern, ohne daß bis jetzt jedoch genaue Relationen genannt werden können.

Die Kenntnisse vom tatsächlichen Volumen der päpstlichen Finanzen waren während der Renaissance selbst bei den meisten zeitgenössischen Kurialen noch geringer, als sie die moderne Forschung belegen kann. Um so mehr blühten die Blumen der Spekulation. Die jährlichen Einnahmen aus Servitien und Annaten wurden auf 50000 Dukaten und mehr geschätzt, noch höher die Erträgnisse aus dem

Ablaßgeschäft und dem Ämterhandel. Und wie schon im 14. Jahrhundert fühlten sich die Bewohner einzelner Länder, gerade auch Deutschlands, stärker ausgenommen, als es in Wirklichkeit der Fall war. Daher verstärkten die vagen Mutmaßungen die Kritik an der Kurie und dem päpstlichen Kirchenregiment; auch der Lebenswandel der Päpste trug nicht dazu bei, ihre Autorität zu stärken. Und weil die Päpste selbst gewöhnlich mit der Sicherung ihrer Familien und des Kirchenstaates beschäftigt waren, mißachteten sie die Warnungszeichen. Deutlich wird das an der römischen Reaktion auf die Wirksamkeit Martin Luthers. Leo X., in dessen Pontifikat der Beginn von Luthers Wirken fällt, mißachtete den Augustinereremiten als 'Brüderchen' und verachtete dessen Auseinandersetzung mit Tetzel und anderen Gegnern als 'Mönchsgezänk'; die Vernehmung und eventuelle Verurteilung Luthers wurde dem in Deutschland weilenden Kardinal Cajetan übertragen, aber an der Kurie nicht sonderlich beachtet. Außer zur Zeit Hadrians VI., der sich schon in Spanien als Inquisitor betätigt hatte, führten auch späterhin, als Luther weiten Anklang in Deutschland fand, seine theologischen und moralischen Vorwürfe in Rom zu keiner Selbstbesinnung; er war lediglich ein Ketzer unter vielen. Die spätestens auf dem Reichstag zu Augsburg 1530 deutlich gewordene dogmatische und organisatorische Spaltung der deutschen Christen wurde bis zum Tode Clemens' VII. an der Kurie nicht entsprechend gewürdigt. Noch weniger Resonanz fand die Tätigkeit Zwinglis und anderer Reformatoren unter den Eidgenossen am päpstlichen Hof, erst recht nicht die am Ende des Pontifikats Clemens' VII. beginnende Wirksamkeit Calvins und die sich anbahnende Abtrennung der englischen Kirche, die kurz nach Clemens' Tod Wirklichkeit wurde. Ebenso reagierte Rom nicht auf die Forderung der deutschen Reichsstände nach einem Konzil (1523) und auf die von Johannes Eck zur besseren Bekämpfung Luthers geäußerten Reformvorschläge.

Doch ebenso geringen Widerhall riefen in Rom die seit der zweiten Hälfte des 15. Jahrhunderts vor allem in Italien und Spanien einsetzenden Reformen in Ortskirchen und Orden oder die neuen Orden selbst hervor. Lediglich wenn etwa die Zisterzienser unter Innozenz VIII., später die aus dem Franziskanerorden hervorgegangenen Observanten und Kapuziner oder die zahlreichen neuen Bruderschaften und Orden zur eigenen Absicherung vom Papst Privilegien erbaten, wurden sie dort beachtet. Allerdings mußten sie dafür teuer bezahlen; so kostete allein unter Innozenz VIII. eine Bulle zugunsten der Reform der Zisterzienser in Frankreich 6000 Dukaten. Ähnlich erging es den Theatinern (ab 1524), den Kapuzinern (ab 1528/29), den Angeliken (ab1530), den Barnabiten (ab 1533) und den Bemühungen der Ordenskapitel der Franziskaner und Dominikaner um eine Reform ihrer Orden seit Julius II. Deren Reformtätigkeit wurde am Papsthof noch dadurch erschwert, daß die Pönitentiarie reformunwilligen Ordensangehörigen lange Zeit Dispense von der strengeren Regelbeachtung erteilte. Das Verständnis für kirchliche Probleme in anderen Ländern litt außerdem noch darunter, daß seit Julius II. nicht nur die Päpste – außer Hadrian VI. –, sondern auch die meisten Kurialen Italiener waren, deren Interesse an Ereignissen außerhalb Italiens sich gewöhnlich in engen Grenzen hielt. So erstaunt es auch nicht, daß etwa die in der Kirchenreform engagierten spanischen Nationalkonzilien von Sevilla (1478) und Burgos (1511) nicht auf päpstliche Mitwirkung rechneten, vielmehr das Papsttum nur insoweit berücksichtigten, als sie Abwehrmaßnahmen gegen Eingriffe der Päpste beschlossen; ihr Partner war jetzt nicht mehr der Papst, sondern der König.

Demzufolge erschien der Sacco di Roma nicht nur Reformatoren, die den Papst als Antichristen verurteilten, sondern auch vielen Katholiken als gerechte Strafe für das Papsttum, das in ihren Augen durch allzu viele Mißstände Gottes Zorn erregt hatte. Und wenn auch Luther, Calvin und andere Reformatoren durch eigene theologische Überlegungen zur Trennung von der etablierten Kirche gelangt waren und die Loslösung der englischen Kirche vom Papsttum dem persönlichen und kirchenpolitischen Kalkül Heinrichs VIII. entsprang, so hatte doch das Papsttum der Renaissance durch die Mißachtung der Forderung nach einer Reform an 'Haupt und Gliedern' und durch das Anwachsen der Mißstände in Rom erheblich zur Entstehung und Vertiefung der Kirchenspaltung beigetragen.

ZUSAMMENFASSUNG UND AUSBLICK

Nach dem Ende Jerusalems zur Zeit des Kaisers Vespasian hatte die christliche Gemeinde in Rom, dem Zentrum des Reiches, allmählich an Ansehen unter den Glaubensgenossen gewonnen. Dabei hatte der Kult der beiden Apostel Petrus und Paulus als der vermeintlichen Gründer der Ortsgemeinde schon seit dem 2. Jahrhundert mitgewirkt. Ungefähr seit derselben Zeit wurde die römische Gemeinde von einem Bischof geleitet, der in ihr – analog zu anderen Gemeinden – eine 'monarchische' Stellung erlangte und während der Christenverfolgungen seit Kaiser Decius auch anderwärts, so in Karthago und Spanien, geachtet war. Allerdings besaß er noch keinen Vorrang vor anderen Bischöfen, abgesehen vielleicht von den Gemeinden der Umgebung Roms.

Das Ende der Verfolgungen führte innerhalb der Christenheit seit Konstantin dem Großen zu einer Festigung der örtlichen und überregionalen Organisation, die auch dem Bischof von Rom zugute kam. Hauptaufgabe der römischen Bischöfe des 4. Jahrhunderts war es, ihre Stadt erst einmal völlig zu christianisieren sowie in Liturgie und Glauben zu einen. Diesen Zielen dienten die Fixierung der Martyrerverehrung, aber auch die Festlegung der Nachfolge (Sukzession) Petri und damit die Betonung des Petruskultes. Infolge außerrömischer Glaubenskonflikte (Donatisten, Arianer u. a.) verwandten die Bischöfe seit der Mitte des Jahrhunderts ihre für Rom formulierten Ansprüche auch dafür, gegenüber Kaisern und westlichen wie östlichen Gemeinden einen Vorrang Roms zu betonen. Nachdem um 400 auch die politischen Führungsgruppen christianisiert waren und Einfluß auf die kirchliche Organisation auszuüben begannen, verstärkten Päpste wie Innozenz I., Leo I. und Gelasius I. noch diese Tendenz und formulierten dabei Ansprüche – auch gegenüber den Gemeinden des Ostens –, die zwar gewöhnlich nicht akzeptiert wurden, jedoch in den folgenden Jahrhunderten auf römischer Seite, zum Teil auch in den neu entstehenden Reichen der Germanen, als theoretische Basis für die Leitung der westlichen Kirche durch den Papst dienten. Hierzu gehörten die These vom Papst als Nachfolger, Erbe und Stellvertreter Petri und damit als Oberhaupt der gesamten Kirche, die Gelasianische Zweigewaltenlehre sowie die unter Symmachus formulierte Fälschung, daß der Papst nur von Gott zu richten sei. Gleichzeitig verfestigte sich die Gliederung des römischen Klerus, mit den Kollegien der Presbyter und Diakone an der Spitze, und der Verwaltungsgremien. Deren Tätigkeit, die sich im 'Liber pontificalis' und in der päpstlichen Korrespondenz widerspiegelte, zeigte jedoch, daß am Ende dieser Epoche das Papsttum realen Einfluß fast nur in Rom, im suburbikarischen Italien und in den Patrimonien der römischen Kirche besaß.

Nach dem Ende der Gotenherrschaft im 6. Jahrhundert wurde Rom als politischer Außenposten der byzantinischen Reichskirche eingegliedert, sein Bischof weitgehend zum Untergebenen des Kaisers. Demzufolge veränderten sich nach byzantinischem Vorbild Kult und Organisation der Gemeinde; in Rom und dessen Umgebung bildete sich eine neue, byzantinisch oder zumindest griechisch geprägte Führungsschicht heraus, der auch zahlreiche Päpste des 7. und 8. Jahrhunderts entstammten. Hingegen lockerten sich die römischen Kontakte zu den Kirchen in Nordafrika, im Westgotenreich und im Frankenreich. Für die Zukunft bedeutend, wurden die Reiche der Angelsachsen und Jüten, zum Teil vom Papsttum gelenkt, missioniert und nach römischem Vorbild organisiert.

Der Bruch mit Byzanz begann sich seit dem Pontifikat Gregors II. abzuzeichnen, infolge der Maßnahmen Kaiser Leons III. und des Bilderstreites. Während der Islam die Bedeutung der nordafrikanischen und westgotischen Landeskirchen erheblich minderte, wurden mit Hilfe angelsächsischer Missionare die Kontakte Roms zu den Frankenherrschern enger, Rom selbst jedoch stärker als zuvor von den Langobarden bedroht. Deshalb und weil ihrerseits die aufstrebenden Karolinger die päpstliche Zustimmung zu ihrer neuen Königswürde wünschten, schlossen nach früheren Kontakten (750/51) im Jahre 754 Pippin und Stephan II. ein Bündnis, das in der Folgezeit noch enger wurde. Das Papsttum erstrebte die Unabhängigkeit von seinem bisherigen Oberherrn, wie die Aussagen der damals entstandenen 'Konstantinischen Schenkung' es zeigen; in Wirklichkeit aber verdankte es die Abwendung der Langobardengefahr und die Herrschaft in Mittelitalien, dem künftigen Kirchenstaat, als Erbe des byzantinischen Exarchates den Franken. Diese wiederum übernahmen Teile des römischen Kultes, Rechts- und Organisationsschemas für ihren wachsenden Herrschaftsbereich. Schließlich ließ sich Karl der Große im Jahre 800 von Leo III. zum Kaiser krönen, wodurch der Bruch zwischen Ost und West vertieft, die Bindungen zwischen Papsttum und Frankenreich jedoch intensiviert wurden. Rom selbst aber blieb nach byzantinischem Vorbild organisiert, das Papsttum bestrebt, die neue Abhängigkeit vom Frankenherrscher zu verringern.

Dies gelang ihm infolge des Niederganges der fränkischen Herrschaft in der zweiten Hälfte des 9. Jahrhunderts. Gleichzeitig jedoch nahm die Gefährdung Roms zu durch die Machtbestrebungen benachbarter Fürsten, durch die Einfälle der Sarazenen, später auch durch die erneute Expansion von Byzanz in Unteritalien, zu dem sich die kirchliche Bindung während des Photianischen Schismas weiter gelockert hatte. Weil der Papst auch Stadtherr Roms war, geriet das Papsttum zunehmend in den Strudel innerstädtischer Machtkämpfe. Stabilisiert wurde die Situation durch die Machtergreifung seitens des 'Senators' Theophylakt und seines Papstes, Sergius III.

Die folgende Zeit, das angeblich 'dunkle Jahrhundert', ist dadurch gekennzeichnet, daß die Päpste weitgehend vom jeweiligen adligen Stadtherrn abhängig waren, jedoch im Verein mit diesem Rom und dessen Umgebung kirchlich sowie weltlich neu organisierten und damit die Ausrichtung der päpstlichen Politik nach weitgehend römischen Interessen auch für die folgenden Jahrhunderte prägten; andererseits bemühten sich, stärker als zuvor, immer mehr kirchliche Institutionen – vor allem Abteien in relativ jung christianisierten Gebieten wie Deutschland oder in politisch instabilen Bereichen wie Frankreich und Katalonien –, durch Schutzprivilegien und Exemtionen in einen engeren Kontakt zum Papsttum zu kommen, eine wichtige Vorbedingung für die spätere Ausdehnung der päpstlichen Autorität. Seit 962 Otto I. zum Kaiser gekrönt worden war, geriet das Papsttum in Abhängigkeit von Deutschland. Dies manifestierte sich auch in der Liturgie. Dennoch blieb in Rom selbst der deutsche Einfluß – abgesehen von der kurzen Regierungszeit Ottos III. – relativ gering, denn die Stadt und ihr Umland wurden nun von den Creszentiern, später von den Tuskulanern und ihren Päpsten regiert.

Bei deren Ende, 1046, zeigte sich erneut die Dominanz des deutschen Herrschers. Doch schon unter Heinrich III., erst recht nach dessen Tod, errangen die neuen Päpste seit Leo IX. die Führung bei der Kirchenreform, die sie mit Unterstützung weiter Kreise – Klöster, Adlige, zum Teil auch Bischöfe, Kleriker und niedere Laien – propagierten und zum Ausbau ihrer eigenen Position einsetzten. Seitdem beanspruchte das Papsttum kaiserliche Rechte, den Vorrang vor den weltlichen Gewalten und die Leitung der Gesamtkirche.

Unterstützt von neuen Helfern, Kardinalkolleg und Kurie, aber auch von auswärtigen Reformern, Kanonisten und Theologen, gelang es den Päpsten seit dem sogenannten 'Investiturstreit', ihre *plenitudo potestatis* in der Kirche – zumindest theoretisch – durchzusetzen, sich die Hierarchie unterzuordnen und durch päpstlichen Schutz oder durch Lehensverhältnisse auch Oberherren weltlicher Herrschaften zu werden. Hingegen verloren sie zusehends die Kontrolle über ihre Bischofsstadt, bis schließlich seit 1144 Rom von einer kommunalen Regierung geleitet wurde und sich die Päpste meist außerhalb der Stadt aufhalten mußten. Ihre Lage komplizierte sich noch durch die beiden Schismen von 1130 und 1159. Allerdings zeigten gerade die schließlich erfolgreichen Prätendenten – Innozenz II. und Alexander III. –, wie weit sich schon der Führungsanspruch der Päpste durchgesetzt hatte, denn zwiespältige Bischofswahlen und Querelen innerhalb von Ortskirchen wurden jetzt immer mehr an der Kurie entschieden. Daher erhielt auch das neu entstehende Kirchenrecht eine immer stärkere Prägung durch das Papsttum, wobei Sammler und Kommentatoren eifrig mithalfen. Seit der gleichen Zeit jedoch, seit 1156, band sich das Papsttum infolge des Vertrages von Benevent stärker an das Normannenreich in Süditalien und machte damit sich selbst, Rom und den Kirchenstaat abhängig von den dort jeweils bestehenden Herrschaftsverhältnissen. Dies sollte seine Politik nicht nur gegenüber den Staufern, sondern seit der Mitte des 13. Jahrhunderts auch gegenüber deren Nachfolgern und Konkurrenten bis ins 16. Jahrhundert hinein vielfach bestimmen.

Seit 1188 wieder nominelle Oberherren Roms, versuchten die Päpste durch geschickte Politik und Nepotismus, notfalls auch mit Gewalt, ihre Herrschaft in Rom und im Kirchenstaat neu zu festigen und zu vertiefen. Daraufhin gerieten sie nicht nur in Konflikt mit den Staufern, sondern waren sie auch in ihrer Politik gegenüber Deutschland insgesamt, ebenso gegenüber anderen Ländern stark von ihren Interessen in Mittelitalien bestimmt. In der Gesamtkirche setzten sie noch stärker ihre Autorität durch, leiteten dort jetzt auch den Kampf gegen die verschiedenen Häresien – dabei halfen ihnen die neuen Bettelorden –, zeigten im jetzt veränderten Zeremoniell einprägsam ihren über Herrscher und Geistlichkeit erhobenen Rang, bauten die Kurie aus, vervielfachten ihre Einnahmen und sicherten ihre Ansprüche durch neue Sammlungen des Kirchenrechts. Während jedoch Päpste wie Innozenz III. und Innozenz IV. ihre Leitungsfunktion in der Kirche deutlich unter Beweis stellten, geriet schon seit Urban IV. das Papsttum unter den Einfluß der Anjou; wegen der zu engen Verquickung von geistlichen mit weltlichen Interessen sowie angesichts von Mißbräuchen an der Kurie wurden das Papsttum zunehmend kritisiert und seine Leitungsansprüche in Frage gestellt. Schließlich bewies der Konflikt Bonifaz' VIII. vor allem mit Philipp dem Schönen von Frankreich, daß zwar das Papsttum in weiten Kreisen der Christenheit noch hohes Ansehen genoß – dies zeigte das erste Heilige Jahr 1300 –, doch der päpstliche Universalanspruch von den neu entstehenden 'Nationalstaaten' nicht mehr völlig akzeptiert wurde.

Die durch Johannes XXII. 1316 vollzogene Übersiedlung von Papst und Kurie nach Avignon hatte zur Folge, daß sich Regierung und Zeremoniell immer mehr auf den Papstpalast konzentrierten und somit die Distanz zwischen dem Papst und den normalen Gläubigen zunahm. Andererseits gewährleistete sie zum ersten Mal seit dem 11. Jahrhundert eine Kontinuität der kurialen Verwaltung. Daher wurde jetzt, vor allem fiskalisch, durchgesetzt, was vorher häufig nur beansprucht worden war. Das Zeitalter Avignons war die Periode der effektivsten Regierung, aber auch Ausnutzung der lateinischen Kirche durch das Papsttum bis zur Reformation. Gerade deshalb jedoch häuften sich die Vorwürfe, die noch durch die Politik der Päpste und deren oft allzu enge Bindung an Frankreich gemehrt wurden, vor allem in England und Deutschland, wo schon damals die Gefahr der Kirchentrennung drohte. Verhängnisvoll wurde die Entwicklung auch deshalb, weil den Päpsten jetzt eher die Destruktion als die Reform der Kirche zugetraut wurde und einige von ihnen Zeitgenossen als Ketzer erschienen; und das Desinteresse an der Kirchenreform bewiesen die Päpste, abgesehen von Benedikt XII., auch durch ihre Taten.

Von vielen aufgefordert, kehrten erst Urban V. (1367), dann 1376 Gregor XI. nach Rom zurück, nachdem zuvor der Kardinal Gil Albornoz den Kirchenstaat militärisch 'befriedet' und – für die folgenden Jahrhunderte grundlegend – durch seine Konstitutionen das Fundament für dessen Verfassung gelegt hatte. Doch führte das 1378 ausbrechende Schisma zu erneuter Unsicherheit in Rom und seinem Umland und zu einem Tiefpunkt des päpstlichen Ansehens, denn die verschiedenen Obödienzen waren jetzt abhängig von den Herrschern, die die Chance nutzten, ihre Landeskirchen unter ihren Einfluß zu bringen; ähnlich handelten in Deutschland Fürsten und Städte. Den Führungsanspruch in der Universalkirche machten dem Papsttum die Vertreter der 'konziliaren Idee' streitig, was schließlich zu den Konstanzer Dekreten 'Haec sancta' und 'Frequens' führte. Weil diese fast überall akzeptiert wurden, waren die päpstlichen Proteste dagegen – vor allem seit Eugen IV. – einseitig parteiliche Stellungnahmen, die sich stärker erst seit dem späten 16. Jahrhundert in dem noch katholisch gebliebenen Teil Europas durchsetzen konnten.

Nach dem Desaster der Schismazeit, das in Konstanz – verstärkt noch in Basel – auch zu einer Beschneidung der päpstlichen Prärogativen und Einnahmen geführt hatte, waren die Päpste seit Martin V. bestrebt, Rom und den Kirchenstaat zum Zentrum ihrer Herrschaft auszubauen. Daher waren sie fortan auch in ihrer Politik gegenüber anderen Herrschern ebenso wie gegenüber anderen kirchlichen Institutionen noch stärker als im 13. Jahrhundert von ihren italienischen Absichten bestimmt. Zur Sicherung ihrer Herrschaft wie auch zum Ausbau ihrer Residenz in Rom schränkten sie vor allem seit Sixtus IV. die Autonomie Roms ein und unterwarfen die meisten Signori und Kommunen des Kirchenstaates; ihre Kunstliebe sowie ihre Herrschaft zeigten sie vor allem im Ausbau und in der Verschönerung ihrer Residenzstadt. Zur Sicherung ihrer Herrschaft wie auch zur Finanzierung ihrer politischen und künstlerischen Vorhaben intensivierten sie die Einnahmen aus dem Kirchenstaat und den Nepotismus, nutzten und verstärkten sie den Ämterhandel und förderten sie den Kauf von Romprivilegien und Ablaßbriefen, während die ehemals üblichen Einnahmen aus dem Klerus (Servitien, Annaten usw.) zurückgingen. An diesen Maßnahmen, an ihrem Lebenswandel sowie an ihrem Mangel an Reformwillen wurde nun vermehrt Kritik geübt. Diese und die veränderte politische Situation in Italien seit 1494, die schließlich zur Vorherrschaft Spaniens führte, bewirkten einen Rückgang der päpstlichen Autorität. Unter den beiden Medici-Päpsten, Leo X. und Clemens VII., lösten sich durch die Reformation große Gebiete Deutschlands vom Papsttum; ihnen folgten Teile der Eidgenossenschaft, später auch England und Skandinavien. Zur gleichen Zeit fielen weite Gebiete des Balkans und Ungarns den Türken anheim. Somit verblieben dem Papsttum außer Polen und verschiedenen deutschen Territorien vor allem Frankreich, Spanien und Italien, dessen südlicher und nördlicher Teil gleichfalls von Spanien dominiert wurde. Weil aber jetzt auch in Frankreich und Spanien die Landeskirchen mehr dem jeweiligen König als dem Papst unterstanden, bestand am Ende der in diesem Buch beschriebenen Zeit der Universalanspruch des Papsttums zwar weiter, doch sein tatsächliches Regiment war überwiegend auf den Kirchenstaat beschränkt worden.

Ohne daß hier die Geschichte des Papsttums in der Neuzeit behandelt werden kann, sei noch darauf hingewiesen, daß sich die politische Wirksamkeit der Päpste – vor allem seit dem Westfälischen Frieden von 1648 – noch stärker auf den Kirchenstaat konzentrierte, der vor allem im 19. Jahrhundert (bis zu seinem Ende 1870) einer der korruptesten und am schlechtesten regierten Staaten Europas war.

Zwar führte das Trienter Konzil im späten 16. Jahrhundert zu einer Reform der Kirche unter Herausstellung der päpstlichen Autorität, wie die Fixierung von Recht und Liturgie zeigen; doch kam dies vorerst vor allem der Straffung der Kurie zugute, sofern nicht neue Orden (wie die dem Papst direkt unterstellten Jesuiten) wirksam waren, denn die Tätigkeit der päpstlichen Nuntien in anderen Ländern war wegen des landesherrlichen Kirchenregimentes selten effektiv. Dennoch blieben die in der Spätantike und im Mittelalter entwickelten Suprematieansprüche des Papsttums bestehen, ebenso die Konzentrierung der katholischen Kirche auf den Papst und seine Kurie. Diese Tradition diente, vor allem nach der Napoleonischen Ära und dem Zusammenbruch des Kirchenstaates, im 20. Jahrhundert in Verbindung mit der Politik der Konkordatsabschlüsse erneut als Grundlage für den Ausbau des päpstlichen Ansehens. Auch wenn heutzutage das theoretische Fundament geändert ist – 'Konstantinische Schenkung' und Pseudo-Isidor leben meist nur indirekt in den 'Codices iuris canonici' von 1917 und 1983 weiter –, so fußt dennoch bis heute das Papsttum weitgehend auf den Leistungen seiner Vorgänger und deren Mitstreiter aus der Spätantike und dem Mittelalter. Ebenso zeigen die Dogmatik, der seit dem 19. Jahrhundert in Rom erneut betonte Thomismus und die daraus entwickelte päpstliche Stände- und Soziallehre sowie das im 11. Jahrhundert aufgestellte und bis heute aufrechterhaltene Zölibatsgebot, wie stark das Mittelalter noch in der Gegenwart das Papsttum bestimmt. Ebenso ist die wenigstens bis Pius XII. erkennbare Konzentrierung der Kurie auf Rom und die – trotz des gestiegenen Gewichtes der 'Dritten Welt' – noch heute bestehende Dominanz von Italienern und anderen Europäern in den höheren kurialen Rängen ein Erbe der Epochen, die in diesem Buch beschrieben sind.

AUSWAHL-BIBLIOGRAPHIE

Bearbeitet und aktualisiert von Elke Goez.

Weil sich das Buch an deutsche Leser wendet, sind im folgenden überwiegend deutschsprachige Werke aufgenommen, fremdsprachige Arbeiten dann, wenn sie für das entsprechende Kapitel besonders wichtig waren. Auf ältere Arbeiten und Quellenpublikationen wurde weitgehend verzichtet; letzte wurden vor allem dann aufgenommen, wenn im Text auf sie Bezug genommen ist. Wenn einzelne der genannten Werke besonders ausführliche, das jeweilige Kapitel betreffende Literaturverzeichnisse enthalten, wurde dies in Klammern vermerkt. Über Neuerscheinungen informiert vorzüglich jedes Jahr eine umfangreiche Bibliographie im Archivum Historiae Pontificae (Rom, seit 1963). Mehrere Epochen behandelnde Arbeiten sind unter 'Allgemeines' aufgeführt; sind Arbeiten für zwei Kapitelwichtig, sind sie – um Platz zu sparen – nur beim ersten Kapitel genannt. Aus demselben Grund sind Reihentitel weggelassen worden. Enthalten Aufsatzsammlungen eines Autors oder Kongreßpublikationen mehrere einschlägige Beiträge, so sind nur die Sammelbände genannt.

Folgende Zeitschriften werden abgekürzt zitiert:

ADipl	=	Archiv für Diplomatik
AHC	=	Annuarium Historiae Conciliorum
AHPont	=	Archivum Historiae Pontificiae
AKG	=	Archiv für Kulturgeschichte
ALitKG	=	Archiv für Litteratur- und Kirchengeschichte
ASR	=	Archivio della (reale) società (zeitweise: deputazione) romana di storia patria
AUF	=	Archiv für Urkundenforschung
AZ	=	Archivalische Zeitschrift
BasZG	=	Basler Zeitschrift für Geschichte
BiblChart	=	Bibliothèque de l'École des Chartes
BIHBelgR	=	Bulletin de l'Institut Historique Belge de Rome
BISI	=	Bullettino del istituto storico italiano per il medioevo e archivio Muratoriano

BZ	=	Byzantinische Zeitschrift
CArch	=	Cahiers d'archéologie
CatHR	=	Catholic Historical Review
DA	=	Deutsches Archiv für Erforschung des Mittelalters
DumbOaP	=	Dumbarton Oaks Papers
EHR	=	English Historical Review
EL	=	Ephemerides liturgicae
EphIurCan	=	Ephemerides Iuris Canonici
EphThLov	=	Ephemerides Theologicae Lovanienses
FrühmSt	=	Frühmittelalterliche Studien
GWU	=	Geschichte in Wissenschaft und Unterricht
H Jb	=	Historisches Jahrbuch
HZ	=	Historische Zeitschrift
JEH	=	Journal of Ecclesiastical History
JMedH	=	Journal of Medieval History
MélArchH	=	Mélanges d'archéologie et d'histoire (später: Mélanges de L'École française de Rome. Moyen-Âge)
MIÖG	=	Mitteilungen des Österreichischen Instituts für Geschichtsforschung
MNedHIR	=	Mededelingen van het Nederlands Historisch Instituut te Rome
OrChrPer	=	Oriens Christianus Periodica
OstkSt	=	Ostkirchliche Studien
QFIAB	=	Quellen und Forschungen aus italienischen Archiven und Bibliotheken
RDCan	=	Revue de droit canonique
RHEglF	=	Revue d'histoire de l'église de France
RHM	=	Römische Historische Mitteilungen
RömJbKG	=	Römisches Jahrbuch für Kunstgeschichte
RQ	=	Römische Quartalschrift für christliche Altertumskunde
RSChIt	=	Rivista di storia della chiesa in Italia
RSLetRel	=	Rivista di storia e letteratura religiosa
StudGreg	=	Studi Gregoriani
ThPQ	=	Theologisch-praktische Quartalsschrift
TransHSoc	=	Transactions of the Historical Society
VSWG	=	Vierteljahrsschrift für Sozial- und Wirtschaftsgeschichte
ZAachenG	=	Zeitschrift des Aachener Geschichtsvereins
ZBLG	=	Zeitschrift für bayerische Landesgeschichte
ZHF	=	Zeitschrift für historische Forschung
ZKG	=	Zeitschrift für Kirchengeschichte
ZNW	=	Zeitschrift für neutestamentliche Wissenschaft
ZRGKA	=	Zeitschrift für Rechtsgeschichte. Kanonistische Abteilung
ZThK	=	Zeitschrift für Theologie und Kirche

I. Allgemeines

1. Allgemeine Darstellungen

Angenendt, A., Das Frühmittelalter. Die abendländische Christenheit von 400 bis 900, Stuttgart 1990.
Angenendt, A., Grundformen der Frömmigkeit im Mittelalter, München 2003.
Borgolte, M. (Hg.), Das europäische Mittelalter im Spannungsbogen des Vergleichs. Berlin 2001.
Borgolte, M., Europa entdeckt seine Vielfalt 1050–1250, Stuttgart 2002.
Die Geschichte des Christentums. Religion–Politik–Kultur, 14 Bde., deutsche Ausgabe hg. v. N. Brox u. a., Freiburg i. Br. 1991 ff.
Erkens, F.-R., Herrschersakralität im Mittelalter. Von den Anfängen bis zum Investiturstreit, Stuttgart 2006.
Erkens, F.-R. (Hg.), Die Sakralität von Herrschaft. Herrschaftslegitimierung im Wechsel der Zeiten und Räume, Berlin 2002.
Erkens, F.-R. (Hg.), Von Sacerdotium und Regnum. Geistliche und weltliche Gewalt im frühen und hohen Mittelalter, Festschr. Egon Boshof, Köln 2002.
Fliche, A. – Martin, V. (Hgg.), Histoire de l'Église depuis les origines jusqu'à nos jours I–XVI, Paris 1934 ff.
Frank, K. S., Grundzüge der Geschichte der Alten Kirche, Darmstadt 1984.
Geschichte der Konzilien. Vom Nicaenum bis zum Vaticanum II, hg. v. G. Alberigo, Düsseldorf 1993.
Goez, W., Grundzüge der Geschichte Italiens in Mittelalter und Renaissance, Darmstadt 1975.
Goez, E., Papsttum und Kaisertum im Mittelalter, Darmstadt 2009.
Greschat, M. (Hg.), Alte Kirche, 2 Bde., Stuttgart 1984.
I Giubilei nella storia della chiesa, Città del Vaticano 2001.
Hack, A. Th., Das Empfangszeremoniell bei mittelalterlichen Papst-Kaiser-Treffen, Köln 1999.
Hartmann, L. M., Geschichte Italiens im Mittelalter, 4 Bde. in 6, Gotha 1897–1908 (bis Anf. 11. Jh.).
Heilig – Römisch – Deutsch. Das Reich im mittelalterlichen Europa, hg. v. B. Schneidmüller – St. Weinfurter, Dresden 2006.
Heiliges Römisches Reich Deutscher Nation 962–1806. Von Otto dem Großen bis zum Ausgang des Mittelalters, hg. v. M. Puhle – C.-P. Hasse, 2 Bde., Dresden 2006.
Hoensch, J. K., Die Luxemburger. Eine spätmittelalterliche Dynastie gesamteuropäischer Bedeutung 1308–1437, Stuttgart 2000.
Jedin, H. (Hg.), Handbuch der Kirchengeschichte I–IV, Freiburg 1962–75 (ausführliche Literaturangaben).

Kaufhold, M. (Hg.), Politische Reflexion in der Welt des späten Mittelalters, Essays in honour of Jürgen Miethke, Leiden 2004.
L'Église de France et la Papauté (X^e–XIIIe siècle), Bonn 1993.
Lilie, R.-J., Byzanz. Kaiser und Reich, Köln/Weimar/Wien 1994.
Maleczek, W. (Hg.), Fragen der politischen Integration im mittelalterlichen Europa, Ostfildern 2005.
Mayer, H. E., Geschichte der Kreuzzüge, Stuttgart 1965.
McGinn, B. – Meyendorff, J. – Leclercq, J., Geschichte der christlichen Spiritualität I: Von den Anfängen bis zum 12. Jahrhundert, Würzburg 1993.
Miethke, J., Kaiser und Papst im späten Mittelalter. Die beiden Universalgewalten im Kampf um die Vorherrschaft (im Druck).
Mitterauer, Michael, Warum Europa? Mittelalterliche Grundlagen eines Sonderwegs, München 2003.
North, M., Europa expandiert 1250–1500, Stuttgart 2007.
Ökumenische Kirchengeschichte, hg. v. B. Moeller, Bd. 1: Von den Anfängen bis zum Mittelalter, Darmstadt 2006.
Padberg, L. E. v., Die Christianisierung Europas im Mittelalter, Stuttgart 1998.
Paravicini Bagliani, A., Il corpo del Papa, Torino 1994.
Pitz, E., Die griechisch-römische Ökumene und die drei Kulturen des Mittelalters. Geschichte des mediterranen Weltteils zwischen Atlantik und Indischem Ozean 270–812, Berlin 2001.
Politik und Heiligenverehrung im Hochmittelalter, hg. v. J. Petersohn (VuF 42), Sigmaringen 1994.
Reinhardt, V., Geschichte Italiens. Von der Spätantike bis zur Gegenwart, München 2003.
Schieder, Th. (Hg.), Handbuch der europäischen Geschichte I, Stuttgart 1976 (bis Mitte 11. Jh.).
Schmaus, M., u. a. (Hgg.), Handbuch der Dogmengeschichte III 3: Die Lehre von der Kirche, 4 Faszikel, Freiburg/Basel/Wien 1970–74.
Schmidt, H.-J., Kirche, Staat, Nation. Raumgliederung der Kirche im mittelalterlichen Eruopa, Weimar 1999.
Schneidmüller, B., Die Kaiser des Mittelalters. Von Karl dem Großen bis Maximilian I., München 2006.
Schneidmüller, B. – Weinfurter, St. (Hgg.), Die deutschen Herrscher des Mittelalters. Historische Portaits von Heinrich I. bis Maximilian I., München 2003.
Schmugge, Ludwig, Kirche, Kinder und Karrieren. Päpstliche Dispense von der unehelichen Geburt im Spätmittelalter, Zürich 1995.
Schramm, P. E., Kaiser, Könige und Päpste. Gesammelte Aufsätze zur Geschichte des Mittelalters, 4 Bde., Stuttgart 1968–70.
Schramm, P. E., Sacerdotium und regnum im Austausch ihrer Vorrechte, in: Studie Gregoriani 2, 1947, S. 403–457.
Schreiner, P., Byzanz, 2. überarb. Aufl. München 1994.

Schuchard, Chr., Die päpstlichen Kollektoren im späten Mittelalter, Tübingen 2000.
Schwinges, R. C. – Hesse, Chr. – Moraw, P. (Hgg.), Europa im späten Mittelalter. Politik, Gesellschaft, Kultur, München 2006.
Segl, Peter, Europas Grundlegung im Mittelalter, in: Europa – aber was ist es? Hg. v. J. A. Schlumberger – P. Segl, Köln/Weimar/Wien 1994, S. 21–43.
Seibt, Ferdinand, Die Begründung Europas. Ein Zwischenbericht über die letzten tausend Jahre, Frankfurt am Main 2003.
Storia dei Concili, hg. v. R. Aubert – G. Fedalto – D. Quaglioni, Milano 1995.
Tellenbach, G., Die westliche Kirche vom 10. bis zum frühen 12. Jahrhundert, Göttingen 1988.
Wickham, Ch., Early Medieval Italy. Central Power and Local Society 400–1000, London/Basingstoke 1981.

2. Papstgeschichten

Barraclough, G., The Medieval Papacy, London 1968.
Borgolte, M., Petrusnachfolge und Kaiserimitation. Die Grablegen der Päpste, ihre Genese und Traditionsbildung, Göttingen 1989.
Caspar, E., Geschichte des Papsttums 2 Bde., Tübingen 1930–33 (bis Mitte 8. Jh.) (bisher unübertroffen).
Fink, K. A., Papsttum und Kirche im abendländischen Mittelalter, München 1981.
Franzen, A., R. Bäumer, Papstgeschichte. Das Petrusamt in seiner Idee und in seiner geschichtlichen Verwirklichung in der Kirche, Freiburg 1974.
Fuhrmann, H., Von Petrus zu Johannes Paul II. Das Papsttum: Gestalt und Gestalten, München 1980.
Fuhrmann, H., „Der wahre Kaiser ist der Papst." Von der irdischen Gewalt im Mittelalter, in: Das antike Rom in Europa, Regensburg 1985, S. 99–121.
Fuhrmann, H., Papstgeschichtsschreibung, in: Geschichte und Geschichtswissenschaft in der Kultur Italiens und Deutschlands, hg. v. A. Esch u. J. Petersen, Tübingen 1989, S. 141–91.
Gardner, F., The Tomb and the Tiara. Curial Tomb Sculpture in Rome and Avignon in the Later Middle Ages, Oxford 1992.
Greschat, M. (Hg.), Das Papsttum, 2 Bde., Stuttgart 1985.
Haendler, G., Die Rolle des Papsttums in der Kirche bis 1200. Ein Überblick und achtzehn Untersuchungen, Göttingen 1993.
Haidacher, A., Geschichte der Päpste in Bildern. Mit einem geschichtlichen Überblick von J. Wodka. Eine Dokumentation zur Papstgeschichte von L. Frhr. von Pastor, Heidelberg 1965.
Haller, J., Das Papsttum. Idee und Wirklichkeit, 5 Bde., 2. Aufl., Stuttgart 1950–53 (bis Anf. 14. Jh.).

Hartmann, W. – Herbers, K., Die Faszination der Papstgeschichte, Köln/Weimar/Wien 2008.
Hergemöller, B.-U., Die Geschichte der Papstnamen, Münster 1980 (bes. ab 10. Jh.).
Kelly, I. N. D., The Oxford Dictionary of Popes, Oxford 1986 (deutsch: Reclams Lexikon der Päpste, Stuttgart 1988).
Levillain, Ph. (Hg.), Dictionnaire historique de la papauté, Paris 1994.
Lexikon der Päpste und des Papsttums, Freiburg/Basel/Wien 2001.
Mikat, P., Papst, Papsttum, in: Handwörterbuch zur deutschen Rechtsgeschichte, 22. Lieferung, Berlin 1983, Sp. 1435–76.
Niehues, B., Geschichte des Verhältnisses zwischen Kaisertum und Papsttum im Mittelalter, 2. Aufl. Münster 1877.
Pastor, L. von, Geschichte der Päpste seit dem Ausgang des Mittelalters, Bd. 1–5 (ab 1378), Freiburg/Rom, mehrere Auflagen ab 1885 ff.
Ryan, Ch. (Hg.), The Religious Roles of the Papacy: Ideals and Realities, 1150–1330, Toronto 1989.
Seppelt, F. X., Geschichte der Päpste, Bd. 1–4, meist 2. Auflage, München 1954–57.
Seppelt, F. X. – Schwaiger, G., Geschichte der Päpste von den Anfängen bis zur Gegenwart, München 1964.
Scholz, S., Politik – Selbstverständnis – Selbstdarstellung. Die Päpste in karolingischer und ottonischer Zeit, Stuttgart 2006.
Schwaiger, G., Das Papsttum im Spätmittelalter und in der Renaissance (1294–1534), München 1957.
Shotwell, J. T. – Loomis, L. R., The See of Peter, New York 1991.
Ullmann, W., Kurze Geschichte des Papsttums im Mittelalter, Berlin 1978.
Wucher, A., Die Päpste. Ihre Geschichte von den Anfängen bis zur Gegenwart. Freiburg/Basel/Wien 2000.
Zimmermann, H., Das Papsttum im Mittelalter. Eine Papstgeschichte im Spiegel der Historiographie, Stuttgart 1981.

3. Institution und Kirchenregiment

Alberigo, G., Cardinalato e collegialità. Studi sull'ecclesiologia tra l' XI e il XIV secolo, Florenz 1969.
Andrieu, M., La carriere ecclésiastique des papes et les documents liturgiques du Moyen Âge (Rev. des Sciences relig. 21), 1947, S. 89–120.
Bauer, Cl., Die Epochen der Papstfinanz (HZ 138), 1928, S. 457–503.
Becker, H. J., Die Appellation vom Papst an ein allgemeines Konzil. Historische Entwicklung und kanonistische Diskussion im späten Mittelalter und in der frühen Neuzeit, Köln 1988.

Benson, R. L., Plenitudo potestatis: Evolution of a Formula from Gregory IV to Gratian (Studia Gratiana 14), 1967, S. 193–218.
Brambilla, E., Alle origini del Sant' Uffizio. Penitenza, confessione e giustizia spirituale dal medioevo al XV secolo, Bologna 2000.
Broderick, I. F., The Sacred College of Cardinals: Size and Geographical Composition (1099–1986) (AHPont 25), 1987, S. 7–71.
Burn-Murdoch, H., Titles of the Roman See (The Church Quarterly Review 159), 1958, S. 237–364.
Conciliarismo, Stati nazionali, inizi dell'Umanesimo, Spoleto 1990.
Congar, Y., Droit ancien et structures ecclésiales, London 1982.
Congar, Y., Études d'ecclésiologie médiévale, London 1983.
Crises et réformes dans l'Église de la Réforme Grégorienne a la Préréforme, Paris 1991.
Deer, J., Byzanz und das abendländische Herrschertum. Ausgewählte Aufsätze, Sigmaringen 1977.
Delooz, P., Sociologie et canonisations, La Haye 1969.
Duchesne, L. – Vogel, C. (Hgg.), Le Liber Pontificalis, 3 Bde., 2. Aufl. Paris 1955–57.
Dumeige, G. – Bacht, H. (Hgg.), Geschichte der ökumenischen Konzilien I–IX, Mainz 1963–75.
Dvornik, F., The Idea of Apostolicity in Byzantium and the Legend of the Apostle Andrew, Cambridge, MA 1958.
Elm, K. (Hg.), Reformbemühungen und Observanzbestrebungen im spätmittelalterlichen Ordenswesen, Berlin 1989.
Elze, R., Päpste – Kaiser – Könige und die mittelalterliche Herrschaftssymbolik, London 1982.
Eubel, K. (Hg.), Hierarchia catholica I– III, 2. Aufl. Münster 1912 ff. (ab 1198).
Fälschungen im Mittelalter. Internationaler Kongreß der MGH, 6 Bde., Hannover 1988/90.
Frenz, Th., Papsturkunden des Mittelalters und der Neuzeit, Stuttgart 1986.
Fuhrmann, H., Studien zur Geschichte mittelalterlicher Patriarchate (ZRGKA 39), 1953, S. 112–76; (40), 1954, S. 1–84; (41), 1955, S. 95–183.
Fuhrmann, H., Die Wahl des Papstes – ein geschichtlicher Rückblick (GWU 9), 1958, S. 762–80.
Fürst, C. G., Cardinalis. Prolegomena zu einer Rechtsgeschichte des römischen Kardinalskollegiums, München 1967.
Gatz, E. (Hg.), Römische Kurie. Kirchliche Finanzen. Vatikanisches Archiv. Studien zu Ehren von H. Hoberg, 2 Bde., Rom 1979.
Giusti, M., Studi sui registri di bolle papali, Città del Vaticano 1979.
Goez, W., Translatio Imperii, ein Beitrag zur Geschichte des Geschichtsdenkens und der politischen Theorie im Mittelalter und in der frühen Neuzeit, Tübingen 1958.

Göller, E., Die päpstliche Pönitentiarie von ihrem Ursprung bis zu ihrer Umgestaltung unter Pius V., 2 Bde. in 4, Rom 1907–14.
Gutmann, F., Die Wahlanzeigen der Päpste bis zum Ende der Avignonesischen Zeit, Marburg 1931.
Hefele, C. J. von – Leclerc, H., Histoire des conciles, Bd. 1–8, Paris 1907–17.
Il primato del vescovo di Roma nel primo millennio. Ricerche e testimonianze, Città del Vaticano 1991.
Jaffe, Ph., u. a. (Hgg.), Regesta pontificum Romanorum, 2 Bde., Leipzig 1881–88 (bis 1198).
Jordan, K., Das Eindringen des Lehnswesens in das Rechtsleben der römischen Kurie, Darmstadt 1971.
Jordan, K., Ausgewählte Aufsätze zur Geschichte des Mittelalters, Stuttgart 1980.
Kempf, F., Die päpstliche Gewalt in der mittelalterlichen Welt, in: Miscellanea Historiae Pontificiae 21, Rom 1959, S. 117–69.
Knabe, L., Die gelasianische Zweigewaltentheorie bis zum Ende des Investiturstreites, Berlin 1936.
Kuttner, S., Cardinalis: The History of a Canonical Concept, in: Ders., The History of Ideas and Doctrines of Canon Law in the Middle Ages, London 1980, Nr. IX.
Ladner, G. B., Die Papstbildnisse des Altertums und des Mittelalters, 3 Bde., Città del Vaticano 1941, 1970 u. 1983.
L'Église de France et la papauté (X^e^–XIIIe siècle). Die Französische Kirche und das Papsttum (10.–13. Jahrhundert), hg. v. R. Grosse, Bonn 1993.
Maccarrone, M., Vicarius Christi. Storia del titolo papale, Rom 1952.
Maccarrone, M., Romana Ecclesia, Cathedra Petri, 2 Bde., Rom 1991.
Marchetto, A., „In partem sollicitudinis ... non in plenitudinem potestatis". Evoluzione di una formula di rapporto Primato-Episcopato, in: Studia in honorem em. card. A. M. Stickler, Rom 1992, S. 269–98.
Melville, G. (Hg.), Institutionen und Geschichte. Theoretische Aspekte und mittelalterliche Befunde, Köln etc. 1992.
Mirbt, C. – Aland, K. (Hgg.), Quellen zur Geschichte des Papsttums und des römischen Katholizismus, 6. Aufl. Tübingen 1967.
Paulus, N., Geschichte des Ablasses im Mittelalter, 3 Bde., Paderborn 1922–23 (ND Darmstadt 2000).
Rabikauskas, P., Die römische Kuriale in der päpstlichen Kanzlei, Rom 1958.
Reinhard, W., Nepotismus. Der Funktionswandel einer papstgeschichtlichen Konstanten (ZKG 86), 1975, S. 145–85.
Richard, I., La Papauté et les missions d'Orient au Moyen Âge, Rom 1977.
Rome et les Églises nationales VIIe–XIIIe siècles, Aix-en-Provence 1991.
Santifaller, L., Saggio di un elenco dei funzionari, impiegati e scrittori della Cancelleria Pontificia dall'inizio all'anno 1099 (BISI 56), 1940, S. 1–473.

Schimmelpfennig, B., Papst- und Bischofswahlen seit dem 12. Jahrhundert, in: Wahlen und Wählen im Mittelalter, hg. v. R. Schneider u. H. Zimmermann, Sigmaringen 1990, S. 173–95.

Schimmelpfennig, B., Hugolin von Orvieto als Patriarch. Die lateinischen Patriarchen als Repräsentanten der Universalkirche, in: Hugolin von Orvieto, hg. v. W. Eckermann u. B. U. Hucker, Cloppenburg 1992, S. 109–23.

Schwaiger, G., Päpstlicher Primat und Autorität der allgemeinen Konzilien im Spiegel der Geschichte, München/Paderborn/Wien 1977.

Sieben, H. J., Die Konzilsidee des lateinischen Mittelalters (847–1378), Paderborn 1984.

Spinelli, L., La vacanza della Sede Apostolica dalle origini al Concilio Tridentino, Mailand 1955.

Tangl, G., Die Teilnehmer an den allgemeinen Konzilien des Mittelalters, Weimar 1932 (ND Darmstadt 1969).

Tangl, M., Die päpstlichen Kanzleiordnungen von 1200–1500, Innsbruck 1894 (ND Aalen 1959).

Tierney, B., Foundations of the Conciliar Theory. The Contribution of the Medieval Canonists from Gratian to the Great Schism, Cambridge 1955.

Tierney, B., The Crisis of Church and State, 1050–1300, Englewood Cliffs, NJ 1964.

Tierney, B., Origins of Papal Infallibility. Sovereignty and Tradition in the Middle Ages, Leiden 1972.

Trexler, R. C., Church and Community, 1200–1600: Studies in the History of Florence and New Spain, Rom 1987.

Ullmann, W., Die Machtstellung des Papsttums im Mittelalter, Graz 1960.

Walther, H. G., Imperiales Königtum, Konziliarismus und Volkssouveränität, München 1976.

Wyduckel, D., Princeps legibus solutus. Eine Untersuchung zur frühmodernen Rechts- und Staatslehre, Berlin 1979.

Zimmermann, H., Papstabsetzungen des Mittelalters, Graz/Wien/Köln 1968.

4. Kirchenrecht

Avril, J., L'institution synodale et la législation épiscopale des temps carolingiens au IVe concile du Lateran, in: Revue d'histoire de l'église de France 89, 2003, S. 273–307.

Battelli, G., I notai pubblici di nomina papale nel Ducento. Proposta di una ricerca d'interesse europeo, in: AHP 36, 1998, S. 59–106.

Bertram, M. (Hg.), Stagnation oder Fortbildung? Aspekte des allgemeinen Kirchenrechts im 14. und 15. Jahrhundert, Tübingen 2005.

Bertram, M., Vorbonifazianische Extravagantensammlungen, in: ZRG KA 89, 2003, S. 285–322.

Blumenthal, U.-R., The Papacy and Canon Law in the Eleventh-Century Reform, in: The Catholic Historical Review 84, 1998, S. 201–218.
Brys, J., De dispensatione in iure canonico praesertim apud decretistas et decretalistas usque ad medium seculum decimum quartum, Brügge/Wetteren 1925.
Clarke, P. D., A Question of Collective Guilt: Popes, Canonists and the Interdict c. 1140–c. 1250, IN: ZRG KA 85, 1999, S. 104–146.
Conetti, M., Les pouvoirs du collège des cardinaux dans les pamphlets de Jacopo et Pietro Colonna contre Boniface VIII, in: Revue de Droit canonique 53, 2003, S. 337–360.
Cordani, A. S., La politica patrimoniale della Chiesa nella dottrina canonistica tra Due e Trecento. La Lectura super Sexto Decretalium di Guido da Basio, in: ZRG KA 91, 2005, S. 180–217.
Cushing, K. G., Anselm of Lucca and the Doctrine of Coercion: The Legal Impact of the Schism of 1080?, in: The Catholic Historical Review 81, 1995, S. 353–371.
De Leon, E., La „cognatio spiritualis“ según Graciano (Pontifico Ateneo della Santa Croce 11), Mailand 1996.
Drosbach, G., Das Hospital – eine kirchenrechtliche Institution? (ca. 1150 – ca. 1350), in: RZG KA 87, 2001, S. 510–522.
Duggan, Ch., Decretals and the Creation of „New Law“ in the Twelfth Century. Judges, Judgements, Equity and Law, Aldershot 1998.
Erdö, P., Storia della scienza del diritto canonico. Una introduzione, Roma 1999.
Falkenstein, L., La papauté et les abbayes françaises aux XIe e XIIe siècles. Exemption et protection apostolique, Paris 1997.
Feine, H.-E., Kirchliche Rechtsgeschichte I: Die katholische Kirche, 5. Aufl. Köln/Graz 1972.
Figueira, R. C., The Medieval Papal Legate and His Province: Geographical Limits of Jurisdiction (Apollinaris 61), 1988, S. 817–60.
Fransen, G., Canones et Quaestiones. Évolution des doctrines et système du droit canonique, 3 Bde., Goldbach 2002.
Friedberg, Ae. (Hg.), Corpus Iuris Canonici, 2 Bde., Leipzig 1879–81.
Fuhrmann, H., Einfluß und Verbreitung der pseudoisidorischen Fälschungen, 3 Bde., Stuttgart 1972–77.
Gagner, S., Studien zur Ideengeschichte der Gesetzgebung, Stockholm/Uppsala/Göteborg 1960.
Gaudemet, J., Les sources du droit de l'Église en Occident du IIe au VIIe siècle, Paris 1985.
Gaudemet, L., La formation du droit canonique médiéval, London 1980.
Gergen, Th., Pratique juridique de la paix et trêve de Dieu à partir du concile de Charroux (989–1250). Juristische Praxis der Pax und Treuga Dei ausgehend vom Konzil von Charroux (989–1250), Frankfurt a. M. 2004.
Gresser, G., Sanctorum patrum auctoritate – Zum Wandel der Rolle des Papstes

im Kirchenrecht auf den päpstlichen Synoden in der Zeit der Gregorianischen Reform, in: ZRG KA 91, 2005,. S. 59–73.
Hirschmann, St., Der Fall Heinrichs von Ely – Zur Praxis päpstlicher Delegationsgerichtsbarkeit um die Mitte des 12. Jahrhunderts, in: ZRG KA 89, 2003, S. 612–618 (siehe auch: AfD 47/48, 2001/2, S. 335–342).
Illegitimität im Spätmittelalter, hg. V. L. Schmugge, München 1994.
Ius Canonicum in Oriente et Occidente, Festschr. C. G. Fürst, hg. v. H. Zapp – An. Weiss – St. Korta, Frankfurt am Main 2003.
Izbicki, Th. M., Friars and Jurists. Selected Studies, Goldbach 1997.
Jerouschek, G., „Ne crimina remaneant impunita". Auf dass Verbrechen nicht ungestraft bleiben: Überlegungen zur Begründung öffentlicher Strafverfolgung im Mittelater, in: ZRG KA 89, 2003, S. 323–337.
Kalb, H., Juristischer und theologischer Diskurs und die Entstehung der Kanonistik als Rechtswissenschaft, in: Österreichisches Archiv für Recht und Religion 47, 2000, S. 1–33.
Kéry, L., Gottesfurcht und irdische Strafe. Der Beitrag des mittelalterlichen Kirchenrechts zur Entstehung des öffentlichen Strafrechts, Köln 2006.
Kéry, L., Kirchenrechtliche Grundlagen des öffentlichen Strafrechts, in: ZRG KA 91, 2005, S. 128–167.
Kéry, L., Non enim homines de occultis, sed de manifestis iudicant. La culpabilité dans le droit de l'Église à l'époche classique, in: Revue de Droit canonique 53, 2003, S. 311–336.
Kuttner, S., Studies in the History of Medieval Canon Law, London 1990.
Laferl, Chr., Machtpolitik und Theologie. Die Päpste und die Frage der conversos in Spanien, in: Römische Historische Mitteilungen 44, 2002, S. 321–338.
Landau, P., Rechtsfortbildung im Dekretalenrecht. Typen und Funktionen der Dekretalen des 12. Jahrhunderts, in: ZRG KA 86, 2000, S. 86–131.
Landi, A., Le radici del conciliarismo. Una storia della canonistica medievale alla luce dello sviluppo del primato del papa, 2. ed. riveduta e corretta, Torino 2001.
Le Bras, G. (Hg.), Histoire du Droit et des Institutions de l'Église en Occident, Bd. 1 ff., Paris 1955 ff.
Limmer, J. Konzilien und Synoden im spätantiken Gallien von 314 bis 696 nach Christi Geburt, 2 Teile, Frankfurt am Main 2004.
Liotta, F., I Papi anagnini e lo sviluppo del diritto canonico classico: tratti salienti, in: AHP 36, 1998, S. 33–47.
Maffei, D., La Donazione di Costantino nei giuristi medievali, Mailand 1964.
Makowski, E., Canon Law and Cloistered Women. *Periculoso* and Its Commentators 1298–1545, Washington D. C. 1997.
Maleczek, W., Die Pieve Casorate im Streit mit der Zisterze Morimondo. Ein Beitrag zur päpstlichen delegierten Gerichtsbarkeit unter Innocenz III., in: MIÖG 105, 1997, S. 361–392.
Marceratini, R., La glossa ordinaria al Decreto di Graziano e la Glossa di Accur-

sio al Codice di Giustiniano: una ricerca sulla *status* giuridico degli eretici, Trento 2003.
Marchetto, A., Chiesa e Papato nella storia e nel diritto. 25 anni di studi critici, Città del Vaticano 2002.
Medieval Church Law and the Originis of Western Legal Tradition. A Tribute to Kenneth Pennington, ed. by W. P. Müller – M. E. Sommar, Washington, D. C. 2006.
Meyer, Chr. H. F., Die Distinktionstechnik in der Kanonistik des 12. Jahrhunderts. Ein Beitrag zur Wissenschaftsgeschichte des Hochmittelalters, Leuven 2000.
Muldoon, J., Medieval Canon Law and the Formation of International Law, in: ZRG KA 81, 1995, S. 64–82.
Müller, H., Streitwert und Kosten in Prozessen vor dem päpstlichen Gericht – eine Skizze, in: ZRG KA 87, 2001, S. 138–164.
Murauer, R., Hanc penam ecclesia non imponit. Die Behandlung straffällig gewordener Geistlicher durch die Kirche vom *Decretum Gratiani* bis zum *Liber Extra* (1140–1234), in: Römische Historische Mitteilungen 46, 2004, S. 47–76.
Nordic Perspectives on Medieval Canon Law, ed. By M. Korpiola, Saarijärvi 1999.
Papato e monachesimo „esente“ nei secoli centrali del Medioevo, a cura di N. D'Acunto, Firenze 2003.
Paravicini Bagliani, A., Bonifacio VIII, la loggia di giustizia al Laterano e i procesi generali di scomunica, in: Rivista di storia della chiesa in Italia 59, 2005, S. 377–428.
Petersmann, J., Die kanonistische Überlieferung des Constitutum Constantini bis zum Dekret Gratians (DA 30), 1974, S. 356–449.
Petersohn, J., Papst Innocenz III. und das Verjährungsrecht der römischen Kirche, Stuttgart 1999.
Piazzoni, A. M., Storia delle elezioni pontificie, Casale Montferrato 2003.
Plöchl, W. M., Geschichte des Kirchenrechts, 3 Bde., 2. Aufl. Wien/München 1960–70.
Proceedings of the Ninth International Congress of Medieval Canon Law, ed. by P. Landau – J. Müller, Città del Vaticano 1997.
Proceedings of the Tenth International Congress of Medieval Canon Law, ed. by K. Pennington – St. Chodorow – K. H. Kendall, Città del Vaticano 2001.
Procès de canonisation au Moyen Âge. Aspects juridiques et religieux. Medieval Canonization processes. Legal and religious aspects, sous la direction de G. Klaniczay, Rom 2004.
Rousseau, C. M., Innocent III, Defender of the Innocents and the Law: Children and Papal Policy (1198–1216), in: AHP 32, 1994, S. 31–42.
Saint-Roch, P., La pénitence dans les conciles et les lettres des papes des origines à la mort de Grégoire le Grand, Città del Vaticano 1991.
Salonen, K. – Krötzl, Chr. (Hgg.), The Roman Curia, the Apostolic Penitentiary and the partes in the Later Middle Ages, Rom 2003.

Schimmelpfennig, B., Papsttum und Heilige. Kirchenrecht und Zeremoniell, Neuried 2005.
Schulz, K., Bemerkungen zu zwei deutschen Juristen im Umfeld des päpstlichen Hofes in Avignon im 14. Jahrhundert: Johannes Henrici (von Seeland) und Wilhelm Horborch, in: Formen internationaler Beziehungen in der Frühen Neuzeit. Frankreich und das Alte Reich im europäischen Staatensystem, Festschr. K. Malettke, hg. v. S. Externbrink – J. Ulbert, Berlin 2001, S. 159–178.
Sieben, H. J., Studien zur Gestalt und Überlieferung der Konzilien, Paderborn 2005.
Sommar, M. E., Hincmar of Reims and the Canon Law of Episcopal Translation, in: The Catholic Historical Review 88, 2002, S. 429–445.
Stickler, A. M., Historia iuris canonici latini, I: Historia fontium, Turin 1950.
Thier, A., Die päpstlichen Register im Spannungsfeld zwischen Rechtswissenschaft und päpstlicher Normsetzung: Innocenz III. und die Compilatio Tertia, in: ZRG KA 88, 2002, S. 44–69.
Ullmann, W., The Church and the Law in the Early Middle Ages, London 1975.
Vacca, S., „Prima Sedes a nemine iudicatur". Genesi e sviluppo storico dell' assioma fino al Decreto di Graziano, Rom 1993.
Vodola, E., Excommunication in the Middle Ages, Berkeley, CA 1986.
Weckwerth, Andreas, Die Einbeziehung der Subdiakone in die klerikale Enthaltsamkeitsvorschriften des Westens, in: ZRG KA 89, 2003, S. 56–81.
Winroth, A., The Making of Gratian's Decretum, Cambridge 2000.

5. Liturgie

Andrieu, M. (Hg.), Les Ordines Romani du haut moyen âge, 5 Bde., Löwen 1931–61.
Andrieu, M., Le Pontifical romain au moyen-âge, 4 Bde., Città del Vaticano 1938–41.
Baldovin, J. F., The Urban Character of Christian Worship: The Origins, Development, and Meaning of Stational Liturgy, Rom 1987.
Blaauw, S. de, Cultus et decor. Liturgie en architecture in laatantik en middeleeuws Rome. Basilica Salvatoris, Sanctae Mariae, Sancti Petri, Delft 1987.
Cancellieri, F., Storia de' solenni possessi de' Sommi Pontefici da Leone II a Pio VII, Rom 1802.
Dijk, S. J. P. van, J. H. Walker, The Origins of the Modern Roman Liturgy, London 1960.
Duchesne, L., Origines du Culte Chrétien. Étude sur la Liturgie Latine avant Charlemagne, 5. Aufl. Paris 1925.
Dykmans, M. (Hg.), Le cérémonial papal de la fin du moyen âge a la Renaissance, bisher 3 Bde., Brüssel/Rom 1977,1981 u.1983.

Eichmann, E., Die Kaiserkrönung im Abendland, 2 Bde., Würzburg 1942.
Eichmann, E., Weihe und Krönung des Papstes im Mittelalter, München 1951.
Grisar, H., Das Missale im Lichte römischer Stadtgeschichte. Stationen, Perikopen, Gebräuche, Freiburg 1925.
Gussone, N., Thron und Inthronisation des Papstes von den Anfängen bis zum 12. Jahrhundert. Zur Beziehung zwischen Herrschaftszeichen und bildhaften Begriffen, Recht und Liturgie im christlichen Verständnis von Wort und Wirklichkeit, Bonn 1978.
Heimpel, H., Königlicher Weihnachtsdienst im späteren Mittelalter (DA 39), 1983, S. 131–206.
Jungmann, J. A., Missarum sollemnia, 2 Bde., 5. Aufl. Wien 1962.
Kirsch, J. P., Die römischen Titelkirchen im Altertum, 2 Bde., Paderborn 1918.
Kirsch, J. P., Die Stationskirchen des Missale Romanum, Freiburg i. Br. 1926.
Ladner, G. B., Der Ursprung und die mittelalterliche Entwicklung der päpstlichen Tiara, in: Tainia (Festschr. für Roland Hampe), Mainz 1979, S. 449–81.
Maccarrone, M., Die Cathedra Sancti Petri im Hochmittelalter. Vom Symbol des päpstlichen Amtes zum Kultobjekt (RQ 75), 1980, S. 171–207.
Pizzi, L., Unificazione della liturgie in Occidente: frutto della azione del Papato? Interventi epistolari papali da Anicento (c. 155) a pio V (1570), 2 Teile, Rom 1988.
Powell, J. M., Honorius III's „Sermo in dedicatione ecclesie Letranensis“ and the Historical-Liturgical Traditions of the Lateran (AHPont 21), 1983, S. 195–209.
Richter, K., Die Ordination des Bischofs von Rom. Eine Untersuchung zur Weiheliturgie, Münster 1976.
Schimmelpfennig, B., Die Krönung des Papstes im Mittelalter, dargestellt am Beispiel der Krönung Pius' II. (3. 9. 1458) (QFIAB 54), 1974, S. 192–270.
Schimmelpfennig, B., Die Zeremonienbücher der römischen Kurie im Mittelalter, Tübingen 1973.
Schimmelpfennig, B., Heilige Päpste – päpstliche Kanonisationspolitik, in: Politik und Heiligenverehrung im Hochmittelalter, hg. V. J. Petersohn, Sigmaringen 1994, S. 73–100.
Träger, J., Der reitende Papst. Ein Beitrag zur Ikonographie des Papsttums, Münster/Zürich 1970.
Vogel, C., Introduction aux sources de l'histoire du culte chrétien au moyen âge, Spoleto 1966.
Vogel, C., Medieval Liturgy: An Introduction to the Sources, Washington, D. C. 1986.
Wasner, F., De consecratione inthronizatione coronatione Summi Pontificis (Apollinaris 8), 1935, S. 86–125, 249–81, 428–39.
Zoepffel, R., Die Papstwahlen und die mit ihnen im nächsten Zusammenhang

stehenden Ceremonien in ihrer Entwicklung vom 11. bis zum 14. Jahrhundert, Göttingen 1872.

6. Rom und Kirchenstaat

Arnaldi, G., Le origini dello Stato della Chiesa, Turin 1987.

Arnaldi, G., u. a., Comuni e signorie nell'Italia nordorientale e centrale: Lazio, Umbria e Marche, Lucca, Turin 1987.

Benzinger, J., Invectiva in Romam. Romkritik im Mittelalter vom 9. bis zum 12. Jahrhundert, Lübeck/Hamburg 1968.

Bizanzio, Roma e l'Italia nell'Alto Medioevo, 2 Bde., Spoleto 1988.

Caravale, M., A. Caracciolo, Lo Stato pontificio da Martino V a Pio IX, Turin 1978.

Claussen, P. C., Magistri doctissimi Romani. Die römischen Marmorkünstler des Mittelalters, Stuttgart 1987.

Die mittelalterlichen Grabmäler in Rom und Latium vom 13. bis zum 15. Jahrhundert, I.: Die Grabplatten und Tafeln, hg. v. J. Garms, Rom/Wien 1981.

Duchesne, L., Scripta minora. Études de topographie romaine et de géographie ecclésiastique, Rom 1973.

Ferrari, G., Early Roman Monasteries. Notes for the History of the Monasteries and Convents at Rome from the V through the X Century, Città del Vaticano 1957.

Geertman, H., More veterum. Il Liber Pontificalis e gli edefici ecclesiastici di Roma nella tarda antichità e nell'alto medioevo, Groningen 1975.

Graf, A., Roma nella memoria e nelle immaginazioni del medioevo, 2 Bde., Turin 1881–82.

Gregorovius, F., Geschichte der Stadt Rom im Mittelalter, neu hg. v. W. Kampf, 3 Bde., Darmstadt 1953–57 u. ö.

Halphen, L., Études sur l'administration de Rome au moyen âge (751–1252), Paris 1907 (ND Rom 1972).

Herklotz, I., „Sepulcra" e „monumenta" del Medioevo. Studi sull'arte sepocrale in Italia, Rom 1985.

Herklotz, I., Der Campus Lateranensis im Mittelalter (RömJbKG 22), 1985, S. 1–43.

Hirschfeld, Th., Das Gerichtswesen der Stadt Rom vom 8. bis 12. Jahrhundert wesentlich nach stadtrömischen Urkunden (AUF 4), 1912, S. 419–562.

Homo, L., Rome médiévale 476–1420. Histoire, civilisation, vestiges, Paris 1934.

Jérusalem, Rome, Constantinople. L'image et le mythe de la ville au Moyen Âge. Colloque du Département d'Études

Krautheimer, R., Rome. Profile of a City, 312–1308, Princeton, NJ 1980.

Krautheimer, R., Three Christian Capitals: Topography and Politics, Berkeley, CA 1983.
La nozione di „romano“ tra cittadinanza e universaltà, Neapel 1984.
Lauer, Ph., Le Palais de Latran, Paris 1911.
Lefèvre, R. (Hg.), Cattedrali del Lazio, Rom 1986.
Lori-Sanfilippo, I., I possessi romani di Farfa, Montecassino e Subiaco – secoli IX–XII (ASR 103), 1980, S. 13–39.
Maddalo, S., In Figura Romae. Immagini di Roma nel libro medioevale, Rom 1990.
Médiévales de l'Université de Paris-Sorbonne (Paris IV), par D. Poirion, Paris 1986.
Partner, P., The Lands of St. Peter: The Papal State in the Middle Ages and the Early Renaissance, London 1972.
Piccioni, E. (Hg.), Roma bibliografica. Trent'anni di bibliografia romana 1959–1988, Rom 1989.
Premoli, B., Ludus carnelevarii. Il carnevale a Roma dal secolo XII al secolo XVI, Rom 1981.
Pressouyre, S., Rome au fil de temps, Boulogne 1973 (Stadtatlas).
Prodi, P., Il sovrano pontefice. Un corpo e due anime: la monarchia papale nella prima età moderna, Bologna 1982.
Redig de Campos, D., I palazzi Vaticani, Bologna 1967.
Reekmans, L., L'implantation monumentale chrétienne dans le paysage urbain de Rome de 300 à 850, in: Actes du XIe Congrès Internat. d'Archéol. Chrétienne, Bd. 2, Rom 1989, S. 861–915.
Reekmans, L., Le développement topographique de la région du Vatican à la fin de l'Antiquité et au début du Moyen Âge (300–850), in: Mélanges d'arch. et d'hist. de l'art offerts au prof. Jacques Lavalleye, Löwen 1970, S. 197–235.
Rodocanachi, E., Les institutions communales de Rome sous la papauté, Paris 1901.
Rom im hohen Mittelalter. Studien zu den Romvorstellungen und zur Rompolitik vom 10. bis zum 12. Jahrhundert, hg. v. B. Schimmelpfennig u. L. Schmugge, Sigmaringen 1992.
Roma, Costantinopoli, Mosca, Neapel 1983.
Rome aux XIIIe et XIVe siècles. Cinque études – Roma nei secoli XIII e XIV. Cinque saggi, hg. v. E. Hubert, Rom 1993.
Sabatini, F., u. a., Il volgare nelle chiese di Roma. Messaggi graffiti, dipinti e incisi dal IX al XVI secolo, Rom 1987.
Saxer, V., L'utilisation par la liturgie de l'espace urbain et suburbain: l'exemple de Rome dans l'Antiquité et le Haut Moyen Âge, in: Actes du XIe Congrès Internat. d'Archéol. Chrétienne, Bd. 2, Rom 1989, S. 917–1033.
Schneider, F., Rom und Romgedanke im Mittelalter. Die geistigen Grundlagen der Renaissance, München 1925 (ND Darmstadt 1959).

Schüler-Piroli, S., Der Petersdom in der Reichsgeschichte, in: Historische Blickpunkte. Festschr. J. Rainer, Innsbruck 1988, S. 629–57.
Sicilia e Italia suburbicaria tra IV e VIII secolo, hg. v. S. Pricoco, Soveria Mannelli 1991.
Skulptur und Grabmal des Spätmittelalters in Rom und Italien, hg. v. J. Garms u. A. M. Romanini, Wien 1990.
Solmi, A., Il senato romano nell'alto medioevo, Rom 1944.
Steinke, Die mittelalterlichen Vatikanpaläste und ihre Kapellen. Baugeschichtliche Untersuchung anhand der schriftlichen Quellen, Città del Vaticano 1984.
Supino Martini, P., Roma e l'area grafica romanesca (secoli X–XII), Alessandria 1987.
Tellenbach, G., Kaiser, Rom und Renovatio. Ein Beitrag zu einem großen Thema, in: Tradition als historische Kraft, hg. von N. Kamp/J. Wollasch, Berlin/New York 1982, S. 231–53.
Toubert, P., Les structures du Latium médiéval. Le Latium méridional et la Sabine du IXe siècle à la fin du XIIIe siècle, 2 Bde., Rom 1973.
Valentini, R. – Zucchetti, R. (Hgg.), Codice topografico della Città di Roma, 4 Bde., Rom 1940–53.
Vielliard, R., Recherches sur les origines de la Rome Chrétienne, Mâcon 1942 (ND Rom 1959).
Voci, A. M., Nord o Sud? Note per la storia del medioevale Palatium Apostolicum apud Sanctum Petrum e delle sue cappelle, Città del Vaticano 1992.
Wolf, G., Salus Populi Romani. Die Geschichte römischer Kultbilder im Mittelalter, Weinheim 1990.

II. Literatur zu den einzelnen Kapiteln

Kap. I: Die römische Gemeinde vor Konstantin d. Gr.

Andresen, C., Die Kirchen der alten Christenheit, Stuttgart 1971.
Apollonj Ghetti, B. M., u. a., Esplorazioni sotto la confessione di S. Pietro in Vaticano, Città del Vaticano 1951.
Balboni, D., Anecdota archaeologica, II. Studi petrini e paolini e studi di agiografia e di archeologia cristiana, Città del Vaticano 1986.
Bauer, W., Rechtgläubigkeit und Ketzerei im ältesten Christentum, 2. Aufl. Tübingen 1964.
Benko, S., Pagan Rome and the Early Christians, Bloomington, IN/London 1984.
Blum, G. G., Apostolische Tradition und Sukzession bei Hippolyt (ZNW 55), 1964, S. 95–116.

Blum, G. G., Tradition und Sukzession. Studien zum Normbegriff des Apostolischen von Paulus bis Irenäus, Berlin/Hamburg 1963.
Brown, P., The Cult of the Saints, London 1981.
Campenhausen, H. Frhr. von, Kirchliches Amt und geistliche Vollmacht in den ersten drei Jahrhunderten, 2. Aufl. Tübingen 1963.
Colson, J., Klemens von Rom, Stuttgart 1962.
Fink, J., Die Ausgrabungen unter St. Peter in Rom und die Frühgeschichte des Petrusgrabes (RHM 26), 1984, S. 57–98.
Frend, W. H. C., The Rise of Christianity, Philadelphia, PA 1984.
Gaudemet, J., La décision de Callixte en matière de mariage, in: Studi in onore di Ugo Enrico Paoli, Florenz 1956, S. 333–44.
Grant, R. M., Christen als Bürger im Römischen Reich, Göttingen 1981.
Grimm, B., Untersuchungen zur sozialen Stellung der frühen Christen in der römischen Gesellschaft, Diss. München 1975.
Henneke, G., Kallist von Rom. Ein Beitrag zur Soziologie der römischen Gemeinde (ZNW 58), 1967, S. 102–121.
Hofmann, P. J., Die amtliche Stellung der in der ältesten römischen Bischofsliste überlieferten Männer in der Kirche von Rom (HJb 109), 1989, S. 1–23.
Keresztes, P., Imperial Rome and the Christians, 2 Bde., Boston, MA 1989.
Kessler, H. B., The Meeting of Peter and Paul in Rome: An Emblematic Narrative of Spiritual Brotherhood (DumbOaP 41), 1987, S. 265–75.
Kriegsbaum, B., Die Religionspolitik des Kaisers Maxentius (AHPont 30), 1992, S. 7–54.
Künzle, P., Sull' autenticità delle ossa ascritte recentemente a. S. Pietro (RSChIt 21), 1967, S. 454–60.
Lampe, P., Die stadtrömischen Christen in den ersten beiden Jahrhunderten. Untersuchungen zur Sozialgeschichte, Tübingen ^{2}1989.
Ludwig, J., Die Primatworte Mt 16, 18, 19 in der altchristlichen Exegese, Münster 1952.
Maccarrone, M., Apostolicità, episcopato e primato di Pietro. Ricerche e testimonianze dal II al V secolo, Rom 1976.
Maccarrone, M., Il pellegrinaggio a San Pietro e il giubileo del 1300, p. I (RSChIt 34), 1980, S. 363–429.
MacMullen, R., Christianizing the Roman Empire. A. D. 100–400, New Haven/London 1984.
Marschall, W., Karthago und Rom. Die Stellung der nordafrikanischen Kirche zum apostolischen Stuhl in Rom, Stuttgart 1971.
Molthagen, J., Der römische Staat und die Christen im zweiten und dritten Jahrhundert, Göttingen 197
Nuove ricerche su Ippolito, Rom 1989.
Pesch, R., Simon-Petrus († 67). Geschichte und geschichtliche Bedeutung des ersten Jüngers Jesu Christi, Stuttgart 1980.

Ricci, C., Alle origini della comunità cristiana a Roma i la presenza femminile (Studi Romani 40), 1992, S. 245–54.
Saulnier, C., La persécution des chrétiens et la théologie du pouvoir à Rome (I^{e}–IVe s.) (Rev. des Sciences Relig. 58), 1984, S. 251–79.
Schultze, B., Epiphanius über Petrus (AHPont 17), 1979, S. 7–68.
Smith, T. V., Petrine Controversies in Early Christianity: Attitudes towards Peter in Christian Writings of the First Two Centuries, Tübingen 1985.
Stockmeier, P., Glaube und Religion in der frühen Kirche, Freiburg 1973.
Strand, K. A., Church Organisation in First-Century Rome: A New Look at the Basic Data (Andrew University Seminary Studies 29), Berriens Spring, MI 1991, S. 139–60.
Toynbee, J. C., J. B. Ward-Perkins, The Shrine of Saint Peter, London/New York/Toronto 1956.
Vogt, H. l., Der Kirchenbegriff des Novatian und die Geschichte seiner Sonderkirche, Bonn 1968.

Kap. II: Papsttum und Rom bis zum Tode Theoderichs (526)

Alessandrini, A., Teodorico e papa Simmaco durante lo scisma laurenziano (ASR 67), 1944, S. 153–207.
Anton, H. H., Kaiserliches Selbstverständnis in der Religionsgesetzgebung der Spätantike und päpstliche Herrschaftsinterpretation im 5. Jahrhundert (ZKG 88), 1977, S. 38–84.
Chantraine, H., Das Schisma von 418/19 und das Eingreifen der kaiserlichen Gewalt in die römische Bischofswahl, in: Alte Geschichte und Wissenschaftsgeschichte. Festschr. K. Christ, Darmstadt 1988, S. 79–94.
Cottrell, A., „Auctoritas“ und „Potestas“. A Reevaluation of the Correspondence of Gelasius I on Papal-Imperial Relations, in: Mediaeval Studies 55, 1993, S. 95–109.
Ensslin, W., Auctoritas und Potestas. Zur Zweigewaltenlehre des Papstes Gelasius I. (HJb 74), 1955, S. 661–68.
Ensslin, W., Papst Johannes I. als Gesandter Theoderichs d. Gr. bei Kaiser Justinos I. (BZ 44), 1951, S. 127–34.
Epp, S., Konstantinszyklen in Rom. Die päpstliche Interpretation der Geschichte Konstantins des Großen bis zur Gegenreformation, München 1988.
Folsom, C., The Liturgical Preaching of St. Leo the Great, Diss. Rom (S. Anselmo) 1990.
Fried, J., Zu Herkunft und Entstehungszeit des Constitutum Constantini, in: DA 63, 2007, S. 603–612.
Gaudemet, J., L’église dans l’empire romain, überarb. Auflage: Paris 1990.

Girardet, K. M., Appellatio. Ein Kapitel kirchlicher Rechtsgeschichte in den Kanones des 4. Jahrhunderts (Historia 23), 1974, S. 98–127.
Grisar, H., Geschichte Roms und der Päpste im Mittelalter, I: Rom beim Ausgang der antiken Welt, Freiburg 1901.
Heiler, F., Altkirchliche Autonomie und päpstlicher Zentralismus, München 1941.
Horn, S. O., Die Auseinandersetzungen um die Autorität der Kirche von Konstantinopel am Vorabend des acacianischen Schismas, in: Weisheit Gottes – Weisheit der Welt. Festschr. J. Ratzinger, Bd. 1, St. Ottilien 1987, S. 697–711.
Huskinson, I. M., Concordia Apostolorum: Christian Propaganda at Rome in the Fourth and Fifth Centuries. A study in Early Christian Iconography and Iconology, Oxford 1982.
Joannou, P. P., Die Ostkirche und die Cathedra Petri im 4. Jahrhundert, Stuttgart 1972.
Jones, A. H. M., Church Finance in the Fifth and Sixth Centuries (Journal of Theological Studies N. S. 11), 1960, S. 84 –94.
Jones, A. H. M., The Later Roman Empire 284–602, 2 Bde., Oxford 1964.
Klauser, Th., Der Ursprung der bischöflichen Insignien und Ehrenrechte, 2. Aufl. Krefeld 1953.
Klinkenberg, H. M., Papsttum und Reichskirche bei Leo d. Gr. (ZRGKA 38), 1952, S. 37–112.
Koch, H., Gelasius im kirchenpolitischen Dienst seiner Vorgänger, der Päpste Simplicius (468–483) und Felix III. (483–492), München 1935.
Koeniger, A. M., Prima sedes a nemine iudicatur, in: Beiträge zur Geschichte des christlichen Altertums und der byzantinischen Literatur. Festgabe A. Ehrhard, Bonn 1922, S. 273–300.
Kriegsbaum, B., Afrikanische Autonomie und römischer Primat. Kanon 8 der römischen Synode von 386 und seine Geltung in Afrika, in: Aus Kirche und Reich. Festschr. Fr. Kempf, Sigmaringen 1983, S. 11–21.
Lippold, A., Ursinus und Damasus (Historia 14), 1965, S. 105–128.
Llewellyn, P., The Names of the Roman Clergy, 401–1046 (RSChIt 35), 1981, S. 355–70.
Löwe, H., Theoderich d. Gr. und Papst Johannes I. (HJb 72), 1953, S. 83–100.
Matthews, J., Western Aristocracies and Imperial Court, 364–425, Oxford 1975.
McShane, Ph. A., La romanitas et le pape Léon le Grand. L'apport culturel des institutions imperiales à la formation des structures ecclesiastiques, Tournai 1979.
Meyendorff, J., Imperial Unity and Christian Division. The Church 450–680 A. D., Crestwood, NY 1989.
Peri, V., Concilium plenum et generale. La prima attestazione dei criter tradizionali dell'ecumenicità (AHC 15), 1983, S. 41–78.

Pietri, Ch., Le sénat, le peuple chrétien et les partis du cirque a Rome sous le Pape Symmaque (498–514) (MelArchH 78), 1966, S. 123–139.
Pietri, Ch., Roma Christiana. Recherches sur l'Église de Rome, sa organisation, sa politique, sa idéologie de Miltiade a Sixte III, 311–440, Rom 1976.
Pohlkamp, W., Kaiser Konstantin, der heidnische und der christliche Kult in den Actus Silvestri (FrühmSt 18), 1984, S. 357–400.
Pohlkamp, W., Textfassungen, literarische Formen und geschichtliche Funktionen der römischen Silvester-Akten (Francia 19,1) 1992, S. 115–96.
Saecularia Damasiana. Atti del Convegno intern. per il XVI centenario della morte di papa Damaso I, Rom 1984.
Salzmann, M. R., On Roman Time. The Codex-Calendar of 354 and the Rhythmus of Urban Life in Late Antiquity, Berkeley, CA 1990.
Stockmeier, P., Leos I. d. Gr. Beurteilung der kaiserlichen Religionspolitik, München 1959.
Sugano, K., Das Rombild des Hieronymus, Frankfurt a. M. 1983.
Susman, F., Il Culto di S. Pietro a Roma dalla morte di Leone Magno a Vitaliano (461–672) (ASR 84), 1961, S. 1–192.
Ullmann, W., Der Grundsatz der Arbeitsteilung bei Gelasius I. (HJb 97–98), 1979, S. 41–70.
Ullmann, W., Gelasius I. (492–496). Das Papsttum an der Wende der Spätantike zum Mittelalter, Stuttgart 1981.
Ulrich, J., Das Konzil von Turin. Zu Datierung und historischer Bedeutung, in: Bonner Jbb. 197, 1997, S. 91–124.
Verrando, G. N., Liberio – Felice. Osservazioni e rettifiche di carattere storico-agiografico (RSChIt 35), 1981, S. 91–125.
Vogel, C., Le „Liber Pontificalis“ dans l'édition de Louis Duchesne, in: Monseigneur Duchesne et son temps, Rom 1972, S. 99–127.
Vries, W. de, Die Struktur der Kirche gemäß dem Konzil von Ephesos (431) (AHC 2), 1970, S. 22–55.
Vries, W. de, Rom und die Patriarchate des Ostens, Freiburg/München 1963.
Wermelinger, O., Rom und Pelagius. Die theologische Position der römischen Bischöfe im pelagianischen Streit in den Jahren 411–432, Stuttgart 1975.
Westenburger, G., Der Symmachusprozeß von 501. Kirchenkrise und Papstdoktrin, Tübingen 1939.
Wojtowytsch, M., Papsttum und Konzile von den Anfängen bis zu Leo I. (440–461). Studien zur Entstehung der Überordnung des Papstes über Konzile, Stuttgart 1981.
Wollasch, J., Benedikt von Nursia. Person der Geschichte oder fiktive Idealgestalt? In: StMGBO 118, 2007, S. 7–30.

Kap. III: Das Papsttum unter byzantinischer Herrschaft (bis 774)

Affeldt, W., Untersuchungen zur Königserhebung Pippins. Das Papsttum und die Begründung des karolingischen Königtums im Jahre 751 (FrühmSt 14) 1980, S. 95–187.

Angenendt, A., Das geistliche Bündnis der Päpste mit den Karolingern (754–796) (HJb 100), 1980, S. 1–94.

Anton, H. H., Studien zu den Klosterprivilegien der Päpste im frühen Mittelalter unter besonderer Berücksichtigung der Privilegierung von St. Maurice d'Agaune, Berlin/New York 1975.

Azzara, C., „Pater vester, clementissimus imperator". Le relazioni tra i Franchi e Bisanzio nella prospettiva del papato del VI secolo, in: Studi medievali 3° serie, vol. 36, 1995, S. 303–320.

Azzara, C., Gregorio Magno, i Longobardi e l'Occidente barbarico. Costanti e peculiarità di un rapporto (BISI 97), 1991, S. 1–74.

Bavant, B., Le duché byzantin de Rome. Origine, durée et extension géographique (MelArchH 91), 1979, S. 41–88.

Becher, M. – Jarnut, J. (Hgg.), Der Dynastiewechsel von 751. Vorgeschichte, Legitimationsstrategie und Erinnerung, Münster 2004.

Bertolini, O., Roma di fronte a Bisanzio e ai Longobardi (= Storia di Roma IX), Bologna 1941.

Bertolini, O., Roma e i Longobardi, Rom 1972.

Bertolini, O., Scritti scelti di storia medioevale, Livorno 1968.

Bock, F., Bemerkungen zu den ältesten Papstregistern und zum „Liber diurnus Romanorum Pontificum" (AZ 57), 1961, S. 11–51.

Bognetti, G. P., L'età longobarda, 2 Bde., Mailand 1966.

Caspar, E., Pippin und die römische Kirche, Berlin 1914.

Chavasse, A., Aménagements liturgiques à Rome au VIIe et VIIIe siècle (Revue Bénédictine 99), 1989, S. 75–102.

Chavasse, A., Evangéliaire, épistolier, antiphonaire et sacramentaire. Les livres romains de la messe au VIIe et VIIIe siècle (Ecclesia Orans 6), 1989, S. 177–255.

Conte, P., Chiesa e primato nelle lettere dei papi del secolo VII, Mailand 1971.

Conte, P., Il significato del primato papale nei padri del VI concilio ecumenico (AH Pont 15), 1977, S. 7–111.

Coste, J., La „Domusculta Sanctae Caesiliae". Méthode et portée d'une localisation (MélArchH 96), 1984, S. 727–75.

Daileader, P., One Will, One Voice, and Equal Love: Papal Elections and the Liber Pontificalis in the Early Middle Ages (AHPont 31), 1993, S. 11–31.

Delogu, P., u. a., Longobardi e Bizantini (= Storia d'Italia b), Turin 1980.

Dijk, S. J. P. van, Gregory the Great Founder of the Urban Schola Cantorum (EL 77), 1963, S. 335–56.

Drabek, A. M., Die Verträge der fränkischen und deutschen Herrscher mit dem Papsttum von 754 bis 1020, Wien 1976.
Evans, G. R., The Thought of Gregory the Great, Cambridge 1985.
Fischer, E. H., Gregor der Große und Byzanz (ZRGKA 36), 1950, S. 15–144.
Fritze, W. H., Papst und Frankenkönig. Studien zu den päpstlich–fränkischen Rechtsbeziehungen von 754–824, Sigmaringen 1972.
Gessel, W. M., Reform am Haupt. Die Pastoralregel Gregors des Großen und die Besetzung von Bischofsstühlen, in: Papsttum und Kirchenreform. Festschr. G. Schwaiger, St. Ottilien 1990, S. 17–36.
Gibbs, M., The Decrees of Agatho and the Gregorian Plan for York (Speculum 48), 1973, S. 213–46.
Giordano, O., L'invasione longobarda e Gregorio Magno, Bari 1970.
Grégoire le Grand, hg. v. J. Fontaine …, Paris 1986.
Gregorio Magno e il suo tempo, 2 Bde., Rom 1991.
Grotz, H., Beobachtungen zu den zwei Briefen Papst Gregors II. an Kaiser Leo III. (AHPont 18), 1980, S. 9–40.
Grotz, H., Weitere Beobachtungen zu den zwei Briefen Papst Gregors II. an Kaiser Leo III. (AHPont 24), 1986, S. 365 –75.
Guillou, A., F. Burgarella, L'Italia bizantina. Dall'esarcato di Ravenna al tema di Sicilia, Turin 1988.
Guillou, A., Régionalisme et independance dans l'empire byzantin au VIIe siècle. L'exemple de l'exarchat et de la pentapole d'Italie, Rom 1969.
Hallenbeck, J. T., Instances of Peace in Eighth-Century Lombard-Papal Relations (AH Pont 18), 1980, S. 41–56.
Hallenbeck, J. T., Paul Afiarta and the Papacy (AHPont 12), 1974, S. 30–54.
Hallenbeck, J. T., Pavia and Rome: The Lombard Monarchy and the Papacy in the Eighth Century, Philadelphia, PA 1982.
Hallenbeck, J. T., Pope Stephen III: Why was he elected? (AHPont 12), 1974, S. 287–99.
Hallenbeck, J. T., The Election of Pope Hadrian I (Church History 37), 1968, S. 261–70.
I problemi dell' occidente nel secolo VIII, Spoleto 1973.
Jenal, G., Gregor der Große und die Anfänge der Angelsachsenmission, 596–604, in: Angli e Sassoni al di qua e al di là del mare, Bd. 2, Spoleto 1986, S. 793–849.
Jenal, G., Gregor der Große und die Stadt Rom, 590–604, in: Herrschaft und Kirche. Beiträge zur Entstehung und Wirkungsweise episkopaler und monastischer Organisationsformen, hg. v. F. Prinz, Stuttgart 1988, S. 109–45.
Kreuzer, G., Die Honoriusfrage im Mittelalter und in der Neuzeit, Stuttgart 1975.
Le chiese nei regni dell'Europa occidentale e i loro rapporti con Roma sino all' 800, Spoleto 1960.

Llewellyn, P., Rome in the Dark Ages, New York 1971.
Losenno, N. L., Il Pontefice come „servus servorum Dei“ nel „Registrum“ di San Gregorio Magno, Diss. Univ. S. Cuore, Mailand 1961.
Magi, L., La Sede Romana nella corrispondenza degli imperatori e patriarchi bizantini (VI–VII sec.), Löwen/Rom 1972.
Marazzi, F., Il conflitto fra Leone III Isaurico e il papato fra il 725 e il 733, e il „definitivo“ inizio del medioevo a Roma: un' ipotesi in discussione (Papers of the British School at Rome 59), 1991, S. 231–57.
Meyendorff, J., Justinian, the Empire and the Church (DumbOaP 22), 1968, S. 43 –60.
Michels, H., Zur Echtheit der Briefe Papst Gregors II. an Kaiser Leon III. (ZKG 99), 1988, S. 376–91.
Miller, D. H., Byzantine-Papal Relations during the Pontificate of Paul I: Confirmation and Completion of the Roman Revolution of the Eighth Century (BZ 68), 1975, S. 47–62.
Miller, D. H., Papal-Lombard Relations during the Pontificate of Pope Paul I: The Attainment of an Equilibrium of Power in Italy, 756–767 (CatHR 55), 1969/70, S. 358–76.
Miller, D. H., The Roman Revolution of the Eighth Century. A Study of the Ideological Background of the Papal Separation from Byzantium and Alliance with the Franks (Mediaeval Studies 36), 1974, S. 79–133.
Modesto, J., Gregor der Große. Nachfolger Petri und Universalprimat, St. Ottilien 1989.
Mordek, H., Rom, Byzanz und die Franken im 8. Jahrhundert. Zur Überlieferung und kirchenpolitischen Bedeutung der Synodus Romana Papst Gregors III. vom Jahre 732, in: Person und Gemeinschaft im Mittelalter. Festschr. K. Schmid, Sigmaringen 1988, S. 123–56.
Murphy, F. X., P. Sherwood, Konstantinopel II und III, Mainz 1990.
Noble, Th. F. X., A New Look at the 'Liber Pontificalis' (AHPont 23), 1985, S. 347–58.
Noble, Th. F. X., The Republic of St. Peter: The Birth of the Papal State, 680–825, Philadelphia, PA 1984.
Padberg, Lutz von, Bonifatius. Missionar und Reformer, München 2003.
Padberg, Lutz von, Mission und Christianisierung: Formen und Folgen bei Angelsachsen und Franken im 7. und 8. Jahrhundert, Stuttgart 1995.
Pitz, E., Papstreskripte im frühen Mittelalter. Diplomatische und rechtsgeschichtliche Studien zum Brief-Corpus Gregors des Großen, Sigmaringen 1990.
Ramos-Lisson, D., Die synodalen Ursprünge des „Filioque“ im römisch-westgotischen Hispanien (AHC 16), 1984, S. 286–99.
Raspi Serra, I., C. Laganara Fabiano, Economia e territorio. Il Patrimonio Beati Petri nella Tuscia (569–774), Neapel 1987.

Recchia, V., Gregorio Magno e la società agricola, Rom 1978.

Richards, J., Consul of God: The Life and Times of Gregory the Great, London 1980.

Richards, J., The Popes and the Papacy in the Early Middle Ages (476–752), London/Boston, MA 1979.

Riedinger, R., Aus den Akten der Lateransynode von 649 (BZ 69), 1976, S. 17–38.

Riedinger, R., Die Lateransynode von 649 und Maximos der Bekenner, in: Maximus Confessor. Actes du Symposium sur Maxime le Confesseur Fribourg, 2–5 septembre 1980, Freiburg/Schweiz 1982, S. 111–21.

Sansterre, I.-M., Le pape Constantin Ier (708–715) et la politique religieuse des empereurs Justinien II et Philippikos (AHPont 22), 1984, S. 7–29.

Sansterre, I.-M., Les moines grecs et orientaux à Rome aux époques byzantine et carolingienne (milieu du VI[e]s.–fin du IX[e]s.), 2 Bde., Brüssel 1983.

Santifaller, L., Liber Diurnus. Studien und Forschungen, Stuttgart 1976.

Schieffer, Th., Winfrid-Bonifatius und die christliche Grundlegung Europas, Freiburg 1954.

Schmid, K., Zur Ablösung der Langobardenherrschaft durch die Franken (QFIAB 52), 1972, S. 1–36.

Semmler, J., Der Dynastiewechsel von 751 und die fränkische Königssalbung, Düsseldorf 2003.

Sickel, Th. (Hg.), Liber Diurnus, Wien 1889.

Speigl, J., Die Geschichte der vier ersten Ökumenischen Konzilien: Wie Kaiser Justinian sie sah (Münchener Theol. Zs. 40), 1989, S. 349–63.

Speigl, J., Leo quem Vigilius condemnavit, in: Papsttum und Kirchenreform. Festschr. G. Schwaiger, St. Ottilien 1990, S. 1–15.

Thanner, A., Papst Honorius I. (625–628), St. Ottilien 1989.

Ubl, K., Der lange Schatten des Bonifatius. Die Responsa Stefans II. aus dem Jahr 754 und das fränkische Kirchenrecht, in: DA 63, 2007, S. 403–450.

Zettinger, J., Die Berichte über Rompilger aus dem Frankenreiche bis zum Jahre 800, Rom 1900.

Zettl, E., Die Bestätigung des V. Oekumenischen Konzils durch Papst Vigilius. Untersuchungen über die Echtheit der Briefe „Scandala" und „Aetius", Bonn 1974.

Zocca, E., Onorio I e la tradizione occidentale (Augustinianum 27), 1987, S. 571–615.

Kap. IV: Das Papsttum unter karolingischer Herrschaft (774–904)

Arnaldi, G., Natale 875. Politica, ecclesiologia, cultura del papato altomedievale I, Rom 1990.

Arnold, D., Johannes VIII. Päpstliche Herrschaft in den karolingischen Teilreichen am Ende des 9. Jahrhunderts, Frankfurt am Main 2005.

Becher, M., Die Kaiserkrönung im Jahr 800. Eine Streitfrage zwischen Karl dem Großen und Papst Leo III., in: RhVjBll. 66, 2002, S. 1–38.
Becher, M., Karl der Große, München 1999.
Belting, H., Die beiden Palastaulen Leos III. im Lateran und die Entstehung einer päpstlichen Programm-Kunst (FrühmSt 12), 1978, S. 55–83.
Benericetti, R., La cronologia dei paoi del secolo IX e le carte de Ravenna, in: AHP 36, 1998, S. 49–58.
Benericetti, R., La cronologia di alcuni papi dei secoli VIII–IX secondo le carte ravennati, in: AHP 37, 1999, S. 13–24.
Benz, K. J., „Cum ab oratione surgeret". Überlegungen zur Kaiserkrönung Karls des Großen (DA 31), 1975, S. 337–69.
Beumann, H., u. a., Karolus Magnus et Leo papa. Ein Paderborner Epos vom Jahre 799, Paderborn 1966.
Borgolte, M., Papst Leo III., Karl der Große und der Filioque-Streit von Jerusalem (Byzantina 10), 1980, S. 401–27.
Boshof, E., H. Wolter, Rechtsgeschichtlich-diplomatische Studien zu frühmittelalterlichen Papsturkunden, Köln/Wien 1976.
Caspar, E., Das Papsttum unter fränkischer Herrschaft, Darmstadt 1956.
Classen, P., Karl der Große, das Papsttum und Byzanz. Die Begründung des karolingischen Kaisertums, Sigmaringen 1985.
Concilium Nicaenum II (AHC 20), 1988: gesamter Band.
Duchesne, L. – Miccoli, G., I primi tempi dello Stato pontificio, 2. Aufl. Turin 1967.
Dumeige, G., Nizäa II, Mainz 1985.
Dümmler, E., Auxilius und Vulgarius. Quellen und Forschungen zur Geschichte des Papsttums im Anfange des zehnten Jahrhunderts, Leipzig 1866.
Dvornik, F., Byzanz und der römische Primat, Stuttgart 1966.
Dvornik, F., The Photian Schism: History and Legend, Cambridge 1948.
Engels, O., Zum päpstlich-fränkischen Bündnis im 8. Jahrhundert, in: Ecclesia et regnum. Festschr. F.-J. Schmale, Bochum 1989, S. 21–38.
Engels, O., Zum Rombesuch Karls des Großen im Jahre 774 (Jahrb. f. fränkische Landesforschung 52), 1992, S. 15–24.
Falkenstein, L., Der „Lateran" der karolingischen Pfalz zu Aachen, Köln 1966.
Fried, J., Boso von Vienne oder Ludwig der Stammler. Der Kaiserkandidat Johannes' VIII. (DA 32), 1976, S. 193–208.
Fried, J., Laienadel und Papst in der Fruhzeit der französischen und deutschen Geschichte, in: Beumann, H. – Schröder, W. (Hgg.), Nationes I, Sigmaringen 1978, S. 367–406.
Fried, J., Papst Leo III. besucht Karl den Großen in Paderborn oder Einhards Schweigen, in: HZ 272, 2001, S. 281–326.
Fuhrmann, H., Das Papsttum und das kirchliche Leben im Frankenreich, in:

Nascita dell'Europa ed Europa Carolingia: Un equaziöne da verificare, Spoleto 1981, S. 419–56.
Grotz, H., Erbe wider Willen. Hadrian II. (867–872) und seine Zeit, Wien 1970.
Hageneder, O., Das „crimen maiestatis", der Prozeß gegen die Attentäter Papst Leos III. und die Kaiserkrönung Karls des Großen, in: Aus Kirche und Reich. Festschr. Fr. Kempf, Sigmaringen 1983, S. 55–79.
Hägermann, D., Karl der Große, Reinbek 2003.
Hägermann, D., Karl der Große. Herrscher des Abendlandes, Berlin/München 2000.
Halfter, P., Das Papsttum und die Armenier im frühen und hohen Mittelalter. Von den ersten Kontakten bis zur Fixierung der Kirchenunion im Jahre 1198, Köln 1996.
Hartmann, F., Hadrian I. (772–795). Frühmittelalterliches Adelspapsttum und die Lösung Roms vom byzantinischen Kaiser, Stuttgart 2006.
Hartmann, W., Die Synoden der Karolingerzeit im Frankenreich und in Italien, Paderborn 1989.
Hartmann, W., Zur Autorität des Papsttums im karolingischen Frankenreich, in: Mönchtum – Kirche – Herrschaft 750–1000, hg. v. D. R. Bauer – R. Hiestand – B. Kasten – S. Lorenz, Sigmaringen 1998, S. 113–132.
Hehl, E. D., 798 – ein erstes Zitat aus der Konstantinischen Schenkung (DA 47), 1991, S. 1–17.
Heimbucher, M., Die Papstwahlen unter den Karolingern, Augsburg 1889.
Heiser, L., Die Responsa ad consulta Bulgarorum des Papstes Nikolaus (858–867) – ein Zeugnis päpstlicher Hirtensorge und ein Dokument unterschiedlicher Entwicklungen in den Kirchen von Rom und Konstantinopel, Diss. Münster 1978.
Herbers, K., Leo IV. und das Papsttum in der Mitte des 9. Jahrhunderts, Möglichkeiten und Grenzen päpstlicher Herrschaft in der späten Karolingerzeit, Stuttgart 1996.
Herbers, K., Rom im Frankenreich – Rombeziehungen durch Heilige in der Mitte des 9. Jahrhunderts, in: Mönchtum – Kirche – Herrschaft 750–1000, hg. v. D. R. Bauer – R. Hiestand – B. Kasten – S. Lorenz, Sigmaringen 1998, S. 133–169.
Jarnut, J., 799 und die Folgen. Fakten, Hypothesen und Spekulationen, in: Westfälische Zeitschrift 150, 2000, S. 191–209.
Johanek, P., Die Sachsenkriege Karls des Großen und der Besuch Papst Leos III. in Paderborn 799 im Gedächtnis der Nachwelt, in: Westfälische Zeitschrift 150, 2000, S. 211–233.
Kantorowicz, E. H., Constantinus Strator. Marginalien zum Constitutum Constantini, in: Mullus. Festschr. Th. Klauser, Münster 1964, S. 181–189.
Kempf, F., Primatiale und episkopal-synodale Struktur der Kirche vor der gregorianischen Reform (AHPont 16), 1978, S. 27–66.

Kerner, M., Der Reinigungseid Leos III. vom Dezember 800. Die Frage seiner Echtheit und frühen kanonistischen Uberlieferung. Eine Studie zum Problem der päpstlichen Immunität im früheren Mittelalter (ZAachenG 84–85), 1977–78, S. 131–160.

Lamberz, E., Studien zur Überlieferung der Akten des VII. Ökumenischen Konzils: Der Brief Hadrians I. an Konstantin VI. und Irene (JE 2448), in: DA 53, 1997, S. 1–44.

Lapotre, A., Études sur la papauté au IXe siècle, 2 Bde., Turin 1978.

Leonardi, C., Anastasio Bibliotecario e l'Ottavo Concilio Ecumenico, Spoleto 1987.

Llewellyn, P., Le contexte romain du couronnement de Charlemagne. Le temps de l'Avent de l'année 800 (Le Moyen Âge 96), 1990, S. 209–25.

Lohrmann, D., Das Register Papst Johannes' VIII., Tübingen 1968.

Nicée II, 787–1987. Douze siècles d'images religieuses, hg. v. F. Boespflug u. N. Lossky, Paris 1987.

Perels, E., Papst Nikolaus I. und Anastasius Bibliothecarius, Berlin 1920.

Peri, V., Il „Filioque" nel magistero di Adriano I e di Leone III. Una plausibile formulazione del dogma (RSChIt 41), 1987, S. 5–25.

Peri, V., Il mandato missionario e canonico di Metodio e l'ingresso della lingua slava nella liturgia (AHPont 26), 1988, S. 9–69.

Peri, V., Leo III e il „Filioque". Ancora un falso e l'autentico simbolo romano (RSLetRel 6), 1970, S. 268–97.

Roma e l'età carolingia, Rom 1976.

Schmitz, G., Die Reformkonzilien von 813 und die Sammlung des Benedictus Levita, in: DA 56, 2000, S. 1–32.

Schneider, R., Das Frankenreich, München/Wien 1982.

Scholz, S., Politik – Selbstverständnis – Selbstdarstellung. Die Päpste in karolingischer und ottonischer Zeit, Stuttgart 2006.

Sefton, D. S., Pope Hadrian I and the Fall of the Kingdom of the Lombards (CatHR 65), 1979, S. 206–20.

Sefton, D. S., The Pontificate of Hadrian I (772–795): Papal Theory and Political Reality in the Reign of Charlemagne, Diss. Michigan State Univ. 1975.

Thümmel, H. G., Die Konzilien zur Bilderfrage im 8. und 9. Jahrhundert. Das 7. Ökumenische Konzil in Nikaia 787, Paderborn 2005.

Villoslada, R. G., El himno al papa Juan (IX?) de las Laudes Cornomaniae (Miscellanea Comillas 32), 1974, S. 185–205.

Wallach, L., The Greek and Latin Versions of II Nicaea (787) and the Synodica of Hadrian I (JE 2448), in: Ders., Diplomatic Studies in Latin and Greek Documents from the Carolingian Age, Ithaca, NY/London 1977, S. 3–46.

Zimmermann, H., Imperatores Italiae, in: Historische Forschungen für Walter Schlesinger, Köln/Wien 1974, S. 379–99.

Kap. V: Das Papsttum unter dem Einfluß des römischen Adels (904–1046)

Althoff, G., Die Ottonen. Königsherrschaft ohne Staat, Stuttgart/Berlin/Köln 2000

Althoff, G., Otto IIII., Darmstadt 1996.

Anton, H. H., Der sogenannte Traktat „de ordine pontifice". Ein Rechtsgutachten in Zusammenhang mit der Synode von Sutri (1046), Bonn 1982

Aufbruch ins zweite Jahrtausend. Innovation und Kontinuität in der Mitte des Mittelalters, hg. v. A. Hubel – B. Schneidmüller, Ostfildern 2004

Beaufrére, A., Gerbert, prêtre à Aurillac, pontife à Rome, Aurillac 1970.

Benericetti, R., La cronologia dei papi dei secoli IX–XI. Secondo le carte di Ravenna, Faenza 1999.

Brandmüller, W., Silvester II. Römischer Primat an der Schwelle zum 2. Jahrtausend, in: Bulletino dell'Istituto storico italiano per il Medio Evo 104, 2002, S. 1–29.

Bulst, N., Untersuchungen zu den Klosterreformen Wilhelms von Dijon (962–1031), Bonn 1973.

D'Acunto, N., Nostrum Italicum regnum. Aspetti della politica di Ottone III, Milano 2002.

Duchesne, L., Serge III et Jean XI (MélArchH 33), 1913, S. 25–64.

Eichengrün, F., Gerbert (Silvester II.) als Persönlichkeit, Berlin 1928 (ND Hildesheim 1972).

Engelbert, P., Heinrich III. und die Synoden von Sutri und Rom im Dezember 1046, in: Römische Quartalschrift für christliche Archäologie und KG 94, 1999, S. 228–266.

Engels, O., Schutzgedanke und Landesherrschaft im östlichen Pyrenäenraum (9.–13. Jahrhundert), Münster 1970.

Erdmann, C., Das ottonische Reich als Imperium Romanum (DA 6), 1943, S. 412–41.

Erdmann, C., Forschungen zur politischen Ideenwelt des Frühmittelalters, Berlin 1951.

Erkens, F.-R., Konrad II. Herrschaft und Rich des ersten Salierkaisers, Regensburg 1998.

Fedele, P., Ricerche per la storia di Roma e del papato (ASR 33), 1910, S. 174–247; (34), 1911, S. 75–115, 393–423.

Gerberto. Scienza, storia e mito. Atti del „Gerberti Symposium", Bobbio 1985.

Görich, K., Otto III. Romanus Saxonicus et Italicus. Kaiserliche Rompolitik und sächsische Historiographie, Sigmaringen 1993.

Görich, K., Otto III. Romanus Saxonicus et Italicus. Kaiserliche Rompolitik und sächsische Historiographie, Sigmaringen 1993.

Guyotjeannin, O. – Poulle, E. (Hgg.), Autour de Gerbert d'Aurillac, le pape de l'An mil. Album de documents commentés, Paris 1996.
Haendler, G., Von der Reichskirche Ottos I. zur Papstherrschaft Gregors VII., Leipzig 1994.
Hehl, E.-D., Kaisertum, Rom und Papstbezug im Zeitalter Ottos I., in: Ottonische Neuanfänge, hg. v. B. Schneidmüller – St. Weinfurter, Mainz 2001, S. 213–235.
Hehl., E.-D., Der wohlberatene Papst. Die römische Synode Johannes' XII. vom Febraur 964, in: Ex ipsis rerum documentis, Festschr. H. Zimmermann, hg. v. K. Herbers – H. H. Kortüm – C. Servatius, Sigmaringen 1991, S. 257–275.
Herrmann, K.-J., Das Tuskulaner-Papsttum (1012–1046). Benedikt VIII., Johannes XIX., Benedikt IX., Stuttgart 1973.
Jeismann, M., Das 11. Jahrhundert – Kaiser und Papst, München 2000.
Johrendt, J., La protezione alla luce dei documenti pontifici (896–1046), in: Bullettino dell'Istituto Storico Italiano per il Medio Evo 107, 2005, S. 135–168.
Klinkenberg, H. M., Der römische Primat im 10. Jahrhundert (ZRGKA 41), 1955, S. 1–57.
Kölmel, W., Rom und der Kirchenstaat im 10. und 11. Jahrhundert bis in die Anfänge der Reform, Berlin 1935.
Kortüm, H.-H., Gerbertus qui est Silvester. Papsttum um die Jahrtausendwende, in: DA 55, 1999, S. 29–62.
Landersdorfer, A., Die Gründung des Erzbistums Magdeburg durch Kaiser Otto den Großen, in: Münchener Theologische Zeitschrift 46, 1995, S. 3–19.
Laudage, J., Otto der Große. Eine Biographie, Regensburg 2001.
Moehs, T. E., Pope Gregory V (996–999): A Biographical Study, Stuttgart 1972.
Santifaller, L., Chronologisches Verzeichnis der Urkunden Papst Johanns XIX. (RHM 1), 1956/57, S. 35–76.
Santifaller, L., Zur Geschichte des ottonisch–salischen Reichskirchensystems, 2. Aufl. Wien 1962.
Savigni, R., Sacerdozio e regno in età post–carolingia: l'episcopato di Giovanni X, arcivescovo di Ravenna (905–914) e Papa (914–928) (RSChIt 46), 1992, S. 1–29.
Schmale, F. J., Die „Absetzung" Gregors VI. in Sutri und die synodale Tradition (AHC 11), 1979, S. 55–103.
Schramm, P. E., Kaiser, Rom und Renovatio, 2 Bde., Leipzig 1929.
Simon, J., Rom und die Kirche im deutschen Reich des 10. Jahrhunderts, in: Mönchtum – Kirche – Herrschaft 750–1000, hg. v. D. R. Bauer – R. Hiestand – B. Kasten – S. Lorenz, Sigmaringen 1998, S. 171–186.
Venni, T., Giovanni X (ASR 59), 1936, S. 1–136.
Vogel, C. – Elze, R. (Hgg.), Le Pontifical Romano-Germanique du dixième siècle, 3 Bde., Città del Vaticano 1963/72.

Weinfurter, St., Heinrich II. (1002–1024). Herrscher am Ende der Zeiten, 2. Aufl. Regensburg 2002.
Wolfram, H., Konrad II. 990–1039. Kaiser dreier Reiche, München 2000.
Wolter, H., Die Synoden im Reichsgebiet und in Reichsitalien von 916 bis 1056, Paderborn 1988.
Zimmermann, H., Das Privilegium Ottonianum von 962 und seine Problemgeschichte (MIÖG, Erg.bd. 20), 1962, S. 147–90.
Zimmermann, H., Papstregesten 911–1024 (= I. F. Böhmer, Regesta Imperii II 5), Wien/Köln/Graz 1969.
Zotz, Th., Pallium et alia quaedam archiepiscopatus insignia. Zum Beziehungsgefüge und zu Rangfragen der Reichskirchen im Spiegel der päpstlichen Privilegierung des 10. und 11. Jahrhunderts, in: Festschr. für Berent Schwineköper, Sigmaringen 1982, S. 155–75.

Kap. VI: Das Papsttum während des sogenannten 'Investiturstreits' (1046–1123)

Althoff, G., Heinrich IV. Darmstadt 2006.
Anton, H. H., Der sogenannte Traktat „De ordinando pontifice". Ein Rechtsgutachten in Zusammenhang mit der Synode von Sutri (1046), Bonn 1982.
Autour de la Première Croisade, hg. v. M. Balard, Paris 1996.
Bayer, A., Spaltung der Christenheit. Das sogenannte Morgenländische Schisma von 1054, Köln 2002.
Becker, A., Papst Urban II. (1088–1099), Bd. 1, Stuttgart 1964.
Becker, A., Papst Urban II. (1088–1099), Teil 2: Der Papst, die griechische Christenheit und der Kreuzzug, Stuttgart 1988.
Benericetti, R., La cronologia dei papi della seconda metà del secolo XI nelle carte ravennati e romagnole, in: AHP 40, 2002, S. 37–52.
Benz, K. J., Eschatologisches Gedankengut bei Gregor VII. (ZKG 97), 1986, S. 1–35.
Benz, K. J., Kirche und Gehorsam bei Papst Gregor VII. Neue Überlegungen zu einem alten Thema, in: Papsttum und Kirchenreform. Festschr. G. Schwaiger, St. Ottilien 1990, S. 97–150.
Bloch, H., Monte Cassino in the Middle Ages, 3 Bde., Rom 1986.
Blumenthal, U.-R., Der Investiturstreit, Stuttgart 1982 (ausführliches Literaturverzeichnis).
Blumenthal, U.-R., Gregor VII. Papst zwischen Canossa und Kirchenreform, Darmstadt 2001
Blumenthal, U.-R., Opposition to Pope Paschal II: Some Comments on the Lateran Council of 1112 (AHC 10) 1978, S. 82–98.
Blumenthal, U.-R., Paschal II and the Roman Primacy (AHPont 16), 1978, S. 67–92.

Blumenthal, U.-R., The Early Councils of Pope Paschal II 1100–1110, Toronto 1978.

Boelens, M., Die Klerikerehe in der Gesetzgebung der Kirche unter besonderer Berücksichtigung der Strafe. Eine rechtsgeschichtliche Untersuchung von den Anfängen der Kirche bis zum Jahre 1139, Paderborn 1968.

Boshof, E., Die Salier, 4. akt. Aufl. Stuttgart 2000.

Brooke, Chr. N. L., Gregorian Reform in Action. Clerical Marriage in England, 1050–1200, in: Ders., Medieval Church and Society. Collected Essays, London 1971, S. 69–99.

Bruns, P. – Gresser, G. (Hg.), Vom Schisma zu den Kreuzzügen 1054–1204, Paderborn 2005.

Canossa 1077. Erschütterung der Welt. Geschichte, Kunst und Kultur am Aufgang der Romanik, hg. v. Chr. Stiegemann – M. Wemhoff, 2 Bde., München 2006.

Cantarella, G. M., La costruzione della verità. Pasquale II, un papa alle strette, Rom 1987.

Cantin, A., Saint Pierre Damien (1007–1072). Autrefois – aujourd'hui, Paris 2006.

Chiesa e riforma nella spiritualità del secolo XI, Todi 1968.

Chodorow, S. A., Ecclesiastical Politics and the Ending of the Investiture Contest: the Papal Election of 1119 and the Negotiations of Mouzon (Speculum 46), 1971, S. 613–40.

Clémens, J., Signification du voyage d'Urbain II pour l'espace agenais en 1096, in: Revue de l'Agenais 124, 1997, S. 291–297.

Cowdrey, H. E. J., Pope Gregory VII (1073–1085) and the liturgy, in: The Journal of theological studies 55, 2004, S. 55–83.

Cowdrey, H. E. J., Pope Gregory VII, 1073–1085, Oxford 1998.

Cowdrey, H. E. J., Pope Gregory VII, 1073–1085, Oxford 1998.

Cowdrey, H. E. J., Popes and Church Reform in the 11th Century, Aldershot 2000.

Cowdrey, H. E. J., The Cluniacs and the Gregorian Reform, Oxford 1970.

Cowdrey, H. E. J., The Papacy, the Patarenes and the Church of Milan (TransHSoc 18), 1968, S. 25–48.

Cushing, K. G., Papacy and Law in the Gregorian Revolution. The Canonistic Work of Anselm of Lucca, Oxford 1998.

D'Acunto, N., Il prefetto urbano Cencio di Giovanni Tignosi nelle fonti del suo tempo (BISI 95), 1989, S. 1–44.

Dahlhaus, J., Aufkommen und Bedeutung der Rota in den Urkunden des Papstes Leo IX. (AHPont 27), 1989, S. 7–84.

De Leo, P., L'ordine Certosino e il Papato dalla fondazione allo scisma d'Occidente, Soveria Mannelli 2003.

Deus non voluit: I Lombardi alla prima crociata (1100–1101). Dal mito alle ricostruzione della realtà, a cura di G. Andenna – R. Salvarani, Milano 2003.

Deutinger, Roman, Sutri 1055. Mißverständnisse um ein Mißverständnis, in: DA 60, 2004, S. 97–134.
Dickerhoff, H., Über die Staatsgründung des ersten Kreuzzugs (HJb 100), 1980, S. 95–130.
Dischner, M., Humbert von Silva Candida. Werk und Wirkung des lothringischen Reformmönches, Neuried 1996.
Drehmann, f., Papst Leo IX. und die Simonie. Ein Beitrag zur Untersuchung der Vorgeschichte des Investiturstreites, Hildesheim 1973.
Engelbert, P., Wilhelm von Hirsau und Gregor VII., in: Römische Quartalschrift für christliche Altertumskunde und Kirchengeschichte 100, 2005, S. 145–180.
Englberger, J., Berthold von Reichenau und die Investiturfrage. Zum Problem des Investiturverbots der Fastensynode von 1078, in: DA 53, 1997, S. 81–118.
Englberger, J., Gregor VII. und die Investiturfrage. Quellenkritische Studien zum angeblichen Investiturverbot von 1075, Köln–Weimar–Wien 1996.
Erdmann, C., Die Entstehung des Kreuzzugsgedankens, Stuttgart 1935 (ND Darmstadt 1955).
Fleckenstein, J. (Hg.), Investiturstreit und Reichsverfassung, Sigmaringen 1973.
Fliche, M., La réforme grégorienne, 3 Bde., Paris 1924–37 (ND Genf 1978).
Fonseca, C. D., Medioevo canonicale, Mailand 1970.
Fornasari, G., Medioevo riformato del secolo XI. Pier Damiani e Gregorio VII, Napoli 1996.
Freund, St., Est nomen omen? Der Pontifikat Gelasius II. (1118–1119) und die päpstliche Namengebung, in: AHP 40, 2002, S. 53–83.
Fried, J., Der päpstliche Schutz für Laienfürsten, Heidelberg 1980.
Fried, J., Der Regalienbegriff im 11. und 12. Jahrhundert (DA 29), 1973, S. 450–528.
Fuhrmann, H., Das Papsttum zwischen Frömmigkeit und Politik – Urban II. (1088–1099) und die Frage der Selbstheiligung, in: Deus qui mutat tempora. Festschr. A. Becker, Sigmaringen 1987, S. 157–72.
Fuhrmann, H., Papst Urban II. und der Stand der Regularkanoniker (Bayer. Ak. d. Wiss., Phil.-Hist. Kl. Sb. 1984, 2), München 1984.
Fuhrmann, H., Über die Heiligkeit des Papstes (Jahrbuch der Akademie der Wissenschaften in Göttingen 1980), 1980, S. 28–43.
Gay, J., Les papes du XIe siècle et la Chrétienté, 2. Aufl. New York 1974.
Gilchrist, J., The Reception of Pope Gregory VII into the Canon Law (1073–1141) (ZRGKA 59), 1973, S. 35–82; (66), 1980, S. 192–229.
Goez, W., Kirchenreform und Investiturstreit 910–1122, 2. überarb. Aufl. Stuttgart–Berlin–Köln 2008
Goez, W., Mathilde von Canossa und die Kosten des Investiturstreites, in: AKG 82, 2000, S. 303–318.
Goez, W., Papa qui et episcopus. Zum Selbstverständnis des Reformpapsttums im 11. Jahrhundert (AHPont 8), 1970, S. 27–59.

Goez, W., Über die Mathildischen Schenkungen an die Römische Kirche, in: FMSt 31, 1997, S. 158–196.

Goez, W., Zur Erhebung und ersten Absetzung Papst Gregors VII. (RQ 63), 1968, S. 117–44.

Goez, W., Zur Persönlichkeit Gregors VII. (RQ 73), 1978, S. 193–216.

Graboïs, A., Les séjours des papes en France au XIIe siècle et leurs rapports avec le développement de la fiscalité pontificale, in: Ders., Civilisation et société dans l'Occident médiéval, London 1983, Nr. II.

Gresser, G., Die Synoden und Konzilien in der Zeit des Reformpapsttums in Deutschland und Italien von Leo IX. bis Calixt II. (1049–1123), Paderborn 2006.

Hägermann, D., Das Papsttum am Vorabend des Investiturstreites. Stephan IX. (1057–1058), Benedikt X. (1058) und Nikolaus II. (1058–1061), Stuttgart 2008

Hägermann, D., Untersuchungen zum Papstwahldekret von 1059 (ZRGKA 87), 1970, S. 157–93.

Hägermann, D., Zur Vorgeschichte des Pontifikats Nicolaus' II. (ZKG 81), 1970, S. 352–61.

Hartmann, W., Der Investiturstreit, München 1993.

Heidrich, I., Ravenna unter Erzbischof Wibert (1073–1100). Untersuchungen zur Stellung des Erzbischofs und Gegenpapstes Clemens III. in seiner Metropole, Sigmaringen 1984.

Herde, P., Das Papsttum und die griechische Kirche in Süditalien vom 11. bis 13. Jahrhundert (DA 26), 1970, S. 1–46.

Hergemöller, B.-U., Die Namen der Reformpäpste (1046–1145) (AHPont 24), 1986, S. 7–47.

Hettinger, A., Die Beziehungen des Papsttums zu Afrika von der Mitte des 11. bis zum Ende des 12. Jahrhunderts, Köln 1993.

Hiestand, R., „Gott will es!" – Will Gott es wirklich? Die Kreuzzugsidee in der Kritik ihrer Zeit, Stuttgart 1998.

Hoffmann, H., Langobarden, Normannen, Päpste. Zum Legitimitätsproblem in Unteritalien (QFIAB 58), 1978, S. 137–80.

Hübinger, P. E., Die letzten Worte Papst Gregors VII., Opladen 1973.

Hüls, R., Kardinäle, Klerus und Kirchen Roms 1049–1130, Tübingen 1977.

Il monachesimo e la riforma ecclesiastica (1049–1122), Mailand 1971.

Jakobs, H., Kirchenreform und Hochmittelalter, München 1984.

Jarnut, J. – Wemhoff, M. (Hgg.), Vom Umbruch zur Erneuerung? Das 11. und beginnende 12. Jahrhundert – Positionen der Forschung, München 2006.

Jasper, D., Das Papstwahldekret von 1059. Überlieferung und Textgestalt, Sigmaringen 1986.

Johrendt, J., Die Reisen der frühen Reformpäpste – Ihre Ursachen und Funktionen, in: Römische Quartalschrift 96, 2001, S. 57–94.

Jordan, K., Die Entstehung der römischen Kurie. Ein Versuch. (Mit Nachtrag), Darmstadt 1973.

Kempf, F., Die Eingliederung der überdiözesanen Hierarchie in das Papalsystem des kanonischen Rechts von der gregorianischen Reform bis zu Innozenz III. (AHPont 18), 1980, S. 57–96.
Kempf, F., Pier Damiani und das Papstwahldekret von 1059 (AHPont 2), 1964, S. 73–89.
Klewitz, H. W., Reformpapsttum und Kardinalkolleg, Darmstadt 1957.
Krause, H.-G., Das Papstwahldekret von 1059 und seine Rolle im Investiturstreit, Rom 1960.
Kupper, A., Beiträge zum Problem der Simonie im 11. Jahrhundert, Phil. Diss. (masch.schr.) Mainz 1953.
L'eretimismo in occidente nei secoli XI e XII, Mailand 1965.
La riforma gregoriana e l'Europa, 2 Bde. (StudGreg 13/14), Rom 1989/91.
Laudage, J., Gregorianische Reform und Investiturstreit, Darmstadt 1993.
Laudage, J., Priesterbild und Reformpapsttum im 11. Jahrhundert, Köln 1984.
Le concile de Clermont de 1095 et l'appel à la croisade, Roma 1997.
Le istituzioni ecclesiastiche della „Societas Christiana" dei secoli XI–XII. Papato, cardinalato ed episcopato, Mailand 1974.
Léon IX et son temps, édités par G. Bischoff – B.-M. Tock, Turnhout 2006.
Lohrmann, D., Kirchengut im nördlichen Frankreich. Besitz, Verfassung und Wirtschaft im Spiegel der Papstprivilegien des 11.–12. Jahrhunderts, Bonn 1983.
Loud, G. A., Abbot Desiderius of Montecassino and the Gregorian Papacy (JEH 30), 1978, S. 305–26.
Matzke, M., Daibert von Pisa. Zwischen Papst, Kommune und erstem Kreuzzug, Sigmaringen 1998.
Meulenberg, L. F. J., Der Primat der römischen Kirche im Denken und Handeln Gregors VII., 's-Gravenhage 1965.
Miccoli, G., Chiesa Gregoriana. Ricerche sulla riforma del secolo XI, nuova ed. a cura di A. Tilatti, Roma 1999.
Minninger, M., Von Clermont zum Wormser Konkordat. Die Auseinandersetzungen um den Lehnsnexus zwischen König und Episkopat, Köln 1978.
Mirbt, C., Die Publizistik im Zeitalter Gregors VII., Leipzig 1894 (ND Leipzig 1965).
Mordek, H., Proprie auctoritates apostolice sedis. Ein zweiter Dictatus papae Gregors VII.? (DA 28), 1972, S. 105–32.
Morelle, L., Le concile de Reims 1049 et le statut de l'abbaye de Montier-en-Der. Avec l'édition du faux précepte de Louis le Pieux en faveur de l'Église de Reims, in: Francia 28/1, 2001, S. 91–113.
Morghen, R., Gregorio VII e la riforma della Chiesa nel secolo XI, 2. Aufl. Rom 1974.
Morris, C., The Papal Monarchy. The Western Church from 1050 to 1250, Oxford 1989.

Munier, Ch., Le Pape Léon IX et la Réforme de l'Église 1002–1054, Strasbourg 2002.

Münsch, O., Ein Streitschriftenfragment zur Simonie, in: DA 62, 2006, S. 619–630.

Palese, S. – Locatelli, G. (Hgg.), Il concilio di Bari del 1098, Bari 1999.

Papsttum und Kirchenreform, Festschr. G. Schwaiger, hg. v. M. Weitlauff, St. Ottilien 1990.

Petrucci, E., Ecclesiologia et politica di Leone IX, Rom 1977.

Petrucci, E., Rapporti di Leone IX con Costantinopoli, I: Per la storia dello scisma del 1054, Rom 1975.

Philipps, J. (Hg.), The First Crusade. Origins and Impact, Manchester 1997.

Plassmann, Alheydis, Die Normannen. Erobern – Herrschen – Integrieren, Stuttgart 2008

Racine, P., Le concile de Plaisance (1095) et la croisade, in: Revue d'Alsace 122, 1996, S. 19–28.

Reilly, B. F., Santiago, Saint Denis, and Saint Peter. The Reception of the Roman Liturgy in Leon–Castile in 1080, New York 1985.

Robinson, I. S., „Periculosus homo": Pope Gregory VII and Episcopal Authority (Viator 9), 1978, S. 103–31.

Robinson, I. S., Pope Gregory VII, the Princes and the Pactum 1077–1080 (EHR 94), 1979, S. 721–56.

Robinson, I. S., The Papacy 1073–1198. Continuity and Innovation, Cambridge 1990.

Runciman, S., The Eastern Schism: A Study of the Papacy and the Eastern Churches During the 11 th and 12th Centuries, London 1955 (ND London 1970).

Sant' Anselmo, Mantova e la lotta per le investiture, hg. v. P. Golinelli, Bologna 1987.

Schieffer, R., „The Papal Revolution in Law"? Rückfragen an Harold J. Berman, in: Bulletin of Medieval Canon Law N. S. 22, 1998, S. 19–30.

Schieffer, R., Die Entstehung des päpstlichen Investiturverbots für den deutschen König, Stuttgart 1981.

Schieffer, R., Gregor VII. – Ein Versuch über die historische Größe (HJb 97–98), 1979, S. 87–107.

Schieffer, R., Motu proprio. Über die papstgeschichtliche Wende im 11. Jahrhundert, in: HJb 122, 2002, S. 27–41.

Schieffer, R., Spirituales latrones. Zu den Hintergründen der Simonieprozesse in Deutschland zwischen 1069 und 1075 (HJb 92), 1972, S. 19–60.

Schieffer, R., War Gregor VII. Mönch?, in: HJb 125, 2005, S. 351–362.

Schilling, B., Guido von Vienne – Papst Calixt II., 1998.

Schilling, B., Ist das Wormser Konkordat überhaupt nicht geschlossen worden? Ein Beitrag zur hochmittelalterlichen Vertragstechnik, in: DA 58, 2002, S. 123–191.

Schilling, B., Zur Reise Paschalis' II. nach Norditalien und Frankreich 1106/1107, in: Francia 28/1, 2001, S. 115–158.
Schimmelpfennig, B., König und Fürsten, Kaiser und Papst nach dem Wormser Konkordat, München 1996.
Schimmelpfennig, B., Zölibat und Lage der „Priestersöhne" vom 11. bis 14. Jahrhundert (HZ 227), 1978, S. 1–44.
Schmale, F. J., Papsttum und Kurie zwischen Gregor VII. und Innocenz II. (HZ 193), 1961, S. 265–85.
Schmale, F. J., Synoden Papst Alexanders II. (1061–1073): Anzahl, Termine, Entscheidungen (AHC 11), 1979, S. 307–38.
Schmid, P., Der Begriff der kanonischen Wahl in den Anfängen des Investiturstreits, Stuttgart 1925.
Schmidt, T., Alexander II. 1061–1073 und die römische Reformgruppe seiner Zeit, Stuttgart 1977.
Schmidt, T., Die Kanonikerreform in Rom und Papst Alexander II. (1061–1073) (StudGreg 9), 1972, S. 199–221.
Schneider, Ch., Prophetisches Sacerdotium und heilsgeschichtliches Regnum im Dialog 1073–1077. Zur Geschichte Gregors VII. und Heinrichs IV., Münster 1972.
Schneidmüller, B. – Weinfurter, St. (Hgg.), Salisches Kaisertum und neues Europa. Die Zeit Heinrichs IV. und Heinrichs V., Darmstadt 2007
Schneidmüller, B. (Hg.), Ordnungskonfigurationen im hohen Mittelalter, Ostfildern 2006.
Schnith, K., Erzbischöflicher Primat und päpstlicher Primat. Zum Hintergrund der englischen Konzilien in der Zeit Heinrichs I., in: Ecclesia militans. Festschr. R. Bäumer, Bd. 1, Paderborn 1988, S. 37–65.
Schrör, M., Iussit eum Papa Rome residere – Halinard von Lyon und die Papstwahl von 1048/49, in: Römische Quartalschrift für christliche Altertumskunde und KG 100, 2005, S. 30–50.
Servatius, C., Zur Englandpolitik der Kurie unter Paschalis II., in: Deus qui mutat tempora. Festschr. A. Becker, Sigmaringen 1987, S. 173–90.
Servatius, L., Paschalis II. (1099–1118). Studien zu seiner Person und seiner Politik, Stuttgart 1979.
Somerville, R., Papacy, Councils, and Canon Law in the 11th–12th Centuries, London 1990.
Somerville, R., The Councils of Urban II, vol. I: Decreta Claromontensia, Amsterdam 1972.
Spinelli, G., Urbano II e il mondo monastico italiano, in: Benedictina 47, 2000, S. 525–553.
Stroll, M., Calixtus II. (1119–1124): a Pope Born to Rule, Leiden 2004.
Stroll, M., New Perspectives on the Struggle Between Guy of Vienne and Henry V (AHPont 18), 1980, S. 97–116.

Struve, T., Salierzeit im Wandel. Zur Geschichte Heinrichs IV. und des Investiturstreites, Köln 2006.

Suchan, M., Königsherrschaft im Streit. Konfliktaustragung in der Regierungszeit Heinrichs IV. zwischen Gewalt, Gespräch und Schriftlichkeit, Stuttgart 1997.

Sydow, J., Untersuchungen zur kurialen Verwaltungsgeschichte im Zeitalter des Reformpapsttums (DA 11), 1954/55, S. 18–73.

Tellenbach, G., Der Sturz des Abtes Pontius von Cluny und seine geschichtliche Bedeutung (QFIAB 42/43), 1963, S. 13–55.

Tellenbach, G., Libertas. Kirche und Weltordnung im Zeitalter des Investiturstreites, Stuttgart 1936 (ND 1996).

Tessore, D., Gregorio VII. Il monaco, l'uomo politico, il santo, Roma 2003.

Unverhau, D., Approbatio-Reprobatio. Studien zum päpstlichen Mitspracherecht bei Kaiserkrönung und Königswahl vom Investiturstreit bis zum ersten Prozeß Johanns XXII. gegen Ludwig IV., Lübeck 1973.

Violante, C., La Pataria Milanese e la riforma ecclesiastica I, Rom 1955.

Vogel, J., Gregor VII. und Heinrich IV. nach Canossa. Zeugnisse ihres Selbstverständnisses, Berlin 1982.

Vogel, J., Zur Kirchenpolitik Heinrichs IV. nach seiner Krönung und zur Wirksamkeit der Legaten Gregors VII. und Clemens' (III.) im deutschen Reich 1084/85 (FrühmSt 16), 1982, S. 161–92.

Vollrath, H., Kaisertum und Patriziat in den Anfängen des Investiturstreites (ZKG 85), 1974, S. 11–44.

Vones, L., Die „Historia Compostellana“ und die Kirchenpolitik des nordwestspanischen Raumes 1070–1130. Ein Beitrag zur Geschichte der Beziehungen zwischen Spanien und dem Papsttum zu Beginn des 12. Jahrhunderts, Köln/Wien 1980.

Weinfurter, St., Canossa. Die Entzauberung der Welt, München 2006.

Weinfurter, St., Das Jahrhundert der Salier. Kaiser oder Papst? Ostfildern 2004

Weiß, St., Die Urkunden der päpstlichen Legaten von Leo IX. bis Coelestin III. (1049–198), Köln etc. 1995.

Weitzel, I., Begriff und Erscheinungsformen der Simonie bei Gratian und den Dekretisten, München 1967.

Zey, C., Der Romzugsplan Heinrichs V. Neue Überlegungen zum Abschluß des Wormser Konkordats, in: DA 56, 2000, S. 447–504.

Ziese, I., Wibert von Ravenna. Der Gegenpapst Clemens III. (1084–1100), Stuttgart 1982.

Zimmermann, H., Canossa 1077. Storia e attualità, Reggio-Emilia 2007.

Zimmermann, H., Der Canossagang von 1077. Wirkungen und Wirklichkeit, Mainz/Wiesbaden 1975.

Kap. VII: Der Ausbau der päpstlichen Autorität (1124–1198)

Aimone-Braida, P. V., Titoli attribuiti al Papa e all'Imperatore nella Decretistica (Apollinaris 59), 1986, S. 213–49.

Appelt, H., Die Papstwahlordnung des III. Laterankonzils (1179), in: Ecclesia peregrinans. Festschr. J. Lenzenweger, Wien 1986, S. 95–102.

Baaken, G., Die Verhandlungen zwischen Papst Coelestin III. und Kaiser Heinrich VI. in den Jahren 1195–1197 (DA 27), 1971, S. 457–513.

Baaken, K., Zur Wahl, Weihe und Krönung Papst Cölestins III. (DA 41), 1985, S. 203–11.

Baldwin, M. W., Alexander III and the Twelfth Century, New York 1968.

Baumgärtner, I., Rombeherrschung und Romerneuerung. Die römische Kommune im 12. Jahrhundert (QFIAB 69), 1989, S. 27–79.

Benson, R. L., The Bishop Elect. A Study in Medieval Ecclesiastical Office, Princeton/N. l. 1968.

Blaauw, S. de, The solitary celebration of the supreme pontiff. The Lateran basilica as the new temple in the medieval liturgy of Maundy Thursday, in: Omnes circumadstantes. Contributions towards a History of the Role of the People in the Liturgy, hg. v. Ch. Caspers u. M. Schneiders, Kampen 1990, S. 120–43.

Cheney, C. R., The Deaths of Popes and the Expiry of Legations in Twelfth-Century England (RDCan 28), 1978, S. 84–96.

Cheney, C. R., The Office and Title of the Papal Chancellor 1187–1216 (AHPont 22), 1984, S. 369–74.

Classen, P., Zur Geschichte Papst Anastasius' IV. (QFIAB 48), 1968, S. 36–63.

Constable, G., The Abbots and Anti-Abbot of Cluny during the Papal Schism of 1159 (Revue Benedictine 94), 1984, S. 370–400.

Constable, G., The Reformation of the Twelfth Century, Cambridge 1996.

Csendes, P., Heinrich VI., Darmstadt 1993.

Csendes, P., Philipp von Schwaben. Ein Staufer im Kampf um die Macht, Darmstadt 2003.

Deer, J., Papsttum und Normannen, Köln/Wien 1972.

Deer, J., The Dynastic Porphyry Tombs of the Norman Period in Sicily, Cambridge, MA 1959.

Ehrle, F., Die Frangipani und der Untergang des Archivs und der Bibliothek der Päpste am Anfang des 13. Jahrhunderts, in: Melanges M. E. Chatelain, Paris 1910, S. 448–83.

Engels, O., Kardinal Boso als Geschichtsschreiber, in: Konzil und Papst, Festgabe für Hermann Tüchle, München/Paderborn/Wien 1975, S. 147–68.

Engels, O., Zum Konstanzer Vertrag von 1153, in: Deus qui mutat tempora. Festschr. A. Becker, Sigmaringen 1987, S. 235–58.

Enzensberger, H., Der „böse" und der „gute" Wilhelm. Zur Kirchenpolitik der

normannischen Könige von Sizilien nach dem Vertrag von Benevent (1156) (DA 36), 1980, S. 385–432.
Fabre, P. – Duchesne, L. (Hgg.), Le Liber Censuum de l'église romaine, 3 Bde., Paris 1889/1910 u. 1952.
Falkenstein, L., Appellationen an den Papst und Delegationsgerichtsbarkeit am Beispiel Alexanders III. und Heinrichs von Frankreich (ZKG 97), 1986, S. 36–65.
Falkenstein, L., Pontificalis maturitas vel modestia sacerdotalis: Alexander III. und Heinrich von Frankreich in den Jahren 1170–1172 (AHPont 22), 1984, S. 31–88.
Falkenstein, L., Wilhelm von Champagne, Elekt von Chartres (1164–1168), Erzbischof von Sens (1168/69–1176), Erzbischof von Reims (1176–1202), Legat des apostolischen Stuhls, im Spiegel päpstlicher Schreiben und Privilegien, in: ZRG KA 89, 2003, S. 107–284.
Ferri, G., La Romana Fraternitas (ASR 26), 1903, S. 453–66.
Frugoni, A., Arnaldo da Brescia nelle fonti del secolo XII, Rom 1954.
Geisthardt, I., Der Kämmerer Boso, Berlin 1936.
Gleber, H., Papst Eugen III. unter besonderer Berücksichtigung seiner politischen Tätigkeit, Jena 1936.
Golinelli, P., Die Lage Italiens nach dem Investiturstreit: Die Frage der mathildischen Erbschaft, in: Herbers, K. (Hg.), Europa an der Wende vom 11. zum 12. Jahrhundert, Stuttgart 2001, S. 54–67.
Görich, K., Die Ehre Barbarossas. Kommunikation, Konflikt und politisches Handeln im 12. Jahrhundert, Darmstadt 2001.
Görich, K., Die Ehre Barbarossas. Kommunikation, Konflikt und politisches handeln im 12. Jahrhundert, Darmstadt 2001.
Hageneder, O., Die Häresie des Ungehorsams und das Entstehen des hierokratischen Papsttums (RHM 20), 1978, S. 29–47.
Häring, N., Das Pariser Konsistorium Eugens III. vom April 1147 (Studia Gratiana 11), 1967, S. 91–117.
Häring, N., Notes on the Council and the Consistory of Rheims (1148) (Mediaeval Studies 28), 1966, S. 39–59.
Hehl, E.-D. – Ringel, I. H. – Seibert, H. (Hgg.), Das Papsttum in der Welt des 12. Jahrhunderts, Stuttgart 2002.
Hehl, E.-D., Krieg, Individualisierung und Staatlichkeit im ausgehenden 11. und 12. Jahrhundert, in: Herbers, K. (Hg.), Europa an der Wende vom 11. zum 12. Jahrhundert, Stuttgart 2001, S. 117–133.
Heinemeyer, W., Beneficium – non feudum, sed bonum factum. Der Streit auf dem Reichstag zu Besançon (ADipl 15), 1969, S. 155–236.
Herklotz, I., Der mittelalterliche Fassadenportikus am Ende des 12. Jahrhunderts (Röm. Jahrb. der Bibl. Hertziana 25), 1989, S. 25–95.
Herklotz, I., Die Beratungsräume Calixtus' II. im Lateranpalast und ihre Fres-

ken. Kunst und Propaganda am Ende des Investiturstreits (Zeitschr. f. Kunstgesch. 52), 1989, S. 145–214.

Hiestand, R., Die Integration der Maroniten in die römische Kirche. Zum ältesten Zeugnis der päpstlichen Kanzlei (12. Jahrh.) (Orientalia Christiana Periodica 54), 1988, S. 119–52.

Hoffmann, H., Die beiden Schwerter im hohen Mittelalter (DA 20), 1965, S. 78–114.

Holtzmann, R., Der Kaiser als Marschall des Papstes, Berlin/Leipzig 1928.

Horn, M., Studien zur Geschichte Papst Eugens III. (1145–1153), Frankfurt a. M. 1992.

Imperium und Papsttum. Zur Geschichte des 12. und 13. Jahrhunderts, Festschr. G. Baaken, hg. v. K.-A. Frech – U. Schmidt, Köln 1997.

Inger, G., Das kirchliche Visitationsinstitut im mittelalterlichen Schweden, Lund 1961.

Janssen, W., Die päpstlichen Legaten in Frankreich vom Schisma Anaklets II. bis zum Tode Coelestins III. (1130–1198), Köln/Graz 1962.

Jounel, P., Le culte des saints dans les basiliques du Latran et du Vatican au douzième siècle, Rom 1977.

Kennan, E., The De consideratione of St. Bernard of Clairvaux and the Papacy in the Mid-Twelfth Century (Traditio 23), 1967, S. 73–115.

Kuttner, S., Repertorium der Kanonistik (1140–1234), Città del Vaticano 1937.

Laudage, J., Alexander III. und Friedrich Barbarossa, Köln 1997.

Laudage, J., Rom und das Papsttum im frühen 12. Jahrhundert, in: Herbers, K. (Hg.), Europa an der Wende vom 11. zum 12. Jahrhundert, Stuttgart 2001, S. 23–53.

Le Troisième Concile de Latran (1179). Sa place dans l'histoire, Paris 1982.

Maccarrone, M., Papato e impero dalla elezione di Federico I alla morte di Adriano IV (1152–59), Rom 1959.

Maccarrone, M., Ubi est papa, ibi est Roma, in: Aus Kirche und Reich. Festschr. Fr. Kempf, Sigmaringen 1983, S. 371–82.

Madertoner, W., Die zwiespältige Papstwahl des Jahres 1159, Wien 1978.

Maleczek, W., Das Kardinalkollegium unter Innocenz II. und Anaklet II. (AHPont 19), 1981, S. 27–78.

Maleczek, W., Das Papsttum und die Anfänge der Universität im Mittelalter (RHM 27), 1985, S. 85–143.

Maleczek, W., Papst und Kardinalskolleg von 1191 bis 1216. Die Kardinäle unter Coelestin III. und Innocenz III., Rom/Wien 1984.

Meduna, B., Studien zum Formular der päpstlichen Justizbriefe von Alexander III. bis Innocenz III. (1159–1216): die „non obstantibus"-Formel, Wien 1987.

Meschini, M., San Bernardo e la seconda crociata, Milano 1998.

Miethke, J., Geschichtsprozeß und zeitgenössisches Bewußtsein – Die Theorie

des monarchischen Papats im hohen und späten Mittelalter, in: HZ 226, 1978, S. 564–599.
Miscellanea Rolando Bandinelli, papa Alessandro III, hg. v. F. Liotta, Siena 1986.
Montecchi Palazzi, T., Cencius Camerarius et la formation du „Liber Censuum“ de 1192 (MelArchH 96), 1984, S. 49–93.
Montecchi Palazzi, T., Formation et carrière d'un grand personnage de la Curie au XIIe siècle: le cardinal Albinus (MélArchH 98), 1986, S. 623–71.
Moynihan, J. H., Papal Immunity and Liability in the Writings of Medieval Canonists, Rom 1961.
Ohnsorge, W., Die Legaten Alexanders III. im ersten Jahrzehnt seines Pontifikats (1159–1169), Berlin 1928.
Olsen, G. W., The Legal Definition of the Ecclesiastical Benefice during the Period of the Appearance of Papal Provisioning (1140–1230), Phil. Diss. Univ. of Wisconsin–Madison 1965.
Padoa Schioppa, A., I limiti all'appello nelle decretali di Alessandro III, in: Proceedings of the Eighth Intern. Congr. of Med. Can. Law (San Diego), Città del Vaticano 1992, S. 387–406.
Palumbo, P. F., Lo scisma del MCXXX. I precedenti. La vicenda romana e le repercussioni europee della lotta tra Anacleto e Innocenzo II, Rom 1942.
Paravicini Bagliani, A., Il trono di Pietro. L'universalità del papato da Alessandro III a Bonifacio VIII, Roma 1996.
Pennington, K., Pope and Bishops: The Papal Monarchy in the Twelfth and Thirteenth Centuries, Philadelphia, PA 1984.
Petersohn, J., Der Vertrag des römischen Senats mit Papst Clemens III. (1188) und das Pactum Friedrich Barbarossas mit den Römern (1167) (MIÖG 82), 1974, S. 289–337.
Petersohn, J., Friedrich Barbarossa und Rom, in: Friedrich Barbarossa. Handlungsspielräume und Wirkungsweisen des staufischen Kaisers, Sigmaringen 1992, S. 129–146.
Petersohn, J., Papstschisma und Kirchenfrieden. Geistesgeschichtliche Stellung und stadtrömischer Hintergrund des Traktats „De vera pace contra schisma sedis apostolicae“ aus dem Jahre 1171 (QFIAB 59), 1979, S. 158–96.
Pfaff, V., Das Papsttum und die Freiheit der Bischofsstädte im 12. Jahrhundert (ADipl 25), 1979, S. 59–104.
Pfaff, V., Das Papsttum in der Weltpolitik des endenden 12. Jahrhunderts (MIÖG 82), 1974, S. 338–76.
Pfaff, V., Der Vorgänger: Das Wirken Coelestins III. aus der Sicht von Innocenz III. (ZRGKA 91), 1974, S. 121–67.
Pfaff, V., Der Widerstand der Bischöfe gegen den päpstlichen Zentralismus um 1200 (ZRGKA 66), 1980, S. 459–65.
Pfaff, V., Die innere Verwaltung der Kirche unter Papst Coelestin III. Mit Nachträgen zu den Papstregesten 1191–98 (ADipl 18). 1972, S. 342–98.

Pfaff, V., Die päpstlichen Klosterexemtionen in Italien bis zum Ende des 12. Jahrhunderts. Versuch einer Bestandsaufnahme (ZRGKA 72), 1986, S. 76–114.

Pfaff, V., Papst Clemens III. (1187–1191). Mit einer Liste der Kardinalsunterschriften (ZRGKA 66), 1980, S. 261–316.

Pfaff, V., Papst Cölestin III. (ZRGKA 47), 1961, S. 109–28.

Pfaff, V., Sieben Jahre päpstliche Politik. Die Wirksamkeit der Päpste Lucius III., Urban III., Gregor VIII. (ZRGKA 67), 1981, S. 148–212.

Philips, J. – Hoch, M. (Hgg.), The Second Crusade. Scope and Consequences, Manchester 2001.

Pitz, E., Die römische Kurie als Thema der vergleichenden Sozialgeschichte (QFIAB 58), 1978, S. 216–359.

Pitz, E., Papstreskript und Kaiserreskript im Mittelalter, Tübingen 1971.

Rassow, P., Honor Imperii, München 1940.

Renaissance and Renewal in the Twelfth Century, ed. by Benson, R. L./Constable, G., Cambridge/Mass. 1982.

Reuter, T., Zur Anerkennung Papst Innocenz' II. Eine neue Quelle (DA 39), 1983, S. 394–416.

Saurwein, E., Der Ursprung des Rechtsinstituts der päpstlichen Dispens von der nicht vollzogenen Ehe. Eine Interpretation der Dekretalen Alexanders III. und Urbans III., Rom 1980.

Schieffer, R., Der Investiturstreit im Bild der Zeit nach 1122, in: Herbers, K. (Hg.), Europa an der Wende vom 11. zum 12. Jahrhundert, Stuttgart 2001, S. 248–260.

Schimmelpfennig, B., Zisterzienser, Papsttum und Episkopat im Mittelalter, in: Die Zisterzienser. Ordensleben zwischen Ideal und Wirklichkeit, Bonn 1980, S. 69–85.

Schludi, U., Der Weg nach Anagni – Versuch einer Rekonstruktion, in: MIÖG 110, 2002, S. 281–328.

Schmale, F.-J., Friedrich I. und Ludwig VII. im Sommer des Jahres 1162 (ZBLG 31), 1968, S. 315–68.

Schmale, F.-J., Studien zum Schisma des Jahres 1130, Köln/Graz 1961.

Scholz, S., Symbolik und Zeremoniell bei den Päpsten in der zweiten Hälfte des 12. Jahrhunderts, in: Hehl, E.-D. – Ringel, I. H. – Seibert, H., Das Papsttum in der Welt des 12. Jahrhunderts, Stuttgart 2002, S. 131–148

Schwarzmaier, H., Zur Familie Viktors IV. in der Sabina (QFIAB 48), 1968, S. 64–79.

Somerville, R., Pope Alexander III and the Council of Tours (1163). A Study of Ecclesiastical Politics and Institution in the Twelfth Century, Berkeley/London 1977.

Stauferreich im Wandel. Ordnungsvorstellungen und Politik in der Zeit Friedrich Barbarossas, hg. v. St. Weinfurter, Stuttgart 2002.

Stoller, M. E., The Emergence of the Term ‚Antipapa' in Medieval Usage (AHPont 23), 1985, S. 43–61.

Stroll, M., Symbols as Power. The Papacy Following the Investiture Contest, Leiden 1991.
Stroll, M., The Jewish Pope: Ideology and Politics in the Papal Schism of 1130, Leiden 1987.
Sydow, J., Il Consistorium dopo lo scisma del 1130 (RSChlt 9), 1955, S. 165–76.
Teubner-Schoebel, S., Bernhard von Clairvaux als Vermittler an der Kurie. Eine Auswertung seiner Briefsammlung, Bonn 1993.
Thumser, M., Letzer Wille? Das höchste Angebot Kaiser Heinrichs VI. an die römische Kirche, in: DA 62, 2006, S. 85–135.
Tillmann, H., Die päpstlichen Legaten in England bis zur Beendigung der Legation Gualas, Bonn 1926.
Tillmann, H., Ricerche sull'origine dei membri del collegio cardinalizio nel XII secolo (RSChIt 29), 1975, S. 363–402.
Ullmann, W., The Pontificate of Adrian IV (Cambridge Historical Journal 11), 1955, S. 233–52.
Walter, C., Papal Political Imagery in the Medieval Lateran Palace (CArch20), 1970, S. 155–76.
Weinfurter, St. (Hg.), Stauferreich im Wandel. Ordnungsvorstellungen und Politik in der Zeit Friedrich Barbarossas, Stuttgart 2002.
Weinfurter, St., Venedig 1177 – Wende der Barbarossa-Zeit? Zur Einführung, in: Hehl, E.-D. – Ringel, I. H. – Seibert, H., Das Papsttum in der Welt des 12. Jahrhunderts, Stuttgart 2002, S. 9–25.
Wiegand, P., Kurie und Kloster im welfisch-staufischen Thronstreit. Zur Exemtionspraxis Papst Innocenz' III. im mitteldeutschen Raum, in: MIÖG 111, 2003, S. 104–145.
Willoweit, D., Die Entstehung exemter Bistümer im deutschen Reichsverband unter rechtsvergleichender Berücksichtigung ausländischer Parallelen (ZRGKA 52), 1966, S. 176–298.
Zenker, B., Die Mitglieder des Kardinalkollegiums von 1130 bis 1159, Würzburg 1964.
Zerbi, P., Papato, Impero e „respublica christiana" dal 1187 al 1198, 2. Aufl. Mailand 1980.

Kap. VIII: Das Papsttum auf dem Höhepunkt seiner Macht (1198–1303)

Alberzoni, M. P., Innocenzo III e la riforma della chiesa in „Lombardia". Prime indagini sui visitatores et provisores, in: QFIAB 73, 1993, S. 122–178.
Baethgen, F., Die Regentschaft Papst Innozenz' III. im Königreich Sizilien, Heidelberg 1914.

Baethgen, F., Quellen und Untersuchungen zur Geschichte der päpstlichen Hof- und Finanzverwaltung unter Bonifaz VIII. (QFIAB 20), 1928/29, S. 114–237.
Baethgen, F., Zur Geschichte der Weltherrschaftsidee im späteren Mittelalter, in: Festschr. P. E. Schramm, Bd. 1, 1964, S. 189–203.
Balard, M., L'Italie du Sud et la Quatrième Croisade, in: Bulletin de la Société nationale des Antiquaires de France 2001 (erschienen 2006), S. 254–266.
Barbiche, B., Les „scriptores“ de la Chancellerie Apostolique sous le pontificat de Boniface VIII (1295–1303) (Biblchart 128), 1970, S. 115–87.
Bartolomei Romagnoli, A., Celestino V. Il papa eremita, Seregno (Milano) 2005.
Bautier, R. H., Le Jubilé romain de 1300 et l'alliance Franco-pontificale au temps de Philippe le Bel et de Boniface VIII (Le Moyen Âge 86), 1980, S. 189–216.
Berg, G., Manfred of Sicily and Urban IV: Negotiations of 1262 (Mediaeval Studies 55), 1993, S. 111–36.
Bertram, M., Die Abdankung Papst Cölestins V. (1294) und die Kanonisten (ZRGKA 87), 1970, S. 1–101.
Boespflug, Th., La curie au temps de Boniface VIII. Étude prosopographique (Bonifaciana 1), Roma 2005.
Bolton, B., Innocent III: Studies on Papal Authority and Pastoral Care, Aldershot 1995.
Bonifacio VIII, i Caetani e la storia del Lazio, Roma 2004.
Bonifacio VIII. Atti del XXXIX Convegno storico internazionale, Todi 13–16 ottobre 2002, Spoleto 2003.
Brentano, R., Rome before Avignon. A Social History of Thirteenth Century Rome, London 1974.
Buisson, L., Potestas und Caritas. Die päpstliche Gewalt im Spätmittelalter, Köln/Graz 1958.
Bundy, D. D., Armenian Relations with the Papacy after the Mongol Invasions (Patristic and Byzantine Review 5), 1986, S. 19–32.
Carocci, S., Baroni di Roma. Dominazioni signorili e lignaggi aristocratici nel Duecento e nel primo Trecento, Rom 1993.
Celestino V e i suoi tempi: realtà spirituale e realtà politica, hg. v. W. Capezzali, L'Aquila 1990.
Celestino V nel settimo centenario della morte, a cura di B. Valeri, Casamari 2001.
Cheney, C. R., Pope Innocent III and England, Stuttgart 1976.
Cipollone, G., Cristianità – Islam. Cattività et liberazione in nome di Dio. Il tempo di Innocenzo III dopo „il 1187“, Rom 1992.
Claverie, P.-V., Un aspect méconnu du pontificat de Grégoire X: les débuts de sa politique orientale (1271–1273), in: Byzantion 68, 1998, S. 281–310.
Corvi, A., Il processo di Bonifacio VIII, Rom 1948.
De Simone, A., Pietro del Morrone. San Celestino V papa, Firenze 2005.

Die Register Innocenz' III., 5. Bd., 5. Pontifkatsjahr 1202/1203. Texte, bearb. v. O. Hagender, Wien 1993; Indices, bearb. v. A. Sommerlechner, Wien 1994.

Die Register Innocenz' III., 6. Bd., 6. Pontifkatsjahr 1203/1204. Texte und Indices, bearb. v. O. Hageneder – J. C. Moore – A. Sommerlechner, Wien 1995.

Digard, G., Philippe le Bel et le Saint-Siège de 1285 à 1304, Paris 1936.

Dobson, C. J., The Thirteenth–Century Papacy as Viewed by those outside the Roman Curia, Phil. Diss. Michigan State Univ. 1975.

Dupré-Theseider, E., Roma dal comune di popolo alla signoria pontificia (1252–1327) (= Storia di Roma XI), Bologna 1952.

Dykmans, M., D'Innocent III à Boniface VIII. Histoire des Conti et des Annibaldi (BIHBelgR 45), 1975, S. 19–211.

Dykmans, M., Les pouvoirs des cardinaux pendant la vacance du Saint-Siège d'après un nouveau manuscrit de Jacques Stefaneschi (ASR 104), 1981, S. 119–45.

Dykmans, M., Les transferts de la curie romaine du XIIIe au XVe siècle (ASR 103), 1980, S. 93–116.

Eastman, J. R., Papal Abdication in Later Medieval Thought, Lewiston,

Egger, C., Papst Innocenz III. als Theologe. Beiträge zur Kenntnis seines Denkens im Rahmen der Frühscholastik (AHPont 30), 1992, S. 55–123.

Ermini, G., I parlamenti dello Stato della Chiesa dalle origini al periodo Albornoziano, Rom 1930.

Felten, F. J., Päpstliche Personalpolitik? Über Handlungsspielräume des Papstes in der ersten Hälfte des 14. Jahrhunderts, in: HJb 122, 2002, S. 43–86.

Finke, H., Aus den Tagen Bonifaz' VIII., Münster 1902 (ND Rom 1964).

Floridi, G., La „Romana Mater" di Bonifacio VIII e le libertà comunali nel basso Lazio, Guarcino 1986.

Foreville, R., Innocent III et la Croisade des albigeois, in: Dies., Gouvernement et Vie de l'Église au Moyen Âge, London 1979, Nr. XIII.

Foreville, R., Le pape Innocent III et la France, Stuttgart 1992.

Frale, B., L'ultima battaglia dei Templari. Dal codice ombra d'obbedienza militare alla costruzione del processo per eresia, Roma 2001.

Franchi, A., Il Conclave di Viterbo (1268–1271) e le sue origini. Saggio con documenti inediti, Ascoli Piceno 1993.

Franchi, A., Nicolaus papa IV, 1288–1292 (Girolamo d'Ascoli), Ascoli

Frenz, Th. (Hg.), Papst Innocenz III. Weichensteller der Geschichte Europas, Stuttgart 2000.

Ganzer, K., Papsttum und Bistumsbesetzung in der Zeit von Gregor IX. bis Bonifaz VIII. Ein Beitrag zur Geschichte der päpstlichen Reservationen, Köln/Graz 1969.

Gatto, L., Celestino V, pontefice e santo, a cura di E. Plebani, Roma 2006.

Gatto, L., Il pontificato di Gregorio X (1271–1276), Rom 1959.

Golinelli, P., Il papa contadino. Celestino V. e il suo tempo, Firenze 1996 (vollständig überarbeitet unter dem Titel Celestino V. Il papa contadino, Milano 2007).

Gottlob, A., Die Servitientaxe im 13. Jahrhundert, Stuttgart 1903.

Grano, A., Il papa santo. Celestino V, San Pietro a Maiella. Vita e miracoli dell'eremita abruzzese che a Napoli si dimise da pontefice ma non fece „per viltade il gran rifiuto.“, Napoli 2001.

Grison, R., Il problema del cardinalato nell'Ostiense (AHPont 30), 1992, S. 125–57.

Hageneder, O., Das päpstliche Recht der Fürstenabsetzung. Seine kanonistische Grundlegung (AHPont 1), 1963, S. 39–71.

Hageneder, O., Das Sonne-Mond-Gleichnis bei Innocenz III., in: MIÖG 65, 1957, S. 340–368.

Hageneder, O., Studien zur Dekretale „Vergentis“ (X. V, 7. 10). Ein Beitrag zur Häretikergesetzgebung Innocenz' III. (ZRGKA 49) 1963, S. 138–73.

Hampe, K., Urban IV. und Manfred (1261–1264), Heidelberg 1905 (ND Nendeln 1977).

Hechelhammer, B., Kreuzzug und Herrschaft unter Friedrich II. Handlungsspielräume von Kreuzzugspolitik (1215–1230), Ostfildern 2004.

Hechelhammer, B., Kreuzzug und Herrschaft unter Friedrich II. Handlungsspielräume von Kreuzzugspolitik (1215–1230), Ostfildern 2005.

Heft, J. L., Nicholas III (1277–1280) and John XXII (1316–1334): Popes in Contradiction? A Reexamination of Text and Contexts (AHPont 21), 1983, S. 245–57.

Herde, P., Audientia litterarum contradictarum, 2 Bde., Tübingen 1970.

Herde, P., Beiträge zum päpstlichen Kanzlei- und Urkundenwesen im 13. Jahrhundert, 2. Aufl. Kallmünz 1967.

Herde, P., Celestino V (Pietro del Morrone) 1294. Il papa angelico, trad. di A. M. Voci, L'Aquila 2004.

Herde, P., Cölestin V. 1294 (Peter von Morrone). Der Engelpapst. Mit einem Urkundenanhang und Edition zweier Viten, Stuttgart 1981.

Herde, P., Die Entwicklung der Papstwahl im dreizehnten Jahrhundert (Osterr. Arch. f. Kirchenrecht 32),1981, S. 11–41.

Herde, P., Ein Pamphlet der päpstlichen Kurie gegen Kaiser Friedrich II. von 1245/46 („Eger cui lenia“), in: DA 23, 1967, S. 468–538.

Herde, P., Election and Abdication of the Pope: Practice and Doctrine in the Thirteenth Century, in: Proceedings of the Sixth Intern. Congr. of Med. Can. Law (Berkeley), Città del Vaticano 1985, S. 411–36.

Holzapfel, Th., Papst Innocenz III., Philipp II. August, König von Frankreich, und die englisch–welfische Verbindung 1198–1216, Frankfurt a. M. 1991.

Houben, H., Friedrich II., der Deutsche Orden und die Burgen im Königreich Sizilien. Eine unbekannte Urkunde Honorius' III. von 1223, in: DA 56, 2000, S. 585–592.

Housley, N., The Italian Crusades. The Papal–Angevin Alliance and the Crusades against Christian Lay Powers, 1254–1343, Oxford 1982.

Il papato ducentesco e gli ordini Mendicanti, Atti del XXV convegno internazionale, Assisi 13–14 febbraio 1998, Spoleto 1998.

Imkamp, W., Das Kirchenbild Papst Innocenz' III. (1198–1216), Stuttgart 1983.

Innocenzo III – Urbs et orbis, a cura di A. Sommerlechner, 2 Bde., Roma 2003.

Kamp, N., Kirche und Monarchie im staufischen Königreich Sizilien. I: Prosopographische Grundlegung: Bistümer und Bischöfe des Königreichs 1194–1266, 4 Bde., München 1973–75 u.1982.

Kantorowicz, E. H., The King's Two Bodies. A Study in Mediaeval Political Theology, Princeton/N. J. 1957.

Kasten, B., Liebe, Furcht und andere Gründe, nicht auf den fünften Kreuzzug (1217–1221) zu gehen, in: A. Gestrich – M. Krauss (Hgg.), Zurückbleiben. Der vernachlässigte Teil der Migrationsgeschichte, Stuttgart 2007, S. 89–124.

Kaufhold, M., Norwegen, das Papsttum und Europa im 13. Jahrhundert. Mechanismen der Integration, in: HZ 265, 1997, S. 309–342.

Kempf, F., Die Absetzung Friedrichs II. im Lichte der Kanonistik, in: Probleme um Friedrich II., hg. v. I. Fleckenstein, Sigmaringen 1974, S. 345–60.

Kempf, F., Papsttum und Kaisertum bei Innocenz III., Rom 1954.

Kempf, Fr., Innocenz III. und der deutsche Thronstreit (AHPont 23), 1985, S. 63–91.

Kennan, E. T., Innocent III, Gregory IX, and Political Crusades: A Study in the Disintegration of Papal Power, in: Reform and Anthority in the Medieval and Reformation Church, hg. v. G. F. Lytle, Washington, D. C. 1981, S. 15–35.

Kölmel, W., Regimen christianum. Weg und Ergebnisse des Gewaltenverständnisses und des Gewaltenverhältnisses (8. bis 14. Jh.), Berlin 1970.

Kolmer, L., Ad capiendas vulpes. Die Ketzerbekämpfung in Südfrankreich in der ersten Hälfte des 13. Jahrhunderts und die Ausbildung des Inquisitionsverfahrens, Bonn 1982.

Köpf, U., Hugolino von Ostia (Gregor IX.) und Franziskus, in: Franziskus von Assisi. Das Bild des Heiligen aus neuer Sicht, hg. v. D. R. Bauer – H. Feld – U. Köpf, Köln 2005, S. 163–182.

Krieb, St., Vermitteln und Versöhnen. Konfliktregelung im deutschen Thronstreit 1198–1208, Köln 2000.

Krieger, K.-F., Rudolf von Habsburg, Darmstadt 2003.

Kuttner, S., Universal Pope or Servant of God's Servants. The Canonists Papal Titles, and Innocent III (RDCan 32), 1981, S. 109–49.

La chiesa di Celestino V: S. Antonio abate a Ferentino, Casamari 1991.

Lackner, Chr., Studien zur Verwaltung des Kirchenstaates unter Papst Innocenz III. (RHM 29), 1987, S. 127–214.

Laufs, M., Politik und Recht bei Innozenz III. Kaiserprivilegien, Thronstreit-

register und Egerer Goldbulle in der Reichs- und Rekuperationspolitik Papst Innozenz' III., Köln 1980.
Le Croisade albigeoise, sous la présidence de M. Roquebert, Carcasson 2004.
Le culture di Bonifacio VIII., a cura di I. Bonincontro, Roma 2006.
Linehan, P., The Spanish Church and the Papacy in the Thirteenth Century, Cambridge 1971.
Lupprian, K. E., Die Beziehungen der Päpste zu islamischen und mongolischen Herrschern im 13. Jahrhundert anhand ihres Briefwechsels, Città del Vaticano 1981.
Maccarone, M., Nuovi studi su Innocenzo III, a cura di Roberto Lambertini, Roma 1995.
Maccarrone, M., Studi su Innocenzo III, Padua 1972.
Maisonneuve, H., Études sur les origines de l'Inquisition, 2. Aufl. Paris 1960.
Maleczek, W., Das Frieden stiftende Papsttum im 12. und 13. Jahrhundert, in: Träger und Instrumentarien des Friedens im hohen und späten Mittelalter, hg. v. J. Fired, Sigmaringen 1996, S. 249–332.
Maleczek, W., Ecclesiae patrimonium speciale. Sizilien in der päpstlichen Politik des ausgehenden 12. Jahrhunderts, in: Die Staufer im Süden. Sizilien und das Reich, hg. v. Th. Kölzer, Sigmaringen 1996, S. 29–42.
Maleczek, W., Petrus Capuanus. Kardinal, Legat am vierten Kreuzzug, Theologe (1214), Wien 1988.
Melloni, A., Innocenzo IV. La concezione e l'esperienza della cristianità come „regimen unius personae", Genua 1990.
Menzel, M., Kreuzzugsideologie unter Innocenz III., in: HJb 120, 2000, S. 39–79.
Meschini, Marco, Innocenz III. und der Kreuzzug als Instrument im Kampf gegen die Häresie, in: DA 61, 2005, S. 537–584.
Miethke, J., A. Bühler, Kaiser und Papst im Konflikt. Zum Verhältnis von Staat und Kirche im späten Mittelalter, Düsseldorf 1988.
Miethke, J., Die Traktate „De potestate papae". Ein Typus politiktheoretischer Literatur im späten Mittelalter, in: Les genres littéraires dans les sources théologiques et philosophiques médiévales, Louvain-La-Neuve 1982, S. 193–211.
Moore, J. (Hg.), Pope Innocent III and his World, Aldershot 1999.
Moore, J. C., Pope Innocent III (1160/61–1216). To root up and to plant, Leiden 2003.
Moore, J. C., Pope Innocent III, Sardinia, and the Papal State (Speculum 62), 1987, S. 81–101.
Morghen, R., Bonifacio VIII e il Giubileo del 1300 nella storiografia moderna, Rom 1975.
Murauer, R., Papst-Metropolit-Bischof um 1200. Zur Verzögerung der Weihe des Elekten Heinrich von Straßburg, in: Römische Historische Mitteilungen 43, 2001, S. 257–310.
Murauer, R., Priusquam litteras aperiret, ... ad sedem apostolicam appellavit. Zu

den Zusammenhängen von Exkommunikation, Appellation und (ad cautelam-) Absolution, in: MIÖG 105, 1997, S. 393–415.
Neiske, F., Reform oder Kodifizierung? Päpstliche Statuten für Cluny im 13. Jahrhundert (AHPont 26), 1988, S. 71–118.
Neitmann, K., Papst und Kaiser in den Staatsverträgen des Deutschen Ordens in Preußen 1230–1466 (ADipl 33), 1987, S. 293–321.
Niccolò IV: un pontificato tra Oriente ed Occidente, hg. v. E. Menestò. Spoleto 1991.
Nüske, G. F., Untersuchungen über das Personal der päpstlichen Kanzlei 1254–1304 (ADipl 20), 1974, S. 39–240; (21), 1975, S. 249–431.
NY 1990.
Oberste, J., Der „Kreuzzug" gegen die Albigenser. Ketzerei und Machtpolitik im Mittelalter, Darmstadt 2003.
Pacaut, M., L'autorité pontificale selon Innocent IV (Le Moyen Âge 66), 1960, S. 85–119.
Packard, S. R., Europe and the Church under Innocent III, 2. Aufl. New York 1968.
Paravicini Bagliani, A., Bonifacio VIII, Torino 2003.
Paravicini Bagliani, A., Cardinali di Curia e „familiae" cardinalizie dal 1227 al 1254, 2 Bde., Padua 1972.
Paravicini Bagliani, A., Der Papst auf Reisen im Mittelalter, in: Feste und Feiern im Mittelalter, hg. v. J. Jarnut u. a., Sigmaringen 1991, S. 501–14.
Paravicini Bagliani, A., La mobilità della Curia romana nel secolo XIII. Riflessi locali, in: Societa e istituzioni dell'Italia comunale: l'esempio di Perugia (Secoli XII–XIV), Perugia 1988, S. 155–278.
Paravicini Bagliani, A., Medicina e scienze della natura alla corte dei Papi nel Duecento, Spoleto 1991.
Pásztor, E., Censi e possessi della Chiesa Romana nel Duecento: due registri pontifici inediti (AHPont 15), 1977, S. 139–93.
Pásztor, E., La Guerra di Vespro e i suoi problemi: l'intervento di Martino IV (Quaderni Catanesi 1), 1979, S. 135–58.
Pennington, K., Pope Innocent III's Views on Church and State. A Gloss to „Per Venerabilem", in: Law, Church and Society. Essays in Honor of S. Kuttner, Univ. of Pennsylvania 1977, S. 49–67.
Petrucci, E., Innocenzo III e i Comuni dello Stato della Chiesa. Il potere centrale, in: Societa e istituzioni dell'Italia comunale: l'esempio di Perugia (Secoli XII–XIV), Perugia 1988, S. 91–135.
Picasso, G., Papato e nuovi ordini religiosi nel secolo XIII, in: AHP 36, 1998, S. 19–32.
Piceno 1990.
Pietro Celestino nel settimo Centenario dell' elezione pontificia, a cura di B. Valeri, Casamari 1995.

Potthast, A. (Hg.), Regesta pontificum Romanorum inde ab a. post Christum natum MCXCVIII ad a. MCCCIV, 2 Bde., Berlin 1874–75.
Purcell, M., Papal Crusading Policy 1244–1291, Leiden 1975.
Rabikauskas, P., „Auditor litterarum contradictarum“ et Commissions de juges délégués sous le pontificat d'Honorius III (BiblChart 132), 1974, S. 213–44.
Rachewiltz, I. de, Papal Envoys to the Great Khans, London 1971.
Radke, G. M., Form and Function in Thirteenth–Century Papal Palaces, in: Architecture et vie sociale, hg. v. l. Guillaume, Paris 1994, S. 11–24.
Ragusa, I. Mandylion – Sudarium: the „Translation“ of a Byzantine Relic to Rome (Arte Medievale 5), 1991, S. 97–106.
Rainer, J. M., Innocenz III. und das römische Recht (RHM 25), 1983, S. 15–33.
Rehberg, A., Ein Orakel-Kommentar vom Ende des 13. Jahrhunderts und die Entstehungsumstände der Papstvatizinien. Ein Arbeitsbericht (QFIAB 71), 1991, S. 749–73.
Rembaum, J. E., The Talmud and the Popes: Reflections on the Talmud Trials of the 1240s (Viator 13), 1982, S. 203–23.
Ritzler, R., I cardinali e i papi dei frati minori conventuali (Miscellanea Franciscana 71), 1971, S. 3–77.
Roche, D., L'église romaine et les cathares albigeois, Narbonne 1969.
Rodberg, B., Das Zweite Konzil von Lyon (1274), Paderborn 1990.
Rodríguez de Lama, I., La documentación pontificia de Urbano IV (1261–1264), Rom 1981.
Roma anno 1300, Rom 1983.
Roscher, H., Papst Innocenz III. und die Kreuzzüge, Göttingen 1969.
Röttgen, H., Die Inbesitznahme des Lateran durch Bonifaz VIII. Überlegungen zur Wirklichkeit der Benediktionskanzel in Giottos Fresko und zur alten Benediktionskanzel des Lateran, in: Das Andere wahrnehmen, hg. v. M. Kintzinger, Koln 1991, S. 141–68.
Rusch, B., Die Behörden und Hofbeamten der päpstlichen Kurie des 13. Jahrhunderts, Königsberg/Berlin 1936.
Sayers, J. E., Papal Government and England during the Pontificate of Honorius III (1216–1227), Cambridge 1984.
Sayers, J. E., Papal Judges Delegate in the Province of Canterbury, 1198–1254. A Study in Ecclesiastical Jurisdiction and Administration, London 1971.
Sayers, J., Innocent III. Leader of Europe 1198–1216, London 1994.
Schatz, K., Papsttum und partikularkirchliche Gewalt bei Innocenz III. (1198–1216) (AHPont 8), 1970, S. 61–111.
Schein, S., Fideles Crucis. The Papacy, the West, and the Recovery of the Holy Land 1274–1314, Oxford 1991.
Schenkluhn, W., San Francesco in Assisi: Ecclesia specialis. Die Vision Papst Gregors IX. von einer Erneuerung der Kirche, Darmstadt 1991.

Schiff, O., Studien zur Geschichte Papst Nikolaus' IV., Berlin 1897 (ND Vaduz 1965).
Schimmelpfennig, B., „Mitbestimmung“ in der Römischen Kirche unter Innozenz III., in: Proceedings of the Eighth Intern. Congr. of Med. Can. Law (San Diego), Città del Vaticano 1992, S. 455–70.
Schimmelpfennig, B., Das Prinzip der „sanior pars“ bei Bischofswahlen im Mittelalter (Concilium 16), 1980, S. 473–77.
Schimmelpfennig, B., Utriusque potestatis monarchia. Zur Durchsetzung der päpstlichen Hoheit im Kirchenstaat mittels des Strafrechtes während des 13. Jahrhunderts (ZRGKA 105), 1988, S. 304–27.
Schmidt, T., Der Bonifaz-Prozeß. Verfahren der Papstanklage in der Zeit Bonifaz' VIII. und Clemens' V., Köln 1989.
Schmidt, T., Papst Bonifaz VIII. als Gesetzgeber, in: Proceedings of the Eighth Intern. Congr. of Med. Can. Law (San Diego), Città del Vaticano 1992, S. 227–246.
Schmidt, T., Papst Bonifaz VIII. und die Idolatrie (QFIAB 66), 1986, S. 75–107.
Schöpp, N., Papst Hadrian V. (Kardinal Ottobuono Fieschi), Heidelberg 1916 (ND Nendeln 1976).
Schwarz, B., Die Organisation kurialer Schreiberkollegien, Tübingen 1972.
Seegrün, W., Kirche, Papst und Kaiser nach den Anschauungen Kaiser Friedrichs II., in: HZ 207, 1968, S. 4–41.
Selge, K. V., Franz von Assisi und die römische Kirche (ZThK 67), 1970, S. 129–61.
Setton, K. M., The Papacy and the Levant (1204–1571), I: The Thirteenth and Fourteenth Centuries, Philadelphia, PA 1976.
Shannon, A. C., The Popes and Heresy in the Thirteenth Century, Villanova, PA 1949.
Sienell, St., Papst Innocenz III. (1198–1216) und die Kölner Erzbischöfe, in: Jb des köln. Geschichtsvereins 65, 1994, S. 13–53.
Smith, D., Innocent III and the Crown of Aragon. The Limits of Papal Authority, Aldershot 2004.
Sternfeld, R., Der Kardinal Johann Gaetan Orsini (Papst Nikolaus III.), 1244–1277. Ein Beitrag zur Geschichte der Römischen Kurie im 13. Jahrhundert, Berlin 1905 (ND Vaduz 1965).
Stickler, A. M., Il Giubileo di Bonifacio VIII. Aspetti giuridico-pastorali, Rom 1977.
Stickler, A. M., Imperator vicarius Papae. Die Lehren der französisch-deutschen Dekretistenschule des 12. und beginnenden 13. Jahrhunderts über die Beziehungen zwischen Papst und Kaiser, in: MIÖG 62, 1954, S. 165–212.
Stürner, W., Friedrich II., 2 Bde., Darmstadt 1992/2000.
Taylor, M. L., The Election of Innocent III, in: The Church and Sovereignty c. 590–1918. Essays in Honour of M. Wilks, Oxford 1991, S. 97–112.

Thumser, M., Rom und der römische Adel in der späten Stauferzeit, Tübingen 1995.
Thumser, M., Zur Überlieferungsgeschichte der Briefe Papst Clemens' IV. (1265–1268), in: DA 51, 1995, S. 115–168.
Tillmann, H., Papst Innozenz III., Bonn 1954.
Trusen, W., Der Inquisitionsprozeß: Seine historischen Grundlagen und frühen Formen (ZRGKA 105), 1988, S. 168–230.
Ullmann, W., Die Bulle Unam sanctam (RHM 16), 1974, S. 45–77.
Voci, A. M., Federico II imperatore e i Mendicanti: privilegi papali e propaganda anti-imperiale (Critica storica 22), 1985, S. 3–28.
Vries, W. de, Innozenz III. (1198–1216) und der christliche Osten (AH Pont 3), 1965, S. 87–126.
Vries, W. de, Innozenz IV. (1243–1254) und der christliche Osten (OstkSt 12), 1963, S. 113–31.
Waley, D., The Papal State in the Thirteenth Century, London 1961.
Walther, H. G., Ziele und Mittel päpstlicher Ketzerpolitik in der Lombardei und im Kirchenstaat 1184–1252, in: Die Anfänge der Inquisition im Mittelalter, hg. v. P. Segl, Köln etc. 1993, S. 103–30.
Walther, H. G., Das Reich in der politischen Theorie der Legistik und im Umkreis der päpstlichen Kurie, in: M. Werner (Hg.), Heinrich Raspe – Landgraf von Thüringen und römischer Känig (1227–1247), Frankfurt am Main 2003, S. 29–52.
Watt, J. A., The Theory of Papal Monarchy in the Thirteenth Century. The Contribution of the Canonists, New York 1966.
Webb, D. M., The Pope and the Cities: Anticlericalism and Heresy in Innocent III's Italy, in: The Church and Sovereignty c. 590–1918. Essays in Honour of M. Wilks, Oxford 1991, S. 135–52.
Wehrli-Johns, M., Voraussetzungen und Perspektiven mittelalterlicher Laienfrömmigkeit seit Innocenz III. Eine Auseinandersetzung mit Herbert Grundmanns „Religiösen Bewegungen“, in: MIÖG 104, 1996, S. 286–309.
Widmer, B., Das Haus Aragon und Bonifaz VIII. Nachrichten aus dem Briefwechsel Jakobs II. (BasZG 71), 1971, S. 37–78.

Kap. IX: Das Papsttum in Avignon (1303–1378)

Accrocca, F., Ancora sul caso del papa eretico: Giovanni XXII e la questione della povertà. A proposito del ms. XXI del convento di Capestrano, AHP 32, 1994, S. 329–341.
Amargier, P., Urbain V. Un homme. Une vie (1310–1370), Marseille 1987.
Aux origines de l'État moderne. Le fonctionnement administratif de la Papauté d'Avignon, Rom 1990.

Backman Clifford, R., The Papacy, the Sicilian Church, and King Frederick III (1302–1321) (Viator 22), 1991, S. 229–49.
Baethgen, F., Der Anspruch des Papsttums auf das Reichsvikariat, in: Ders., Mediaevalia, Stuttgart 1960, S. 110–85.
Baluze, E. – Mollat, G. (Hgg.), Vitae paparum Avenionensium, 4 Bde., 2. Aufl. Paris 1914–1922.
Barraclough, G., Papal provisions, Oxford 1935.
Becker, H.-J., Das Mandat „Fidem catholicam“ Ludwigs des Bayern von 1338, in: DA 26, 1970, S. 454–512.
Beneyto, J., El cardenal Albornoz. Hombre de Iglesia y de Estado en Castilla y en Italia, Madrid 1986.
Bock, F., Einführung in das Registerwesen des avignonesischen Papsttums (QFIAB 31), 1941 (ganzer Band).
Bock, F., Studien zum politischen Inquisitionsprozeß Johannes' XXII. (QFIAB 26), 1935/36, S. 21–142.
Boehm, L., Papst Benedikt XII. als Förderer der Ordensstudien. Restaurator, Reformator oder Deformator regularer Lebensform?, in: Secundum regulam vivere, Festschr. für N. Backmund, Windberg 1978, S. 281–310.
Bowsky, W. M., Clement V and the Emperor Elect (Mediaevalia et Humanistica 12), 1958, S. 52–69.
Burr, D., Olivi and Franciscan Poverty. The Origins of the „usus pauper“ Controversy, Philadelphia, PA 1989.
Caggese, E., Roberto d'Angiò e i suoi tempi, 2 Bde., Florenz 1922–35.
Caillet, L., La Papauté d'Avignon et l'Église de France. La politique bénéficiale du pape Jean XXII en France (1316–1334), Paris 1975.
Canning J., A State Like Any Other? The Fourteenth-Century Papal Patrimony through the Eyes of Roman Law Jurists, in: The Church and Sovereignty
c. 590–1918. Essays in Honour of M. Wilks Oxford 1991, S. 245–60.
Chiffoleau, J., La justice du pape. Délinquence et criminalité dans la région d'Avignon au quatorzième siècle, Paris 1984.
Colliva, P., Il cardinale Albornoz, lo Stato della Chiesa, le „Constitutiones Aegidianae“ (1353–1357), Bologna 1977.
Dehio, L., Der Übergang von Natural- zu Geldbesoldung an der Kurie (VSWG 8), 1910, S. 56–78.
Deprez, E., Les préliminaires de la guerre de Cent ans. La Papauté, la France et l'Angleterre (1328–1342), Paris 1902 (ND Genf 1975).
Di Carpegna Falconieri, T., Cola di Rienzo. Presentazione di G. Arnaldi, Roma 2002.
Dinzelbacher, P., Die Templer. Ein geheimnisumwitterter Orden? Freiburg 2002.
Dupré Theseider, E., I papi di Avignone e la questione romana, Florenz 1939.
Dupré Theseider, E., Problemi del papato avignonese, Bologna 1961.

Ehrle, F., Der Nachlass Clemens' V. und der in Betreff desselben von Johann XXII. (1318–1321) geführte Prozeß (ALitKG 5), 1889, S. 1–158.
Erdmann, J., „Quod non est in actis, non est in mundo." Päpstliche Benefizialpolitik im sacrum imperium des 14. Jahrhunderts, Tübingen 2006.
Erkens, F.-R., Sol iusticie und regis regum vicarius – Ludwig der Bayer als „Priester der Gereichtigkeit", in: Zeitschrift für bayerische Landesgeschichte 66, 2003, S. 795–818.
Erler, A., Aegidius Albornoz als Gesetzgeber des Kirchenstaates, Berlin 1970.
Esch, A., Die Ehedispense Johanns XXII. und ihre Beziehung zur Politik, Berlin 1929 (ND Vaduz 1965).
Felten, F. J., München, Paris und Avignon im Frühjahr 1337. Anmerkungen zur Wirkmächtigkeit von Geschichtsbildern, in: Bayern und Europa, Festschr. P. C. Hartmann, hg. v. K. Amann – L. Pelizaeus – A. Reese – H. Schmahl, Frankfurt am Main 2005, S. 1–16.
Fürst, C. G., „Quia nonnulli". Anmerkungen zu einer Bulle Clemens' V. (Extravag. Com. V, 10, 4), in: Aus Kirche und Reich. Festschr. Fr. Kempf. Sigmaringen 1983, S. 419–30.
Gagnière, S., Le palais des papes d'Avignon, Caisse nat. de mon. hist. 1965.
Genèse et débuts du Grand Schisme d'Occident (1362–1394), Paris 1980.
Gilmour-Bryson, A., The Trial of the Templars in the Papal State and the Abruzzi, Città del Vaticano 1982.
Guillemain, B., La Cour pontificale d'Avignon (1309–1376). Étude d'une société, Paris 1962 (ausführl. Literaturverzeichnis).
Hayez, A. M., À la Cour pontificale d'Urbain V, réceptions et déplacements (Annuaire de la Société des Amis du palais des Papes 63–64), 1986/87, S. 15–24.
Heft, J., John XXII and Papal Teaching Authority, Lewiston, NY– Queenston, Ont. 1986.
Housley, N., The Avignon Papacy and the Crusades, 1305–1378, Oxford 1986.
Jean XXII, Les sermons sur la vision béatifique, ed. M. Dykmans, Rom 1973.
La Papauté d'Avignon et le Languedoc 1316–1342, Toulouse 1991.
Leppin, V., Wilhelm von Ockham. Gelehrter, Streiter, Bettelmönch, Darmstadt 2003.
Lulvès, I., Die Machtbestrebungen des Kardinalats bis zur Aufstellung der ersten päpstlichen Wahlkapitulation (QFIAB 13), 1910, S. 73–102.
Lulvès, I., Päpstliche Wahlkapitulationen. Ein Beitrag zur Entwicklungsgeschichte des Kardinalats (QFIAB 12), 1909, S. 12–35.
Lunt, W. E., Financial relations of the papacy with England, 1327–1534, Cambridge, MA 1962.
Lunt, W. E., Papal Revenues in the Middle Ages, 2 Bde., New York 1934 (ND 1965).
Mažeika, R. J. – Rowell, St. C., Zelatores maximi. Pope John XXII, Archbishop

Frederick of Riga and the Baltic Mission 1305–1340, in: AHP 31, 1993, S. 33–68.
McDonald, P., Poor Clerks' Provisions: A Case for Reassessment? (AHPont 30), 1992, S. 339–49.
Menache, S., Clement V et le royaume de France. Un nouveau regard (RHEglF 74), 1988, S. 23–38.
Menache, S., Clement V, Cambridge 1998.
Meyer, A., Zürich und Rom. Ordentliche Kollatur und päpstliche Provisionen am Frau- und Großmünster 1316–1523, Tübingen 1986.
Miethke, J., De potestate papae. Die päpstliche Amtskompetenz im Widerstreit der politischen Theorie von Thomas von Aquin bis Wilhelm Ockham, Tübingen 2000.
Miethke, J., Der Kampf Ludwigs des Bayern mit Papst und avignonesischer Kurie in seiner Bedeutung für die deutsche Geschichte, in: Nehlsen, H. – Hermann, H.-G. (Hgg.), Kaiser Ludwig der Bayer. Konflikte, Weichenstellungen und Wahrnehmung seiner Herrschaft, Paderborn 20002, S. 39–74.
Miethke, J., Kaiser und Papst im Spätmittelalter. Zu den Ausgleichsbemühungen zwischen Ludwig dem Bayern und der Kurie in Avignon (ZHF 10), 1983, S. 421–46.
Miethke, J., Kaiser und Papst im Spätmittelalter. Zu den Ausgleichbemühungen zwischen Ludwig dem Bayern und der Kurie in Avignon, in: ZhF 10, 1983, S. 421–446.
Miethke, J., Ockhams Weg zur Sozialphilosophie, Berlin 1969.
Miethke, J., Politiktheorien im Mittelalter von Thomas von Aquin bis Wilhelm von Ockham, Tübingen 2008.
Miethke, J., Wilhelm von Ockham. Texte zur politischen Theorie, 1995.
Miethke, J., Wirkungen politischer Theorie auf die Praxis der Politik im Römischen Reich des 14. Jahrhunderts. Gelehrte Politikberatung am Hofe Ludwigs des Bayern, in: Political Thought and the Realities of Power in the Middle Ages, hg. v. J. Canning – O. G. Oexle, Göttingen 1998.
Mollat, G., La collation des bénéfices ecclésiastiques par les papes d'Avignon (1305–1378), Paris 1921.
Mollat, G., Les papes d'Avignon (1305–1378), 10. Aufl. Paris 1965 (ausführl. Literaturverzeichnis).
Muldoon, I., The Avignon Papacy and the frontiers of Christendom: The Evidence of Vatican Register 62 (AHPont 17) 1979, S. 125–95.
Müller, E., Das Konzil von Vienne, 1311–1312. Seine Quellen und seine Geschichte, Münster 1934.
Nold, P., Pope John XXII and His Franciscan Cardinal, Bertrand de la Tour and the Apostolic Poverty Controversy, Oxford 2003.
Offler, H. S., Church and Crown in the Forteenth Century. Studies in European history and political tought, ed. by A. I. Doyle, Aldershot 2000.

Pauler, R., Die Auseinandersetzungen zwischen Kaiser Karl IV. und den Päpsten. Italien als Schachbrett der Diplomatie, Neuried 1996.
Piola Caselli, F., La costruzione del palazzo dei papi di Avignone (1316–1367), Mailand 1981.
Quaglioni, D. (Hg.), La crisi del Trecento e il papato avignonese (1274–1378), Cisinello Balsamo 1994.
Rehberg, A., I papi, l'ospedale e l'ordine di S. Spirito nell'età avignonese, in: Archivio della Società Romana di storia patria 124, 2001, S. 35–140.
Renouard, Y., La papauté à Avignon, 2. Aufl. Paris 1962.
Renouard, Y., Les relations des papes d'Avignon et des compagnies commerciales et bancaires de 1316a 1378, Paris 1941.
Samaran, C., G. Mollat, La fiscalité pontificale en France au XIVe siècle. Période d'Avignon et du Grand Schisme d'Occident, Paris 1905.
Satolli, A., Le Rocche dell'Albornoz nella fascia mediana dello Stato Pontificio, in: Dall'Albornoz all'età dei Borgia. Questioni di cultura figurativa nell'Umbria meridionale, Todi 1990, S. 55–81.
Schimmelpfennig, B., „Ad maiorem Pape gloriam". La fonction des pièces dans le palais des Papes d'Avignon, in: Architecture et vie sociale, hg. v. J. Guillaume, Paris 1994, S. 25–46.
Schimmelpfennig, B., Die Organisation der päpstlichen Kapelle in Avignon (QFIAB 50), 1971, S. 80–111.
Schimmelpfennig, B., Papal Coronations in Avignon, in: Coronations. Medieval and Early Modern Monarchic Ritual, hg. v. J. Bak, Berkeley, CA 1990, S. 179–96.
Schimmelpfennig, B., Zisterzienserideal und Kirchenreform. Benedikt XII. (1334–42) als Reformpapst, in: Zisterzienser-Studien 3, Berlin 1976, S. 11–43.
Schmitt, C., Un pape réformateur et défenseur de l'unité de l'Église Benoît XII et l'Ordre des Frères-Mineurs (1334–1342), Quaracchi/Florenz 1959.
Schmitz, M., Lebens- und Arbeitsweise zweier südfranzosischer Kollektoren in der ersten Hälfte des 14. Jahrhunderts in England, Frankfurt a. M. 1993.
Schormann, G. A., Beiträge zur Ehepolitik der Päpste von Benedikt XII. bis Gregor XI., Phil. Diss. Bonn 1969.
Schütz, A., Die Prokuratorien und Instruktionen Ludwigs des Bayern für die Kurie (1331–1345). Ein Beitrag zu seinem Absolutionsprozeß, Kallmünz 1973.
Schwobel, H. O., Der diplomatische Kampf zwischen Ludwig dem Bayern und der romischen Kurie im Rahmen des kanonistischen Absolutionsprozesses, Weimar 1968.
Seibt, G., Anónimo romano. Geschichtsschreibung in Rom an der Schwelle zur Renaissance, Stuttgart 1992.
Sibilio, V., Benedetto XI. Il papa tra Roma e Avignone, Appendice di C. Longo, Roma 2004.

Tabacco, G., La casa di Francia nell'azione politica di papa Giovanni XXII, Rom 1953.

Thier, L., Kreuzzugsbemühungen unter Papst Clemens V., Werl 1973.

Thomas, H., Clemens VI. und Ludwig der Bayer, in:

Thomas, H., Ludwig der Bayer. Kaiser und Ketzer, Regensburg 1993. in: Nehlsen, H. – Hermann, H.-G. (Hg.), Kaiser Ludwig der Bayer. Konflikte, Weichenstellungen und Wahrnehmung seiner Herrschaft, Paderborn 20002, S. 75–117.

Tomasello, A., Music and Ritual at Papal Avignon 1309–1403, Ann Arbor, MI 1983.

Trenchs Odena, J., „De Alexandrinis" (el comercio prohibido con los musulmanes y el Papado de Aviñón durante la primera mitad del siglo XIV) (Anuario de Estudios Medievales 10), 1980, S. 237–320.

Trenchs Odena, J., La elección y la muerte de los papas (de Clemente V a Inocencio VI) según los volumenes de la Cámera Apostólica, in: Estudios en memoria del profesor D. Salvador de Moxó, Bd. 2, Madrid 1982, S. 665–72.

Trexler, R. C., Rome on the Eve of the Great Schism (Speculum 42), 1967, S. 489–509.

Turley, Th., Infallibilists in the Curia of Pope John XXII (JMedH 1), 1975, S. 71–101.

Ullmann, W., The Legal Validity of the Papal Electoral Pacts (EphIur Can 12), 1956, S. 3–35.

Vones, L., Papsttum und Episkopat im 14. Jahrhundert. Probleme der avignonesischen Päpste mit den Bistümern des Deutschen Reiches unter besonderer Berücksichtigung des Pontifikats Urbans V. (1362–1370), in: Römische Quartalschrift für christliche Archäologie und KG 94, 1999, S. 149–182.

Vries, W. de, Die Päpste von Avignon und der christliche Osten (OrChr Per 30), 1964, S. 85–128.

Walsh, K., Papal Policy and Local Reform (RHM 21), 1979, S. 35–57.

Weakland, J. E., John XXII before his Pontificate (AHPont 10), 1972, S. 161–85.

Weber, W., Die Constitutiones Sanctae Matris Ecclesiae des Kardinals Aegidius Albornoz von 1357 unter besonderer Berücksichtigung der Strafrechtsnormen, Aalen 1982.

Weiss, St., Kredite europäischer Fürsten für Gregor XI. Zur Finanzierung der Rückkehr des Papsttums von Avignon nach Rom, in: QFIAB 77, 1997, S. 176–205.

Williman, D., The Right of Spoil of the Popes of Avignon, 1316–1415, Philadelphia, PA 1988.

Wittneben, E. L., Lupold von Bebenburg und Wilhelm von Ockham im Dialog über die Rechte am Römischen Reich des Spätmittelalters, in: DA 53, 1997, S. 567–586.

Wood, D., Clement VI. The Pontificate and Ideas of on Avignon Pope, Cambridge 1987.

Wright, J. R., The Church and the English Crown 1305–1334. A Study based on the Register of Archbishop Walter Reynolds, Toronto 1980.
Wrigley, J. E., The Conclave and the Electors of 1342 (AHPont 20), 1982, S. 51–81.
Zacour, N. P., Talleyrand: the cardinal of Perigord (1301–1364), Philadelphia, PA 1960.

Kap. X: Schisma und Reform (1378–1447)

Alberigo, G., Chiesa Conciliare. Identità e significato del conciliarismo, Brescia 1981.
Allle origini della nuova Roma. Martino V (1417–1431), hg. v. M. Chiabo u. a., Rom 1992.
Alvarez Palenzuela, V. A., Extinción del cisma de occidente. La legación del cardenal Pedro de Foix en Aragón (1425–1430), Madrid 1977.
Amédée VIII – Felix V, premier duc de Savoie et pape (1383–1451), hg. v. B. Andermatten u. A. Paravicini Bagliani, Lausanne 1992.
Antonazzi, G., Lorenzo Valla e la polemica sulla Donazione di Costantino. Con testi inediti dei secoli XV–XVII, Rom 1985.
Battelli, G., Il rotolo di suppliche dello Studio di Roma a Clemente VII antipapa (1378) (ASR 114), 1991, S. 27–56.
Baum, W., Kaiser Sigismund, Hus, Konstanz und Türkenkriege, Graz/Wien/Köln 1993.
Bäumer, R. (Hg.), Die Entwicklung des Konziliarismus. Werden und Nachwirken der konziliaren Idee, Darmstadt 1976.
Bérence, F., Les papes de la Renaissance. Du Concile de Constance au Concile de Trente, Paris 1966.
Boockmann, H. – Dormeier, H., Konzilien, Kirchen- und Reichsreform (1410–1495), Stuttgart 2005.
Brandmüller, W., Das Konzil von Konstanz 1414–1418, 2 Bde., Paderborn 1991/1997.
Brandmüller, W., Das Konzil von Pavia-Siena 1423–1424, Paderborn 2002.
Brandmüller, W., Das Konzil, demokratisches Kontrollorgan über den Papst? Zum Verständnis des Konstanzer Dekrets „Frequens“ vom 9. Oktober 1417 (AHC 16), 1984, S. 328–47.
Brandmüller, W., Der Übergang vom Pontifikat Martins V. zu Eugen IV. (QFIAB 47), 1967, S. 596–629.
Brandmüller, W., Die Gesandtschaft Benedikts XIII. an das Konzil von Pisa, in: Konzil und Papst. Festgabe für Hermann Tüchle, München/Paderborn/Wien 1975, S. 169–205.
Brandmüller, W., Infeliciter electus fuit in Papam. Zur Wahl Johannes' XXIII., in: Ecclesia et regnum. Festschr. F.-J. Schmale, Bochum 1989, S. 309–22.

Brandmüller, W., Papst und Konzil im Großen Schisma (1378–1431). Studien und Quellen, Paderborn 1990.
Brandmüller, W., Zur Frage nach der Gültigkeit der Wahl Urbans VI. Quellen und Quellenkritik (AHC 6), 1974, S. 78–120.
Caggese, R., Re Ladislao d'Angiò-Durazzo, 2 Bde., Mailand 1936.
Christian Unity. The Council of Ferrara-Florence 1438/39–1989, hg. v. G. Alberigo, Leuven 1991.
Christianson, G., Aeneas Sylvius Piccolomini and the Historiography of the Council of Basel, in: Ecclesia militans. Festschr. R. Bäumer, Bd. 1, Paderborn 1988, S. 157–84.
De Weese, Jr., M. L., A Study of Decision-Making in France During the Reign of Charles VI. (The Rejection of the Avignon Papacy 1395), Diss. Univ. of Washington 1973.
Delaruelle, E., u. a., L'Église au temps du Grand Schisme et de la crise conciliaire (1378–1449) (= Histoire de l'Église 14), Paris 1962–64.
Diener, H., Die Vergabe von Klöstern als Kommende durch Papst und Konsistorium (1417–1523) (QFIAB 68), 1988, S. 271–83.
Diener, H., Zur Persönlichkeit des Johannes de Segovia. Ein Beitrag zur Methode der Auswertung päpstlicher Register des späten Mittelalters (QFIAB 44), 1964, S. 289–365.
Dykmans, M., D'Avignon à Rome. Martin V et le cortège apostolique (BIH-BelgR 39), 1968, S. 203–309.
Dykmans, M., La bulle de Grégoire XI à la veille du Grand Schisme (MélArchH 89), 1977, S. 485–95.
Esch, A., Bankiers der Kirche im Großen Schisma (QFIAB46), 1966, S. 277–394.
Esch, A., Bonifaz IX. und der Kirchenstaat, Tübingen 1969.
Esch, A., Das Papsttum unter der Herrschaft der Neapolitaner. Die führende Gruppe Neapolitaner Familien an der Kurie während des Schismas 1378–1415, in: Festschr. für H. Heimpel II, Göttingen 1972, S. 713–800.
Esch, A., Simonie-Geschäft in Rom 1400: „Kein Papst wird das tun, was dieser tut" (VSWG 61), 1974, S. 433–57.
Favier, J., Les finances pontificales à l'époque du Grand Schisme d'Occident 1378–1409, Paris 1966 (ausführl. Literaturverzeichnis)
Ferrara e il Concilio 1438–1439, hg. v. P. Castelli, Ferrara 1992.
Fink, K. A., Martin V. und Aragon, Berlin 1938.
Firenze e il concilio del 1439, a cura di P. Viti, 2 Bde., Firenze 1994.
Franzen, A. – Müller, W. (Hgg.), Das Konzil von Konstanz, Freiburg/Basel/Wien 1964.
Ganzer, K., Päpstliche Gesetzgebungsgewalt und kirchlicher Konsens. Zur Verwendung eines Dictum in der Concordantia Catholica des Nikolaus von Kues, in: Von Konstanz nach Trient. Festgabe für A. Franzen, München/Paderborn/Wien 1972, S. 171–88.

Gill, J., Eugenius IV. Pope of Christian Unity, Westminster, MD 1961.
Girgensohn, D., Berichte über Konklave und Papstwahl auf dem Konstanzer Konzil (AHC 19), 1987, S. 351–91.
Girgensohn, D., Ein Schisma ist nicht zu beenden ohne die Zustimmung der konkurrierenden Päpste. Die juristische Argumentation Benedikts XIII. (Pedro de Lunas) (AHPont 27), 1989, S. 197–247.
Girgensohn, D., Wie wird man Kardinal? Kuriale und außerkuriale Karrieren an der Wende des 14. zum 15. Jahrhundert (QFIAB 57), 1977, S. 138–62.
Haller, L., Papsttum und Kirchenreform 1, 2. Aufl. Berlin 1966.
Harvey, M., England, Rome and the Papacy 1417–1464. The Study of a Relationship, Manchester/New York 1993.
Harvey, M., Martin V and Henry V (AHPont 24), 1986, S. 49–70.
Harvey, M., Solutions to Schism: A Study of Some English Attitudes 1378 to 1409, St. Ottilien 1983.
Helmrath, J., Das Basler Konzil 1431–1449. Forschungsstand und Probleme, Köln 1987.
Hlavácek, I. – Patschovsky, A. (Hgg.), Reform von Kirche und Reich zur Zeit der Konzilien von Konstanz (1414–1418) und Basel (1432–1449), Konstanz 1996.
Hofmann, W. von, Forschungen zur Geschichte der kurialen Behörden vom Schisma bis zur Reformation, 2 Bde., Rom 1914.
Immenkötter, H., Ein avignonesischer Bericht zur Unionspolitik Benedikts XIII. (AHC 8), 1976, S. 200–49.
Kaminsky, H., Simon de Cramaud and the Great Schism, New Brunswick, NJ 1983.
Landi, A., Il papa deposto (Pisa 1409). L'idea conciliare nel Grande Schisma, Turin 1985.
Lenzenweger, I., Das Kardinalskollegium und die Papstwahlen 1378 (ThPQ 126), 1978, S. 316–25.
Logoz, R. Ch., Clément VII (Robert de Genève). Sa chancellerie et le clergé romand au début du Grand Schisme (1378–1394), Lausanne 1974.
Lombardo, M. L., La Camera Urbis. Premesse per uno studio sulla organizzazione amministrativa della città di Roma durante il pontificato di Martino V, Rom 1970.
Marosi, E., König Sigismund von Ungarn und Avignon, in: Orient und Okzident im Spiegel der Kunst. Festschr. H. G. Franz, Graz 1986, S. 229–249.
Märtl, Claudia, Von Mäusen und Elefanten. Tiere am Papsthof im 15. Jahrhundert, in: DA 60, 2004, S. 183–200.
Meuthen, E., Das Basler Konzil als Forschungsproblem der europäischen Geschichte, Opladen 1985.
Meuthen, E., Reiche, Kirchen und Kurie im späteren Mittelalter, in: HZ 265, 1997, S. 597–637.
Meyer, A., Arme Kleriker auf Pfründensuche. Eine Studie über das Informa-pau-

perum-Register Gregors XII. von 1407 und über päpstliche Anwartschaften im Spätmittelalter, Köln 1990.
Meyer, A., Spätmittelalterliches Benefizialrecht im Spannungsfeld zwischen päpstlicher Kurie und ordentlicher Kollatur: Forschungsansätze und offene Fragen, in: Proceedings of the Eighth Intern. Congr. of Med. Can. Law (San Diego), Città del Vaticano 1992, S. 247–62.
Moxó y Montoliu, F. de, El papa Luna. Un imposible empeño. Estudio politícoeconómico, 2 Bde., Zaragoza 1986.
Müller, H., Die Franzosen, Frankreich und das Basler Konzil (1431–1449), 2 Bde. Paderborn 1990.
Müller, H., Konzil und Frieden. Basel und Arras 1435, in: Träger und Instrumentarien des Friedens im hohen und späten Mittelalter, hg. v. J. Fried, Sigmaringen 1996, S. 333–390.
Müller, H., Les pays rhénans, la France et la Bourgogne à l'époque du concile de Bâle. Une leçon d'histoire politique, in: Francia 30/1, 2003, S. 107–133.
Nikolaus von Kues. Kirchen und Respublica Christiana. Konkordanz, Repräsentanz und Konsens, hg. v. K. Kremer – K. Reinhardt, Trier 1994.
Partner, P., The Papal State under Martin V. The administration and government of the temporal power in the early fifteenth century, London 1958.
Petersohn, J., Papst Gregors XII. Flucht aus Cividale (1409) und die Sicherstellung des päpstlichen Paramentenschatzes (RQ 58), 1963, S. 51–70.
Prerovsky, O., L'elezione di Urbano VI e l'insorgere dello Scisma d'Occidente, Rom 1960.
Puig y Puig, S., Pedro de Luna. Ultimo papa de Aviñón (1387–1430), Barcelona 1920.
Rathmann, Th., Geschehen und Geschichten des Konstanzer Konzils. Chroniken, Briefe und Sprüche als Konstituenten eines Ereignisses, München 2000.
Reinhard, W., Herkunft und Karriere der Päpste 1417–1963. Beiträge zu einer historischen Soziologie der römischen Kurie (MNedHIR 38), 1976, S. 87–108.
Reinhard, W., Papa pius. Prolegomena zu einer Sozialgeschichte des Papsttums, in: Von Konstanz nach Trient. Festgabe für A. Franzen, München/Paderborn/Wien 1972, S. 262–89.
Santorelli, P., Eugenio IV nel vortice di eventi drammatici, Città del Vaticano 1990.
Saraco, A., Il cardinale Domenico Capranica (1400–1458) e la riforma della Chiesa, Roma 2004.
Schneider, H., Die Halbbulle Felix' V. Zur Imitation kurialen Kanzleibrauchs in der Basler Konzilskanzlei (AHC 17), 1985, S. 457–63.
Schuchard, Ch., Die Deutschen an der päpstlichen Kurie im späten Mittelalter (1378–1447), Tübingen 1987.
Schwarz, B., Ämterkäuflichkeit an der Romischen Kurie. Voraussetzungen und

Entwicklungen bis 1463, in: Proceedings of the Sixth Intern. Congr. of Med. Can. Law (Berkeley), Città del Vaticano 1985, S. 451–63.
Schwarz, B., Die Abbreviatoren unter Eugen IV. Päpstliches Reservationsrecht, Konkordatspolitik und kuriale Ämterorganisation (mit zwei Anhängen: Konkordate Eugens IV.: Aufstellung der Bewerber) (QFIAB 60), 1980, S. 200–74.
Seidlmayer, M., Die Anfänge des großen abendländischen Schismas. Studien zur Kirchenpolitik insbesondere der spanischen Staaten und zu den geistigen Kämpfen der Zeit, Münster 1940.
Serra Estelles, J., Los registros de súplicas y letras pontificias de Clemente VII de Aviñón (1378–1394). Estudio diplomático, Rom 1988.
Setz, W., Lorenzo Vallas Schrift gegen die Konstantinische Schenkung De falso credita et ementita Constantini donatione. Zur Interpretation und Wirkungsgeschichte, Tübingen 1975.
Sieben, H. J., Traktate und Theorien zum Konzil. Vom Beginn des Großen Schismas bis zum Vorabend der Reformation (1378–1521), Frankfurt a. M. 1983.
Sigismund von Luxemburg. Kaiser und König in Mitteleuropa 1387–1437, hg. v. J. Macek – E. Marosi – F. Seibt, Warendorf 1994.
Souchon, M., Die Papstwahlen in der Zeit des großen Schismas. Entwicklung der Verfassungskämpfe des Kardinalates von 1378 bis 1417, 2 Bde , Braunschweig 1898/99 (ND Aalen 1970).
Studien zum 15. Jahrhundert, Festschr. E. Meuthen, hg. v. J. Helmrath – H. Müller, München 1994 (mit zahlreichen Beiträgen zur Konzilszeit).
Studt, B., Papst Martin V. (1417–1431) und die Kirchenreform in Deutschland, Köln 2004.
Stump, Ph. H., The Reform of Papal Taxation at the Council of Constance (Speculum 64), 1989, S. 69–105.
Stump, Ph. H., The Reforms of the Council of Constance (1414–1418), Leiden/New York 1994.
Sudmann, St., Das Basler Konzil. Synodale Praxis zwischen Routine und Revolution (Tradition – Reform – Innovation 8), Frankfurt am Main 2005.
Thomson, J. A. F., Popes and Princes, 1417–1517, London 1980.
Tuilier, A., L'élection d'Alexandre V, pape grec, sujet vénitien et docteur de l'Université de Paris (Rivista di Studi Bizantini e Slavi 3), 1983, S. 319–41.
Ullmann, W., Origins of the Great Schism, 2. Aufl. Hamden 1967.
Umanesimo a Roma nel Quattrocento, hg. v. P. Brezzi u. M. de Panizza Lorch, Rom/New York 1984.
Una Santa tutta romana. Saggi e ricerche nel VI centenario della nascita di Francesca Bussa dei Ponziani (1384–1984), hg. v. G. Picasso, Monte Oliveto Maggiore 1984.
Vincke, J., Der König von Aragon und die Camera apostolica in den Anfängen des Großen Schismas, Münster 1938.

Waldmüller, L., Materialien zur Geschichte Johannes' XXIII. (1410–1414) (AHC 7), 1976, S. 229–37.
Weiss, S., Kurie und Ortsbischof. Die Beziehungen zwischen Salzburg und dem päpstlichen Hof unter Martin V. (1417–1431), Tübingen 1994.
Weiss, S., Salzburg und das Konstanzer Konzil (1414–1418), in: Mitteilungen der Gesellschaft für Salzburger Landeskunde 134, 1993, S. 173–189.
Wünsch, Th., Konziliarismus und Polen. Personen, Politik und Programme aus Polen zur Verfassungsfrage der Kirche in der Zeit der mittelalterlichen Reformkonzilien, Paderborn 1998.

Kap. XI: Restauration und Renaissance (1447–1534)

Babinger, F., Mehmed der Eroberer und seine Zeit, München 1953.
Bauer, C., Studi per la storia delle finanze papali durante il pontificato di Sisto IV (ASR 50), 1927, S. 319–400.
Benzi, F., Sisto IV Renovator Urbis. Architettura a Roma 1471–1484, Rom 1990.
Berglar, P., Die kirchliche und politische Bedeutung des Pontifikats Hadrians VI. (AKG 54), 1972, S. 97–112.
Bignami-Odier, J., La bibliothèque Vaticane de Sixte IV à Pie XI, Città del Vaticano 1973.
Blasio, M. G., Cum gratia et privilegio. Programmi editoriali e politica pontificia: Roma 1487–1527, Rom 1988.
Bonfigli, C., Niccolò V. Papa della rinascenza, Roma 1997.
Brandi, K., Kaiser Karl V., 2 Bde., München 1937–41.
Brandmüller, W., Die Reaktion Nikolaus' V. auf den Fall von Konstantinopel, in: Römische Quartalschrift für christliche Altertumskunde und Kirchengeschichte 90, 1995, S. 1–22.
Buddensieg, T., Die Statuenstiftung Sixtus' IV. im Jahre 1471. Von den heidnischen Götzenbildern am Lateran zu den Ruhmeszeichen des römischen Volkes auf dem Kapitol (RomJbKG 20), 1983, S. 33–73.
Burroughs, Ch., From Signs to Design. Environmental Process and Reform in Early Renaissance Rome, Cambridge, MA/London 1990.
Cantelar Rodriguez, F., El envío de misioneros a América y las bulas „Inter caetera" de Alejandro VI en 1493, in: Proceedings of the Eighth Intern. Congr. of Med. Can. Law (San Diego), Città del Vaticano 1992, S. 635–55.
Cardini, F., La Repubblica di Firenze e la crociata di Pio II (RSChIt 33), 1979, S. 455–82.
Carlen, L., Zeremoniell und Symbolik der Päpste im 15. Jahrhundert, Freiburg/Schweiz 1993.

Carroll, W. W., L'invenzione della città. La strategia urbana di Nicolò V e Alberti nella Roma del'400, Rom 1984.
Chambers, D. S., A Renaissance Cardinal and his Worldly Goods. The Will and Inventory of Francesco Gonzaga (1444–1483), London 1992.
Collectanea II: Studien zur Geschichte der päpstlichen Kapelle, hg. v. B. Janz, Città del Vaticano 1994.
D'Amico, J. F., Humanism and Theology at Papal Rome, 1480–1520, Ann Arbor, MI 1987.
D'Amico, J. F., Papal History and Curial Reform in the Renaissance. Raffaele Maffei's „Brevis Historia" of Julius II and Leo X (AHPont 18), 1980, S. 157–210.
D'Amico, J. F., Renaissance Humanism in Papal Rome: Humanists and Churchmen on the Eve of the Reformation, Baltimore, MD 1983.
Davies, C. S. L., Bishop John Morton, the Holy See, and the Accession of Henry VII (EHR 102), 1987, S. 2–30.
De'Giudici B., Apologia iudaeorum invectiva contra Platinam. Propaganda antiebraica e polemiche di Curia durante il pontificato di Sisto IV (1471–1484), Rom 1987.
Diener, H., Die Mitglieder der päpstlichen Kanzlei des 15. Jahrhunderts und ihre Tätigkeit in den Wissenschaften und Künsten (QFIAB 69), 1989, S. 111–24.
Dünnebeil, S., Außenpolitisches Handeln im ausgehenden Mittelalter: Akteure und Ziele, Wien 2007.
Dupré Theseider, E., I Papi Medicei e la loro politica domestica, in: Studi Fiorentini, Florenz 1963, S. 271–324.
Dykmans, M., Le cinquième Concile du Latran d'après le Diaire de Paris de Grassi (AHC 14), 1982, S. 271–369.
Dykmans, M., Le conclave sans simonie ou la bulle de Jules II sur l'élection papale, in: Miscellanea Bibl. Apost. Vaticanae 3, Città del Vaticano 1989, S. 203–55.
Dykmans, M., Paris de Grassi (EL 99), 1985, S. 383–417; (ebda. 100), 1986, S. 270–333.
Enea Silvio Piccolomini. Uomo di lettere e mediatore di culture – Gelehrter und Vermittler der Kulturen, a cura di M. A. Terzoli, Basel 2006.
Esch, A. und D., Die Grabplatte Martins V. und andere Importstücke in den römischen Zollregistern der Frührenaissance (RömJbKG 17), 1978, S. 209–17.
Esch, A., Enea Silvio Piccolomini als Papst Pius II.: Herrschaftspraxis und Selbstdarstellung, in: Lebenslehren und Weltentwürfe im Übergang vom Mittelalter zur Neuzeit, hg. v. H. Bookmann u. a., Göttingen 1989, S. 112–40.
Ettlinger, L. D., The Sistine Chapel before Michelangelo. Religious Imagery and Papal Primacy, Oxford 1965.
Falconi, C., Leone X. Giovanni de'Medici, Mailand 1987.
Fink, K. A., Das Scheitern der Kirchenreform im 15. Jahrhundert (Mediaevalia Bohemica 3), 1970, S. 237–44.

Frenz, Th., Die Gründung des Abbreviatorenkollegs durch Pius II. und Sixtus IV., in: Miscellanea in onore di M. Giusti I, Città del Vaticano 1978, S. 279–329.
Frenz, Th., Die Kanzlei der Päpste der Hochrenaissance (1471–1527), Tübingen 1986.
Frenz, Th., Humanistische Schriftformen in der päpstlichen Kurie im 15. Jahrhundert (ADipl 19), 1973, S. 287–418; (20), 1974, S. 384–506.
Frommel, C. L., Die Petruskirche unter Papst Julius II. im Lichte neuer Dokumente (Röm JbKG 16), 1976, S. 57–136.
Frommel, Ch. L., Francesco del Borgo: Architekt Pius' II. und Pauls II. (RömJbKG 20), 1983, S. 197–54; (ebda. 21), 1984, S. 71–164.
Frommel, Ch. L., Papal Policy: The Planning of Rome during the Renaissance (Journal of Interdisc. Hist. 17), Cambridge, MA 1986, S. 39–65.
Gazzaniga, J.-L., L'église du Midi à la fin du règne de Charles VII (1444–1461) d'après la jurisprudence du Parlement de Toulouse, Paris 1976.
Gilbert, F., The Pope, His Banker, and Venice, Cambridge, MA 1991.
Gli Sforza, la Chiesa lombarda, la Corte di Roma. Strutture e pratiche beneficiarie nel ducato di Milano (1450–1535), hg. v. G. Chittolini, Neapel 1989.
Gottlob, A., Aus der Camera Apostolica des 15. Jahrhunderts, Innsbruck 1889.
Günter, H., Die Straßenplanung unter den Medici-Päpsten in Rom (1513–1534) (Jahrb. d. Zentralinst. f. Kunstgesch. 1), München 1985, S. 237–293.
Halkin, L.-E., Adrien VI et la Réforme de l'Église (EphThLov 35), 1959, S. 534–42.
Hallman, B. M. C., Italian Cardinals, Reform, and the Church as Property, 1492–1563, Berkeley, CA 1985.
Heers, J., La vie quotidienne à la Cour pontificale au temps de Borgia et des Medicis 1420–1520, Paris 1986.
Helmrath, J., Enea Silvio Piccolomini (Pius II.) – Ein Humanist als Vater des Europagedankens? In: R. Hohls – I. Schröder – H. Siegrist (Hgg.), Europa und die Europäer, Festschr. H. Kaelble, Stuttgart 2005, S. 361–369.
Hoberg, H., Die Einnahmen der Apostolischen Kammer am Vorabend der Glaubensspaltung (RQ, Suppl. 35), 1977, S. 69–85.
Hofmann, G., Papst Kalixt III. und die Frage der Kircheneinheit im Osten, in: Miscellanea G. Mercati III, Rom 1946, S. 209–37.
I pontefici Sisto IV (1471–84) e Sisto V (1585–90), hg. v. L. Di Fonzo, Rom 1987.
Izbicki, Th. M., Protector of the Faith. Cardinal Johannes de Turrecremata and the Defense of the Institutional Church, Washington, D. C. 1981.
Jacoby, J. W., Den Päpsten zu Diensten. Raffaels Herrscherzyklus in der Stanza dell'Incendio im vatikanischen Palast, Hildesheim 1987.
Kruft, H. W., Ein Papst stiftet eine Stadt. Pius II. und Pienza, in: Mäzenatentum in Vergangenheit und Gegenwart. Hommage für K. Bösch, München 1988, S. 19–44.
L'età dei Della Rovere. V Convegno Storico Savonese, 2 Bde., Savona 1988/1989.
La Cappella Sistina. I primi restauri: la scoperta del colore, Novara 1986.

Landi, A., Concilio e papato nel Rinascimento (1149–1516). Un problema irrisolto, Torino 1997.
Le Bross, O. de, Le Pape et le Concile. La comparaison de leurs pouvoirs à la veille de la Réforme, Paris 1965.
Lee, E., Sixtus IV and Men of Letters, Rom 1978.
Leturia, P. de, Relaciones entre la S. Sede e Hispanoamérica I, Rom 1959.
Lowe, K. J. P., A Florentine Prelate's Real Estate in Rome between 1480 and 1524: the Residential and Speculative Property of Cardinal Francesco Soderini (Papers of the British School at Rome 59), 1991, S. 259–82.
Marc-Bonnet, H., Les Papes de la Renaissance. 1447–1527, 2. Aufl. Paris 1969.
Märtl, C., Kardinal Jean Jouffroy († 1473). Leben und Werk, Sigmaringen 1996.
McCready, W. D., Papal plenitudo potestatis and the Source of Temporal Authority in the Late Medieval Papal Hierocratic Theory (Traditio 30), 1974, S. 325–49.
McCready, W. D., Papalists and Antipapalists. Aspects of Church/State Controversy in the Later Middle Ages (Viator 6), 1975, S. 241–73.
McNally, R. E., Pope Hadrian VI (1522–23) and Church Reform (AHPont 7), 1969, S. 253–85.
Meuthen, E., Der Fall von Konstantinopel und der lateinische Westen (HZ 237), 1983, S. 1–35.
Meyer, A., Bischofswahl und päpstliche Provision nach dem Wiener Konkordat (RQ 87), 1992, S. 124–35.
Meyer, A., Das Wiener Konkordat von 1448 – Eine erfolgreiche Reform des Spätmittelalters (QFIAB 66), 1986, S. 108–52.
Minnich, N. H., The Fifth Lateran Council (1512–17): Studies on Its Membership, Diplomacy, and Proposals for Reform, London 1993.
Minnich, N. H., The Healing of the Pisan Schism (1511–13) (AHC 16), 1984, S. 59–192.
Monaco, M., Il primo debito pubblico pontificio: Il Monte della Fede (1526) (Studi Romani 8), 1960, S. 553–69.
Monaco, M., La situazione della reverenda camera apostolica nell'anno 1525, Rom 1960.
Monaco, M., Le finanze pontificie al tempo di Clemente VII (1523–1534) (Studi Romani 6), 1958, S. 278–96.
Müller, G., Die römische Kurie und die Reformation 1523–1534. Kirche und Politik während des Pontifikats Clemens' VII., Gütersloh 1969.
Naville, Ch. E., Enea Silvio Piccolomini. L'uomo, l'umanista, il pontefice (1405–1464), Bologna/Locarno 1984.
Nyberg, T., Papst Innocenz VIII. und Skandinavien (AHPont 22), 1984, S. 89–152.
O'Malley, I. W., Praise and Blame in Renaissance Rome, Durham, NC 1979.
Palermino, R. J., The Roman Academy, the Catacombs and the Conspiracy of 1468 (AHPont 18), 1980, S. 117–210.

Partner, P., Papal Financial Policy in the Renaissance and Counter-Reformation (Past and Present 88), 1980, S. 17–62.
Partner, P., Renaissance Rome 1500–1559. A Portrait of a Society, Berkeley, CA 1976.
Partner, P., The „Budget“ of the Roman Church in the Renaissance Period, in: E. F. Jacob (Hg.), Italian Renaissance Studies. A Tribute to the late Cecilia M. Ady, London 1960, S. 256–78.
Partner, P., The Pope's Men. The Papal Civil Service in the Renaissance, Oxford 1990.
Pfeffermann, H., Die Zusammenarbeit der Renaissancepäpste mit den Türken, Winterthur 1946.
Pio II e la cultura del suo tempo, hg. v. L. Rotondi Sacchi Tarugi, Mailand 1991.
Pitz, E., Supplikensignatur und Briefexpedition an der Römischen Kurie im Pontifikat Papst Calixts III., Tübingen 1972.
Prietzel, M., Guillaume Fillastre der Jüngere (1400/07–1473). Kirchenfürst und herzoglich-burgundischer Rat, Stuttgart 2001.
Raffaello architetto, hg. v. Ch. L. Frommel, Mailand 1984.
Ranke, L. von, Die römischen Päpste in den letzten vier Jahnhunderten I, 8. Aufl. Leipzig 1885 u. ö.
Re, N. del, Monsignor Governatore di Roma, Rom 1972.
Reinhardt, V., Der unheimliche Papst. Alexander VI. Borgia, 1431–1503, München 2005.
Rodocanachi, E., Histoire de Rome. Une cour princière au Vatican pendant la Renaissance. Sixte IV, Innocent VIII, Alexandre VI Borgia, Paris 1925.
Roma capitale (1447–1527), hg. v. S. Gensini, San Miniato 1994.
Roma e lo Studium Urbis. Spazio urbano e cultura dal Quattro al Seicento, Rom 1992.
Roma, centro ideale della cultura dell'Antico nei secoli XV e XVI. Da Martino V al Sacco di Roma 1417–1527, hg. v. S. Danesi Squarzina, Rom 1989.
Rome in the Renaissance: The City and the Myth, hg. v. P. A. Ramsey, Binghamton, NY 1982.
Roover, R. de, The Rise and Decline of the Medici Bank 1397–1494, Cambridge, MA 1968.
Roth, A., Studien zum frühen Repertoire der Päpstlichen Kapelle unter dem Pontifikat Sixtus' IV. (1471–1484), Città del Vaticano 1991.
Ruysschaert, J., La Bibliothèque Vaticane dans les dix premières années du pontificat de Sixte IV (AHPont 24), 1986, S. 71–90.
Ruysschaert, J., Sixte IV, Fondateur de la Bibliothèque Vaticane (15 juin 1475) (AHPont 7), 1969, S. 513–24.
Sägmüller, J. B., Die Papstwahlen und die Staaten von 1447–1555 (Nikolaus V. bis Paul IV.). Eine kirchenrechtlich–historische Untersuchung über den Anfang

des staatlichen Rechtes der Exklusive in der Papstwahl, Tübingen 1890 (ND Aalen 1967).
Schimmelpfennig, B., Der Ämterhandel an der römischen Kurie von Pius II. bis zum Sacco di Roma (1458–1527), in: I. Mieck (Hg.), Ämterhandel im Spätmittelalter und 16. Jahrhundert, Berlin 1984, S. 3–41 (vgl. in dem Band auch B. Schwarz, S. 61–65).
Schimmelpfennig, B., Der Papst als Territorialherr im 15. Jahrhundert, in: Europa 1500. Integrationsprozesse im Widerstreit: Staaten, Regionen, Personenverbände, Christenheit, hg. v. F. Seibt u. W. Eberhard, Stuttgart 1987, S. 84–95.
Schuchard, Ch., Deutsche an der päpstlichen Kurie im 15. und frühen 16. Jahrhundert (RQ 86), 1991, S. 78–97.
Schuchard, Ch., Rom und die päpstliche Kurie in den Berichten des Deutschordens-Generalprokurators Jodocus Hohenstein (1448–1468) (QFIAB 72), 1992, S. 54–122.
Schüller-Piroli, S., Die Borgia-Päpste. Kalixt III. und Alexander VI., München 1980.
Schulte, A., Die Fugger in Rom 1495–1523, 2 Bde., Leipzig 1904.
Schürmeyer, W., Das Kardinalskollegium unter Pius II., Berlin 1914 (ND Vaduz 1965)).
Schwaiger, G. (Hg.), Konzil und Papst. Festschr. f. H. Tüchle, München/Paderborn/Wien 1975
Schwarz, B., Klerikerkarrieren und Pfründenmarkt. Perspektiven einer sozialgeschichtlichen Auswertung des Repertorium Germanicum (QFIAB 71), 1991, S. 243–65.
Schwarz, B., Über Patronage und Klientel in der spätmittelalterlichen Kirche am Beispiel des Nikolaus von Kues (QFIAB 68), 1988, S. 284–310.
Schwarz, U., Sixtus IV. und die deutschen Kurialen in Rom. Eine Episode um den Ponte Sisto (1473) (QFIAB 71), 1991, S. 340–95.
Setton, K. M., The Papacy and the Levant (1204–1571). II: The Fifteenth Century, Philadelphia, PA 1978.
Sohn, A., „Pauperes clerici" an der römischen Kurie zur Zeit Pauls II. (1464–1471). Ein Beitrag zur prosopographischen Auswertung eines Vatikanregisters (Reg. Vat. 541), in: Vinculum societatis, hg. v. F. Neiske u. a., Sigmaringendorf 1991, S. 276–301.
Sohn, A., Deutsche Prokuratoren an der römischen Kurie in der Frührenaissance (1431–1474), Köln 1997.
Stadtwald, K., Roman popes and German patriots. Antipapalism in the politics of the German Humanist movement from Gregor Heimburg to Martin Luther, Genf 1996.
Staubach, N. (Hg.), Rom und das Reich vor der Reformation (Tradition, Reform, Innovation 7), Frankfurt am Main 2004.
Stieber, J. W., Pope Eugenius IV, the Council of Basel and the Secular and Eccle-

siastical Authorities in the Empire. The Conflict over Supreme Authority and Power in the Church, Leiden 1978.
Stinger, Ch. L., The Renaissance in Rome, Bloomington, IN 1985.
Storti, N., La storia e il diritto della dataria apostolica dalle origini ai nostri giorni, Neapel 1969.
Strnad, A., Francesco Todeschini-Piccolomini. Politik und Mäzenatentum im Quattrocento (RHM 8/9), 1964–66, S. 101–425.
Strnad, A., Johannes Hinderbachs Obödienz-Ansprache vor Papst Pius II. Päpstliche und kaiserliche Politik in der Mitte des Quattrocento (RHM 10), 1966/67, S. 43–183.
Tamburini, F., La riforma della Penitenziaria nella prima metà del sec. XVI e i cardinali Pucci in recenti saggi (RSChIt 44), 1990, S. 110–29.
Tewes, G.-R., Die römische Kurie und die europäischen Länder am Vorabend der Reformation, Tübingen 2001.
Tönnesmann, A., Pienza. Städtebau und Humanismus, München 1990.
Un pontificato ed una città, Sisto IV (1471–1484), hg. v. M. Miglio, Città del Vaticano 1986.
Valentini, G., La Crociata da Eugenio IV a Callisto III (dai documenti d'archivio di Venezia) (AHPont 12), 1974, S. 91–123.
Vaughan, H. M., The Medici Popes (Leo X and Clement VII), Port Washington, NY 1971.
Voigt, G., Enea Silvio de' Piccolomini als Papst Pius II. und sein Zeitalter, 3 Bde., Berlin 1856–63 (ND Berlin 1967).
Wagendorfer, M., Die Editionsgeschichte der Historia Austrialis des Eneas Silvius Piccolomini, in: DA 64, 2008, S. 65–108.
Westfall, C. W., In This Most Perfect Paradise: Alberti, Nicholas V, and the Invention of Conscious Urban Planning in Rome, 1447–1455, University Park, PA 1974.
Wiesflecker, H., Neue Beiträge zur Frage des Kaiser-Papst-Planes Maximilians I. im Jahre 1511 (MIÖG 71), 1963, S. 311–32.

Anhang

VERZEICHNIS DER RÖMISCHEN BISCHÖFE UND PÄPSTE VON PETRUS BIS ZU CLEMENS VII.

Vorbemerkung: Die vor den Papstnamen angeführten Nummern bezeichnen die heute vom Vatikan gewöhnlich anerkannten Päpste, auch wenn die Numerierung neuerdings im Annuario pontificio wegen der strittigen Anerkennung mancher Päpste aufgegeben ist. 'Gegenpäpste' sind jeweils unter den gleichzeitigen Gegnern angeführt. Weil die Regierungsdaten für die Bischöfe des 1. bis frühen 3. Jahrhunderts auf Konstruktionen des 4. Jahrhunderts beruhen, sind sie mit einem Fragezeichen versehen. Soweit bekannt, wurden die Tagesdaten für Wahl (el.), Weihe bzw. Krönung (c.), die seit dem 8. Jahrhundert genauer bekannt sind, und Tod (ob.) sowie für die Absetzung (d.) oder Resignation (r.) angegeben.

1.	Petrus	30?/33? – 64?/67?
2.	Linus	64?/67? – 76?/79?
3.	Anenkletus (Cletus) (= Anaklet I.)	79? – 90?/92?
4.	Clemens I.	90?/92? – 99?/101?
5.	Evaristus	99?/101? – 107?
6.	Alexander I.	107? – 116?
7.	Sixtus (Xystus) I.	116? – 125?
8.	Telesphorus	125? – 136?
9.	Hyginus (Yginus)	136?/138? – 140?/142?
10.	Pius I.	140?/142? – 154?/155?
11.	Anicetus	154?/155? – 166?
12.	Soter	166? – 174?
13.	Eleutherus	174? – 189?
14.	Viktor I.	189? – 198?/199?
15.	Zephyrinus	198?/199? – 217?
16.	Kalixt I.	217? – 222
	Hippolyt	217? – 235 (r.), 235/236 (ob.)

17.	Urban I.	222 – 230
18.	Pontianus	230 – 235 Sept. 28 (r.), 235 (ob.)
19.	Anteros	235 – 236 Jan. 3 (ob.)
20.	Fabianus	236 Jan. – 250 Jan. 20 (ob.)
21.	Cornelius	251 März – 253 Juni(?)
	Novatian	251 – 258?
22.	Lucius I.	253 – 254 März 5 (ob.)
23.	Stephan I.	254 Mai 12 – 257 Aug. 2 (ob.)
24.	Sixtus (Xystus) II.	257 Aug. 30 – 258 Aug. 6 (ob.)
25.	Dionysius	259/260 Juli 22 – 267/268 Dez. 26 (ob.)
26.	Felix I.	268/269 Jan. 5 – 273/274 Dez. 30 (ob.)
27.	Eutychianus	274/275 – 282/283
28.	Caius	282/283 – 295/296 April 22 (ob.)
29.	Marcellinus	295(?) Juni 30 – 304 Okt. 25 (ob.)
30.	Marcellus I.	307(?) Mai – 308(?) Jan. 16 (ob.)
31.	Eusebius	308/309/310 April 18 – 308/309/310 Aug. 17 (ob.)
32.	Miltiades	310/311 Juli 2 – 314 Jan. 11 (ob.)
33.	Silvester I.	314 Jan. 31 – 335 Dez. 31 (ob.)
34.	Marcus	336 Jan. 18 – 336 Okt. 7 (ob.)
35.	Julius I.	337 Febr. 6 – 352 April 12 (ob.)
36.	Liberius	352 Mai 17 – 366 Sept. 24 (ob.)
	Felix II.	355 – 358 (r.), 365 Nov. 22 (ob.)
37.	Damasus I.	366 Okt. 1 – 384 Dez. 11 (ob.)
	Ursinus	366 – 367 Nov. 16 (ob.)
38.	Siricius	384 Dez. – 399 Nov. 26 (ob.)
39.	Anastasius I.	399 Nov. 27 – 401 Dez. (ob.)
40.	Innozenz I.	401 Dez. 21 – 417 März 12 (ob.)
41.	Zosimus	417 März 18 – 418 Dez. 25 (ob.)
42.	Bonifaz I.	418 Dez. 29 – 422 Sept. 4 (ob.)
	Eulalius	418 – 419 (r.), 423 (ob.)
43.	Cölestin I.	422 Sept. 10 – 432 Juli 27 (ob.)
44.	Sixtus (Xystus) III.	432 Juli 31 – 440 Aug. 19 (ob.)
45.	Leo I.	440 Sept. 29 – 461 Nov. 10 (ob.)
46.	Hilarus (Hilarius)	461 Nov. 13 – 468 Febr. 29 (ob.)
47.	Simplicius	468 März 3 – 483 März 10 (ob.)
48.	Felix III. (II.)	483 März 13 – 492 März 1 (ob.)
49.	Gelasius I.	492 März 1 – 496 Nov. 19 (ob.)
50.	Anastasius II.	496 Nov. 24 – 498 Nov. 17 (ob.)

51. Symmachus	498 Nov. 22 – 514 Juli 19 (ob.)
Laurentius	498 – 506 (r.), 506 (ob.)
52. Hormisdas	514 Juli 20 – 523 Aug. 6 (ob.)
53. Johannes I.	523 Aug. 13 – 526 Mai 18 (ob.)
54. Felix IV. (III.)	526 Juli 12 – 530 Sept. 22(?) (ob.)
55. Bonifaz II.	530 Sept. 22 – 532 Okt. (ob.)
Dioskur	530 Sept. 22 – 530 Okt. 14 (ob.)
56. Johannes II. (vormals: Mercurius)	533 Jan. 2 – 535 Mai 8 (ob.)
57. Agapet (Agapitus) I.	535 Mai 13 – 536 April 22 (ob.)
58. Silverius	536 Juni 1(?) – 537 Nov. 11 (r.), 537 Dez. 2 (ob.)
59. Vigilius	537 März 29 – 555 Juni 7 (ob.)
60. Pelagius I.	556 April 16 (c.) – 561 März 3/4 (ob.)
61. Johannes III.	561 Juli 17 (c.) – 574 Juli 13 (ob.)
62. Benedikt I.	575 Juni 2 (c.) – 579 Juli 30 (ob.)
63. Pelagius II.	579 Nov. 26 (c.) – 590 Febr. 7 (ob.)
64. Gregor I.	590 Sept. 3 (c.) – 604 März 12 (ob.)
65. Sabinianus	604 Sept. 13 (c.) – 606 Febr. 22 (ob.)
66. Bonifaz III.	607 Febr. 19 (c.) – 607 Nov. 12 (ob.)
67. Bonifaz IV.	608 Aug. 25 (c.) – 615 Mai 8 (ob.)
68. Adeodatus (Deusdedit) I.	615 Okt. 19 (c.) – 618 Nov. 8 (ob.)
69. Bonifaz V.	619 Dez. 23 (c.) – 625 Okt. 25 (ob.)
70. Honorius I.	625 Okt. 27 (el.) – 638 Okt. 12 (ob.)
71. Severinus	640 Mai 28 (c.) – 640 Aug. 2 (ob.)
72. Johannes IV.	640 Dez. 24 (c.) – 642 Okt. 12 (ob.)
73. Theodor I.	642 Nov. 24 (c.) – 649 Mai 14 (ob.)
74. Martin I.	649 Juli (c.) – 653 Juni 17 (d.), 655 Sept. 16 (ob.)
75. Eugen I.	654 Aug. 10 (c.) – 657 Juni 2 (ob.)
76. Vitalian	657 Juli 30 (c.) – 672 Jan. 27 (ob.)
77. Adeodatus II.	672 April 11 (c.) – 676 Juni 17 (ob.)
78. Donus	676 Nov. 2 (c.) – 678 April 11 (ob.)
79. Agatho	678 Juni 27 (c.) – 681 Jan. 10 (ob.)
80. Leo II.	682 Aug. 17 (c.) – 683 Juli 3 (ob.)
81. Benedikt II.	684 Juni 26 (c.) – 685 Mai 8 (ob.)
82. Johannes V.	685 Juli 23 (c.) – 686 Aug. 2 (ob.)
83. Konon	686 Okt. 21 (c.) – 687 Sept. 21 (ob.)
Theodor	687 Ende

	Paschalis	687 – 692(?) (ob.)
84.	Sergius I.	687 Dez. 15 (c.) – 701 Sept. 8 (ob.)
85.	Johannes VI.	701 Okt. 30 (c.) – 705 Jan. 11 (ob.)
86.	Johannes VII.	705 März 1 (c.) – 707 Okt. 18 (ob.)
87.	Sisinnius	708 Jan. 15 (c.) – 708 Febr. 4 (ob.)
88.	Konstantin I.	708 März 25 (c.) – 715 April 9 (ob.)
89.	Gregor II.	715 Mai 19 (c.) – 731 Febr. 11 (ob.)
90.	Gregor III.	731 März 18 (c.) – 741 Nov. (ob.)
91.	Zacharias	741 Dez. 10 (c.) – 752 März 22 (ob.)
	Stephan (II.)	752 März 23 (el.) – 752 März 25 (ob.)
92.	Stephan II. (III.)	752 März 26 (el.) – 757 April 26 (ob.)
93.	Paul I.	757 April (el.), Mai 29 (c.) – 767 Juni 28 (ob.)
	Konstantin II.	767 Juni 28 (el.), Juli 5 (c.) – 768 Aug. 6 (d.), 769 April 13 (vertrieben)
	Philipp	768 Juli 31 (el.)
94.	Stephan III. (IV.)	768 Aug. 1 (el.), Aug. 7 (c.) – 772 Jan 24 (ob.)
95.	Hadrian I.	772 Febr. 1 (el.), Febr. 9 (c.) – 795 Dez. 25 (ob.)
96.	Leo III.	795 Dez. 26 (el.), Dez. 27 (c.) – 816 Juni 12 (ob.)
97.	Stephan IV. (V.)	816 Juni 22 (el.) – 817 Jan. 24 (ob.)
98.	Paschalis I.	817 Jan. 25 (el.) – 824 Febr. 11 (ob.)
99.	Eugen II.	824 Febr./Mai – 827 Aug. (ob.)
100.	Valentinus	827 Aug. – 827 Sept. (ob.)
101.	Gregor IV.	827 Ende – 844 Jan. (ob.)
	Johannes	844 Jan.
102.	Sergius II.	844 Jan. – 847 Jan. 27 (ob.)
103.	Leo IV.	847 Jan. (el.), April 10 (c.) – 855 Juli 17 (ob.)
104.	Benedikt III.	855 Juli (el.), Sept. 29 (c.) – 858 April 17 (ob.)
	Anastasius Bibl.	855 Aug. – 855 Sept. (verjagt), ca. 880 (ob.)
105.	Nikolaus I.	858 April 24 (c.) – 867 Nov. 13 (ob.)
106.	Hadrian II.	867 Dez. 14 (c.) – 872 Dez. 14 (ob.)
107.	Johannes VIII.	872 Dez. 14 (el.) – 882 Dez. 16 (ob.)

108.	Marinus I.	882 Dez. 16 (el.) – 884 Mai 15 (ob.)
109.	Hadrian III.	884 Mai 17 (el.) – 885 Sept. (ob.)
110.	Stephan V. (VI.)	885 Sept. – 891 Sept. 14 (ob.)
111.	Formosus	891 Okt. 6 – 896 April 4 (ob.)
112.	Bonifaz VI.	896 April – 896 April/Mai (ob.)
113.	Stephan VI. (VII.)	896 Mai – 897 Aug. (ob.)
114.	Romanus	897 Aug. – 897 Nov. (ob.)
115.	Theodor II.	897 Dez. – 897 Dez. (ob.)
116.	Johannes IX.	898 Jan. – 900 Jan. (ob.)
117.	Benedikt IV.	900 Jan./Febr. – 903 Juli (ob.)
118.	Leo V.	903 Juli – 903 Sept.
	Christophorus	903 Juli/Sept. – 904 Jan. (verjagt)
119.	Sergius III.	904 Jan. 29 – 911 April 14 (ob.)
120.	Anastasius III.	911 April – 913 Juni (ob.)
121.	Lando	913 Juli – 914 Febr. (ob.)
122.	Johannes X.	914 März – 928 Mai/Juni (ob.)
123.	Leo VI.	928 Mai – 928 Dez. (ob.)
124.	Stephan VII. (VIII.)	928 Dez. – 931 Febr. (ob.)
125.	Johannes XI.	931 Febr./März – 935 Dez. (ob.)
126.	Leo VII.	936 Jan. 3 – 939 Juli 13 (ob.)
127.	Stephan VIII. (IX.)	939 Juli 14 – 942 Okt. (ob.)
128.	Marinus II.	942 Okt. 30 – 946 Mai (ob.)
129.	Agapet (Agapitus) II.	946 Mai 10 – 955 Dez. (ob.)
130.	Johannes XII. (vormals: Oktavian)	955 Dez. 16 – 963 Dez. 4 (d.), 964 Mai 14 (ob.)
131.	Leo VIII.	963 Dez. 4 (el.), Dez. 6 (c.) – 965 März 1 (ob.)
	Benedikt V.	964 Mai 22 – 964 Juni 23 (d.), 966 Juli 4 (ob.)
132.	Johannes XIII.	965 Okt. 1 – 972 Sept. 6 (ob.)
133.	Benedikt VI.	973 Jan. 19 – 974 Juni (ob.)
	Bonifaz VII.	974 Juni – 974 Juli (vertrieben), s. u.
134.	Benedikt VII.	974 Okt. – 983 Juli 10 (ob.)
135.	Johannes XIV. (vormals: Petrus)	983 Dez. – 984 Aug. 20 (ob.)
	Bonifaz VII. (2. Mal)	984 Aug. – 985 Juli (ob.)
136.	Johannes XV.	985 Aug. – 996 März (ob.)
137.	Gregor V. (Brun)	996 Mai 3 – 999 Febr. 18 (ob.)

	Johannes XVI.	997 April – 998 Mai (d.), ca. 1013 (ob.)
138.	Silvester II. (Gerbert)	999 April 2 – 1003 Mai 12 (ob.)
139.	Johannes XVII.	1003 Mai/Juni – 1003 Nov. 6 (ob.)
140.	Johannes XVIII.	1004 Jan. – 1009 Juni/Juli (ob.)
141.	Sergius IV. (Petrus, gen. Os porci)	1009 Juli 31 – 1012 Mai 12 (ob.)
142.	Benedikt VIII. (Theophylakt)	1012 Mai 18 – 1024 April 9 (ob.)
	Gregor (VI.)	1012 Juni – 1012 Dez. (vertrieben)
143.	Johannes XIX. (Romanus)	1024 April 19(?) – 1032 (ob.)
144.	Benedikt IX. (Theophylakt)	1032 Aug./Sept. – 1044 (vertrieben), s. u.
	Silvester III. (Johannes)	1045 Jan. 20 – 1045 Febr. 10 (vertrieben), 1046 Dez. 20 (d.)
	Benedikt IX. (2. Mal)	1045 April 10 – 1045 Mai 1 (r.), 1046 Dez. 20 (d.)
	Gregor VI. (Johannes Gratianus)	1045 Mai 5 – 1046 Dez. 20 (d.), 1047 Nov. (ob.)
	Clemens II. (Suitger)	1046 Dez. 24 (el.), Dez. 25 (c.) – 1047 Okt. 9 (ob.)
	Benedikt IX. (3. Mal)	1047 Nov. 8 – 1048 Juli 17 (vertrieben), 1055/56 (ob.)
145.	Damasus II. (Poppo)	1047 Dez. 25 (ernannt), 1048 Juli 17 (c.) – 1048 Aug. 9 (ob.)
146.	Leo IX. (Brun)	1048 Dez. (ernannt), 1049 Febr. 12 (c.) – 1054 April 19 (ob.)
147.	Viktor II. (Gebhard)	1055 März (Investitur), April 16 (c.) – 1057 Juli 28 (ob.)
148.	Stephan IX. (X.) (Friedrich)	1057 Aug. 2 (el.), Aug. 3 (c.) – 1058 März 29 (ob.)
	Benedikt X. (Johannes)	1058 April 5 (el.) – 1059 Jan. (vertrieben), 1060 April (d.)
149.	Nikolaus II. (Gerhard)	1058 Dez. 6 (el.), 1059 Jan. 24 (c.) – 1061 Juli 27 (ob.)
150.	Alexander II. (Anselm)	1061 Okt. 1 – 1073 April 21 (ob.)

	Honorius II. (Cadalus)	1061 Okt. 28 – 1064 Mai 31 (d.), 1071/72 (ob.)
151.	Gregor VII. (Hildebrand)	1073 April 22 (el.), Juni 30 (c.) – 1085 Mai 25 (ob.)
	Clemens III. (Wibert)	1080 Juni 25 (el.), 1084 März 24 (c.) – 1100 Sept. 8 (ob.)
152.	Viktor III. (Desiderius)	1086 Mai 24 – 1087 Sept. 16 (ob.)
153.	Urban II. (Odo)	1088 März 12 – 1099 Juli 29 (ob.)
154.	Paschalis II. (Rainerius)	1099 Aug. 13 (el.), Aug. 14 (c.) – 1118 Jan 21 (ob.)
	Theoderich	1100 Sept. – 1100 Dez. (d.), 1102 (ob.)
	Albert	1102 Febr. – 1102 März (d.)
	Silvester IV. (Maginulf)	1105 Nov. 18 – 1111 (r.)
155.	Gelasius II. (Johannes)	1118 Jan. 24 (el.), März 10 (c.) – 1119 Jan. 28 (ob.)
	Gregor VIII. (Mauritius Burdinus)	1118 März 8 – 1121 (d.)
156.	Kalixt II. (Guido)	1119 Febr. 2 (el.), Febr. 9 (c.) – 1124 Dez. 13 (ob.)
	Cölestin II. (Thebaldus Buccapecus)	1124 Dez. 15 (el.), Dez. 16 (r.)
157.	Honorius II. (Lambertus)	1124 Dez. 15 (el.), Dez. 21 (c.) – 1130 Febr. 13 (ob.)
158.	Innozenz II. (Gregorius Papareschi)	1130 Febr. 14 (el.), Febr. 23 (c.) – 1143 Sept. 24 (ob.)
	Anaklet II. (Petrus Pierleoni)	1130 Febr. 14 (el.), Febr. 23 (c.) – 1138 Jan. 25 (ob.)
	Viktor IV. (Gregorius)	1138 März – 1138 Mai 29 (r.)
159.	Cölestin II. (Guido de Castello)	1143 Sept. 26 (el.), Okt. 3 (c.) – 1144 März 8 (ob.)
160.	Lucius II. (Gerardus)	1144 März 12 (el.) – 1145 Febr. 15 (ob.)
161.	Eugen III. (Petrus Bernardus)	1145 Febr. 15 (el.), Febr. 18 (c.) – 1153 Juli 8 (ob.)
162.	Anastasius IV. (Conradus de Subura)	1153 Juli 12 (el.) – 1154 Dez. 3 (ob.)

163.	Hadrian IV. (Nicolaus Breakspear)	1154 Dez. 4 (el.), Dez. 5 (c.) – 1159 Sept. 1 (ob.)
164.	Alexander III. (Rolandus Bandinellus)	1159 Sept. 7 (el.), Sept. 20 (c.) – 1181 Aug. 30 (ob.)
	Viktor IV. (Octavianus de Monticelli)	1159 Sept. 7 (el.), Okt. 4 (c.) – 1164 April 20 (ob.)
	Paschalis III. (Guido v. Crema)	1164 April 20 (el.), April 26 (c.) – 1168 Sept. 20 (ob.)
	Kalixt III. (Johannes de Struma)	1168 Sept. – 1178 Aug. 29 (r.)
	Innozenz III. (Lando v. Sezze)	1179 Sept. 29 – 1180 Jan. (d.)
165.	Lucius III. (Ubaldus Allucinguli)	1181 Sept. 1 (el.), Sept. 6 (c.) – 1185 Nov. 25 (ob.)
166.	Urban III. (Ubertus Crivelli)	1185 Nov. 25 (el.), Dez. 1 (c.) – 1187 Okt. 20 (ob.)
167.	Gregor VIII. (Albert v. Morra)	1187 Okt. 21 (el.), Okt. 25 (c.) – 1187 Dez. 17 (ob.)
168.	Clemens III. (Paulus Scolari)	1187 Dez. 19 (el.), Dez. 20 (c.) – 1191 März (ob.)
169.	Cölestin III. (Hyacinthus Bobo)	1191 März 30 (el.), April 14 (c.) – 1198 Jan. 8 (ob.)
170.	Innozenz III. (Lothar v. Segni)	1198 Jan. 8 (el.), Febr. 22 (c.) – 1216 Juli 16 (ob.)
171.	Honorius III. (Cencius Savelli)	1216 Juli 18 (el.), Juli 24 (c.) – 1227 März 18 (ob.)
172.	Gregor IX. (Ugolinus v. Segni)	1227 März 19 (el.), März 21 (c.) – 1241 Aug. 22 (ob.)
173.	Cölestin IV. (Goffredo Castiglioni)	1241 Okt. 25 (el.), Okt. 28 (c.) – 1241 Nov. 10 (ob.)
174.	Innozenz IV. (Sinibaldo Fieschi)	1243 Juni 25 (el.), Juni 28 (c.) – 1254 Dez. 7 (ob.)
175.	Alexander IV. (Rainald v. Segni)	1254 Dez. 12 (el.), Dez. 20 (c.) – 1261 Mai 25 (ob.)
176.	Urban IV. (Jacques Pantaléon)	1261 Aug. 29 (el.), Sept. 4 (c.) – 1264 Okt. 2 (ob.)
177.	Clemens IV. (Guy le Gros)	1265 Febr. 5 (el.), Febr. 15 (c.) – 1268 Nov. 29 (ob.)

178.	Gregor X. (Tedaldo Visconti)	1271 Sept. 1 (el.), 1272 März 27 (c.) – 1276 Jan. 10 (ob.)
179.	Innozenz V. (Pierre de Tarentaise)	1276 Jan. 21 (el.), Febr. 22 (c.) – 1276 Juni 22 (ob.)
180.	Hadrian V. (Ottobono Fieschi)	1276 Juli 11 (el.) – 1276 Aug. 18 (ob.)
181.	Johannes XXI. (statt: XX) (Petrus Hispanus)	1276 Sept. 8 (el.), Sept. 20 (c.) – 1277 Mai 20 (ob.)
182.	Nikolaus III. (Giovanni Caetano Orsini)	1277 Nov. 25 (el.), Dez. 26 (c.) – 1280 Aug. 22 (ob.)
183.	Martin IV. (Simon de Brion)	1281 Febr. 22 (el.), März 23 (c.) – 1285 März 28 (ob.)
184.	Honorius IV. (Giacomo Savelli)	1285 April 2 (el.), Mai 20 (c.) – 1287 April 3 (ob.)
185.	Nikolaus IV. (Girolamo Masci)	1288 Febr. 22 (el.) – 1292 April 4 (ob.)
186.	Cölestin V. (Pietro del Morrone)	1294 Juli 5 (el.), Aug. 29 (c.) – 1294 Dez. 13 (r.), 1296 Mai 19 (ob.)
187.	Bonifaz VIII. (Benedetto Caetani)	1294 Dez. 24 (el.), 1295 Jan. 23 (c.) – 1303 Okt. 11 (ob.)
188.	Benedikt XI. (Niccolò Boccasini)	1303 Okt. 22 (el.), Okt. 27 (c.) – 1304 Juli 7 (ob.)
189.	Clemens V. (Raymond Bertrand de Got)	1305 Juni 5 (el.), Nov. 14 (c.) – 1314 April 20 (ob.)
190.	Johannes XXII. (Jacques Arnaud Duèze)	1316 Aug. 7 (el.), Sept. 5 (c.) – 1334 Dez. 4 (ob.)
	Nikolaus V. (Pietro di Corvaro)	1328 Mai 12 (el.), Mai 22 (c.) – 1330 Aug. 25 (r.), 1333 Okt. 16 (ob.)
191.	Benedikt XII. (Jacques Fournier)	1334 Dez. 20 (el.), 1335 Jan. 8 (c.) – 1342 April 25 (ob.)
192.	Clemens VI. (Pierre Roger)	1342 Mai 7 (el.), Mai 19 (c.) – 1352 Dez. 6 (ob.)
193.	Innozenz VI. (Etienne Aubert)	1352 Dez. 18 (el.), Dez. 30 (c.) – 1362 Sept. 12 (ob.)
194.	Urban V. (Guillaume de Grimoard)	1362 Sept. 28 (el.), Nov. 6 (c.) – 1370 Dez. 19 (ob.)
195.	Gregor XI. (Pierre Roger)	1370 Dez. 30 (el.), 1371 Jan. 5 (c.) – 1378 März 26 (ob.)

Rom:

196.	Urban VI. (Bartolomeo Prignani)	1378 April 8 (el.), April 18 (c.) – 1389 Okt. 15 (ob.)
197.	Bonifaz IX. (Pietro Tomacelli)	1389 Nov. 2 (el.), Nov. 9 (c.) – 1404 Okt. 1 (ob.)
198.	Innozenz VII. (Cosma Migliorati)	1404 Okt. 17 (el.), Nov. 11 (c.) – 1406 Nov. 6 (ob.)
199.	Gregor XII. (Angelo Correr)	1406 Nov. 30 (el.), Dez. 19 (c.) – 1409 Juni 5 (d.), 1415 Juli 4 (r.), 1417 Okt. 18 (ob.)

Avignon:

	Clemens VII. (Robert von Genf)	1378 Sept. 20 (el.), Okt. 31 (c.) – 1394 Sept. 16 (ob.)
	Benedikt XIII. (Pedro de Luna)	1394 Sept. 28 (el.), Okt. 11 (c.) – 1409 Juni 5 (d.), 1417 Juli 26 (d.), 1423 Mai 23 (ob.)
	Clemens VIII. (Gil Sánchez Múñoz)	1423 Juni 10 (el.) – 1429 Juli (r.), 1447 Dez. 28 (ob.)
	Benedikt XIV. (Bernard Garnier)	1425 Nov. 12 – 1430 (ob.)

Pisa:

	Alexander V. (Petrus Philargus)	1409 Juni 26 (el.), Juli 7 (c.) – 1410 Mai 3 (ob.)
	Johannes XXIII. (Baldassare Cossa)	1410 Mai 17 (el.), Mai 25 (c.) – 1415 Mai 29 (d.), 1419 Nov. 22 (ob.)
200.	Martin V. (Oddone Colonna)	1417 Nov. 11 (el.), Nov. 21 (c.) – 1431 Febr. 20 (ob.)
201.	Eugen IV. (Gabriele Condulmer)	1431 März 3 (el.), März 11 (c.) – 1439 Juni 25 (d.), 1447 Febr. 23 (ob.)
	Felix V. (Amadeus v. Savoyen)	1439 Nov. 5 (el.), 1440 Juli 24 (c.) – 1449 April 7 (r.), 1451 Jan. 7 (ob.)
202.	Nikolaus V. (Tommaso Parentucelli)	1447 März 6 (el.), März 19 (c.) – 1455 März 24 (ob.)
203.	Kalixt III. (Alonso Borja)	1455 April 8 (el.), April 20 (c.) – 1458 Aug. 6 (ob.)
204.	Pius II. (Enea Silvio Piccolomini)	1458 Aug. 19 (el.), Sept. 3 (c.) – 1464 Aug. 15 (ob.)

205.	Paul II. (Pietro Barbo)	1464 Aug. 30 (el.), Sept. 16 (c.) – 1471 Juli 26 (ob.)
206.	Sixtus IV. (Francesco della Rovere)	1471 Aug. 9 (el.), Aug. 25 (c.) – 1484 Aug. 12 (ob.)
207.	Innozenz VIII. (Giovanni Battista Cibo)	1484 Aug. 29 (el.), Sept. 12 (c.) – 1492 Juli 25 (ob.)
208.	Alexander VI. (Rodrigo Borja)	1492 Aug. 11 (el.), Aug. 26 (c.) – 1503 Aug. 18 (ob.)
209.	Pius III. (Francesco Todeschini Piccolomini)	1503 Sept. 22 (el.), Okt. 1 (c.) – 1503 Okt. 18 (ob.)
210.	Julius II. (Giuliano della Rovere)	1503 Nov. 1 (el.), Nov. 26 (c.) – 1513 Febr. 21 (ob.)
211.	Leo X. (Giovanni Medici)	1513 März 9 (el.), März 19 (c.) – 1521 Dez. 1 (ob.)
212.	Hadrian VI. (Adriaan Florensz)	1522 Jan. 9 (el.), Aug. 31 (c.) – 1523 Sept. 14 (ob.)
213.	Clemens VII. (Giulio Medici)	1523 Nov. 19 (el.), Nov. 26 (c.) – 1534 Sept. 25 (ob.)

REGISTER

Orte und Personen sind möglichst vollständig erfaßt, Begriffe hingegen oft unter passenden Oberbegriffen zusammengefaßt, so z. B. unter 'Kanzlei' alle dazugehörenden Amtsträger. Was zu den Stichwörtern 'Kurie', 'Papsttum' und 'Rom' gehört, ist weitgehend unter diesen Lemmata angeordnet. – *Abkürzungen:* Ap. = Apostel; Gp. = 'Gegenpapst'; Hg. = Herzog; K. = Kaiser; Kd. = Kardinal; Kg. = König; Kgn. = Königin; Kn. = Kaiserin; Mkgr. = Markgraf; P. = Papst.

Aachen 112f. 134. 142
Ablaß 171. 214. 232. 240. 262. 285
Ablaßhandel 261. 277. 288f. 297
Adel 159f. 170. 177. 236
Adoptianismus 102. 108
Aegidius Romanus 203. 221
Ägypten 45. 56. 64f. 144
Agapitus
– I., P. 32. 54
– II., P. 125f.
Agatho, P. 66. 73. 77f.
Agnes, Kn. 161
Aistulph, langob. Kg. 59. 89–91. 98f.
Akakianisches Schisma 47
Akkon 178
Alanen 49
Albaner Berge 135
Albanien 279
Albano 44f. 94
Alberich
– I., Mkgr. 125
– II., Mkgr. 125f. 128f. 134–136. 141
Albornoz, Gil, Kd. 244. 296
Albrecht I., deutscher Kg. 199. 236
Aléman, Louis, Kd. 264
Alemannen 49
Alexander
– II., P. 148. 158. 160f.
– III., P. 174–177. 179–183. 185–187. 209. 215. 246. 294
– IV., P. 210. 212
– V., Gp. 253. 261. 263f.
– VI., P. 267–269. 271f. 274f. 278. 283f.
Alexandrien 13. 40. 54–56. 250
Alfons
– I. arag. Kg. 165
– V., arag. Kg. 255f. 258f. 274
– II., astur. Kg. 108
– III., astur. Kg. 108
– VI., kastil. Kg. 165
– VII., kastil. Kg. 165. 174
– X., kastil. Kg. 199. 201
Alfred der Große, engl. Kg. 108
Alkuin 102. 104
Amalfi 136

Ambrosiaster 29
Ambrosius von Mailand 38. 41. 45 f.
Amerika 278
Anagni 175. 192. 221. 223. 233. 238. 247
Anaklet II., Gp. 173 f. 176
Anastasios
–, K. 41
– von Saloniki 47
Anastasius
– II., P. 34. 53
– IV., P. 174. 184
– Bibliothecarius 119 f.
Ancona 280
Andreas, Ap. 55
Angeliken 290
Anjou 199. 295
Annales Romani 168
Annaten 231. 236. 262. 297
Annibaldi 197
Annibaldo von Ceccano, Kd. 243
Anse, Synode 141
Anselm
– von Canterbury 164
– von Lucca 157
Antikenrezeption 145. 176
Antiochien 13 f. 40. 54–56. 161
Apostoliker 218
apostolische Sukzession 2. 14. 28–30. 40. 55. 127. 152. 247 f. 264. 283. 391
Appellation 40. 45. 52. 83. 115. 164. 179. 188. 218. 251. 262. 282
Approbation, päpstl. 237 f.
Aquileja 44. 76. 139. 159. 206
Araber 65. 67. 71. 82 f. 87
Aragón 142. 160. 164. 169. 189. 196. 201. 203. 208. 248. 250. 252 f. 255. 258–260. 275. 278
Arianer 49. 53. 79. 291
Arius 40
Arles 39–41. 46. 49. 83–85. 104
Armutstreit 210. 240 f.
Arn von Salzburg 103
Arnald von Brescia 150. 176
Arras, Vertrag 260
Asien 240
Assisi 210
Asturien 108
Athanasios von Alexandrien 38
Augsburg 123. 289
Augustinereremiten 210. 289
Augustinus von Hippo 38. 41. 51 f. 158
Augustus, K. 134
Aurelius von Karthago 51
'Ausculta fili' 220
Avaren 65. 83
Avignon 198. 214. 224–228. 231. 243. 245 f. 248 f. 258 f. 264. 269. 284. 295 f.

Bajazet, Sultan 281
Balduin von Trier 239
Balearen 81
Balkan 45. 65. 87. 111. 297
Bamberg 134. 137. 163
Bankiers 233. 267. 271. 277. 284. 288
Barbastro 160. 164
Barcelona 143
Bari 136. 167. 246
Baronio, Cesare, Kd. 122. 145
Basel, Konzil 255–257. 260. 262–264. 276. 280–283. 285. 287. 296
Basileios I., K. 110
Basilika 19

Bayern 96f.
Becket, Thomas 175. 188
Belgrad 280
Benedikt
- II., P. 83
- III., P. 106
- V., Gp. 127f.
- VII., P. 144
- VIII., P. 123. 128. 130. 133. 136. 145
- IX., P. 128f. 141. 155. 167. 261
- X., Gp. 153. 167
- XI., P. 223
- XII., P. 213. 225–231. 233. 238. 241–243. 296
- XIII., Gp. 249–255. 258–262
- von S. Andrea 125
Benediktiner 113. 138. 141–145. 157f. 163–165
Benediktregel 113
Benevent 59. 80. 91. 100. 136. 167. 174. 188. 294
Berengar
- I., K. 125
- II., ital. Kg. 126
Bernhard von Clairvaux 173f. 177–179. 187
Bertrand
- de Déaux, Kd. 243f.
- de Poujet, Kd. 242
Besalú 143
Besançon, Hoftag 174
Bettelorden 209f. 214. 230. 249. 257. 295
Bilderstreit 88. 101. 109. 292
Biondo, Flavio 270
Birgitta von Schweden 245
Bistumsbesetzung 150–152. 205–207. 230. 276. 278
Böhmen 123. 189. 280
Bologna 185. 193. 211. 244. 255. 276f.
Bonagratia von Bergamo 240
Bonifatius 86. 96–98. 111f.
Bonifaz
- I., P. 33f. 41
- VIII., P. 187. 191f. 196. 198. 200. 203f. 206. 208. 210. 217–221. 223. 233–235. 243. 262. 271
- IX., P. 232. 261. 264f. 284
Borgia, Cesare 272. 275
Boso, Kd. 181f.
Botticelli 271
Bourges 140
Braccio da Montone 255
Braga 165. 189. 201
Bramante 271
Brancaleone degli Andalò 192
Britannien 17f. 45
Brunichilde, fränk. Kgn. 63. 84
Bulgaren 65. 105. 110f.
Burchard von Worms 139
Burckard, Johannes 285
Burgund 152. 163. 238. 253. 260. 277
Burgunden 49
Byzanz 57. 64. 66. 90. 95f. 99. 105. 109. 115. 134. 136f. 166f. 201f. 239f. 292f.; s. Griechenland, Konstantinopel, Ostreich

Caesarea 40
Caetani 196f. 219. 223. 273
- Stefaneschi, Giacomo, Kd. 243f.
Cajetan, Kd. 289
Calvin 289f.
Camaldoli 158

Cambridge 211
Campagna, röm. 17. 45. 193
Canossa 162
Canterbury 85f. 144. 164. 188. 200. 279
Capua 136. 167
Carpentras 224
Carvajal, Kd. 279
Cassiodor 61
cathedra 10. 14
causae maiores 48. 179
Cesarini, Giuliano, Kd. 255f.
Chalkedon, Konzil 38. 40. 53–55. 75–78. 141
China 202. 239
Chlodwig, fränk. Kg. 50. 57. 83
Chlothar II., fränk. Kg. 85
Christenverfolgungen 1. 5f. 9–12. 291
Christologie 53. 75
Cisneros, Francisco Ximenez de, Kd. 278
Cîteaux 199
Cividale, Konzil 250. 252
Civitavecchia 89. 117
Clarendon, Konstitutionen 188
Clemens
- I., P. 5. 12f. 27f. 111
- II., P. 148
- III., Gp. 153. 162. 167. 175
- III., P. 172. 175. 177f. 180f. 183f. 191
- IV., P. 195f. 202. 206. 233
- V., P. 205. 217. 223. 226f. 230f. 234. 236f. 240. 242
- VI., P. 217. 225–228. 231f. 235. 238. 243. 245
- VII., Gp. 247–249. 251. 258–260. 262. 264. 271–273. 275
- VII., P. 276. 281. 288f. 297
- VIII., Gp. 258
'Clericis laicos' 220. 234
Clermont, Konzil 160
Cletus, P. 12
Cluny 141–144. 148. 155. 157. 165. 173f.
Codex iuris canonici 298
Cölestin
- I., P. 45
- II., P. 174
- III., P. 180f. 189f.
- IV., P. 192
- V., P. 216. 219. 234
Cölestiner 219
Cola di Rienzo 224. 243f.
Colonna 197. 208. 219–221. 223. 254. 265. 272f. 276
–, Prospero, Kd. 266
–, Sciarra 221. 238
Compilatio prima 186
Compilatio tertia 204
Compilatio quinta 204
Constitutio Romana 106
Conti 192. 197
Cornelius, P. 11f. 15
Corpus iuris civilis 61f.
Cortes, kastil. 201
Crescentier 124. 126–128. 134f. 294
Cuxá 143
Cyprian von Karthago 15. 27. 51

Dänemark 166
Dänen 123. 144
Dalmatien 67
Damasus
- I., P. 23. 25f. 28f. 32. 39. 45f. 53
- II., P. 148

Dante 224. 236f. 261
Decentius von Gubbio 44. 48
Decius, K. 10f. 291
Decretum Gratiani 186f.
Dekretale 49f. 53. 97. 112. 115. 157. 172. 186. 188. 203f. 208. 237
Dekretisten 186
Deposition 152. 219. 256; s. Herrscherabsetzung, Papsttum (Absetzung)
Desiderius, langob. Kg. 90
Deusdedit, Kd. 157
Deutschland 123. 137. 140. 152. 158. 161f. 173. 186–190. 195. 198f. 206. 216. 227. 235f. 238–240. 242. 248. 252f. 257. 274–277. 282f. 288f. 293–297
Diakon 8; s. Kardinäle, Rom (Klerus)
'Dictatus papae' 152. 157
Dietrich von Niem 258
Dijon 142
Diokletian, K. 12. 43
Dionysius Exiguus 53. 112
Dispens 157. 168. 207f. 214. 262. 285. 290
Dominikaner 209f. 239. 290
Dominikus 210
Domkapitel 205. 220. 249
Donatisten 18. 39. 52. 291
Donau 18. 45
Dreikapitelstreit 78. 81
Dritte Welt 298
Dschem 281
Dukat, byzant. 60
Duranti, Wilhelm d. J. 242
Eck, Johannes 289
Eduard
– I., engl. Kg. 219f. 234
– III., engl. Kg. 235f.
– IV., engl. Kg. 279
Eigenkirche 113
Einhard 104
Eirene, Kn. 103. 105. 109
Ekklesiologie 203
Emphyteuse 67. 135
England 27. 85f. 107f. 142. 144. 151. 156. 163f. 167. 173. 178f. 186. 188. 191. 200f. 203. 205–208. 214. 219. 227. 231f. 234–236. 238. 248–250. 252–254. 256f. 259. 264. 274. 277. 279. 283. 290. 296f.
Ephesos 55
–, Konzil 38. 53. 55
Episkop 7; s. Papsttum
Episkopat 159. 174. 185. 220. 242
Erbsünde 52. 204
Erzbistum 113. 136
Essen 138
Eugen
– II., P. 106
– III., P. 174. 176–179
– IV., P. 255f. 258. 260. 263–266. 268. 270–272. 285. 296
Eulalius, Gp. 34
Eusebius, P. 12
Exarch 60. 62. 64f. 74. 80f. 88–91. 98. 139. 293
'Ex debito' 230. 236
'Execrabilis' 230. 236
Exemtion 81. 133. 136–139. 141f. 145. 156. 159. 168. 181. 185. 208. 293

'Exiit qui seminat' 218. 240
Exkommunikation 214. 219. 221. 223. 232
Expektanzen 207. 230. 278
Extravaganten 186

familia 197; s. Kardinäle, Papsttum
Farfa 124. 135. 168
Fécamp 142
Felix
- III., P. 32. 41
- IV., P. 57
- V., Gp. 256f.
Ferdinand
- II., arag. Kg. 279
- I., kastil. Kg. 165
- II., sizil. Kg. 279
Ferrante, sizil. Kg. 274
Ferrara 276
Ferrara/Florenz, Konzil 256. 263
Ferula 135. 155
'Filioque' 104f. 110. 130f. 202
Fleury 142. 144
Florenz 195. 244f. 257. 270–272. 274–276. 286; s. Ferrara/Florenz
Fondi 116. 135. 247
Formosus, P. 110. 121. 124
Fra Angelico 271
François de Conzié 264
Frangipani 135. 168. 173. 175. 192
Franken 49f. 67. 83. 90. 96. 187. 293
Frankenreich 56. 83f. 86f. 89. 97f. 104. 106. 111. 116. 292f.
Frankfurt
–, Hoftag 238
–, Synode 101f.
Frankreich 142. 145. 151. 156. 158–161. 163. 173. 178. 181. 186. 188. 190. 195. 199–201. 206f. 219–221. 223–225. 227. 232f. 235f. 241. 248f. 252. 256. 259f. 274–278. 282f. 287f. 290. 293. 295–297
Franz I., franz. Kg. 275
Franziskaner 202. 210. 218. 240f. 247. 289f.
Franziskus 209f. 240
Französische Revolution 225
'Frequens' 255. 275. 296
Friaul 80
Friedrich
- I. Barbarossa, K. 168. 171f. 174–178. 182. 184. 187. 195
- II., K. 190. 192–195. 199. 209. 218. 251
- III., K. 256. 276f. 280
- der Weise, Hg. 275
Frühkapitalismus 233
Fruttuaria 139. 142
Fugger 277. 285
Fulda 112. 138
Fuldaer Annalen 120

Galeria, Grafen 135
Galerius, K. 12
Gallien 15. 18. 27. 30. 44–46. 48–52. 56. 76. 82. 85
Gallienus, K. 12
Gandersheim 138
Garigliano 123
Gegenreformation 145
Gelasius
- I., P. 27. 35f. 41f. 46. 53. 56. 58. 61. 152. 291
- II., P. 155. 168

Georg von Podiebrad, böhm. Kg. 280
Gerhoh von Reichersberg 147
Gernrode 138
Ghirlandaio 271
Giotto 243
Gnesen 140
Gorze 138. 142
Gottfried
- von Trani 197
- von Tuszien, Mkgr. 153. 161
Gozzoli, Benozzo 271
Grado 76. 139
Gratian
-, K. 40. 46
-, Kanonist 185. 204
Gregor
- I. der Große, P. 32. 43. 54. 62f. 65f. 69f. 75. 77. 79-86. 150
- II., P. 59. 66. 87-89. 95-97. 292
- III., P. 66. 89. 97
- IV., P. 114. 119. 153
- V., P. 127. 142
- VI., Gp. (1012) 128
- VI., Gp. (1045/46) 128. 155
- VII., P. 115. 130. 148. 151f. 154. 156-164. 166f. 169f. 172. 184
- VIII., P. 178. 180. 182. 186f.
- IX., P. 177. 192. 195f. 204f. 209f. 213. 218
- X., P. 196. 199. 202. 208. 216
- XI., P. 227. 233. 245f. 296
- XII., P. 249-252. 254. 261. 263f.
- von S. Grisogono, Kd. 157
- von Tours 84
Griechenland 18. 45. 65. 87. 239; s. Byzanz, Ostreich
Grottaferrata 137
Guido von Pomposa 140
Guillaume d'Estouteville, Kd. 277. 282

Hadrian
-, K. 184
- I., P. 87. 90. 94. 99-102. 108. 112. 116
- II., P. 110f. 116. 119f.
- IV., P. 170. 174. 176. 178. 189
- V., P. 192
- VI., P. 268. 272f. 277. 281. 283. 289
'Haec sancta' 254. 262. 275. 296
Häretiker (bzw. Ketzer) 7. 13. 18. 51. 160. 167. 172. 194f. 208f. 214. 218. 234. 237f. 241. 252. 261f. 289. 295f.
Haimerich, Kd. 173
Halinard von Lyon 148
Hamburg 127
Heiliges Jahr 220. 232. 243. 267. 277. 288. 295
Heiliges Land 160. 208; s. Palästina
Heinrich
- I., deutscher Kg. 123
- II., K. 128. 130f. 136. 139f. 145
- III., K. 96. 128. 145. 147f. 161f. 169. 204
- IV., K. 147. 151. 160-163. 169
- V., K. 151. 162. 177
- VI., K. 177. 187. 189f. 194
- (VII.), deutscher Kg. 195
- VII., K. 236f. 239. 242
- Raspe, deutscher Kg. 199
- I., engl. Kg. 188
- II., engl. Kg. 174f. 188
- III., engl. Kg. 195. 200
- VII., engl. Kg. 279
- VIII., engl. Kg. 279. 290

Heinrich (Forts.)
- I., franz. Kg. 161. 163
- II., kastil. Kg. 259
- III., kastil. Kg. 259
- von Langenstein 251
Helena, Kn. 19. 184
Herakleios, K. 64. 73. 77. 81
Herrschaft, weltl. 169. 171
Herrscherabsetzung 152. 162. 169. 187. 195. 200f. 247
Hieronymus 23. 25f.
Hilarius von Poitiers 38. 49
Hilarus, P. 51. 57
Himerius von Tarragona 50
Hinkmar von Reims 114f.
Hippolyt, Gp. 10
Hirsau 158
Honorius
- I., P. 63f. 66. 73f. 77f. 80f. 83
- II., Gp. 167
- II., P. 173
- III., P. 192. 196. 204. 208. 211f. 214; s. Savelli, Cencius
Hormisdas, P. 32. 45. 54. 56. 76
Hosius von Córdoba 38. 50
Hugo Candidus, Kd. 148
Humanismus 269f.
Humbert von Silva Candida, Kd. 148. 150–152. 154. 166. 172
Hundertjähriger Krieg 235. 253
Hunnen 35
Hunyadi, Johannes, ungar. Regent 279f.
Hussiten 255

Idolatrie 219. 234
Ignatios
- von Antiochien 5. 13
- von Konstantinopel 109f.
Illegitime 207; s. Klerikerkinder
Illyricum 46f. 56. 83; s. Makedonien
'incastellamento' 124
Innozenz
- I., P. 24f. 35. 39. 44. 46. 48. 51. 53. 56. 179. 291
- II., P. 159. 173. 175f. 182–184. 294
- III., Gp. 175
- III., P. 170. 177. 180. 186f. 190–194. 196–198. 200–206. 208–211. 215. 221. 244. 295
- IV., P. 192. 195. 199. 202. 207–209. 211. 214. 216. 240. 295
- VI., P. 225. 228. 233. 235. 243
- VII., P. 249. 264
- VIII., P. 267–269. 271–273. 281. 284. 289f.
Inquisition 199. 209f. 278. 289
Interdikt 200. 238
Interkalarfrüchte 231. 262
Investitur 147. 151f. 162–164. 169
Investiturstreit 147–169. 175. 183. 187. 198. 203. 225. 294
Irenäus von Lyon 14f. 49
Irland 231
Iroschotten 85f. 108
Isabella, kastil. Kgn. 279
Isidor von Sevilla 82f.
Istrien 67. 80. 99
Italia annonaria 43. 45f.
Italia suburbicaria 43–45. 47. 52. 56f. 292
Italien 17f. 27. 43–45. 50. 59f. 64f. 67. 76. 80f. 88. 96. 105. 142. 152. 158. 160. 163. 168f. 186. 195. 197. 199f. 206. 223f. 227. 236. 238. 244. 248. 252. 256f. 272.

274–277. 279. 281. 283. 288. 290. 297
–, Städte 160. 243
Ivo von Chartes 151. 157
Iwan III., Großfürst 281

Jaca 164
Jakob II., arag. Kg. 196
Jakobus
– d. Ä., Ap. 3f.; s. Santiago
– d. J., Ap. 4. 28
Jean de Abbeville, Kd. 201
Jerusalem 3. 13. 28. 40. 55. 77. 144. 160f. 170. 178. 184. 202. 291
Jesuiten 298
Jezid II., Kalif 88
Johann
– I., arag. Kg. 258
– Ohneland, engl. Kg. 188. 200
– I., kastil. Kg. 259
– II., kastil. Kg. 259
– von Salisbury 187
Johanna
– I., sizil. Kgn. 225
– II., sizil. Kgn. 255
Johannes
– V., K. 239
– I., P. 43. 45
– IV., P. 73. 77
– VII., P. 66. 74
– VIII., P. 105. 111. 116–120
– IX., P. 120
– X., P. 121. 123. 125. 129. 140
– XI., P. 125
– XII., P. 126
– XIII., P. 127. 136. 143
– XIV., P. 129
– XV., P. 145
– XVIII., P. 142. 145
– XIX., P. 132f. 139. 141
– XXII., P. 204. 218. 224f. 228–234. 236–238. 240–242. 248. 295
– XXIII., Gp. 253f. 261. 264
– Chrysostomos 38
– Scotus Eriugena 108
– von Capestrano 279
– von Gorze 143
Juan
– de Segovia 260
– de Torquemada, Kd. 278. 282
Judenpogrome 18. 160
Julian von Toledo 83
Julius
– I., P. 37. 40
– II., P. 267–269. 271–273. 275. 283. 286. 290
Justin, K. 59
Justinian, K. 59. 61. 76. 79. 81. 171

Kaiserkrönung 100. 103–105. 107. 109. 121. 125f. 128. 130f. 136. 138. 144. 162. 189. 198f. 203. 209. 236. 238f. 256f. 276f. 293f.
Kalixt
– I., P. 9. 12. 15
– II., P. 151. 154. 162. 165. 173. 178. 184f.
– III., Gp. 175
– III., P. 269. 272. 278–280. 284f.
Kanonisation 145. 220. 234
Kardinäle 93. 153f. 173f. 178–180. 182f. 188. 192f. 197–200. 205f. 212. 214. 216f. 226–228. 230f. 233. 235. 237. 239. 242. 245–254. 256. 260. 262. 264. 267. 269. 272f. 275. 279. 281. 283. 287

Kardinal
–bischof 94. 133. 153f. 183
–bistum 135
–diakon 33. 94. 132. 154. 183; s. Diakon, Rom (Klerus)
–, Familiaren 197. 227
–klerus 132; s. Rom (Klerus)
–kolleg 132. 154. 167. 169. 177. 183. 196f. 205. 216. 223f. 227f. 241. 251. 262. 272. 277. 282f. 294
–, Livreen 227. 267
–priester 25. 93f. 133. 153f. 183. 216; s. Rom (Klerus)
–protektor 210
Karl
– I. der Große, K. 59. 90f. 96. 98–106. 108f. 112f. 115. 117. 126. 128. 136. 293
– II. der Kahle, K. 105. 114
– III., K. 105
– IV., K. 225. 238f. 244. 253
– V., K. 275f.
– V., franz. Kg. 235
– VI., franz. Kg. 250. 260
– VII., franz. Kg. 260f. 277
– VIII., franz. Kg. 274. 277
– I., sizil. Kg. 195f. 199. 202. 219. 223
– Martell 87. 97f. 111
Karlmann, fränk. Kg. 97
Karmeliten 210
Kartäuser 158
Karthago 14. 39f. 52. 56. 81. 144. 291; s. Nordafrika
Kastilien s. León-Kastilien
Katalonien 108. 142f. 145. 164. 189. 293
Katharer 172. 199. 208; s. Novatian
Katharina von Siena 245
Ketzer s. Häretiker
Ketzerkreuzzüge 208f. 280; s. Häretiker, Katharer
Kirchenbann 161. 166. 194. 200
Kirchenrecht 50. 53. 82. 86. 112. 115. 139. 156f. 164. 168. 171f. 184–186. 198. 201. 203–205. 208. 221. 283. 293–295. 298
Kirchenreform 97. 105. 112f. 139f. 142. 147–153. 156–166. 169. 172. 185. 189. 234. 241f. 251–255. 257. 261–263. 277. 281–283. 289f. 294. 296. 298
Kirchenstaat 87. 90. 99–101. 106. 116f. 124. 135. 168. 181. 190–198. 214. 216. 223. 232f. 236. 242–245. 253–257. 261. 265. 271–273. 276. 283f. 287–289. 293–298; s. Pippinische Schenkung, Rom (Dukat)
Kirchenstruktur 168
Kirchenunion 167. 202. 239. 256. 280f.
Kirchenverfassung 203
Kleinasien 65. 87. 239
Klemensbrief 5. 14
Klementinen 204. 237
Klerikerkinder 194. 207; s. Illegitime
Klerus 7. 169. 171. 185. 188. 191. 219f. 235f. 238. 242. 257. 259–262. 278. 297
Knut der Große, engl. u. dän. Kg. 144
Köln 112. 115. 138. 159. 163. 256
Königswahl, deutsche 198f. 203. 237f. 275
Königsweihe 98
Kommende 262. 287

Komposition 232. 285f.
Konklave 205. 216. 223. 252; s. Papsttum (Papstwahl)
Konkordat 254f. 263f. 276–278. 298
Konon, P. 66
Konrad
– II., K. 134. 139. 144
– III., deutscher Kg. 174. 176
– IV., deutscher Kg. 199
– von Gelnhausen 251
– von Megenberg 239
Konradin, deutscher Kg. 195. 199
Konsistorium 179. 206. 226; s. Kardinäle
Konstans II., K. 62. 64. 80
Konstantin
– I. der Große, K. 15. 18f. 21. 23. 37. 39. 53. 95. 102. 132. 243. 278. 291
– IV., K. 80
– V., K. 65. 88. 103
– VI., K. 90. 103
– I., P. 66
– II., Gp. 92
Konstantinische Schenkung 90. 96. 115. 132. 134. 139. 152. 156. 166. 169. 178. 184. 196. 271. 278f. 282. 293. 298
Konstantinopel 13. 16f. 40. 43. 46f. 50. 54–56. 61. 65f. 71. 73. 77. 79. 82. 87f. 95. 109f. 112. 118. 127. 131. 166. 201f. 239. 256. 274. 279; s. Byzanz
–, Konzilien 38. 40. 53–55. 64. 71. 76–78. 110
Konstanz, Konzil 253–255. 258–264. 275f. 282f. 285. 287. 296
Konstanze, Kn. 189. 194
Konzil 62. 76. 182. 204. 206. 218. 223. 234. 239. 241f. 247. 250–253. 255. 258. 261–263. 288–290; s. Synode
–, Ansprüche 254
–, Ordo 82
–, Unfehlbarkeit 252
Konziliare Idee 218. 242. 251f. 259f. 262. 282. 296
Kopten 256; s. Ägypten, Monophysitismus
Korinth 4–6. 14. 55
Korsika 43. 81. 117. 196
Kosmaten 193. 200. 271
Kreta 64. 252
Kreuzzug 160. 177. 194–196. 200. 202. 208f. 219. 234. 237. 274. 280; s. Ketzerkreuzzug, Türkenkreuzzug
1. Kreuzzug 160f. 177
2. Kreuzzug 177f.
3. Kreuzzug 178
4. Kreuzzug 201f.
Kreuzzugszehnt 178. 208. 214. 232. 235. 240
Kroatien 140. 166
Kult und Liturgie 7. 46. 48f. 51. 57. 75. 82. 86. 112f. 130. 164. 210. 238. 278. 293f. 298; s. Papsttum (Zeremoniell), Rom (Kult)
Kurfürsten 216. 237f. 256. 275
Kurie, röm. 78. 154f. 164. 169. 180. 182f. 186. 189f. 195–197. 199f. 205–207. 210f. 217. 226f. 229–233. 235f. 238–242. 247–249. 254. 257. 260f. 264. 269f. 277f. 283f. 286. 289f. 294f. 298; s. Papsttum (Hof), Rom (Klerus)

Kurie (Forts.)
–, Ämterhandel 262. 284–289. 297
–, *confessor* 226. 229. 285
–, Datar 285
–, Gerichte 211–213. 215. 226. 228. 262. 285
–, Hofämter 155. 211f. 215. 217
–, Justizmarschall 215. 232
–, Kammer 155. 181. 183. 211–215. 217. 226–229. 247. 258. 264. 268. 284f.
–, Kanzlei 129. 155. 180. 211f. 217. 227f. 246. 262. 270. 284
–, Kapelle 130. 155. 181. 184. 193. 197. 215f. 226. 229. 269. 285
–, Kritik 217. 235. 261. 287. 289
–, Pönitentiarie 204. 211. 213f. 217. 227f. 262. 285. 290
–, Reform 182. 258. 262. 281–283. 287
–, Universität 211
Kyrill und Methodios 111

La Chaise Dieu 158
Ladislaus, sizil. Kg. 253
'Laetentur coeli' 256
Laien 159f. 169. 172
Landeskirche 222. 236. 254. 257. 260. 278f. 282. 290. 292. 296–298
Langobarden 59f. 79f. 87. 89–91. 99f. 125. 167. 292f.
Langton, Stephan 197. 200
Lateinisches Kaiserreich 201
Laurentius
–, Hl. 12. 27
–, Gp. 33
Leander von Sevilla 82f.
Legat, päpstl. 137–140. 142. 145. 154. 157. 162–164. 166. 169. 180. 188f. 197. 200f. 209. 242f. 279; s. Nuntius
Lehen, päpstl. 164. 166f. 169. 190. 196. 200f. 204. 214. 232. 237. 259. 276. 294
Lehenswesen 135
Leihanstalten 287
Leo
– I. der Große, P. 18. 27. 29f. 32. 35. 39. 41. 47–49. 53. 56f. 79. 114. 152. 291
– II., P. 64. 78
– III., P. 101–106. 108. 113. 118f. 130. 156. 184. 187. 293
– IV., P. 105. 108. 116–120
– VII., P. 141
– VIII., P. 126
– IX., P. 145f. 148–150. 154–157. 161. 163. 165f. 170. 186. 294
– X., P. 268f. 272. 275. 281. 287–289. 291
Leon
– I., K. 41. 54
– III., K. 65. 87f. 91. 94. 103. 292
León-Kastilien 143. 164f. 189. 201. 205. 248. 250. 253. 256. 259f. 278
Lérins 48
Lex regia 243
libellarische Pacht 67
Liber diurnus 71. 78. 157
Liber Extra 204
Liber pontificalis 35. 45. 57. 71. 93f. 97. 104. 107. 116–121. 291
Liber Sextus 204. 217
Liberius, P. 23. 26. 34. 40
Libri Carolini 101
Linus, P. 12. 28

Liutprand
–, langob. Kg. 59. 89
– von Cremona 125
Lodi, Frieden 279
Lodovico il Moro, Hg. 274
Lombardische Arme 209
London 85
Lothar
– I., K. 105–107. 114f. 117
– III., K. 177
Lucca 158
Lucius
– II., P. 174
– III., P. 172. 209
Ludwig
– I. der Fromme, K. 105f. 109. 113f.
– II., K. 105–107
– III., K. 121
– der Bayer, K. 235. 237f. 240–242. 251
– VI., franz. Kg. 163. 174
– VII., franz. Kg. 174
– IX., franz. Kg. 195. 220
– XI., franz. Kg. 277
– XII., franz. Kg. 274f. 277. 282
– III., sizil. Kg. 255
– von Orléans, Hg. 250. 260
Luni 91. 123
Luther, Martin 275. 289f.
Lyon 84. 141. 159. 199. 223f. 234
–, Konzilien 195. 199. 202. 205. 208. 251

Mâcon 141
Mähren 111
Magdeburg 138. 140. 231
Magdeburger Centurionen 122
Magna Carta 200
Mailand 14. 16. 40. 43–46. 51. 56. 80. 139. 160f. 237. 244f. 252. 257. 273–276
Mainz 159. 256
Makedonien 46–48; s. Illyricum
Malatesta, Carlo 254
Mallorca 232
Manfred, sizil. Kg. 195
Manichäer 18
Mantua, Kongreß 280
Marcellinus, P. 12
Marcellus, P. 12f.
Marcus, P. 21. 45
Maria, Hl. 4. 27
Marinus
– I., P. 121
– II., P. 125
Marken 193
Markus, Hl. 55
Maroniten 256
Marozia I. 125
Marseille 48
Marsilius von Padua 241f. 251
Martin
– I., P. 62f. 77
– IV., P. 196. 216
– V., P. 254f. 258f. 262–266. 268f. 271. 284. 296
– von Troppau 214
Mathilde von Tuszien 168
Mathildische Güter 168. 175. 177. 184. 190. 194
Maurikios, K. 63
Mauritius, Hl. 131
Maximilian I., K. 275. 277
Maximus Confessor 77f.
Medina del Campo, Kongreß 259
Mehmed II., Sultan 280f.
Melozzo da Forlì 271

Metropolit 17. 80. 113
Michael
– I., K. 105
– III., K. 110. 202
– von Cesena 240
Michelangelo 268. 271
Miltiades, P. 12. 39
Mission 48. 85–87. 96. 102. 109. 110f. 209. 239
Mitra 134
Mittelitalien 80. 85. 88f. 99. 106. 116. 123f. 145. 189. 192. 198f. 244. 255. 293. 295
Mobilität, soziale 170
Mönchtum 150. 157–159. 163. 185. 207. 230
Mohammed 64
Monenergismus 64. 76
Mongolen 202. 239
Monophysitismus 53f. 64. 76; s. Kopten
Monotheletismus 64. 73. 76–78. 81
Montalto 244
Montanisten 18
Monte Cassino 136
Montefiascone 245
Morus, Thomas 279
Moskau 280
Moyenmoutier 142. 148
Mozaraber 108. 143f.
Muslime 62. 82. 108. 123. 201f. 208. 292

Napoleon, K. 100. 244. 298
Narbonne 49
Navarra 248. 260
Neapel 60. 91. 136. 195f. 224. 236f. 247. 250. 253. 255–258. 265. 274. 276f.
Nepotismus 93. 194. 196f. 223f. 227f. 233. 245. 248. 264. 271f. 274. 282f. 287. 295. 297
Nestorianismus 53
Niederlande 206f.
Niederrhein 17f. 45
Nikaia, Konzilien 34. 38. 40. 53–55. 101
Nikolaitismus 149. 159; s. Zölibat
Nikolaus
– I., P. 109–111. 115f. 119. 152
– II., P. 153f. 161. 167f.
– III., P. 192. 196. 198f. 211. 218. 240. 243
– IV., P. 192. 205. 216
– V., Gp. 238
– V., P. 257f. 265f. 268. 270–274. 276. 279f. 282
– von Kues 277. 279. 281f.
Nilos 137
Nogaret, Guillaume 221. 223
Nordafrika 17f. 45. 51f. 56. 59. 64. 76. 79. 81f. 108. 123. 292; s. Karthago
Norditalien (bzw. Oberitalien) 45f. 56. 59. 88f. 91. 99. 139. 171. 173. 175f. 189. 195. 238. 275f.
Normandie 142
Normannen 123. 136. 161f. 164. 167. 169. 294
Norweger 123. 144
Novatian (bzw. Novatianer) 9. 11. 18
Nürnberg, Hoftag 238
Nuntius, päpstl. 197. 298; s. Legat

Oberrhein 248
Obrigkeit 242. 257
Observanten 290

Ockham, Wilhelm 241
Odilo von Cluny 141. 148
Offa, angelsächs. Kg. 107
Orléans 84. 140
Orsini 192. 196f. 244. 266. 272f.
–, Matteo Rosso, Kd. 223
–, Napoleon, Kd. 223f. 230. 241
Orvieto 101. 192f.
Ostgoten 16. 18. 43. 47. 49. 59. 61
Ostia 17. 42. 45. 94. 117
Ostreich 43. 47. 53f. 58. 239; s. Byzanz, Konstantinopel
Otto
– I. der Große, K. 96. 122f. 125–127. 136. 138–140. 161. 167. 239. 294
– III., K. 96. 127f. 130. 134. 136f. 139f. 142. 161. 294
– IV., K. 194. 200
Oxford 211

Paderborn 103
Padua 263
Palästina 64. 66. 144. 160. 202
palatium 118. 132
Palestrina 135
Pallium 42. 45. 113. 115. 134f. 155
Pamiers 220
Pandulf, Kd. 182
Papst, Papsttum
– s. Kurie, Rom
–, Abdankung 219. 254. 257
–, Absetzung 121. 128. 241. 252. 254. 256
–, Ansprüche und Rechte 29. 37–40. 42–44. 48f. 52–54. 56f. 78f. 89. 95. 114–116. 152. 161. 166. 172f. 203f. 218. 241. 256. 262f. 281f. 291f. 294–298
–, Apokrisiar 63. 76. 82; s. Legat, Nuntius
–, Archiv 37. 39. 68. 119. 155. 285
–, Defensoren 36f. 68. 70. 92. 118
–, *domuscultae* 94f. 117. 124
–, *familia* 197. 204. 215. 229. 249
–, Finanzen 36. 66. 181. 193. 199f. 206f. 214. 229–233. 235f. 240. 254f. 257f. 260. 262. 264f. 276. 284–288. 295–297
–, Hof 57. 68–70. 92. 118. 134. 178. 211. 217. 264
–, *iudices* 71. 92f. 106. 118f. 129. 132. 155. 176. 197
–, Kritik 165. 172. 182. 217. 239–241. 249. 261f. 271. 287. 289f. 295–297
–, Notare 37. 68. 70. 92. 118
–, Papstkrönung 118. 198. 223. 225. 233f. 239. 246. 252. 254. 269. 271
–, Papstmesse 63
–, Papstpalast 217. 224–227. 244–246. 250. 265f. 269. 273. 295; s. Rom (Lateran, Vatikan)
–, Papstwahl 34f. 62. 68. 71. 106. 119. 126. 150. 153. 173. 180. 183. 192. 196. 205. 217. 219. 223–228. 246. 248. 252. 254. 257. 262f. 269. 283. 287
–, Papstweihe 34. 62. 106. 118. 155. 183. 198
–, Patrimonien 66–68. 80. 84f. 88. 101. 292
–, Primat 15. 16. 51. 56. 78. 141. 145. 189. 202. 221. 280
–, Reform 242. 258. 263. 282. 290
–, *schola cantorum* 70. 197
–, Unfehlbarkeit 217f.

Papst (Forts.)
–, Vikar, päpstl. 47f. 84. 88. 114
–, Zeremoniell 63. 69. 74. 95. 118. 137. 155f. 181–184. 198. 215. 225f. 229. 247. 264. 268f. 285. 295
Paris 140. 211. 241f. 249. 251
Parlament, engl. 231. 236
Parlement (Toulouse) 261
Parusie 1. 5
Paschalis
– I., P. 105f. 114
– II., P. 148. 155f. 162. 168
– III., Gp. 174f.
Passau 111
'Pastoralis cura' 237
Pataria 160
Patriarch, Patriarchat 55f. 64. 76. 79. 88. 109f. 127. 161. 169. 202
patriarchium 74. 118
patricius 90f. 98f. 128. 134
Patroclus von Arles 48
Paul
– I., P. 92f.
– II., P. 268. 270. 272. 280. 286
– III., P. 268. 287
Paulikianer 88
Paulus, Ap. 3f. 13–15. 20. 24. 27. 29f. 44. 50. 89. 291
Pavia 59. 90. 98. 100. 129. 132. 134. 139. 275f.
Pavia/Siena, Konzil 255f.
Peking 202
Pelagianer 52
Pelagius I., P. 45. 63. 76f. 80. 103
Peñiscola 254. 258
Pentapolis 91. 100
Perpignan 250. 252. 258
Perser 64f.
Persien 202
Perugia 223. 240. 244
Perugino 271
'Per venerabilem' 203
Pest 235. 243. 276
Peter
– II., arag. Kg. 201
– III., arag. Kg. 201
– IV., arag. Kg. 258
– von Amiens 160
Peterspfennig 107. 140. 144. 166
Petrarca 224. 243
Petrus
–, Ap. 2–5. 14f. 20. 24. 27–29. 44. 50. 52. 55. 57. 78. 86. 89. 91. 98–100. 102. 137. 141. 163–165. 187. 291
–, Kult 27f. 50. 55. 79. 81. 85. 89. 97. 291
– Damiani 140. 148. 150. 152. 158
– Venerabilis 174
Pfarreiorganisation 22. 170
Pfründen 206f. 228. 230f. 235f. 248f. 252. 258. 262. 264. 278. 286–288
Philipp
– von Schwaben, deutscher Kg. 190. 194
– II. August, franz. Kg. 178. 188
– IV. der Schöne, franz. Kg. 200. 219–221. 234–236. 251. 295
– V., franz. Kg. 224
– VI., franz. Kg. 234
– der Gute, Hg. 260
Phokas, K. 63f.
Photianisches Schisma 109f. 293
Photios von Konstantinopel 109f.
Pierleoni 168. 173–176

Pierre
- d'Ailly 249
- de Foix, Kd. 258
- de Prés, Kd. 228
Pileus de Prata, Kd. 249
Pilger 25. 30. 50. 71. 79. 84. 108. 113. 138. 144. 171. 220. 267. 277
Pinturicchio 271
Pippin, fränk. Kg. 89–91. 96–100. 112. 292
Pippinische Schenkung 91. 99. 192; s. Kirchenstaat
Pisa, Konzilien 250–253. 259–261. 263. 275. 282
Pius
- II., P. 270–272. 280. 282–285. 288
- III., P. 272. 283
- XII., P. 298
Platina 270
plenitudo potestatis 47. 114. 152. 168. 203. 237. 294
Polen 123. 140. 166. 283. 297
Pomponius Laetus 270
pontifex maximus 37f. 74
Pontificale 130. 239
'Pornokratie' 122
Porphyr 156. 183f.
Porto 17. 45. 94. 110
Portugal 189. 201. 203. 248. 259f. 278. 283
Poitiers 234
Prämonstratenser 185
Prager Kompaktaten 280
Pragmatische Sanktion (554) 62
Pragmatische Sanktion von Bourges (1438) 260. 277f.
Presbyter 8; s. Kardinäle, Rom (Klerus)
Presbyterien 183
Primas 159. 165. 169. 189
Priszillanisten 51
privilegium fori 171. 220. 261
privilegium ordinis 171
Prokurationen 181. 232. 262
Provence 49. 56. 67. 83. 252; s. Arles
Provision 206f. 260–262
Pseudo-Isidorische Dekretalen 114f. 153. 156. 185. 298
Pseudoklementinen 55

Quidort, Jean 242
Quierzy 98

Raffael 120. 271
Raimund von Peñaforte 197. 204. 214
ratione peccati 204
Ravenna 14. 16. 40. 44. 46. 60. 80. 89–91. 100. 104. 112. 116. 139; s. Exarch
Regularkanoniker 158. 160. 163. 171. 173f. 185. 207. 242
Reichsvikariat 237
Reims 140. 142. 161
Rekkared, westgot. Kg. 79. 82
Reliquien 26. 113. 116. 184
Renaissance 266. 269–271
Renaissance des 12. Jahrhunderts 171f.
René von Anjou, sizil. Kg. 274. 277
Reordination 150
renovatio imperii Romanorum 127
Reservation 207. 230. 262. 278
Reskript, kaiserl. 53
Rhein 87. 160; s. Niederrhein, Oberrhein

Rheinland 48
Rhône 18. 224. 227
Richard I. Löwenherz, engl. Kg. 178. 188
Richter, delegierte 179. 215
Rieti 192
Ripoll 143
Ritterorden 208. 234
Robert
– II., franz. Kg. 141 f.
– der Weise, sizil. Kg. 237. 241
Rodas 143
Roger II., sizil. Kg. 189
römisches Recht 171 f. 179. 185. 216; s. Corpus iuris civilis
Rom 4 f. 16 f. 40. 43 f. 54. 59. 62–64. 68. 87. 92. 103 f. 116 f. 133. 138. 144 f. 162. 167–171. 173. 175. 177. 182. 191–193. 195. 197 f. 201. 207. 214. 217. 223. 225 f. 232. 236. 239. 242. 244–246. 248 f. 254 f. 257. 259. 261. 265 f. 268 f. 271. 273. 276 f. 287 f. 290. 292–298; s. Kardinäle, Kurie, Papsttum
–, Adel 67. 70 f. 87. 92–94. 106. 117. 119–121. 124. 126. 152. 168. 175–177. 192. 196 f. 227. 243 f. 265 f. 273. 292 f.
–, Bevölkerung 17. 31 f. 34 f. 74. 167. 176 f. 192. 243. 267. 273. 276
–, Borgo von St. Peter 117. 267
–, christliche Gemeinde 4 f. 8 f. 12 f. 15. 23. 39 f. 75. 291 f.
–, Diakonie 70. 72. 74
–, Diözese 133. 150
–, Dukat 60. 87. 89–91. 94. 99. 101; s. Kirchenstaat
–, Engelsburg 267
–, Forum 63. 72 f. 93. 133
–, *fraternitas Romana* 133. 176. 211
–, *governatore* 268. 284
–, Griechen 9. 17. 70–73
–, Juden 4 f. 8. 18. 288
–, Kapitol 118. 243. 268
–, Kirchen 19–25. 29. 31. 35 f. 39. 43. 57. 61. 63 f. 72–74. 102. 116 f. 129. 131. 133. 154. 176. 184. 196. 243. 247. 267. 269
–, Klerus 9. 11. 21 f. 24. 26. 30–34. 36 f. 39. 61. 67–70. 75 f. 93–95. 118. 126. 132. 152. 154. 166. 176. 178. 198. 292
–, Klöster 25. 70. 72–74. 113. 133. 137
–, Kommune 174–177. 184. 192 f. 244. 268. 284. 294. 297
–, Kritik 177
–, Kult und Liturgie 12 f. 18. 20. 22. 25–27. 30. 32. 37. 57. 73–75. 87. 112 f. 129–131. 164. 182–184. 197. 278. 291 f. 294
–, Lateran 20 f. 24. 66. 72. 74. 83. 93–95. 102 f. 106. 112. 117 f. 120. 124. 129. 131–133. 154–156. 158. 168. 176. 183 f. 192. 198. 209. 214. 226. 237. 243 f. 247. 266. 269
–, –, Konzilien 148. 162. 175. 180. 183. 189. 201. 205. 208 f. 219–221. 275. 277. 282 f.
–, Miliz 63. 65. 70 f. 74. 93. 124. 176. 246
–, Paläste 267
–, Palatin 63. 66. 74. 117. 127. 129
–, Sacco di Roma 276. 287. 290
–, Senat 16 f. 23 f. 32. 35. 66. 70. 74. 176 f. 191–193. 196. 243 f.

–, Siedlungsgebiete 9. 61. 74. 132–134. 162. 168. 246. 267f.
–, S. Maria Maggiore 24. 72. 74. 154. 278
–, S. Sebastiano 13. 20
–, St. Paul 6. 12f. 20. 25. 29f. 35. 72. 74. 107. 117. 131. 141. 154
–, St. Peter 6. 12f. 20–22. 24f. 27. 29f. 35. 50. 57. 72. 74. 90. 94. 102–105. 107. 112f. 117f. 120. 131. 133. 144. 154f. 168. 184. 192. 196. 198. 214. 226. 237. 243f. 246. 266f. 269
–, Stadtmauer 89. 117
–, Stadtpräfekt 35. 63. 73. 134. 268
–, Synoden 34. 39f. 42. 46. 73. 77. 80. 91. 93. 102. 109. 113. 116. 121. 128. 130. 132. 138. 142f. 147f. 150–154. 220f. 253
–, Universität 211
–, Vatikan 244. 246. 266f. 269. 283
–, –, Konzil I 78. 248
–, Zömiterien 9. 12. 19f. 22f. 28. 30. 116
Romagna 193
'Romani principes' 237
Romuald von Camaldoli 140
Rothari, langob. Kg. 59
Rouen 49. 206
Rudolf von Habsburg, deutscher Kg. 193. 199
Rufinus von Aquileja 28
Ruprecht, deutscher Kg. 253. 257

S. Vincenzo al Volturno 136
Sabina 100. 133. 135. 168
Sahagún 165
Saisset, Bernard 220
Saladin, Sultan 178; s. 3. Kreuzzug, Kreuzzugszehnt
Salamanca 211
Salerno 136. 162. 167
Saloniki 40. 46f. 83. 88. 114
salva auctoritate sedis apostolice 159
Salzburg 111
Sancho
– I. Ramírez, arag. Kg. 164
– VII., navarr. Kg. 201
– II., portug. Kg. 201
Sangallo 271
Santiago de Compostela 143. 165. 170. 189. 201
Sarazenen 87. 107. 117. 120. 122f. 135. 167. 293
Sardica, Synode 40. 45. 50. 115
Sardinien 43. 81. 196
Sarzana 245
Savelli 192. 196. 244. 273
–, Cencius, Kd. 181f. 196; s. Honorius III.
Savonarola 274
Schisma 10. 34. 57. 109. 153. 166f. 173–175. 178. 180. 185. 226. 242. 246–265. 278f. 294. 296
Schottland 173. 231. 248
Schutz, päpstl. 137. 140f. 166. 169. 189. 293f.
Schweden 123
sedes apostolica 14. 28. 159. 165
Sergius
– I., P. 65f. 73
– II., P. 107. 120
– III., P. 121. 124f. 129. 293
– IV., P. 128. 130f.
Servitien 206. 214. 216. 231–233. 247. 262. 288. 297

Sforza 275
–, Francesco, Hg. 273 f.
Siena s. Pavia/Siena
Sigismund, K. 253 f.
Signorelli 271
Silva Candida 133
Silverius, P. 32. 62
Silvester
– I., P. 21. 95. 278; s. Konstantinische Schenkung
– II., P. 127. 129 f. 134 f. 139. 143
– III., Gp. 128
Simon de Cramaud 250. 252
Simonie 34. 85. 113. 120. 128. 147. 149 f. 160. 166. 169. 172. 232. 248. 254. 261. 283. 287
Simplicius, P. 25. 45. 51
Sinekure 230 f.
Siponto 136. 167
Siricius, P. 23. 31. 47. 49–51. 53
Sixtus
– II., P. 11–13. 27
– III., P. 24. 33
– IV., P. 266–273. 280. 284–286. 288. 297
Sizilien 18. 43 f. 62. 67. 71. 80. 88. 123. 167. 174. 179. 188–190. 194–196. 202 f. 255. 259. 274
Skander-Beg, alban. Fürst 279
Skandinavien 109. 189. 207. 297
Slawen 65. 67. 83. 111
Smyrna 14
Soliman II., Sultan 281
Spanien 15. 18. 30. 44 f. 50–52. 56. 59. 65. 76. 81–83. 102. 108. 123. 143. 158. 164. 186. 189. 201. 206 f. 227. 234. 253 f. 274–276. 278 f. 282 f. 287. 291. 297
Spiritualen 218. 240
Spiritualien 151
Spital 170 f.
Split, Synode 140
Spoleto 59. 80. 100. 107. 193
Spolien 207. 231. 262
St.-Denis 98
St.-Pons-de-Thomières 142. 164
St. Viktor (bei Marseille) 158
Städte 160. 170 f. 175. 239. 257. 296
Ständeversammlung, franz. 220
Statute of Praemunire 236
Statute of Provisors 236
Stedinger 208
Stephan
– I., P. 15
– II., P. 89–91. 98. 292
– III., P. 92 f.
– IV., P. 120 f.
– V., P. 120 f.
– IX., P. 148. 153. 161. 166
–, engl. Kg. 174
Straßburg 239
Subiaco 124. 135. 168
Subsidien 232. 245
Süditalien 71. 80. 85. 88. 123. 125. 135–138. 145. 167. 173. 194. 259. 274. 280. 293 f.
Suger von St.-Denis 174. 188
'Super cathedram' 210
'Super speculam' 211
Sutri 89. 128. 141. 147
Sweben 49
Symeon von Armenien 144 f.
Symmachianische Fälschungen 33. 42 f. 103. 218. 292
Symmachus, P. 33–35. 42. 53. 56
Synode 8. 33. 38. 40. 45. 49–52. 54. 82. 84–86. 88. 97. 101. 105. 109 f. 113. 115. 137–139. 141 f. 147.

151. 154. 156f. 160f. 166. 172. 174. 189. 201. 249; s. Konzil
Syrien 56. 64–66. 73

Tankred von Lecce, sizil. Kg. 190
Tarragona 50. 143
Templer 234
Temporalien 151f. 162. 200
Terracina 116. 135
Terreni, Guido 218
Tertullian 14f.
Theatiner 290
Theoderich der Große, ostgot. Kg. 16. 42f. 59. 61
Theodor
–, P. 66. 74. 77f.
– von Tarsos 86
Theodosius I. der Große, K. 40f. 46
Theodulph von Orléans 101
Theophylakt, Senator 124f. 128. 293
Thomas von Aquin 211. 221. 239
Thomismus 298
Tiara 118. 134. 183. 198. 247
Timur Lenk 239
Titus, K. 4
Tivoli 45. 135. 176. 247
Toledo 51. 83. 108. 159. 165. 189. 278
–, Konzilien 82f.
Toleranzedikt 1. 12
Tordesillas, Vertrag 278
Toskana (bzw. Tuszien) 45. 59. 100. 193f. 245
Totila, ostgot. Kg. 60
Toulouse 49. 206. 261
Tours 174
Trajan, K. 7
Translationstheorie 187. 203
Trient, Konzil 282f. 298
Trier 104. 115. 159
Türken 239f. 274. 279–281. 297
Türkenkreuzzug 256. 281
Tuskulaner 124. 126. 128f. 131. 133. 135. 137. 140f. 153. 183. 294

Ubertino von Casale 240
Ulrich von Augsburg 138. 145
'Unam sanctam' 187. 203f. 221. 278
Ungarn 123. 140. 166. 188. 204. 279. 281. 283. 297
Universalkirche 156. 164. 168. 175. 198. 229. 251f. 262. 282f. 294–296
Universität 172. 185f. 197. 204. 210f. 220. 249. 251f. 257. 260
Urban
– II., P. 148. 150–153. 155f. 158–160. 162–165. 167. 170
– IV., P. 195. 200. 202. 215. 295
– V., P. 225–227, 230f. 233. 239. 244–246. 296
– VI., P. 246–249. 262
Urgel 143
Ursinus, Gp. 23

Valentin, P. 106
Valentinian
– II., K. 40
– III., K. 41
Valerian, K. 11
Valla, Lorenzo 270. 279
Vallombrosa 158
Vandalen 17. 35f. 49. 52. 59
Venaissin 225. 232

Venedig 171. 175. 250. 257. 274–276. 280
'Venerabilem' 198. 203
Venetien 60. 80. 91. 99
Verona 172
Vespasian, K. 243. 291
via cessionis 249–251. 260
via facti 249. 251
Via Flaminia 60
Vich 143
Vienne 48
–, Konzil 231. 234. 240. 242. 251
Vigilius, P. 62f. 66. 74. 76f. 80f. 115
Vikar Christi 29. 137. 152. 203. 219. 240. 261. 269
Vikar Petri 29. 48. 89. 292
Viktor
– I., P. 14f. 30
– II., P. 148. 161
– IV., Gp. 174. 176. 182f.
Villeneuve-lès-Avignon 227. 250
Visconti 237. 244f. 252. 273
–, Filippo Maria, Hg. 273
visio beatifica 241
vita apostolica 158
Vitalian, P. 64. 66
Vitelleschi, Kd. 266
Viterbo 101. 192f. 245
Völkerrecht 208
Völkerwanderung 17
Vorderasien 64

Wahl, kirchl. 150f. 180. 199. 205. 294; s. Papsttum (Papstwahl)
Wenzel, deutscher Kg. 257
Westfälischer Friede 297
Westgoten 17. 35f. 41. 46. 49. 51. 59. 65. 79. 82. 112. 165. 292
westliche Inseln 44. 79. 95. 278
Westminster 200
Westreich 43. 45. 51f. 57f. 62
Wiclif, John 236
Wien 281
Wikinger 108. 123
Wilfrith 86
Willibrord 86. 96
Wilhelm
– von Holland, deutscher Kg. 199
– I. der Eroberer, engl. Kg. 163
– II., sizil. Kg. 189
– von Volpiano 142. 148
Winchester 206
Worms 163
Wormser Konkordat 152. 162
Würzburg, Hoftag 175

York 85. 144

Zabarella, Francesco, Kd. 253
Zacharias, P. 66. 89. 94. 98
Zenon, K. 41
Zisterzienser 158. 170. 173f. 179. 185. 209. 213. 225. 241. 249. 289f.
Zölibat 31f. 50. 69. 149. 157. 160. 166. 169. 172. 189. 201. 207f. 298
Zosimus, P. 31. 33. 48. 51f.
Zweigewaltenlehre 41f. 58. 152. 169. 187. 292
Zweischwerterlehre 187. 204. 221
Zwingli 289
Zypern 64